중졸 검정고시

기출문제집

꿈을 향해 나아가고 있는 검정고시 수험생 여러분!

위대한 랍비 마빈 토케이어는 '영원히 살 것처럼 배우고 내일 죽을 것처럼 살아라'라고 했습니다. 하루를 살기 위해서는 하루를 살기 위한 지혜를 배워야 하고, 일생을 살기 위해서는 수많은 지혜를 배워야 한다는 진솔한 가르침을 주는 말이라고 생각합니다. 수험생 여러분! 때를 놓쳤고, 나이 들었고, 어려운 상황이라며 아름다운 내일을 포기하지 않기를 바랍니다.

검정고시에 합격하는 길은 험하지도, 가파르지도 않습니다. 기본서로 성실하게 공부하고 복습하고 나서 기출문제집으로 난이도와 출제경향을 파악하면 길이 열립니다. 모의고사로 실력 점검을 하고 약점을 보완하면 시험장에서 당황하지 않고 편안하게 답을 찾을 수 있습니다.

편저자들은 오랫동안 쌓인 경험과 판단으로 '기출문제집'을 만들었습니다. 기출문제를 풀어보면 어떻게 공부해야 하고 무엇에 집중해야 하는지 '감'을 잡을 수 있습니다. 여러분은 이 책을 다음과 같이 활용하기를 바랍니다.

첫째, 기본서로 공부하는 수험생은 실제 시험처럼 시간을 재어가면서 연도별로 풀어보기를 권합니다. 틀린 문제는 꼭 다시 풀어보고 기본서를 되짚어보기를 바랍니다.

둘째, 기출문제집으로 시작하는 수험생은 총정리 교재와 함께 공부하면서 보완하는 학습법을 권합니다.

셋째, 어떤 단계이든 기출문제에 익숙해져야 합니다. 과목별 오답노트를 꼼꼼하게 만들어 점검하면 같은 유형의 문제를 또 틀리지 않게 됩니다.

수험생 여러분께 말씀드린 기출문제집 활용법대로 차근차근 나아가면 고득점으로 합격하리라 믿습니다. 여러분! 즐겁고 신명나게 공부하길 바랍니다.

― 편저자 일동

시험안내

1 시험 과목 및 합격 결정

시험 과목 (6과목)	필수	국어, 수학, 영어, 사회, 과학(5과목)
	선택	도덕, 기술·가정, 체육, 음악, 미술, 정보 과목 중 1과목
배점 및 문항	문항 수	과목별 25문항(단, 수학 20문항)
	배점	문항당 4점(단, 수학 5점)
합격 결정	고시합격	각 과목을 100점 만점으로 하여 평균 60점(소수점 셋째 자리에서 절사) 이상을 취득한 자를 합격자로 결정(단, 평균이 60점 이상이라 하더라도 결시과목이 있을 경우에는 불합격 처리)
	과목합격	시험성적 60점 이상인 과목은 과목합격을 인정하고, 본인이 원할 경우 다음 차수의 시험부터 해당 과목의 시험을 면제하며, 그 면제되는 과목의 성적은 이를 고시성적에 합산함 ※ 과목합격자에게는 신청에 의하여 과목합격증명서 교부

2 응시 자격

① 초등학교 졸업자 및 이와 동등 이상의 학력이 있는 사람
② 초·중등교육법 시행령 제29조의 규정에 의하여 학적이 정원외로 관리되는 사람
③ 3년제 고등공민학교 졸업자 및 졸업예정자
④ 중학교에 준하는 각종학교의 졸업자 또는 졸업예정자
⑤ 보호소년 등의 처우에 관한 법률 시행령 제69조 제2호에 해당하는 사람

※본 공고문에서 졸업 예정자는 최종 학년에 재학 중인 사람을 말함

| 응시자격 제한 |

1. 중학교 또는 초·중등교육법 시행령 제97조 제1항 제2호의 학교를 졸업한 사람 또는 재학 중인 사람
2. 공고일 이후 초등학교 졸업자
3. 공고일 이후 1의 학교에 재학 중 학적이 정원 외로 관리되는 사람
4. 고시에 관하여 부정행위를 한 사람으로서 처분일로부터 응시자격 제한기간이 경과되지 아니한 사람

3 제출서류(현장접수)

① 응시원서(소정서식) 1부

② 동일한 사진 2매(탈모 상반신, 3.5cm×4.5cm, 3개월 이내 촬영)

③ 본인의 해당 최종학력증명서 1부
- 졸업증명서(소정서식)
  ※ 상급학교 진학여부가 표시된 검정고시용에 한함
  　졸업 후 배정받은 상급학교에 진학하지 않은 사람은 미진학사실확인서 추가 제출
- 초 · 중 · 고등학교 재학 중 중퇴자는 제적증명서
- 초등학교 및 중학교 의무교육 대상자 중 정원 외 관리대상자는 정원 외 관리증명서
- 초등학교 및 중학교 의무교육 대상자 중 면제자는 면제증명서(소정서식)
- 평생교육법 제40조에 따른 학력인정 대상자는 학력인정서
- 초 · 중등교육법 시행령 제96조제1항제2호 및 제97조제1항제3호에 따른 학력인정 대상자는 학력인정증명서(초졸 및 중졸 검정고시 합격자는 합격증서 사본 또는 합격증명서)
- 합격과목의 시험 면제를 원하는 사람은 과목합격증명서 또는 성적증명서
- 3년제 고등공민학교, 중 · 고등학교에 준하는 각종 학교의 졸업(예정)자는 졸업(예정)증명서
- 3년제 기술학교, 고등기술학교 졸업(예정)자, 3년제 직업훈련원의 수료자는 직전학교 졸업증명서

④ **신분증** : 주민등록증, 외국인등록증, 운전면허증, 대한민국 여권, 청소년증, 장애인등록증 중 하나
  ※ 온라인 접수 : 사진 1매, 본인의 해당 최종학력증명서 1부(현장접수와 동일)

시험에 관한 자세한 사항은 한국교육과정평가원 홈페이지(http://www.kice.re.kr) 또는 ARS(043-931-0603) 및 각 시·도 교육청 홈페이지에서 확인하시기 바랍니다.

기출문제집 둘러보기

01

최신기출문제 수록

2025~2021년 최근 5년간의 기출문제를 수록하여 최근의 출제경향과 문제 유형에 대해 파악할 수 있습니다. 기출문제를 반복적으로 풀어보면서 문제의 유형과 자주 나오는 개념을 파악하여 확실하게 '내 것'으로 만들 수 있습니다.

02

친절하고 자세한 해설

문제 풀이에 집중할 수 있도록 정답 및 해설을 별도로 정리하여 수록하였습니다. 검정고시 시험에 특화된 각 과목 선생님들의 정확하고 상세한 해설을 통해 정답인 이유와 오답인 이유를 꼼꼼하게 파악하여 같은 실수를 반복하지 않도록 완벽한 이론 학습이 가능합니다. 해설을 통해 문제에 대한 풀이와 함께 관련 이론을 확인하여 개념을 다시 한 번 정리할 수 있고, 여러 가지 접근 방법을 통해 다양한 학습을 할 수 있습니다.

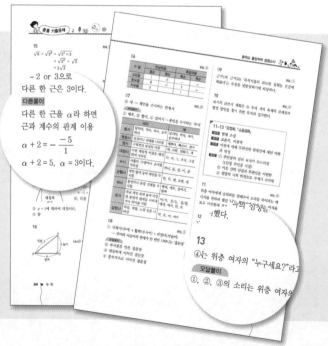

차 례

국 어

중학교 졸업학력 검정고시 대비 기출문제

똑 같 은 **기 출** 똑 똑 한 **해 설**

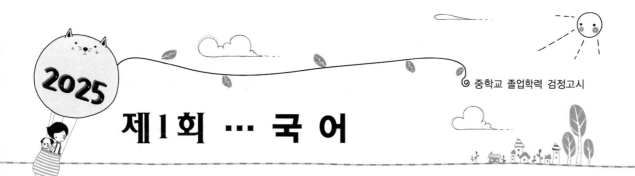
제1회 ··· 국어

01 상대의 말에 공감하며 반응하는 대화로 ㉠에 들어가기에 가장 적절한 것은?

오늘 미술 시간에 인물화를 그렸는데 점수를 낮게 받아서 우울해.

㉠

① 나는 인물화 정말 잘 그리는데, 부럽지?
② 점수를 낮게 받아서 정말 많이 속상하겠다.
③ 평소에 연습도 안 하면서 점수만 잘 받길 바라니?
④ 난 만점 받아서 하늘로 날아갈 것처럼 기분이 좋아.

02 다음 말하기에서 알 수 있는 사회자의 역할로 가장 적절한 것은?

> 사회자 : 안녕하세요. 오늘 토의 주제는 '우리 지역 축제 활성화 방안'입니다. 토의는 축제 프로그램 구성, 관광객 유치 방안, 주민 참여 활성화 방안을 논의 하는 순서로 진행하겠습니다.

① 토의의 개념을 설명한다.
② 토의의 순서를 안내한다.
③ 토의 결과를 요약하며 마무리한다.
④ 토의 참여자를 청중에게 소개한다.

03 밑줄 친 부분이 '한글 맞춤법'에 맞게 표기된 것은?

① 감기 어서 빨리 <u>낳아</u>.
② <u>떡볶기</u>를 같이 만들어 먹자.
③ 토요일에 우리 집에 놀러 와도 <u>돼</u>.
④ 나는 매콤한 <u>김치찌게</u>를 먹고 싶어.

04 밑줄 친 단어들의 공통점으로 적절한 것은?

> ○ 비행기<u>가</u> 하늘로 날아올랐다.
> ○ 등굣길에 친구<u>와</u> 만나서 같이 갔다.

① 사람이나 사물의 이름을 나타낸다.
② 놀람, 느낌, 부름, 대답을 나타낸다.
③ 사람이나 사물의 움직임을 나타낸다.
④ 다른 말과의 문법적 관계를 나타낸다.

05 밑줄 친 부분이 ㉠에 해당하는 것은?

> 문장 성분에는 주어, ㉠ 서술어, 목적어, 보어, 관형어 등이 있다.

① <u>아기가</u> 하품을 했다.
② 영수가 <u>신발을</u> 샀다.
③ 우리는 과자를 <u>먹었다</u>.
④ 민주가 <u>반장이</u> 되었다.

06 다음과 관련 있는 언어의 특성으로 가장 적절한 것은?

> 새로운 단어나 문장을 끊임없이 만들어 낼 수 있다.

① 창조성   ② 자의성
③ 사회성   ④ 분절성

07 다음 규정에 맞게 발음하지 <u>않은</u> 것은?

> ■ 표준 발음법 ■
> 【제13항】 홑받침이나 쌍받침이 모음으로 시작된 조사나 어미, 접미사와 결합되는 경우에는, 제 음가대로 뒤 음절 첫소리로 옮겨 발음한다.

① 꽃을[꼬즐]   ② 낮이[나지]
③ 밖에[바께]   ④ 옷을[오슬]

08 다음을 참고할 때, 이어진 문장이 <u>아닌</u> 것은?

> 두 개 이상의 문장이 나란히 이어져서 연결된 문장을 이어진 문장이라고 한다.

① 마당에 꽃이 피었다.
② 윤지는 웃었지만 민서는 울었다.
③ 이것은 감이며 저것은 사과이다.
④ 동생은 초등학생이고 형은 중학생이다.

09 다음 개요에서 통일성에 <u>어긋나는</u> 부분은?

주제	카페인 섭취를 줄여야 한다.
처음	카페인을 과도하게 섭취하는 사람들이 많다. ㉠
중간	• 카페인을 과도하게 섭취하면 수면의 질이 떨어진다. ……………………………………… ㉡ • 바른 언어 습관은 원만한 인간관계 형성에 도움이 된다. ……………………………… ㉢ • 카페인을 과도하게 섭취하면 잦은 이뇨 작용으로 몸속의 수분이 부족해진다. ……… ㉣
끝	카페인을 과도하게 섭취하면 건강에 좋지 않으므로 카페인 섭취를 줄여야 한다.

① ㉠   ② ㉡
③ ㉢   ④ ㉣

10 ㉠~㉣에 대한 고쳐 쓰기 방안으로 적절하지 <u>않은</u> 것은?

> 머리카락은 우리 몸에서 다양한 기능을 한다. 먼저 머리카락은 각종 노폐물을 배출한다. 수은이나 비소와 같은 중금속이 우리 몸에 쌓이면 위험한데, 머리카락은 이러한 성분을 끊임없이 ㉠두피밖으로 내보낸다. ㉡중금속은 산업 발전의 중요한 원동력이다.
> 또한 머리카락은 우리의 뇌를 보호한다. 한 사람의 머리에는 약 십만 가닥 정도의 머리카락이 있다. 이 많은 머리카락이 두개골을 감싸 뇌가 받는 충격을 ㉢더해 준다. ㉣왜냐하면 두피의 온도가 급격하게 올라가거나 내려가지 않도록 하여 뇌를 안전하게 지켜준다.

① ㉠ : 띄어쓰기에 어긋나므로 '두피 밖으로'로 고친다.
② ㉡ : 글의 흐름에서 벗어난 내용이므로 삭제한다.
③ ㉢ : 문맥에 어울리지 않으므로 '줄여'로 바꾼다.
④ ㉣ : 문장의 호응을 고려하여 '만일'로 고친다.

[11~13] 다음 글을 읽고 물음에 답하시오.

> 나 보기가 역겨워
> 가실 때에는
> 말 없이 고이 보내 드리우리다
>
> 영변에 약산
> 진달래꽃
> 아름 따다 가실 길에 뿌리우리다
>
> 가시는 걸음걸음
> 놓인 그 꽃을
> 사뿐히 즈려밟고 가시옵소서
>
> 나 보기가 역겨워
> 가실 때에는
> 죽어도 아니 눈물 흘리우리다
>
> — 김소월, 「진달래꽃」 —

11 윗글에 대한 설명으로 가장 적절한 것은?

① 같은 구절을 반복했다.
② 청유형 문장을 사용했다.
③ 미각적 이미지를 사용했다.
④ 묻고 답하는 형식을 활용했다.

12 윗글의 화자에 대한 설명으로 가장 적절한 것은?

① 이별의 상황을 가정하고 있다.
② 물질주의적 삶을 동경하고 있다.
③ 자신의 유년 시절을 회상하고 있다.
④ 떠나온 고향의 모습을 그리워하고 있다.

13 다음을 참고할 때, 윗글의 끊어 읽기가 적절하지 않은 것은?

> 이 시는 전통적인 3음보의 율격을 계승하였기에 시의 내용을 생각하며 적절하게 세 번씩 끊어 읽는 것이 좋다.

① 나 보기가 / 역겨워 / 가실 때에는 //
② 말 / 없이 고이 보내 / 드리우리다 //
③ 아름 따다 / 가실 길에 / 뿌리우리다 //
④ 사뿐히 / 즈려밟고 / 가시옵소서 //

[14~16] 다음 글을 읽고 물음에 답하시오.

> ㉠ 하루는 밤에 아저씨 방에서 놀다가 졸려서 안방으로 들어오려고 일어서니까 아저씨가 하얀 봉투를 서랍에서 꺼내어 내게 주었습니다.
> "옥희, 이거 갖다가 엄마 드리고 지나간 달 밥값이라고, 응."
> 나는 그 봉투를 갖다가 어머니에게 드렸습니다. ㉡ 어머니는 그 봉투를 받아 들자 갑자기 얼굴이 파랗게 질렸습니다. 그 전날 달밤에 마루에 앉았을 때보다도 더 새하얗다고 생각 되었습니다. 어머니는 그 봉투를 들고 어쩔 줄을 모르는 듯이 초조한 빛이 나타났습니다. 나는,
> "그거 지나간 달 밥값이래."
> 하고 말을 하니까 어머니는 갑자기 잠자다 깨나는 사람처럼 "응?" 하고 놀라더니 또 금시에 ㉢ 백지장같이 새하얗던 얼굴이 발갛게 물들었습니다. 봉투 속으로 들어갔던 어머니의 파들파들 떨리는 손가락이 지전을 몇 장 끌고 나왔습니다. 어머니는 입술에 약간 웃음을 띠면서 "후!" 하고 한숨을 내쉬었습니다. 그러나 그것도 잠깐, 다시 어머니는 무엇에 놀랐는지 흠칫하더니 금시에 ㉣ 얼굴이 다시 새하얘지고 입술이 바르르 떨렸습니다. 어머니의 손을 바라다보니 거기에는 지전 몇 장 외에 네모로 접은 하얀 종이가 한 장 잡혀 있는 것이었습니다.

어머니는 한참을 망설이는 모양이었습니다. 그러더니 무슨 결심을 한 듯이 입술을 악물고 그 종이를 차근차근 펴 들고 그 안에 쓰인 글을 읽었습니다. 나는 그 안에 무슨 글이 씌어 있는지 알 도리가 없었으나 어머니는 그 글을 읽으면서 [A] 금시에 얼굴이 파랬다 발갰다 하고 그 종이를 든 두 손은 이제는 바들바들이 아니라 와들와들 떨리어서 그 종이가 부석부석 소리를 내게 되었습니다.

한참 후에 어머니는 그 종이를 아까 모양으로 네모지게 접어서 돈과 함께 봉투에 도로 넣어 반짇고리에 던졌습니다. 그러고는 정신 나간 사람처럼 멀거니 앉아서 전등만 쳐다 보는데 어머니 가슴이 불룩불룩합니다.

– 주요섭, 「사랑손님과 어머니」–

14 윗글의 내용으로 적절하지 <u>않은</u> 것은?

① 아저씨는 나에게 하얀 봉투를 주었다.
② 나는 하얀 봉투를 어머니께 드렸다.
③ 어머니는 하얀 봉투를 열지 않았다.
④ 어머니는 하얀 봉투를 반짇고리에 던졌다.

15 [A]에 대한 설명으로 적절한 것은?

① 계절의 변화가 나타난다.
② 구체적인 지명이 제시된다.
③ 인물과 자연환경의 대립이 나타난다.
④ 인물의 행동을 통해 심리가 드러난다.

16 ㉠~㉣ 중 다음 설명에 해당하지 <u>않는</u> 것은?

> '나(옥희)'는 '어머니'의 모습을 관찰자 입장에서 서술하고 있다.

① ㉠　　　② ㉡
③ ㉢　　　④ ㉣

[17~19] 다음 글을 읽고 물음에 답하시오.

어사또는 동헌 마루에 높이 앉아 분부하였다.
"남원부 변 사또는 악행이 높으니 당장 포박하여 옥에 가둬라!"
변 사또를 옥에 가둔 어사또는 옥중에 갇힌 죄인의 사연을 다 들은 후 죄 없는 사람은 즉시 풀어 주었다. 풀려난 사람들은 기뻐 춤을 추며 어사또의 공덕을 치하하였다.
마지막으로 어사또는 옥을 지키는 형리에게 일렀다.
"춘향이를 칼* 벗겨 대령하라."
(중략)
춘향이는 죽은 듯이 엎드려 있는데, 가는 목에 큰칼 차고 곱던 머리 산발하고 옷자락에는 붉은 핏물 얼룩지고 그 참혹한 광경은 두 눈 뜨고 차마 보지 못할 지경이었다. 어사또 눈에 눈물이 그렁그렁, 혹 남에게 들킬세라 부채로 얼굴을 가린 채 물었다.
"분부 들어라. 너는 기생으로서 관의 명령을 어기고 발악 하였으니 살기를 바랄쏘냐? 죽어 마땅하나 내 수청을 든다면
목숨은 살려 주마."
기가 막힌 춘향이가 고개를 번쩍 들고,
"초록은 동색이요, 가재는 게 편이라더니 내려오는 사또 마다 빠짐없이 명관이로구나."
한탄하며 말을 이었다.
"어사또는 들으시오. 절벽 위에 우뚝 솟은 높은 바위 바람 분들 무너지며, 사시사철 푸른 소나무 눈이 온들 비가 온들 변하리까? 틀린 소리 마옵시고 어서 바삐 죽여 주소."

어사또는 더 이상 묻지 않고 빙긋 웃더니 옥반지를 꺼내 사령에게 주었다.

"이것을 춘향이에게 주어라."

춘향이 제 앞에 놓인 옥반지를 보니, 이별할 때 자기가 이 도령에게 준 바로 그것이었다.

"춘향이는 고개를 들라."

그제야 춘향이가 번쩍 고개를 들었다. 동헌 마루에 높이 앉은 어사또는 어제 저녁 옥문 밖에 왔던 낭군이 분명하였다. 꿈인가 생시인가. 물끄러미 어사또를 바라보는 춘향이 눈에 구슬 같은 눈물이 서려 옷깃을 적시며 조용히 흘러내렸다.

"얼씨구 좋구나, 지화자 좋구나. 어제 저녁 걸인 사위, 어사가 웬 말이냐? 꿈이거든 깨지 말고 생시거든 오늘만 같아라."

춘향이가 죽을 줄만 알고 울며불며 따라왔던 월매는 울다 웃다 덩실덩실 어깨춤을 추었다.

             – 작자 미상, 「춘향전」–

* 칼 : 죄인에게 씌우던 형틀

17 윗글에 대한 설명으로 적절한 것은?

① 이야기를 장과 막으로 전개한다.

② 의인화된 사물의 일생을 기록한다.

③ 실제 경험한 일을 진솔하게 표현한다.

④ 서술자가 인물에 대한 이야기를 전달한다.

18 윗글의 내용으로 적절하지 않은 것은?

① 어사또는 변 사또를 옥에 가두라고 분부했다.

② 어사또는 형리에게 춘향이를 대령하라고 일렀다.

③ 어사또는 눈물을 들킬까 봐 부채로 얼굴을 가렸다.

④ 월매는 사위가 어사가 된 것을 알고 크게 실망했다.

19 옥반지 에 대한 설명으로 적절한 것은?

① 춘향이의 잘못을 드러낸다.

② 어사또의 정체를 드러낸다.

③ 변 사또의 결백을 밝혀 준다.

④ 이 도령의 질투심을 표현한다.

[20~22] 다음 글을 읽고 물음에 답하시오.

우리나라는 '배달 공화국'이라고 해도 지나치지 않을 만큼 배달 산업이 발달하였다. 이로 인해 배달 산업에 참여하는 업체가 많아지면서 빠른 속도는 경쟁력이 되었다. 심지어 오전에 주문하면 오후에 받는 당일 배달도 가능해졌다. 세상이 편해 졌다고 좋아할 수도 있겠지만 그 이면에는 부정적인 ㉠ 측면도 있다. 일부 택배 기사들은 빨리 배달하려고 ㉡ 과속을 하거나 신호를 어겨 교통사고가 나기도 한다. 실제로 2012년 안전 보건공단의 조사에 따르면 택배 업종에서 발생한 산업 재해* 가운데 도로 교통사고가 절반 이상을 차지하였다.

이 외에도 문제는 또 있다. 아침에 분류한 물건을 그날 안에 배달해야 하기 때문에 택배 기사들은 밤늦게까지 일을 멈출 수 없다. 2017년 서울노동권익센터가 실시한 조사에 따르면 이들의 주당 평균 노동 시간은 74시간이다. 일 년이면 3,848시간으로 2017년 기준 경제협력개발기구(OECD) 1인당 연간 평균 노동 시간 1,759시간의 두 배가 넘는다. 우리나라 택배 기사들은 배송 시간을 지키려고 과도한 노동을 하고 있는 것이다.

산업의 규모가 커지면 해당 업종에 종사하는 사람들의 ㉢ 수입이 느는 게 일반적이지만, 택배 기사들은 그렇지 못하다. 택배 시장이 과열되면서 더 저렴한 가격을 내세운 가격 경쟁이 심해졌기 때문이다. 유류비, 통신비 등의 각종 비용을 제외하면 택배 기사들은 택배 한 건당 평균 800원 정도를 벌 수 있다. ㉣ 단순 계산해서, 한 달에 약 350만 원 정도를 벌려면 25.3일을 일하면서 하루 평균 170개 가까운 물건을 배달해야 한다. 결국 더 적게 벌면서 더 많이 배달하고 있는 것이고, 그 때문에 택배 기사는 눈코 뜰 사이 없이 일할 수밖에 없는 것이다.

             – 김용섭, 「왜 속도를 고민해야 하는가?」–

* 산업 재해 : 노동 과정에서 발생하는 사고 때문에 근로자에게 생긴 신체상의 재해

20 윗글에 대한 설명으로 적절한 것은?

① 관련된 속담을 인용하였다.

② 구체적인 수치를 제시하였다.

③ 조사 계획을 표로 제시하였다.

④ 예상되는 실험 결과를 추측하였다.

21 윗글의 내용과 일치하지 <u>않는</u> 것은?

① 배달 산업에 참여하는 업체가 많아지면서 빠른 속도는 경쟁력이 되었다.

② 배달 산업의 발달로 오전에 주문하면 오후에 받는 당일 배달도 가능해졌다.

③ 우리나라 택배 기사들은 물건의 배송 시간을 지키려고 과도한 노동을 한다.

④ 택배 시장이 과열되면서 더 비싼 가격을 내세운 가격 경쟁이 심해졌다.

22 ㉠~㉢의 사전적 의미로 적절하지 <u>않은</u> 것은?

① ㉠ : 사물이나 현상의 한 부분

② ㉡ : 느린 속도

③ ㉢ : 돈이나 물품 따위를 거두어들이는 것

④ ㉣ : 복잡하지 않고 간단함.

[23~25] 다음 글을 읽고 물음에 답하시오.

과학자들은 지구 온난화가 지속되면 가장 먼저 생존에 위협을 받을 종으로 북극곰을 꼽았다. 미국은 지구 온난화로 북극의 바다 얼음이 줄어들어 북극곰의 서식지가 파괴되고 있는 현상을 확인하고, 2008년에 알래스카에 사는 북극곰을 멸종 위기종으로 등록했다. ㉠ 멸종이란 생물의 한 종류가 아주 없어지는 것을 의미한다. 기후 변화 때문에 멸종 위기종 으로 등록된 것은 세계적으로 북극곰이 처음이었다. 북극곰이 지구 온난화의 첫 번째 공식 피해자로 인정받은 것이다.

미국의 멸종 위기종 보호법에 따르면, 한 동식물이 멸종 위기종으로 등록되면 정부는 이들의 서식 현황을 파악하고, 멸종을 방지하기 위해 구체적인 계획을 세워야 한다. 북극곰이 멸종 위기종이 되면서 미국 정부는 북극곰의 멸종을 막기 위해 바다 얼음이 줄어드는 데 영향을 주는 온실가스를 감축하기 위한 계획을 세워야만 하게 되었다.

그럼에도 불구하고 북극곰이 멸종 위기에서 탈출할 수 있을지는 아무도 장담할 수 없다. 지구 온난화를 막기 위해서는 세계 각국의 관심과 진정한 협력이 필요하기 때문이다. '2009년 유엔기후변화회의'를 시작으로 각국에 온실가스 감축량을 할당하는 논의가 진행되었다. ㉢ 강제적이고 실효성 있는 대책을 마련하는 데는 아직 어려움을 겪고 있다.

– 남종영, 「사라져 가는 북극곰」–

23 윗글의 내용과 일치하지 <u>않는</u> 것은?

① 지구 온난화로 북극의 바다 얼음이 늘어나고 있다.

② 미국은 2008년에 알래스카에 사는 북극곰을 멸종 위기종으로 등록했다.

③ 북극곰 멸종을 막기 위해 미국 정부는 온실가스 감축 계획을 세워야만 하게 되었다.

④ 지구 온난화를 막기 위해서는 세계 각국의 관심과 진정한 협력이 필요하다.

24 ㉠과 같은 설명 방법이 사용된 것은?

① 동물은 척추동물과 무척추동물로 나뉜다.

② 발효 음식의 예로 김치, 간장, 된장이 있다.

③ 오늘 아침에 늦잠을 자서 학교에 지각을 했다.

④ 삼각형은 세 개의 선분으로 둘러싸인 평면 도형이다.

25 문맥상 ㉢에 들어갈 말로 가장 적절한 것은?

① 결코   ② 그러면

③ 하지만   ④ 그러므로

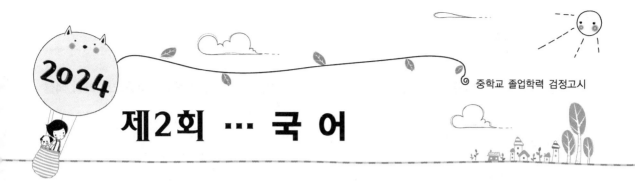

01 다음 대화에서 ㉠에 담긴 '민재'의 말하기 의도로 가장 적절한 것은?

> 민재 : 지후야, 내일 축구 경기 잊지 않았지?
> 지후 : 나는 첫 출전이라 팀에 방해가 되는 건 아닌지 걱정이야. 실수라도 하면 어쩌지?
> 민재 : ㉠ 지난번에 연습할 때 엄청 잘했잖아. 긴장하지 말고 평소 실력을 발휘하면 잘할 수 있을 거야!
> 지후 : 고마워, 내일 열심히 하자!

① 감사　　　　② 격려
③ 사과　　　　④ 양보

02 다음은 학생의 일기이다. 일기를 쓴 '나'가 보완해야 할 점으로 가장 적절한 것은?

> ○○의 일기
> 나는 오늘 국어 시간에 토론에 참여했다. 토론은 '급식 자율배식'에 관한 주제로 진행되었다. 평소 말하기에는 자신이 있었기 때문에 별다른 준비를 하지 않았다. 하지만 막상 토론을 해 보니, 상대방의 주장에 반박할 타당한 근거가 떠오르지 않아 당황스러웠다. 우물쭈물하다가 토론이 끝나 버려 매우 아쉬웠다.

① 토론의 절차와 규칙을 준수한다.
② 상대방을 존중하는 언어를 사용한다.
③ 자신의 감정을 앞세워 상대방을 비판하지 않는다.
④ 상대방의 주장에 반박할 타당한 근거를 미리 마련한다.

03 다음과 관련 있는 언어의 특성으로 가장 적절한 것은?

> '버스'를 '가방'으로, '사람'을 '토끼'로, '책상'을 '비행기'로 바꾸어 말한다면 다른 사람들이 잘 알아들을 수 없을 것이다.

① 언어는 시간의 흐름에 따라 끊임없이 변화한다.
② 언어의 의미와 말소리 사이에는 필연적인 관계가 없다.
③ 언어는 같은 언어를 사용하는 사람들 사이의 약속이다.
④ 언어를 사용하여 새로운 단어나 문장을 끊임없이 만들어 낼 수 있다.

04 밑줄 친 부분이 '한글 맞춤법'에 맞게 표기된 것은?

① 된장찌게 가격이 너무 올랐어.
② 이따 수업 맞히고 도서관에 가자.
③ 오늘은 웬지 그림을 그리고 싶어.
④ 남은 짐들은 모두 집으로 부쳤어.

05 다음 설명에 해당하는 자음은?

> '잇몸소리'는 혀끝과 윗잇몸이 닿아서 나는 소리이다.

① ㄱ　　　　② ㅁ
③ ㅈ　　　　④ ㅌ

06 다음 규정에 맞게 발음하지 <u>않은</u> 것은?

> ■ 표준 발음법 ■
> 【제11항】 겹받침 'ㄹㄱ, ㄹㅁ, ㄹㅍ'은 어말 또는 자음 앞에서 각각 [ㄱ, ㅁ, ㅂ]으로 발음한다.
> 다만, 용언의 어간 말음 'ㄹㄱ'은 'ㄱ' 앞에서 [ㄹ]로 발음한다.

① 굵고[굴:꼬]　　② 맑게[막께]

③ 읊고[읍꼬]　　④ 젊지[점:찌]

07 밑줄 친 단어의 품사가 ㉠과 같은 것은?

> 그곳의 경치는 ㉠아름답다.

① 밥이 정말 맛있다.

② 새로 산 신발이 나에게 작다.

③ 사진을 보니 옛 추억이 생각난다.

④ 학생들이 운동장에서 축구를 한다.

08 다음 설명에 해당하는 예로 적절하지 <u>않은</u> 것은?

> 주어와 서술어의 관계가 두 번 이상 나타나는 문장을 '겹문장'이라고 한다.

① 토끼가 들판에서 풀을 뜯는다.

② 바람이 불고 나무가 흔들린다.

③ 나는 겨울이 오기를 기다린다.

④ 비가 와서 우리는 소풍을 연기했다.

09 다음 개요의 ㉠에 들어갈 내용으로 가장 적절한 것은?

처음	웃음에 대한 사람들의 경험
중간	1. 웃음의 신체적 효과 　가. 폐 기능을 개선할 수 있다. 　나. 근육의 긴장을 풀 수 있다. 2. 웃음의 정신적 효과 　가. 불안감을 해소할 수 있다. 　나. 행복감과 편안함을 얻을 수 있다. 3. 웃음의 사회적 효과 　가.　　　㉠ 　나. 공동체의 분위기를 긍정적으로 만들 수 있다.
끝	웃음의 중요성

① 면역력을 강화할 수 있다.

② 스트레스를 해소할 수 있다.

③ 심장 건강을 증진할 수 있다.

④ 타인과의 유대감을 강화할 수 있다.

10 ㉠~㉣에 대한 고쳐쓰기 방안으로 적절하지 <u>않은</u> 것은?

> 지금까지 내가 겪은 많은 일 가운데 가장 기억에 남는 일은 축구부 활동을 ㉠했다. 나는 초등학교 3학년 때 축구부 감독님께 ㉡발각되어서 축구부에 들어갔다. ㉢이번 월드컵에서 우리나라 축구 대표 팀이 좋은 성과를 거두었다. 그런데 초등학교 5학년 때 축구부가 해체되었고, 다시 축구를 하려면 전학을 가서 기숙사 생활을 해야 했다. ㉣왜냐하면 나는 축구를 그만두게 되었다.

① ㉠ : 문장의 호응을 고려하여 '할 것이다'로 바꾼다.

② ㉡ : 문맥에 어울리지 않으므로 '발탁'으로 바꾼다.

③ ㉢ : 글의 흐름에서 벗어난 내용이므로 삭제한다.

④ ㉣ : 문장이 자연스럽게 연결되도록 '결국'으로 바꾼다.

[11~13] 다음 글을 읽고 물음에 답하시오.

"아부지!"

부르는 소리가 들렸다. 만도는 깜짝 놀라며 얼른 뒤를 돌아 보았다. 그 순간 만도의 두 눈은 무섭도록 크게 떠지고, 입은 딱 벌어졌다. 틀림없는 아들이었으나, 옛날과 같은 진수는 아니었다. 양쪽 겨드랑이에 지팡이를 끼고 서 있는데, 스쳐가는 바람결에 한쪽 바짓가랑이가 펄럭거리는 것이 아닌가. 만도는 눈앞이 노래지는 것을 어쩌지 못했다. 한참 동안 그저 멍멍하기만 하다 코허리가 찡해지면서 두 눈에 뜨거운 것이 핑 도는 것이었다.

"에라이, 이놈아!"

만도의 입술에서 모질게 튀어나온 첫마디였다. 떨리는 목소리였다. 고등어를 든 손이 불끈 주먹을 쥐고 있었다.

"이기 무슨 꼴이고, 이기?"

"아부지!"

"이놈아, 이놈아……."

만도의 들창코가 크게 벌름거리다가 훌쩍 물코를 들이마셨다. 진수의 두 눈에서는 어느 결에 눈물이 꾀죄죄하게 흘러내리고 있었다. 만도는 모든 게 진수의 잘못이거나 한 듯 험한 얼굴로,

"가자, 어서!"

무뚝뚝한 한마디를 던지고는 성큼성큼 앞장을 서 가는 것이었다.

(중략)

개천 둑에 이르렀다. 외나무다리가 놓여 있는 그 시냇물이다. 진수는 슬그머니 걱정이 되었다. 물은 그렇게 깊은 것 같지 않지만, 밑바닥이 모래흙이어서 지팡이를 짚고 건너가기가 만만할 것 같지 않기 때문이다. 외나무다리 위로는 도저히 건너갈 재주가 없고……. 진수는 하는 수 없이 둑에 퍼지고 앉아서 바짓가랑이를 걷어 올리기 시작했다. 만도는 잠시 멀뚱히 서서 아들의 하는 양을 내려다보고 있다가,

"진수야, 그만두고 자아, 업자."

하는 것이었다.

"업고 건너면 일이 다 되는 거 아니가. 자아, 이거 받아라."

고등어 묶음을 진수 앞으로 민다.

"……."

진수는 퍽 난처해하면서, 못 이기는 듯이 그것을 받아 들었다. 만도는 등어리[1]를 아들 앞에 갖다 대고 하나밖에 없는 팔을 뒤로 버쩍 내밀며,

"자아, 어서!"

진수는 지팡이와 고등어를 각각 한 손에 쥐고, 아버지의 등어리로 가서 슬그머니 업혔다. 만도는 팔뚝을 뒤로 돌리면서 아들의 하나뿐인 다리를 꼭 안았다. 그리고,

"팔로 내 목을 감아야 될 끼다."

했다. 진수는 무척 황송한 듯 한쪽 눈을 찍 감으면서, 고등어와 지팡이를 든 두 팔로 아버지의 굵은 목줄기[2]를 부둥켜안았다. 만도는 아랫배에 힘을 주며, '끙!' 하고 일어났다. 아랫도리가 약간 후들거렸으나, 걸어갈 만은 했다. 외나무다리 위로 조심조심 발을 내디디며 만도는 속으로,

'이제 새파랗게 젊은 놈이 벌써 이게 무슨 꼴이고? 세상을 잘못 만나서 진수 니 신세도 참 똥이다, 똥!'

이런 소리를 주워섬겼고[3], 아버지의 등에 업힌 진수는 곧장 미안스러운 얼굴을 하며,

'나꺼정 이렇게 되다니 아부지도 참 복도 더럽게 없지. 차라리 내가 죽어 버렸더라면 나았을 낀데…….'

하고 중얼거렸다.

㉠ 만도는 아직 술기가 약간 있었으나, 용케 몸을 가누며 아들을 업고 외나무다리를 조심조심 건너가는 것이었다. 눈앞에 우뚝 솟은 용머리재가 이 광경을 가만히 내려다보고 있었다.

– 하근찬, 「수난이대」–

1) 등어리 : '등'의 방언.
2) 목줄기 : '목덜미'의 방언.
3) 주워섬기다 : 들은 대로 본 대로 이러저러한 말을 아무렇게나 늘어놓다.

11 윗글에 나타난 인물들의 심리 상태로 적절하지 <u>않은</u> 것은?

① 만도는 처음에 진수의 모습을 보고 매우 놀란다.

② 진수는 만도가 자신을 업는 것에 대해 미안해한다.

③ 만도는 현재 진수의 상황에 대해 안타까워하고 있다.

④ 진수는 자신을 외면하는 만도에게 증오심을 느끼고 있다.

12 윗글에서 알 수 있는 내용으로 적절하지 <u>않은</u> 것은?

① 만도는 진수의 아버지이다.

② 진수는 외나무다리를 보고 난감해한다.

③ 진수는 지팡이를 내려놓고 만도의 등에 업혔다.

④ 만도는 한쪽 팔이 없고, 진수는 한쪽 다리가 없다.

13 윗글의 내용을 고려할 때, ㉠에 대한 설명으로 가장 적절한 것은?

① 만도와 진수의 대립 양상을 드러낸다.

② 현실을 회피하려는 만도의 심정을 강조한다.

③ 등장인물이 난관을 극복해 나가는 모습을 보여 준다.

④ 현재 상황에 대한 인물들의 냉소적인 태도를 암시한다.

[14~16] 다음 글을 읽고 물음에 답하시오.

> 먼 훗날 당신이 찾으시면
> 그때에 내 말이 '잊었노라'
>
> 당신이 속으로 나무라면
> '무척 그리다가 잊었노라'
>
> 그래도 당신이 나무라면
> '믿기지 않아서 잊었노라'
>
> 오늘도 어제도 아니 잊고
> 먼 훗날 그때에 '잊었노라'
>
> – 김소월, 「먼 후일」–

14 윗글에 대한 설명으로 가장 적절한 것은?

① 의인화한 소재들을 나열하고 있다.

② 시적 상황을 가정하여 표현하고 있다.

③ 의문문의 형식을 사용하여 표현하고 있다.

④ 화자의 감정을 자연물에 이입시키고 있다.

15 윗글에서 운율을 형성하는 요소로 적절하지 <u>않은</u> 것은?

① 각 행을 세 마디로 끊어 읽을 수 있다.

② 각 연을 동일한 글자로 시작하고 있다.

③ 동일한 시어를 반복적으로 사용하고 있다.

④ 유사한 문장 구조가 여러 번 나타나고 있다.

16 윗글에 나타난 화자의 주된 정서로 가장 적절한 것은?

① 임에 대한 그리움

② 이웃에 대한 연민

③ 이상향에 대한 동경

④ 자신에 대한 부끄러움

[17~19] 다음 글을 읽고 물음에 답하시오.

북곽 선생이 소스라치게 놀라 달아나는데, 혹 사람들이 ㉠ 자기를 알아볼까 겁을 먹고는 한 다리를 목에 걸어 귀신 춤을 추고 귀신 웃음소리를 내었다. 문을 박차고 달아나다가 그만 들판의 움 속에 빠졌는데, 그 안에는 똥이 그득 차 있었다. 겨우 버둥거리며 붙잡고 나와 머리를 내밀고 살펴보니 이번엔 범이 앞길을 막고 떡 버티고 서 있다. 범이 얼굴을 찌푸리며 구역질을 하고, 코를 가리고 머리를 돌리면서 한숨을 쉬며,

"㉡ 선비, 어이구. 지독한 냄새로다."

하였다. 북곽 선생은 머리를 조아리고 엉금엉금 기어서 앞으로 나가 세 번 절하고 꿇어앉아 머리를 들며,

"범 님의 덕이야말로 참으로 지극합니다. 군자들은 범의 빠른 변화를 본받고, 제왕은 범의 걸음걸이를 배우며, 사람의 자제들은 범의 효성을 본받고, 장수들은 범의 위엄을 취합니다. 범의 이름은 신령한 용과 함께 나란하여, 구름은 용을 따르고 바람은 범을 따릅니다. 인간 세상의 천한 사람이 감히 범 님의 영향 아래에 있습니다."

하니 범이 호통을 치며,

"가까이 오지도 마라. ㉢ 내 일찍이 들으매 선비 유 자는 아첨 유 자로 통한다더니 과연 그렇구나. 네가 평소에는 천하의 나쁜 이름이란 이름은 모두 끌어모으다가 함부로 우리 범에게 덮어씌우더니, 이제 사정이 급해지니까 면전에서 낯간지러운 아첨을 하는구나. 그래, 누가 네 말을 곧이듣겠느냐?"

(중략)

북곽 선생은 자리를 옮겨 엎드리고 엉거주춤 절을 두 번 하고는 머리를 거듭 조아리며,

"옛글에 이르기를, '비록 악한 사람이라도 목욕재계[1]하면 하느님도 섬길 수 있다.'라고 했으니, ㉣ 이 천한 신하, 감히 범 님의 다스림을 받고자 합니다."

하고는 숨을 죽이고 가만히 들어 보나, 오래도록 범의 분부가 없었다. 두렵기도 하고 황송하기도 하여 손을 맞잡고 머리를 조아리며 우러러 살펴보니, 날이 밝았고 범은 이미 가 버렸다.

아침에 김을 매러 가는 농부가 있어서,

"북곽 선생께서 어찌하여 이른 아침부터 들판에 절을 하고 계십니까?"

하고 물으니 북곽 선생은,

[A] "내가 『시경』[2]에 있는 말을 들었으니, '하늘이 높다 이르지만 감히 등을 굽히지 않을 수 없고 땅이 두텁다 이르지만 살금살금 걷지 않을 수 없네.' 하였다네."

라며 대꾸했다.

— 박지원, 「호질」—

[1] 목욕재계 : 부정(不淨)을 타지 않도록 깨끗이 목욕하고 몸가짐을 가다듬는 일.
[2] 『시경』 : 오경(五經)의 하나. 중국 최고(最古)의 시집으로, 주나라 초부터 춘추 시대까지의 시 311편을 수록함.

17 윗글의 내용으로 적절하지 않은 것은?

① 북곽 선생은 귀신 춤을 추며 달아났다.
② 북곽 선생의 몸에서는 지독한 냄새가 풍겼다.
③ 범은 북곽 선생의 말을 곧이곧대로 받아들였다.
④ 범은 북곽 선생에게 인사도 없이 사라져 버렸다.

18 [A]에 드러난 '북곽 선생'의 태도로 가장 적절한 것은?

① 허세를 부리고 있다.
② 농부를 칭찬하고 있다.
③ 잘못을 자책하고 있다.
④ 범에게 고마워하고 있다.

19 ㉠~㉣ 중 가리키는 대상이 나머지와 다른 것은?

① ㉠
② ㉡
③ ㉢
④ ㉣

[20~22] 다음 글을 읽고 물음에 답하시오.

[A] 해양 쓰레기의 60에서 80퍼센트는 플라스틱이 차지하고 있다. 플라스틱 쓰레기는 바다를 떠다니다가 잘게 부서져 새와 바다거북, 돌고래와 같은 동물들에게 해를 끼치고 있다. (㉠) 흉물스럽게 버려진 플라스틱 쓰레기는 자연 경관을 해쳐 관광 산업에도 피해를 주며, 선박의 안전도 위협한다. 그뿐만 아니라, 사람의 눈에 잘 보이지 않는 미세 플라스틱은 물고기의 내장이나 싱싱한 굴속에도 유입되어 우리의 식탁에 오른다. 결국은 우리의 건강까지 위협하는 것이다.

지질 시대에 만들어진 석유는 지구가 매우 오랜 기간에 걸쳐 만들어 낸 소중한 자원이다. 하지만 우리는 이 소중한 석유를 겨우 10분가량 사용할 플라스틱으로 만들었다가, 다시 수백 년 동안 분해되지 않는 쓰레기로 만들고 있다. 길바닥에 나뒹구는 쓰레기로, 바다를 떠다니는 해양 쓰레기로, 매립장에 가득 쌓인 쓰레기로 말이다. 지금까지 사람들이 만들어 낸 모든 플라스틱 쓰레기는 썩지 않고 이 지구 어딘가에 존재하고 있다. 그런데도 계속해서 플라스틱을 이렇게 편하게 쓰고 쉽게 버려도 될까? 손이 닿는 곳이면 어디에나 있는 플라스틱을 전혀 사용하지 않고 생활하기는 어렵겠지만, 줄일 수 있다면 줄여 보자. 특히 짧은 시간 사용하고 버리는 일회용 플라스틱 제품은 더더욱 선택하지 말자.

– 박경화, 「플라스틱은 전혀 분해되지 않았다」–

20 윗글에서 알 수 있는 글쓴이의 핵심 주장으로 가장 적절한 것은?

① 일회용품을 많이 사용하자.
② 국내외의 해양 생물을 보호하자.
③ 플라스틱의 생산을 전면 금지하자.
④ 플라스틱 사용을 줄이려고 노력하자.

21 다음은 윗글의 [A]를 정리한 내용이다. ㉮에 들어갈 수 없는 것은?

> • 플라스틱 쓰레기로 인한 다양한 문제점
> – 플라스틱 쓰레기는 ＿＿＿＿＿㉮＿＿＿＿＿

① 쉽게 분해되어 토양을 오염시킨다.
② 자연 경관을 해쳐 관광 산업에 피해를 준다.
③ 바다거북, 돌고래와 같은 동물들에게 해를 끼친다.
④ 해산물에 유입되어 식탁에 올라 인간의 건강을 위협한다.

22 ㉠에 들어갈 말로 가장 적절한 것은?

① 결코   ② 또한
③ 그렇지만   ④ 왜냐하면

[23~25] 다음 글을 읽고 물음에 답하시오.

소리를 들으면 모양이나 색깔을 보는 사람들이 있어요. 바로 공감각자들이지요. 공감각이란 어떤 하나의 감각이 다른 영역의 감각을 일으키는 것을 말해요.

영국 화가 데이비드 호크니의 그림 〈퐁덩〉을 감상하면 공감각을 이해할 수 있습니다. 호크니는 수영장에서 다이빙할 때 들리는 '퐁덩' 소리를 그림에 표현했거든요. 귀로 듣는 '퐁덩' 소리를 어떻게 눈으로 보게 했을까요? 색채와 기법, 구도 등 여러 요소로 조화를 이루어 그것을 가능하게 했지요.

먼저 (㉠)을/를 살펴볼까요? 수영장의 파란색 물과 다이빙 보드의 노란색이 무척 선명하게 보이는군요. 유화 물감 대신 아크릴 물감을 사용했기 때문이지요. 아크릴 물감은 유화 물감보다 빨리 마르고 색채도 더 선명하고 강렬합니다.

다음은 기법입니다. 물보라가 ㉡ 일어나는 부분

만 붓으로 흰색을 거칠게 칠하고 다른 부분은 롤러를 사용해 파란색으로 매끈하게 칠했네요. 선명한 아크릴 물감, 거칠고 매끈한 붓질의 대비가 다이빙할 때의 '풍덩' 소리와 물보라를 강조하고 있지요.

끝으로 구도인데요. 캘리포니아의 집, 수영장의 수평선, 다이빙 보드의 대각선이 야자수 줄기의 수직선과 대비를 이루네요. 거실 유리창에는 맞은편 건물이 비치고요. 한낮의 눈부신 햇살과 무더위, 정적을 나타낸 것이지요.

— 이명옥, 「그림에서 들려오는 소리」—

23 윗글에서 알 수 있는 데이비드 호크니의 그림 〈풍덩〉에 대한 설명으로 적절한 것은?

① 파도가 치는 소리를 그림에 표현했다.

② 유화 물감을 사용하여 색을 선명하게 표현했다.

③ 롤러를 사용해 물보라를 노란색으로 매끈하게 칠했다.

④ 수영장의 수평선이 야자수 줄기의 수직선과 대비를 이룬다.

24 ㉠에 들어갈 단어로 적절한 것은?

① 색채
② 소리
③ 질감
④ 향기

25 밑줄 친 부분이 ㉡과 같은 의미로 쓰인 것은?

① 나는 오늘 아침 일찍 일어났다.

② 물에 세제를 풀자 거품이 일어났다.

③ 민수가 외출하기 위해 자리에서 일어났다.

④ 그는 감기에 걸렸지만 금방 털고 일어났다.

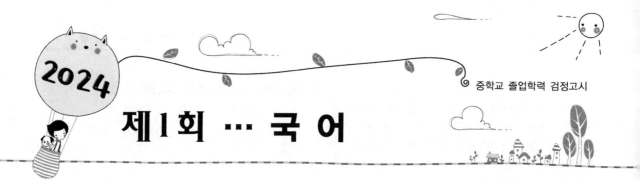

제1회 … 국어

01 다음 대화에서 '민재'의 말하기 의도로 가장 적절한 것은?

> 민재야, 나 요즘 노래 실력이 늘지 않아서 걱정이야.

> 노래 실력이 늘지 않아서 걱정이구나. 많이 속상하겠다. 힘내.

① 상대방의 잘못된 점을 지적하기
② 상대방의 감정에 공감하며 위로하기
③ 상대방의 좋은 점을 말하며 칭찬하기
④ 타당한 근거를 들어서 상대방을 설득하기

02 다음 면담의 질문 내용으로 적절하지 <u>않은</u> 것은?

> • 면담 대상 : 커피 전문가
> • 면담 목적 : 커피 전문가라는 직업에 대한 정보 얻기
> • 질문 내용 : _____

① 커피 전문가의 전망은 어떠한가요?
② 커피 전문가가 하는 일은 무엇인가요?
③ 커피 전문가가 되려면 어떻게 해야 하나요?
④ 커피 전문가는 어떤 운동을 가장 좋아하나요?

03 다음 규정에 맞게 발음하지 <u>않은</u> 것은?

> ■ 표준 발음법 제14항 ■
> 겹받침이 모음으로 시작된 조사나 어미, 접미사와 결합되는 경우에는 뒤엣것만을 뒤 음절 첫소리로 옮겨 발음한다. (이 경우, 'ㅅ'은 된소리로 발음함.)

① 값이 [갑씨]　　② 넓은 [널븐]
③ 읊어 [을퍼]　　④ 흙은 [흐근]

04 다음에서 설명하는 모음이 들어 있는 단어는?

> 이중 모음이란 소리를 낼 때 입술의 모양이나 혀의 위치가 달라지는 모음을 말한다.

① 강진　　　　② 부산
③ 영월　　　　④ 전주

05 다음 단어의 공통된 특성으로 적절한 것은?

> 바다　사탕　엄마　연필

① 수량이나 순서를 나타낸다.
② 대상의 동작이나 작용을 나타낸다.
③ 사람이나 사물의 이름을 나타낸다.
④ 대상의 성질이나 상태를 나타낸다.

06 다음을 참고할 때 밑줄 친 단어의 기본형으로 적절한 것은?

> 국어사전에서 동사와 형용사를 찾을 때는 활용할 때 변하지 않는 부분인 어간에 '–다'를 붙인 기본형으로 찾아야 한다.
> **(예)** 달리니, 달리는, 달렸다 → 달리다

① 담장에 <u>작은</u> 참새가 앉았다. → 작다
② 여기에 <u>서니</u> 독도가 보인다. → 섰다
③ 도서관에는 <u>많은</u> 책이 있다. → 많았다
④ 여름에 <u>먹는</u> 냉면은 맛있다. → 먹는다

07 밑줄 친 부분의 문장 성분이 ㉠과 같은 것은?

> 내 동생은 ㉠ <u>연구원이</u> 되었다.

① 바람이 세차게 <u>분다</u>.
② 봄꽃이 <u>활짝</u> 피었다.
③ 민서는 <u>연예인이</u> 아니다.
④ <u>아기가</u> 아장아장 걷는다.

08 밑줄 친 부분이 '한글 맞춤법'에 맞게 표기된 것은?

① 편지에 우표를 <u>부치지</u> 않고 보냈다.
② 감기가 다 <u>낳아서</u> 병원에서 퇴원했다.
③ 이번 학교 축제에는 <u>반드시</u> 참여할 거야.
④ 나는 친구가 낸 수수께끼의 정답을 <u>마쳤다</u>.

09 다음 개요에서 통일성에 어긋나는 부분은?

제목	동물이 행복한 동물원은 없다.
서론	• 좁은 우리 안에 갇힌 동물을 본 경험 ········· ㉠
본론	• 동물원은 동물이 살기에 부적합한 환경임. ····· ㉡ 　– 동물원 돌고래들의 짧은 평균 수명 • 동물원에서 동물은 극심한 스트레스를 받음. ··· ㉢ 　– 스트레스로 인한 코끼리들의 이상 행동 • 동물원은 야생 동물을 보호하는 기능을 함. ··· ㉣ 　– 사육사들의 따뜻한 돌봄을 받는 반달가슴곰
결론	동물의 행복을 위해서 동물원을 없애야 함.

① ㉠　　　　　　② ㉡
③ ㉢　　　　　　④ ㉣

10 ㉠~㉣에 대한 고쳐쓰기 방안으로 적절하지 <u>않은</u> 것은?

> 수많은 생물들이 ㉠ <u>습지를</u> 보금자리로 삼아 살고 있다. ㉡ <u>결코</u> 습지가 사라진다면 이곳에 사는 생물들도 사라질 것이다. 그런데 우리나라의 습지가 급속히 사라지고 있다. ㉢ <u>습지는 가뭄과 홍수를 예방해 주는 역할도 한다.</u> 서해안 갯벌의 경우 간척 사업 등으로 인해 이미 갯벌의 1/3이 사라졌다. 우리가 습지를 보존하지 못하면 우리나라 습지에 사는 생물들을 ㉣ <u>영원이</u> 다시 보지 못하게 될지도 모른다.

① ㉠ : 조사의 쓰임을 고려하여 '습지의'로 바꾼다.
② ㉡ : 문장의 호응이 맞지 않으므로 '만일'로 고친다.
③ ㉢ : 글의 흐름에서 벗어난 내용이므로 삭제한다.
④ ㉣ : 한글 맞춤법에 어긋나므로 '영원히'로 고친다.

[11~13] 다음 글을 읽고 물음에 답하시오.

[앞부분 줄거리] 숙모의 심부름을 간 문기는 고깃집에서 거스름돈보다 더 많은 돈을 받는다. 그 사실을 안 수만이는 돈을 쓰자고 문기를 유혹하여 사고 싶었던 물건들을 함께 산다. 그러나 양심의 가책을 느낀 문기는 남은 돈은 고깃집 마당에 던지고 샀던 물건들은 버린다. 하지만 수만이가 이것을 믿지 않고 문기에게 돈을 계속 요구하며 괴롭히자 문기는 숙모의 돈을 훔쳐서 수만이에게 준다. 이후 이웃집 점순이가 숙모의 돈을 훔쳤다는 죄를 뒤집어쓴다.

그날 밤이었다. 아랫방 들창 밑에 훌쩍훌쩍 우는 어린아이 울음소리가 났다. 아랫집 심부름하는 아이 점순이 음성이었다. 숙모가 직접 그 집에 가서 무슨 말을 한 것은 아니로되 자연 그 말이 한 입 걸러 두 집 걸러 그 집에까지 들어갔고, 그리고 그 집주인 여자는 점순이를 때려 쫓아낸 것이다. 먼 저는 동네 아이들이 모여 지껄지껄하더니 차차 하나 가고 둘 가고 훌쩍훌쩍 우는 그 소리만 남는다. 방 안의 문기는 그 밤을 뜬눈으로 새웠다.

이튿날 아침이다. 문기는 밥을 두어 술 뜨다가는 고만둔다. 뭐 그 돈을 갚기 위한 그것이 아니다. 도무지 입맛이 나지 않았다. 학교엘 갔다. 첫 시간은 수신 시간[1], 그리고 공교로이[2] 제목이 '정직'이다. 선생님은 뒷짐을 지고 교단 위를 왔다 갔다 하며 거짓이라는 것이 얼마나 악한 것이고 정직이 얼마나 귀하고 중한 것인가를 누누이 말씀한다. 그럴 때마다 문기는 가슴이 뜨끔뜨끔해진다. 문기는 자기 한 사람에게만 들리기 위한 정직이요 수신 시간인 듯싶었다. 그만치 선생님은 제 속을 다 들여다보고 하는 말인 듯싶었다.

운동장에서 문기는 풀[3]이 없다. 사람 없는 교실 뒤 버드나무 옆 그런 데만 찾아다니며 고개를 숙이고 깊은 생각에 잠기거나 팔짱을 찌르고 왔다 갔다 하기도 한다. 그러다 누가 등을 치면 소스라쳐 깜짝깜짝 놀란다.

언제나 다름없이 하늘은 맑고 푸르건만 문기는 어쩐지 그 하늘조차 쳐다보기가 두려워졌다. 자기는 감히 떳떳한 얼굴로 그 하늘을 쳐다

볼 만한 사람이 못 된다 싶었다.

언제나 다름없이 여러 아이들은 넓은 운동장에서 마음대로 뛰고 마음대로 지껄이고 마음대로 즐기건만 문기 한 사람 만은 어둠과 같이 컴컴하고 무거운 마음에 잠겨 고개를 들지 못한다. 무엇보다도 문기는 전일처럼 맑은 하늘 아래서 아무 거리낌 없이 즐길 수 있는 마음이 갖고 싶다. 떳떳이 하늘을 쳐다볼 수 있는, 떳떳이 남을 대할 수 있는 마음이 갖고 싶었다.

– 현덕, 「하늘은 맑건만」–

[1] 수신 시간 : 일제 강점기의 도덕 시간
[2] 공교로이 : 생각하지 않았거나 뜻하지 않게 우연히
[3] 풀 : 세찬 기세나 활발한 기운

11 윗글의 서술자에 대한 설명으로 적절한 것은?

① 서술자인 '나'가 자신이 겪은 사건을 서술하고 있다.
② 서술자가 사건의 전개와 배경의 변화에 따라 바뀌고 있다.
③ 서술자가 사건과 등장인물의 심리를 직접적으로 설명하고 있다.
④ 서술자인 '나'가 주변 인물의 사건을 간접적으로 전달하고 있다.

12 윗글을 읽은 학생의 반응으로 가장 적절한 것은?

① 친구와의 약속을 지키려고 노력해야겠어.
② 정직하고 떳떳하게 사는 태도가 중요하지.
③ 성실하게 수업에 참여하는 자세가 필요해.
④ 하늘을 쳐다볼 수 있는 여유를 가져야겠어.

13 윗글에서 알 수 있는 내용으로 가장 적절한 것은?

① 문기는 자신의 행동이 정당하다고 생각했다.

② 점순이는 아랫집에서 심부름을 하며 살았다.

③ 선생님은 문기의 잘못을 이미 알고 '정직'을 주제로 수업했다.

④ 숙모는 직접 아랫집에 가서 주인 여자에게 점순이가 돈을 훔쳤다고 말했다.

[14~16] 다음 글을 읽고 물음에 답하시오.

> 눈을 가만 감으면 ㉠ 굽이 잦은 풀밭 길이,
> 개울물 돌돌돌 길섶[1]으로 흘러가고,
> 백양 숲 사립을 가린 초집들도 보이구요.
>
> 송아지 몰고 오며 바라보던 진달래도
> 저녁노을처럼 산을 둘러 퍼질 것을,
> 어마씨[2] 그리운 솜씨에 향그러운 꽃지짐.
>
> 어질고 고운 그들 멧남새[3]도 캐어 오리.
> 집집 끼니마다 봄을 씹고 사는 마을.
> 감았던 그 눈을 뜨면 마음 도로 애젓하오[4].
> – 김상옥, 「사향(思鄕)[5]」 –
>
> [1] 길섶 : 길의 가장자리. 흔히 풀이 나 있는 곳을 가리킨다.
> [2] 어마씨 : 어머니
> [3] 멧남새 : 산나물
> [4] 애젓하오 : 애틋하오. 섭섭하고 애가 타는 듯하오.
> [5] 사향(思鄕) : 고향을 생각함.

14 윗글에서 시적 화자가 떠올린 고향의 모습으로 적절하지 <u>않은</u> 것은?

① 고깃배가 나란히 들어선 항구

② 온 산을 둘러 피어 있는 진달래

③ 어머니의 맛있고 향긋한 꽃지짐

④ 산나물을 캐서 돌아오는 사람들

15 윗글에서 느낄 수 있는 시적 화자의 주된 정서는?

① 그리움　　　　② 두려움

③ 부러움　　　　④ 지겨움

16 ㉠과 같은 감각적 이미지가 쓰인 것은?

① 구수한 청국장 냄새

② 하늘에 울리는 종소리

③ 달콤한 사랑의 추억

④ 노랗게 물든 황금 들판

[17~19] 다음 글을 읽고 물음에 답하시오.

> 놀부는 더욱 화를 내며 나무란다.
> "이놈아, 들어 보아라. 쌀이 아무리 많다고 해도 너를 주려고 섬[1]을 헐며, 벼가 많다고 하여 너 주려고 노적[2]을 헐며, 돈이 많이 있다 한들 너 주자고 돈꿰미를 헐며, 곡식가루나 주고 싶어도 너 주자고 큰독에 가득한 걸 떠내며, 옷가지나 주려 한들 너 주자고 행랑채에 있는 아랫것들을 벗기며, 찬밥을 주려 한들 너 주자고 마루 아래 청삽사리를 굶기며, 술지게미나 주려 한들 새끼 낳은 돼지를 굶기며, 콩이나 한 섬 주려 한들 농사질 황소가 네 필인데 너를 주고 소를 굶기겠느냐. 염치없고 생각 없는 놈이로다."
> "아무리 그렇더라도 죽는 동생 한 번만 살려 주십시오."
> (중략)
> 흥부 아내의 말이 변하여 울음이 되니 흥부가 말없이 듣고 있다가 자리에서 일어섰다.
> "여보 마누라, 울지 말아요. 내가 오늘 읍내를 나갔다 오리다."
> "읍내는 무엇 하려요?"
> "양식을 좀 꾸어서라도 얻어 와야 저 자식들을 먹이지."

"여보 영감, 그 모양에 곡식 먹고 도망한다고 안 줄 테니가 보아야 소용없는 일입니다."

"가장이 나서는데 그게 무슨 소리! 어찌 될 지는 가 봐야아는 일이지 장 안에서 도포나 꺼내 와요."

"아이고, 우리 집에 무슨 장이 있단 말이오?"

"어허, 닭장이 장이 아닌가? 가서 내 갓도 챙겨 나와요."

"갓은 또 어디에 있답니까?"

"뒤뜰 굴뚝 속에 가 봐요."

"세상에 갓을 어찌 굴뚝 속에 두었단 말입니까?"

"그런 게 아니라 지난번 국상4) 뒤에 어느 친구한테 흰 갓 하나를 얻었는데 우리 형편에 칠해 쓸 수도 없고 연기에 그을려 쓰려고 굴뚝 속에 넣어 둔 지 벌써 오래요."

흥부가 그렇게 저렇게 의관을 갖추는데 모양이 볼만 했다.

[A]
헌 망건을 꺼내 쓸 때 물렛줄로 줄을 삼고 박 조각으로 관자 달아서 상투를 매어 쓰고, 갓 테 떨어진 파립은 노끈을 총총 매어 갓끈 삼아 달아 쓰고, 다 떨어진 고의적삼 살점이 울긋불긋, 발바닥은 뻥 뚫리고 목만 남은 헌 버선에 짚 대님이 희한하다.

– 작자 미상, 「흥부전」–

1) 섬 : 곡식 등을 담기 위하여 짚으로 엮어 만든 그릇
2) 노적 : 곡식 등을 한데에 수북이 쌓음.
3) 도포 : 예전에 통상예복으로 입던 남자의 겉옷. 소매가 넓고 등 뒤에는 딴 폭을 댄다.
4) 국상 : 국민 전체가 상중에 상복을 입던 왕실의 초상

17 '놀부'와 비슷한 성격의 인물로 가장 적절한 것은?

① 일회용품 줄이기를 실천하는 사람
② 돈은 많으면서 남을 전혀 돕지 않는 사람
③ 파도에 밀려서 온 쓰레기를 청소하는 사람
④ 혼자 사는 노인을 방문하여 말벗이 되어 주는 사람

18 '흥부'에 대한 설명으로 적절하지 않은 것은?

① 가족의 생계에 대해 전혀 관심이 없다.
② 자식을 먹이기 위해 읍내로 가려고 한다.
③ 아내의 판단과 충고를 받아들이지 않는다.
④ 양식을 빌리러 가기 어려울 정도로 행색이 초라하다.

19 [A]에 대한 설명으로 적절한 것은?

① 사건을 요약적으로 제시한다.
② 배경을 통해 사건을 암시한다.
③ 인물 사이의 갈등을 강조한다.
④ 인물의 모습을 해학적으로 표현한다.

[20~22] 다음 글을 읽고 물음에 답하시오.

㉠ 세금은 그것을 납부하는 방식에 따라 직접세와 간접세로 나눌 수 있다. 직접세는 세금을 내야 하는 의무가 있는 사람과 실제로 그 세금을 내야 하는 사람이 일치하는 세금으로 소득세, 법인세, 재산세, 상속세 등이 직접세에 해당 한다.

조금 더 자세히 살펴보면, 직접세는 소득이나 재산에 따라 누진적으로 적용되는 경우가 많다. 즉 소득이 많은 사람은 세율이 높아 세금을 많이 내고 소득이 적은 사람은 세율이 낮아 세금을 적게 내는 식이다. 그렇기 때문에 직접세는 소득 격차를 줄이고 소득을 재분배하는 효과가 있다. (㉡) 직접세를 걷는 입장에서는 모든 사람의 소득이나 재산을 일일이 조사하여 그에 따라 세금을 거두어야 한다는 번거로움이 있다.

간접세는 세금을 내야 하는 의무가 있는 사람과 실제로 그 세금을 내는 사람이 다른 세금이다. 부가 가치세를 비롯하여 개별 소비세, 인지세 등이 간접세에 해당한다.

간접세는 소득이나 재산에 상관없이 모두에

게 똑같이 적용 된다. 예를 들어 음료수를 사 마실 때, 소득이 많은 사람이든 소득이 적은 사 람이든 동일한 음료수를 산다면 모두 똑같은 세금을 내고 있는 셈이다. 그렇기 때문에 간접 세를 걷는 입장에서는 편리하게 세금을 걷을 수 있다. 하지만 간접세는 같은 액수의 세금이 라도 소득이 적은 사람에게는 소득에 비해 내 야 할 세금의 비율이 높아지기 때문에 소득이 적은 사람일수록 세금에 대한 부담감이 커진다 는 문제점이 있다.

– 조준현, 「중학생인 나도 세금을 내고 있다고?」–

20 윗글의 내용과 일치하지 <u>않는</u> 것은?

① 직접세는 소득 격차 감소와 소득 재분배의 효과가 있다.

② 직접세는 간접세보다 세금을 걷는 입장에 서 걷기 편하다.

③ 간접세는 소득이나 재산에 상관없이 모두 에게 똑같이 적용 된다.

④ 간접세는 소득이 적은 사람일수록 세금에 대한 부담이 크다.

21 ㉠과 같은 설명 방법이 사용된 것은?

① 김 교수는 "백색 소음이 집중력을 높인다." 라고 말했다.

② 원통형 기둥은 위아래 지름이 일정한 기둥 을 뜻한다.

③ 소설은 길이에 따라 단편, 중편, 장편 소설 로 나눈다.

④ 젖산은 약한 산성이어서 유해균 증식을 억 제할 수 있다.

22 ㉡에 들어갈 말로 적절한 것은?

① 그러나　　　　② 따라서

③ 그렇다면　　　④ 왜냐하면

[23~25] 다음 글을 읽고 물음에 답하시오.

근래에는 아직 초등학교에도 입학하지 않은 어린아이들이 부모와 똑같은, 혹은 더 많은 양 의 소금을 섭취하고 있다고 한다. 이는 대단히 ㉠ 심각한 문제이다. 아이들은 어른들보다 혈 액량이 적어 똑같은 양의 소금을 섭취하더라도 혈액 속 염화 나트륨의 비율이 어른들보다 훨 씬 높아지기 때문이다.

이뿐만 아니라 어릴 때부터 소금을 많이 먹 으면 혀가 ㉡ 둔감해져 점점 더 짜고 자극적인 맛을 찾게 된다. 짠맛은 중추를 자극한다. 만약 계속해서 소금을 과하게 섭취한다면 아이들은 이런 쾌감을 유지하기 위해 배가 고프지 않더 라도 음식을 계속 먹는 '음식 중독'에 걸릴 수 있다. 결국 폭식증 이나 비만에 시달리게 되는 것이다.

문제는 여기서 그치지 않는다. 영국의 한 대 학 연구팀에서 4세에서 18세까지 아동 및 청소 년 1,688명을 일주일간 관찰한 결과, 짜게 먹 는 아이일수록 음료를 많이 마신다는 사실을 ㉢ 발견했다. 소금이 체세포의 수분을 빼앗아 그만큼 갈증이 나기 때문이다. 그런데 대부분 의 아이들은 갈증을 달래기 위해 건강에 좋은 음료가 아니라, 단맛이 강한 탄산음료를 찾는 다. 탄산음료 속에 녹아 있는 탄수화물은 비만 을 더욱 ㉣ 부추길 수 있다.

소금은 분명 맛있는 유혹이지만, 너무 많이 섭취하면 우리의 세포를 죽이고 건강을 위협한 다. 건강을 생각한다면 지금이라도 당장 소금 섭취를 줄여야 한다.

– 클라우스 오버바일, 「소금의 덫」–

23 윗글을 읽는 방법으로 가장 적절한 것은?

① 주장과 근거를 파악한다.

② 상징적 의미를 추론한다.

③ 경험과 깨달음을 구분한다.

④ 갈등의 해결 과정을 분석한다.

24 윗글에서 글쓴이가 말하고자 하는 바로 가장 적절한 것은?

① 탄산음료는 갈증 해소에 도움이 된다.

② 건강을 위해 소금 섭취를 줄여야 한다.

③ 음식 중독은 사회적으로 심각한 문제이다.

④ 자녀를 위해 부모들이 직접 요리를 해야 한다.

25 ㉠~㉣의 사전적 의미로 적절하지 <u>않은</u> 것은?

① ㉠ : 상태나 정도가 매우 깊고 중대하다.

② ㉡ : 감정이나 감각이 무뎌지다.

③ ㉢ : 아직 알려지지 않은 사실 따위를 찾아내다.

④ ㉣ : 남의 의견을 판단 없이 믿고 따르다.

제2회 ··· 국어

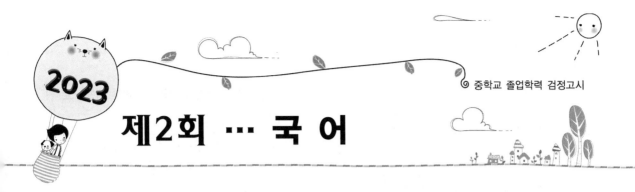

01 다음 대화에서 ㉠에 들어갈 말로 적절하지 <u>않은</u> 것은?

> 내일이 동아리 첫 모임이라 자기소개를 해야 하는데 긴장해서 제대로 말을 못할까 봐 불안해.

> ㉠

① 너무 떨릴 때는 심호흡을 해 봐.
② 말할 내용을 반복해서 연습해 봐.
③ 동아리에 가입하는 방법을 찾아봐.
④ 말할 때 참고할 수 있는 메모를 준비해 봐.

02 다음 면담을 원활하게 진행하기 위해 보완할 점으로 적절한 것은?

> 간호사가 장래 희망인 나는 진로 정보를 얻기 위해 동네 병원의 간호사님께 미리 연락드려 방문 날짜와 시간을 정한 후, 병원을 방문하여 면담을 하였다. 간호사님께서 나에게 필요한 말씀을 해 주실 거라 생각해서 별다른 준비를 하지 않았다. 그런데 내 예상과는 달리 면담이 원활하게 진행되지 않았고, 결국 간호사님의 나이, 사는 곳 등 엉뚱한 질문만 하고 말았다.

① 면담 대상자를 미리 정한다.
② 면담 일정을 사전에 협의한다.
③ 적절한 면담 장소를 선정한다.
④ 면담 목적에 맞는 질문을 준비한다.

03 다음 규정을 참고할 때 표기와 발음이 일치하는 것은?

> ■ 표준 발음법 ■
> 【제8항】 받침소리로는 'ㄱ, ㄴ, ㄷ, ㄹ, ㅁ, ㅂ, ㅇ'의 7개 자음만 발음한다.
> 【제9항】 받침 'ㄲ, ㅋ, ㅅ, ㅆ, ㅈ, ㅊ, ㅌ', 'ㅍ'은 어말 또는 자음 앞에서 각각 대표음 [ㄱ, ㄷ, ㅂ]으로 발음한다.

① 꽃   ② 밖
③ 입   ④ 팥

04 다음에서 설명하는 품사에 해당하는 것은?

> • 사람이나 사물의 이름을 대신 나타낸다.
> • 상황에 따라 가리키는 대상이 달라진다.

① 너   ② 나무
③ 예쁘다   ④ 어머나

05 밑줄 친 부분의 문장 성분이 ㉠과 같은 것은?

> 아기가 ㉠ 방긋방긋 웃는다.

① 물이 <u>얼음이</u> 되었다.
② 친구가 <u>빨리</u> 달린다.
③ 동생이 <u>새</u> 신발을 샀다.
④ 밤하늘에 <u>별이</u> 반짝거린다.

06 ㉠~㉣ 중 한글 맞춤법에 맞게 쓴 것은?

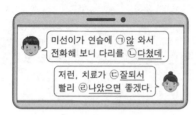

미선이가 연습에 ㉠않 와서 전화해 보니 다리를 ㉡다쳤데.

저런, 치료가 ㉢잘되서 빨리 ㉣나았으면 좋겠다.

① ㉠   ② ㉡
③ ㉢   ④ ㉣

07 다음에 해당하는 단어로 적절한 것은?

> 우리말에 본디부터 있던 말 또는 그것에 기초하여 새로 만들어진 말

① 구름
② 육지
③ 체온계
④ 바이올린

08 ㉠에 해당하는 예로 적절한 것은?

> 세종대왕은 발음 기관의 모양을 본떠 만든 자음 기본자에 획을 더하여 다른 자음자를 만들었다. 이러한 가획의 원리로 창제된 글자에는 [㉠]이 있다.

① ㄴ   ② ㅆ
③ ㅇ   ④ ㅋ

09 다음 개요에서 ㉠에 들어갈 세부 내용으로 가장 적절한 것은?

처음	늘 함께 있지만 정작 잘 모르는 머리카락
중간	1. 머리카락의 정의 2. 머리카락의 구조 3. 머리카락의 기능 ………… ㉠
끝	우리 몸에 꼭 필요한 머리카락

① 개인에 따라 성장 속도가 다름.
② 모양에 따라 직모, 파상모, 축모로 나뉨.
③ 두피 온도를 유지할 수 있게 도움을 줌.
④ 모수질, 모피질, 모표피로 구성되어 있음.

10 ㉠~㉣에 대한 고쳐쓰기 방안으로 적절하지 않은 것은?

> ㉠ 한옥의 재료는 나무, 흙, 돌 같은 자연에서 얻은 재료로 자연과 어울리게 지은 집이다. 옛 사람들은 집을 지을 때 함부로 산을 깎거나 물길을 막지 않았고 집을 짓는 재료를 지나치게 ㉡ 다듬지 않았다. ㉢ 서구 문화가 들어오면서 우리나라의 주거 생활 양식도 크게 바뀌었다. 집을 살아 있는 자연의 한 부분으로 여기고, 집이 자연과 조화를 이루어야 한다는 ㉣ 조상들에 생각이 한옥에 고스란히 담겨 있는 것이다.

① ㉠ : 문장 호응을 고려하여 '한옥은'으로 고친다.
② ㉡ : 의미가 분명히 드러나도록 '다듬어지지'로 고친다.
③ ㉢ : 글의 흐름에서 벗어난 내용이므로 삭제한다.
④ ㉣ : 조사의 쓰임에 맞도록 '조상들의'로 바꾼다.

[11~13] 다음 글을 읽고 물음에 답하시오.

"느 집엔 이거 없지."

하고 생색 있는 큰소리를 하고는 제가 준 것을 남이 알면은 큰일 날 테니 여기서 얼른 먹어 버리란다. 그리고 또 하는 소리가

"너 봄 ㉠ <u>감자</u>가 맛있단다."

"난 감자 안 먹는다, 니나 먹어라."

나는 고개도 돌리려고 않고 일하던 손으로 그 감자를 도로 어깨 너머로 쑥 밀어 버렸다.

그랬더니 그래도 가는 기색이 없고 뿐만 아니라 쌔근쌔근 하고 심상치 않게 숨소리가 점점 거칠어진다. 이건 또 뭐야, 싶어서 그때에야 비로소 돌아다보니 나는 참으로 놀랐다. 우리가 이 동리에 들어온 것은 근 삼 년째 되어 오지만 여지껏 가무잡잡한 점순이의 얼굴이 이렇게까지 홍당무처럼 새빨개진 법이 없었다. ㉮<u>게다가 눈에 독을 올리고 한참 나를 요렇게 쏘아보더니 나중에는 눈물까지 어리는 것이 아니냐.</u> 그리고 바구니를 다시 집어 들더니 이를 꼭 악물고는 엎어질 듯 자빠질 듯 논둑으로 힁하게[1) 달아나는 것이다.

어쩌다 동리 어른이

"너 얼른 ㉡ <u>시집</u>을 가야지?"

하고 웃으면

"염려 마세유. 갈 때 되면 어련히 갈라구……."

이렇게 천연덕스리 받는 점순이었다. 본시 부끄럼을 타는 계집애도 아니거니와 또한 분하다고 눈에 눈물을 보일 얼병이[2]도 아니다. 분하면 차라리 나의 등어리를 ㉢ <u>바구니</u>로 한번 모지게 후려 쌔리고 달아날지언정.

그런데 고약한 그 꼴을 하고 가더니 그 뒤로는 나를 보면 잡아먹으려고 기를 복복 쓰는 것이다.

설혹 주는 감자를 안 받아먹은 것이 실례라 하면 주면 그냥 주었지 "느 집엔 이거 없지."는 다 뭐냐. 그렇잖아도 즈이는 마름[3]이고 우리는 그 손에서 배재[4]를 얻어 ㉣ <u>땅</u>을 부치므로 일상 굽신거린다. 우리가 이 마을에 처음 들어와 집이 없어서 곤란으로 지날 제 집터를 빌리고 그 위에 집을 또 짓도록 마련해 준 것도 점순네의 호의였다. 그리고 우리 어머니 아버지도 농사 때 양식이 딸리면 점순네한테 가서 부지런히 꾸어다 먹으면서 인품 그런 집은 다시 없으리라고 침이 마르도록 칭찬하고 하고는 것이다. 그러면서도 열일곱씩이나 된 것들이 수군수군하고 붙어 다니면 동리의 소문이 사납다고 주의를 시켜 준 것도 또 어머니였다. 왜냐하면 내가 점순이하고 일을 저질렀다가는 점순네가 노할 것이고 그러면 우리는 땅도 떨어지고 집도 내쫓기고 하지 않으면 안 되는 까닭이었다.

– 김유정, 「동백꽃」

1) 힁하게 : 지체하지 않고 매우 빨리 가는 모양
2) 얼병이 : 다부지지 못하여 어수룩하고 얼떨져 보이는 사람
3) 마름 : 지주를 대리하여 소작권을 관리하는 사람
4) 배재 : 땅을 소작할 수 있는 권리

11 윗글의 서술자에 대한 설명으로 가장 적절한 것은?

① 서술자가 작품 밖에 위치한다.

② 주인공이 직접 자신의 경험을 이야기한다.

③ 등장인물이 다른 인물의 속마음을 알려 준다.

④ 전지적 서술자가 인물의 심리와 상황을 제시한다.

12 ㉮에 나타난 '점순'의 심리 상태로 적절한 것은?

① 기쁨 　　　　　② 분함

③ 고마움 　　　　④ 지루함

13 ㉠~㉣ 중 다음 설명에 해당하는 것은?

> • '나'에 대한 '점순'의 애정과 관심
> • '나'와 '점순'이 갈등하게 되는 계기

① ㉠ 　　　　　　② ㉡

③ ㉢ 　　　　　　④ ㉣

[14~16] 다음 글을 읽고 물음에 답하시오.

> ⊙ 내 고장 칠월은
> 청포도가 익어 가는 시절
>
> 이 마을 전설이 주저리주저리 열리고
> 먼 데 하늘이 꿈꾸며 알알이 들어와 박혀
>
> 하늘 밑 푸른 바다가 ⓛ 가슴을 열고
> 흰 돛단배가 곱게 밀려서 오면
>
> ⓒ 내가 바라는 손님은 고달픈 몸으로
> 청포(靑袍)를 입고 찾아온다고 했으니
>
> 내 그를 맞아 이 포도를 따 먹으면
> ⓔ 두 손은 함뿍 적셔도 좋으련
>
> 아이야 우리 식탁엔 은쟁반에   ⎫
> 하이얀 모시 수건을 마련해 두렴   ⎬[A]
>   ⎭
>   – 이육사, 「청포도」

14 윗글에 대한 설명으로 가장 적절한 것은?

① 계절의 변화에 따라 시상을 전개하고 있다.
② 모순된 표현을 통해 주제를 강조하고 있다.
③ 문답 구조를 반복하여 운율을 형성하고 있다.
④ 색채 대비를 통해 시적 분위기를 조성하고 있다.

15 ⊙~ⓔ 중 함축적 의미가 밑줄 친 부분과 가장 유사한 것은?

> 이 시는 일제 강점기에 발표되었다. 당시 시대 상황을 고려할 때, 조국 광복을 기다리는 마음을 노래한 시라고 볼 수 있다.

① ⊙   ② ⓛ
③ ⓒ   ④ ⓔ

16 [A]에 드러난 화자의 태도로 가장 적절한 것은?

① 두려움   ② 부끄러움
③ 만족스러움   ④ 정성스러움

[17~19] 다음 글을 읽고 물음에 답하시오.

> 하루는 길동이 부하들을 모아 놓고 의논했다.
> "함경 감사가 탐관오리 짓을 하며 기름을 짜듯 착취를 일삼으니 백성이 견딜 수 없는 상태라고 한다. 더 이상 그대로 두고 지켜볼 수 없으니, 너희들은 나의 지휘대로 움직여라."
> 길동은 부하들에게 계책을 일러 주고 각자 따로 움직여서 아무 날 밤에 아무 곳에서 만나기로 기약했다. ⊙ 그러고는 그날 밤이 되자 성의 남문 밖에 불을 질렀다.
> [중간 줄거리] 백성들이 모두 나와 불길을 잡을 때 길도이 무리는 돈과 곡식, 무기를 훔쳐 달아났다.
> 함경 감사는 홍길동이 감영¹⁾을 털었음을 깨닫고 군사를 모아 뒤를 쫓기 시작했다. ⓛ 길동은 날이 샐 즈음에 부하들과 함께 둔갑술²⁾과 축지법을 써서 소굴로 돌아왔다. 함경 감영의 돈과 곡식을 많이 훔쳤으니, 행여 길에서 잡힐 수도 있다고 염려해서였다.
> ⓒ 하루는 길동이 여러 부하를 모아 놓고 의논했다.
> "우리가 합천 해인사의 재물을 빼앗고, 함경 감영의 돈과 곡식을 훔쳐 냈다는 소문이 널리 퍼졌다. ⓔ 게다가 감영 곳곳에 내 이름을 붙이고는 찾고 있으니 오래지 않아 잡힐 듯하다. 이에 ㉮ 대비책을 준비했으니, 너희는 내 재주를 지켜보아라."
> 말을 마치자마자 길동은 풀로 허수아비 일곱을 만들더니, 주문을 외우고 혼백을 불어넣었다. 그러자 일곱 명의 길동이 새로 생겨나서 한곳에 모이더니 한꺼번에 뽐내며 크게 소리를 치고 야단스럽게 지껄이는 것이 아닌가. 부하들이 아무리 살펴보아도 누가 진짜 길동인지 알 수가 없었다. 여덟 길동이 조선 팔도에 하나씩 흩어져서 각각 부하 수백 명씩을 거느리고 다니니, 그중 어디에 진짜 길동이 있는지

모를 지경이었다.

— 허균, 「홍길동전」

1) 감영 : 조선 시대에 관찰사가 직무를 보던 관아
2) 둔갑술 : 마음대로 자기 몸을 감추거나 다른 것으로 변하게 하는 술법

17 윗글에 나타난 사회적 모습으로 가장 적절한 것은?

① 주변국과의 교류가 활발했다.
② 신분 차별이 없는 평등한 사회였다.
③ 탐관오리의 횡포로 백성들이 살기 어려웠다.
④ 물자가 풍족하여 남의 재물을 탐하지 않았다.

18 ㉠~㉣ 중 다음 설명에 해당하는 것은?

> 고전 소설에서는 현실 세계에서 일어날 수 없는, 신비롭고 기이한 일들이 일어나기도 한다.

① ㉠   ② ㉡
③ ㉢   ④ ㉣

19 ㉠의 내용으로 적절한 것은?

① 함경 감영으로 가서 죄를 자백함.
② 백성들에게 돈과 곡식을 나누어 줌.
③ 군사들에게 들키지 않게 밤에만 다님.
④ 가짜 길동들을 만들어 자신을 찾지 못하게 함.

[20~22] 다음 글을 읽고 물음에 답하시오.

우리 몸의 소화 과정에는 기계적 소화와 화학적 소화가 있다. 먼저, 기계적 소화는 물리적인 운동을 통해 음식물을 잘게 부수는 과정을 말한다. 사과를 먹는 과정을 예로 들어 보자.

사과를 한 입 베어 문다. → 잘게 부서진 사과 조각들을 혀로 이리저리 섞으면서 부수는 걸 돕는다. → 잘게 부서진 사과 조각을 꿀꺽 삼킨다. → 사과 조각은 위를 거쳐 소장과 대장으로 내려가고, 장은 아래위로 움직이면서 사과 조각을 다진다. 이러한 일련의 작용을 바로 　㉠　 소화라 한다.

이와 반대로 ㉡ 화학적 소화란 우리 몸속의 소화 효소를 이용해 물질의 성분을 바꾸는 것을 말한다. 소화 효소는 소화 기관에서 분비되어 음식물의 소화를 돕는 효소인데, 입에서는 침, 위에서는 펩신, 이자에서는 트립신 등이 분비된다. 이러한 소화 효소들이 밖에서 들어온 음식물을 화학적으로 분해하고, 몸의 각 기관에 골고루 보내는 것이다.

— 남종영, 「설탕 중독, 노예가 되어 버린 혀」 —

20 윗글을 읽고 나눈 대화에서 '언니'의 조언으로 적절하지 **않은** 것은?

> 동생 : 효소, 이자, 펩신 등 생소한 단어가 많아서 글을 이해하기 어려운데 어떻게 하지?
> 언니 : _____

① 사실과 의견을 구분하며 읽어 봐.
② 참고 자료를 읽으며 배경지식을 넓혀 봐.
③ 인터넷이나 도서관에서 모르는 것을 찾아봐.
④ 단어의 의미를 추측해 본 뒤 사전에서 확인해 봐.

21 ㉠에 들어갈 말로 가장 적절한 것은?

① 기계적 　　　② 부분적
③ 전체적 　　　④ 화학적

22 ㉡과 유사한 설명 방법이 사용된 것은?

① 피지가 피부 밖으로 배출되지 못하면 먼지와 함께 굳어 모공 안에 쌓이게 된다.
② 생물은 식물과 동물로 나뉘고, 동물은 다시 절지동물, 연체동물, 척추동물로 나뉜다.
③ 갯벌이란 밀물과 썰물이 드나드는 곳에 펼쳐진 모래 점토질의 평탄한 땅을 말한다.
④ 남극은 거대한 얼음 대륙으로 이루어져 있는 반면, 북극은 거대한 얼음 바다로 되어 있다.

[23~25] 다음 글을 읽고 물음에 답하시오.

야간 경관 조명을 시의 정책으로 적극적으로 추진하여 성공한 대표적인 사례가 프랑스 리옹이다. 1989년 당선된 미셸 느와르 시장은 선거 ㉠공약대로 5년간 매년 시 재정의 5%를 야간 경관 조성 사업에 투자하여 150개 건물과 다리에 조명 기기를 설치함으로써 도시 전체를 커다란 조명 예술 작품으로 바꿔 놓았다. 이 계획은 컨벤션 산업과 연계되어 리옹을 세계적인 관광 도시와 국제회의 도시로 ㉡부상시키는 데 큰 역할을 하였고, 리옹은 '빛의 도시', '밤이 아름다운 도시'라는 명성을 갖게 되었다.

도시의 야간 조명은 단순히 어둠을 밝히기 위한 수단이 아니라 감성을 자극할 수 있어야 한다. 또한, 조명을 무조건 밝고 화려하게 한다고 좋은 것은 아니다. 요란한 색채의 조명을 서로 경쟁하듯이 밝게만 한다면 마치 테마파크와 같은 장면이 연출될 것이며 깊이 없고 ㉢산만한 경관이 만들어질 것이다. 강조할 곳, 연출이 필요한 부분에는 과감하게 조명

시설을 설치하고, 도시 전체적으로 인공조명을 최소한으로 줄이는 등 적극적이면서 동시에 ㉣절제된 조명 계획이 적용되어야 한다. 우리나라 도시도 야간 조명을 이용하여 도시 전체를 하나의 예술 작품으로 만들어 나가는 노력이 필요하다.

　　　　　　　　　　　　 – 이진숙, 「밤이 아름다운 도시」 –

23 윗글의 서술상 특징으로 가장 적절한 것은?

① 시각 자료를 활용하였다.
② 관련된 속담을 사용하였다.
③ 구체적 사례를 제시하였다.
④ 전문가의 의견을 인용하였다.

24 윗글에서 글쓴이가 말하고자 하는 바로 가장 적절한 것은?

① 조명은 어둠을 밝히기 위한 수단일 뿐이다.
② 도시 경관 사업에 들어가는 예산을 줄여야 한다.
③ 야간 조명은 밝고 화려한 색채를 사용해야 한다.
④ 조명을 이용하여 도시를 가꾸는 노력이 필요하다.

25 ㉠~㉣의 사전적 의미로 적절하지 않은 것은?

① ㉠ : 개인적 다짐이나 목표
② ㉡ : 어떤 대상이 더 좋은 위치로 올라섬.
③ ㉢ : 어수선하여 질서나 통일성이 없음.
④ ㉣ : 정도에 넘지 않게 알맞게 조절하여 제한함.

제1회 ··· 국어

01 다음 대화에서 ㉠에 담긴 '나윤'의 의도로 적절한 것은?

> 강현 : 나윤아, 다음 주에 학생회에서 자선 바자회 행사를 주최한다고 하는데, 우리 반이 참가할 필요가 있을까?
>
> 나윤 : 응, 바자회 행사의 의의를 생각하면 참가하는 게 좋을 거 같아.
>
> 강현 : 왜 그렇게 생각해? 수익금을 학급비로 쓸 수 있게 해 주는 것도 아니라던데.
>
> 나윤 : 바자회에서 쓰지 않는 물건을 서로 사고팔면, 자원도 재활용되고 저렴한 가격에 물건을 구입해서 좋잖아. 수익금을 학급비로 쓸 수는 없지만 그걸로 불우이웃을 도울 예정이래. ㉠ 그러니 바자회에 참가하는 게 좋지 않겠니?
>
> 강현 : 네 말을 듣고 보니 그렇네. 나도 집에 가서 바자회에 낼 만한 물건을 찾아봐야겠어.

① 감사
② 설득
③ 위로
④ 칭찬

02 다음과 같이 말했을 때, 공감하며 반응한 대화로 가장 적절한 것은?

> 나 이번에 진짜 열심히 공부했는데 시험을 너무 못 봤어. 내 장래 희망을 이루기 위해서는 성적을 올려야 하는데 오히려 떨어졌어. 어떡하지?

① 지나간 시험을 말해서 뭐 하냐? 시험은 끝났으니까 그만 얘기해.

② 그랬구나. 열심히 준비했는데 결과가 좋지 않아서 너무 속상하겠다.

③ 이번 시험 쉬웠는데, 넌 공부를 했는데도 성적이 떨어졌다니 이해가 안 된다.

④ 아이참, 너 때문에 나까지 우울해진다. 나 배고프니까 떡볶이나 먹으러 가자.

03 다음에서 설명하는 언어의 특성에 해당하는 예로 적절하지 않은 것은?

> 언어는 시간의 흐름에 따라 새로 생기거나, 소리나 뜻이 변하거나, 예전에 사용하던 말이 사라지기도 한다.

① '스마트폰'은 새로운 물건이 만들어지면서 새로 생긴 말이다.

② '어리다'는 의미가 '어리석다'에서 '나이가 적다'로 변하였다.

③ '천(千, 1000)'을 뜻하는 고유어 '즈믄'은 현재 거의 쓰이지 않는다.

④ 우리가 '나비[나비]'라고 부르는 곤충을 영어에서는 'butterfly[버터플라이]'라고 부른다.

04 밑줄 친 모음이 사용된 단어는?

> 국어의 모음에는 발음할 때 입술이나 혀가 고정되어 움직이지 않는 단모음과, 입술 모양이나 혀의 위치가 달라지는 이중 모음이 있다.

① 개미   ② 나라
③ 수레   ④ 예의

05 다음 규정에 맞게 발음하지 않은 것은?

> ■ 표준 발음법 ■
> 【제5항】 겹받침 'ㄳ', 'ㄵ', 'ㄼ ㄽ ㄾ', 'ㅄ'은 어말 또는 자음 앞에서 각각 [ㄱ, ㄴ, ㄹ, ㅂ]으로 발음한다.

① 넓다[넙따]   ② 앉다[안따]
③ 없다[업따]   ④ 핥다[할따]

06 밑줄 친 품사의 특성으로 적절한 것은?

> • 가을 하늘이 파랗다.
> • 예쁜 동생이 태어났다.
> • 아이들이 즐겁게 뛰놀고 있다.

① 사물의 이름을 나타낸다.
② 대상의 움직임을 나타낸다.
③ 대상의 상태나 성질을 나타낸다.
④ 놀람, 느낌, 부름, 대답을 나타낸다.

07 밑줄 친 부분의 문장 성분이 ㉠과 같은 것은?

> ㉠ 하얀 꽃잎이 바닥에 쌓였다.

① 꽃이 활짝 피었다.
② 동생이 우유를 마신다.
③ 소년은 어른이 되었다.
④ 가을은 독서의 계절이다.

08 밑줄 친 부분의 표기가 바른 것은?

① 어서 오십시요.
② 손을 깨끗히 씻자.
③ 나는 몇일 동안 책만 읽었다.
④ 그가 배낭을 메고 공원에 간다.

[9~10] 다음 글을 읽고 물음에 답하시오.

> 그날은 가만히 있어도 땀이 날 정도로 무척 더웠다. 나는 빨리 집에 들어가 씻고 싶다는 생각뿐이었다. 나는 걸음을 재촉하여 집 근처에 도착했다.
>
> [A [그런데 골목길 한 구석에서 주인을 잃은 강아지가 나를 애처롭게 바라보고 있었다. 모르는 척 집에 들어가려고 했지만 문득 떠오른 병아리 '민들레' 때문에 나는 발을 뗄 수 없었다.
>
> 초등학교 2학년 때, 어느 따스한 봄날이었다. 학교 앞에서 한 할머니께서 병아리를 ㉠ 파는 것을 보았다. 노란 털로 ㉡ 덮여 있는 병아리가 정말 귀여웠다. ㉢ 병아리는 아직 다 자라지 않은 어린 닭으로 닭의 새끼를 말한다. 나는 병아리를 키우게 해 달라고 엄마를 졸랐다. 내가 너무 간절했기 때문인지 처음에는 반대하셨던 엄마도 ㉣ 절대 허락해 주셨고, 그렇게 해서 나와 병아리 '민들레'의 인연이 시작되었다.

09 다음은 [A]를 영상으로 만들기 위한 계획이다. ㉮에 들어갈 구성 요소로 알맞은 것은?

번호	장면 그림	구성 요소	내용
S#1		장면 내용	강아지가 소녀를 바라보고 있음.
		배경음악	잔잔한 분위기의 음악
		㉮	힘없는 강아지 소리

① 대사 ② 효과음
③ 내레이션 ④ 촬영 방법

10 ㉠~㉣에 대한 고쳐쓰기 방안으로 적절하지 않은 것은?

① ㉠ : 높임 표현이 잘못되었으므로 '파시는'으로 고친다.
② ㉡ : 맞춤법에 어긋나므로 '덮여'로 고친다.
③ ㉢ : 글의 통일성을 해치므로 삭제한다.
④ ㉣ : 문장 호응이 맞지 않으므로 '결코'로 바꾼다.

[11~13] 다음 글을 읽고 물음에 답하시오.

"아름아, 뭐 하니?"
어머니가 문 사이로 고개를 디밀었다.
'헉, 깜짝이야.'
나는 짜증을 냈다.
"엄마! 노크!"
어머니는 '아차.' 하다, 도리어 큰소리를 냈다.
"노크는 무슨 노크. 지금 방송 시작하는데, 안 봐?"
"벌써 할 때 됐어요?"
"응, 광고하고 있어. 빨리 나와."
나도 방송국 웹 사이트에 들어가 예고편을 봤었

다. 설렘과 어색함, 신기함과 민망함이 섞여 복잡한 마음이 들었지만, 사실 동영상을 보고 제일 먼저 든 생각은 이거였다.
'아, 나는 저거보단 훨씬 괜찮게 생겼는데……'
카메라에 비친 내 모습이 실제보다 못해 억울하고 섭섭한 거였다. 연예인들도 실제로 보면 두 배는 더 예쁘고 멋지다는데, 아마 이런 경우를 두고 하는 말인 듯했다. 그러니 일반인들은 오죽할까. 더구나 방송 한 번에 이리 심란한 기분이라니, 연예인이 되려면 자기를 보통 좋아하지 않고선 힘들겠구나 싶은 마음도 들었다. 문 밖에선 어머니가 "근데" 하고 덧붙였다.
"왜 그렇게 놀라? 뭐 이상한 거 보고 있었던 거 아냐?"
나는 부루퉁히 꿍얼댔다.
"내가 뭐 아빤 줄 아나……"
어머니가 눈을 동그랗게 뜨고 다그쳤다.
"아빠? 아빠가 그래?"
나는 그렇긴 뭐가 그렇냐며, 곧 나갈 테니 얼른 문 닫으라 핀잔을 줬다. 어머니는 끝까지 의심을 거두지 못한 얼굴로 자리를 떴다. 나는 인터넷 뉴스 창을 닫고, 방송 국홈페이지에
들어가 동영상을 한번 더돌려봤다.
"실제 나이 17세. 신체 나이 80세. 누구보다 빨리 자라, 누구보다 아픈 아이 아름. 각종 합병증에 시달리면서도 웃음을 잃지 않는 아름에게 어느 날 시련이 닥쳐오는데……"
다시 봐도 낯선 영상이었다. 17. 80. 합병증. 웃음…… 하나하나 짚어 보면 다 맞는 말인데, 그게 그렇게 알뜰하게 배열된 걸 보니 사실이 사실 같지 않았다.
'괜히 하자고 한 걸까?'
막상 완성된 영상이 전파를 타고 전국에 송출될 생각을 하니 걱정스러웠다. 내가 모르는 이들에게 나를 보여 준다는 게 언짢기도 했다. 정확한 건 본방송이 끝난 후에 알게 될 터였다.

– 김애란, 「두근두근 내 인생」

11 윗글의 서술상 특징으로 가장 적절한 것은?

① 이야기의 진행에 따라 서술자가 달라진다.
② 서술자가 모든 인물의 속마음을 알고 있다.
③ 서술자인 '나'가 자신의 생각을 직접 이야기한다.
④ 작품 밖 서술자가 인물의 행동을 관찰하고 있다.

12 '아름'의 심리에 대한 설명으로 적절하지 **않은** 것은?

① 노크하지 않은 엄마에게 짜증이 났다.
② 방송 예고편을 보고 마음이 복잡했다.
③ 영상 속 자신의 모습을 보고 만족했다.
④ 모르는 사람들이 자신을 볼 것이 언짢았다.

13 다음 감상에 대한 설명으로 가장 적절한 것은?

> 나는 본방송을 앞둔 아름이의 마음이 이해 돼. 왜냐하면 나도 퀴즈 프로그램에 출연한 적이 있었거든. 방송 시작 전까지 긴장되기도 하고 설레기도 했어.

① 중심 소재의 상징적 의미를 찾았다.
② 작품의 사회·문화적 배경을 분석했다.
③ 작품에 나타나는 중심 갈등을 파악했다.
④ 자신의 경험을 바탕으로 인물에게 공감했다.

[14~16] 다음 글을 읽고 물음에 답하시오.

> 길이 끝나는 곳에서도 ⎤
> 길이 있다   [A]
> 길이 끝나는 곳에서도 ⎦
> 길이 되는 사람이있다
> ㉠ 스스로 봄 길이 되어
> 끝없이 걸어가는 사람이 있다
> ㉡ 강물은 흐르다가 멈추고
> ㉢ 새들은 날아가 돌아오지 않고
> ㉣ 하늘과 땅 사이의 모든 꽃잎은 흩어져도
> 보라
> 사랑이 끝난 곳에서도
> 사랑으로 남아 있는 사람이 있다
> 스스로 사랑이 되어
> 한없이 봄 길을 걸어가는 사람이 있다
>
> – 정호승, 「봄 길」

14 윗글에 대한 설명으로 적절하지 **않은** 것은?

① 색채 대비를 통해 선명한 이미지를 제시한다.
② 현실 상황을 여러 자연물에 빗대어 표현한다.
③ 비슷한 문장 구조를 반복하여 의미를 강조한다.
④ 단정적인 어조를 통해 화자의 강한 믿음을 드러낸다.

15 ㉠~㉣ 중 함축적 의미가 다른 것은?

① ㉠   ② ㉡
③ ㉢   ④ ㉣

16 다음을 참고할 때, [A]와 같은 표현이 쓰인 것은?

> 시에서 역설이란 겉으로는 뜻이 모순되고 이치에 맞지 않는 것 같지만, 그 속에 진리를 담고 있는 표현을 말한다.

① 이것은 소리 없는 아우성
② 돌담에 속삭이는 햇발같이
③ 나는 나룻배 / 당신은 행인
④ 젖지 않고 가는 삶이 어디 있으랴

[17~19] 다음 글을 읽고 물음에 답하시오.

> 허생은 집에 비가 새고 바람이 드는 것도 아랑곳하지 않고 글 읽기만 좋아하였다. 그래서 아내가 삯바느질을 해서 그날그날 겨우 입에 풀칠을 하는 처지였다.
>
> 어느 날 허생의 아내가 배고픈 것을 참다못해 훌쩍훌쩍 울며 푸념을 하였다.
>
> "당신은 평생 과거도 보러 가지 않으면서 대체 글은 읽어 뭘 하시렵니까?"
>
> 그러나 허생은 아무렇지도 않게 껄껄 웃으며 말하였다.
>
> "내가 아직 글이 서툴러 그렇소."
>
> "그럼 공장이[1] 노릇도 못 한단 말입니까?"
>
> "배우지 않은 공장이 노릇을 어떻게 한단 말이오?"
>
> "그러면 장사치 노릇이라도 하시지요."
>
> "가진 밑천이 없는데 장사치 노릇을 어떻게 한단 말이오?"
>
> 그러자 아내가 왈칵 역정[2]을 내었다.
>
> [A] "당신은 밤낮 글만 읽더니, 겨우 '어떻게 한단 말이오.' 소리만 배웠나 보구려. 공장이 노릇도 못 한다, 장사치 노릇도 못 한다, 그럼 하다못해 도둑질이라도 해야 할 것 아니오?"

> 허생이 이 말을 듣고 책장을 덮어 치우고 벌떡 일어났다.
>
> "아깝구나! 내가 애초에 글을 읽기 시작할 때 꼭 십 년을 채우려 했는데, 이제 겨우 칠 년밖에 안 되었으니 어쩔거나!"
>
> [중간 줄거리] 허생은 아내의 성화에 집을 나와 서울에서 가장 부자라는 변 씨를 찾아가 만 냥을 빌렸다. 그리고는 여러 지역으로 이동하는 길목이 있는 안성으로 가서 과일을 몽땅 사들이기 시작했다.
>
> 얼마 안 가서 나라 안의 과일이란 과일은 모두 동이나 버렸다. 잔치나 제사를 지내려고 해도 과일이 없으니 상을 제대로 차릴 수가 없었다. 이렇게 되니, 과일 장수들은 너나없이 허생한테 몰려와서 제발 과일 좀 팔라고 통사정을 하였다. 결국 허생은 처음 값의 열 배를 받고 과일을 되팔았다.
>
> "허허, 겨우 만 냥으로 나라의 경제를 흔들어 놓았으니, ㉠이 나라 형편이 어떤지 알 만하구나."
>
> – 박지원, 「허생전」

1) 공장이 : 예전에 물건 만드는 것을 직업으로 하던 사람.
2) 역정 : 몹시 언짢거나 못마땅하여 내는 화.

17 윗글에서 '허생'에 대한 설명으로 적절하지 않은 것은?

① 집안일에 무관심했다.
② 해마다 과거 시험에 떨어졌다.
③ 계획했던 글공부를 마치지 못했다.
④ 과일을 독점 판매하여 이익을 얻었다.

18 [A]에서 '아내'가 '허생'에게 역정을 내는 이유로 가장 적절한 것은?

① 장사를 하겠다고 해서
② 돈을 벌어 오지 않아서
③ '아내'의 무능함을 비난해서
④ 글공부를 열심히 하지 않아서

19 ㉠의 의미로 가장 적절한 것은?

① 예의범절이 무너지고 있구나.

② 신분 질서가 흔들리고 있구나.

③ 나라의 경제 구조가 취약하구나.

④ 관리들의 부정부패가 심각하구나.

[20~22] 다음 글을 읽고 물음에 답하시오.

> 중국 신장의 요구르트, 스페인 랑하론의 하몬, 우리나라 구례 양동 마을의 된장. 이 음식들의 공통점은 무엇일까? 이것들은 모두 발효 식품으로, 세계의 장수 마을을 다룬 어느 방송에서 각 마을의 장수 비결로 꼽은 음식들이다.
>
> 발효 식품은 건강식품으로 널리 알려져 있다. 또한 다양한 발효 식품이 특유의 맛과 향으로 사람들의 입맛을 사로잡고 있다. 앞에서 소개한 요구르트, 하몬, 된장을 비롯하여 달콤하고 고소한 향으로 우리를 유혹하는 빵, 빵과 환상의 궁합을 자랑하는 치즈 등을 그 예로 들 수 있다. 이렇게 몸에도 좋고 맛도 좋은 식품을 만들어 내는 발효란 무엇일까? 그리고 발효 식품은 왜 건강에 좋을까? 먼저 발효의 개념을 알아보고, 우리나라의 전통 발효 식품을 중심으로 발효 식품의 우수성을 자세히 알아보자.
>
> 발효란 곰팡이나 효모와 같은 미생물이 탄수화물, 단백질 등을 분해하는 과정을 말한다. 미생물이 유기물에 작용하여 물질의 성질을 바꾸어 놓는다는 점에서 발효는 부패와 비슷하다. 하지만 ㉠ 발효는 우리에게 유용한 물질을 만드는 반면에, 부패는 우리에게 해로운 물질을 만들어 낸다는 점에서 차이가 있다. 그래서 발효된 물질은 사람이 안전하게 먹을 수 있지만, 부패한 물질은 식중독을 일으킬 수 있어서 함부로 먹을 수 없다.
>
> ⓛ , 발효를 거쳐 만들어지는 전통 음식에
>
> 는 우리가 채소의 영양분을 계절에 상관없이 섭취할 수 있도록 해 주고, 발효 과정에서 더해진 좋은 성분으로 우리의 건강을 지키는 데 도움을 준다.
>
> – 진소영, 「맛있는 과학 44–음식 속의 과학」–

20 윗글에서 설명하는 중심 내용으로 가장 적절한 것은?

① 김치 담그는 방법

② 발효 식품의 우수성

③ 식중독 예방의 중요성

④ 여러 나라의 장수 비결

21 ㉠에 사용된 설명 방법으로 적절한 것은?

① 과정   ② 대조

③ 예시   ④ 정의

22 이어질 내용을 고려할 때, ⓛ에 들어갈 말로 적절한 것은?

① 그래도   ② 그러나

③ 그렇다면   ④ 왜냐하면

[23~25] 다음 글을 읽고 물음에 답하시오.

더위는 우리가 근본적인 고민을 하도록 만든다. 당장의 더위를 해결하지 않는 이상 그 어떤 것도 중요하지 않음을 몸소 경험함으로써 우리는 알게 모르게 이 시대의 문제를 마주하게 된다. 그렇다. 기후 변화는 현대의 큰 문제이다.

모든 이의 피부에 와 닿는 가장 심각한 전 지구적 문제, 나와 무관하다며 모든 것을 무시해 버려도 끝내 외면할 수 없는 생존의 문제이다.

국제 생태 발자국 네트워크(GFN)라는 단체가 운영하는 '지구 생태 용량 과용의 날'이라는 것이 있다. 지구의 일 년 치 자원을 12월 31일에 다 쓰는 것으로 가정하고 실제로 자원이 모두 소모되는 날을 측정하는 것이다. 이 날이 2015년에는 8월 13일이었는데 2016년에는 8월 8일로 5일 앞당겨졌다.

또한 우리가 현재처럼 자원을 소비하면서 자원을 지속적으로 사용할 수 있는 상태를 유지하기 위해서는 지구가 3.3개 필요하다고 한다. 한마디로 ＿＿＿㉠＿＿＿고 할 수 있다.

그런데도 우리는 더위 앞에서 에너지 사용량을 줄이는 데까지 생각이 미치지 못한다. ㉡ 더위에 대응하는 근본적인 대책에 관해 우리 모두 관심이 적다. 우리 모두가 이렇게 위험성을 인식하지 못하고 있는 사실이 이 더위보다 충격적이라 할 수 있다. 지금부터라도 기후 변화가 중요한 문제임을 인식하고 자원을 아껴 사용해야 할 것이다. 그리고 지속적으로 발전할 수 있는 녹색 성장을 준비해야 할 것이다.

－ 김산하, 「김산하의 야생 학교」 －

23 위와 같은 글을 읽는 방법으로 가장 적절한 것은?

① 육하원칙에 따라 사건을 요약한다.
② 등장인물 간의 갈등 원인을 찾아본다.
③ 주장과 근거를 중심으로 내용을 파악한다.
④ 시간의 흐름에 따른 대상의 변화를 정리한다.

24 글의 맥락을 고려할 때, ㉠에 들어갈 내용으로 가장 적절한 것은?

① 미세 먼지로 대기 오염이 심하다
② 에너지의 사용량과 그 증가량이 심하다
③ 오랜 가뭄으로 물 부족 문제가 심각하다
④ 해양 오염으로 동물들의 생존 문제가 심각하다

25 ㉡에 해당하는 글쓴이의 생각으로 적절하지 <u>않은</u> 것은?

① 더위에 익숙해지도록 한다.
② 지구의 자원을 아껴 사용한다.
③ 기후 변화의 위험성을 인식한다.
④ 지속 가능한 녹색 성장을 준비한다.

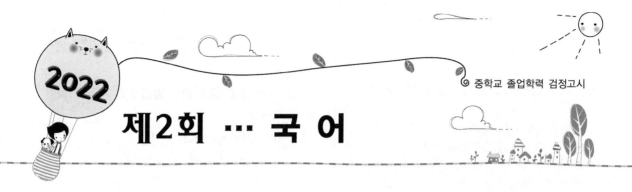

01 다음 대화에서 '민지'의 의도로 적절한 것은?

수철아, 좀 덥지 않니?

응, 민지야. 내가 창문 열게.

① 감사
② 요청
③ 위로
④ 칭찬

02 다음에 해당하는 예로 적절한 것은?

> '나 전달법'은 '너'를 주어로 하여 상대의 말과 행동을 표현하는 방법인 '너 전달법'과 달리, '나'를 주어로 하여 상대의 말과 행동에 대한 자신의 생각과 감정을 표현하는 방법이다.

① 누가 음악을 이렇게 크게 틀었니?
② 너는 어떻게 그런 말을 할 수가 있니?
③ 너한테 그런 말을 들으면 나는 속상해.
④ 너처럼 친구를 놀리는 건 나쁜 짓이야.

03 ㉠과 ㉡에 공통으로 들어갈 문장 성분은?

> • 동생이 (㉠) 먹었다.
> • 나는 어머니께 (㉡) 드렸다.

① 주어
② 보어
③ 목적어
④ 관형어

04 ㉠의 예로 적절하지 않은 것은?

> **■ 한글 맞춤법 ■**
> 【제1항】 한글 맞춤법은 표준어를 ㉠ 소리대로 적되, 어법에 맞도록 함을 원칙으로 한다.

① 꽃
② 밤
③ 나무
④ 하늘

05 밑줄 친 단어의 공통적인 특성으로 적절한 것은?

> • 나는 책을 읽었다.
> • 강아지가 빨리 달린다.

① 다른 말을 꾸며 준다.
② 문장에서 주로 주어로 쓰인다.
③ 부름, 응답, 놀람 등을 나타낸다.
④ 사람이나 사물의 움직임을 나타낸다.

06 다음에서 설명하는 언어의 특성은?

> 백(百)을 뜻하는 '온'이나 천(千)을 뜻하는 '즈믄'은 지금은 거의 쓰이지 않는다. 또 '어리다'라는 말은 '어리석다'라는 뜻에서 오늘날에는 '나이가 적다'라는 뜻으로 바뀌었다.

① 사회성
② 역사성
③ 자의성
④ 창조성

07 다음 자음의 공통적인 특성으로 알맞은 것은?

> ㅁ, ㅂ, ㅃ, ㅍ

① 두 입술 사이에서 나는 입술소리이다.
② 입안이나 코안이 울리면서 나는 울림소리이다.
③ 혀끝이 윗니의 잇몸에 닿으면서 나는 잇몸소리이다.
④ 성대 근육을 긴장시켜 숨이 거세게 나는 거센소리이다.

08 ㉠에 해당하는 자음이 아닌 것은?

> 훈민정음의 자음 글자는 '상형의 원리'를 기본으로 다섯 개의 ㉠ 기본 글자를 만들고, 이러한 기본 글자에 획을 더한 '가획의 원리'에 따라 'ㅋ, ㄷ, ㅌ, ㅂ, ㅍ, ㅈ, ㅊ, ㆆ, ㅎ'을 만들었다.

① ㄱ   ② ㄹ
③ ㅅ   ④ ㅇ

09 다음 계획서를 바탕으로 보고서를 작성할 때 유의할 점으로 적절하지 않은 것은?

> • 목적 : 우리 고장의 문화재 조사하기
> • 조사 기간 : 8월 1일부터 8월 10일까지
> • 조사 내용 : 우리 고장 문화재의 종류와 특징
> • 조사 방법 :
>   우리 고장 문화재 답사
>   인터넷과 책에서 관련 자료 조사
>   우리 고장 문화재 해설사 인터뷰

① 조사한 내용을 과장하거나 왜곡하지 않는다.
② 인터넷과 책에서 찾은 자료의 출처를 밝힌다.
③ 조사한 자료는 사실에 근거하지 않더라도 활용한다.
④ 인터뷰 내용은 문화재 해설사의 동의를 얻어 인용한다.

10 ㉠~㉣ 중 글의 통일성을 고려할 때 적절하지 않은 것은?

제목	자전거를 탈 때 안전모를 쓰자	
처음	자전거 운행 시 안전모 착용 실태	㉠
중간	• 공유 자전거 이용 활성화 – 자동차 이용률을 낮추어 친환경적임.	㉡
	• 안전모 미착용에 따른 문제점 – 사소한 사고에도 인명 피해가 커짐.	㉢
	• 안전모의 착용률을 높이는 방법 – 안전모의 필요성을 강조하는 광고를 함.	㉣
끝	자전거 운행 시 안전모 착용 당부	

① ㉠   ② ㉡
③ ㉢   ④ ㉣

[11~13] 다음 글을 읽고 물음에 답하시오.

우리가 명선이한테서 순순히 얻어 낸 ㉠ 금반지는 두 번째 것으로 마지막이었다. 아버지와 어머니가 온갖 지혜를 짜내어 백방으로 숨겨 둔 장소를 알아내려 안간힘을 다해 보았으나 금반지 근처에만 얘기가 닿아도 명선이는 입을 굳게 다문 채 침묵 속의 도리질로 완강히 버티곤 했다.

날이 가고 달이 갔다. 어느덧 초가을로 접어드는 날씨였다. 남쪽에서 쳐 올라오는 국방군에 밀려 ㉡ 인민군이 북쪽으로 쫓겨 가기 시작한다는 소문이 돌았다. 생각보다 전쟁이 일찍 끝나 남쪽으로 피란 갔던 명선이네 숙부가 어느 날 불쑥 마을에 다시 나타날 경우를 생각하면서 어머니는 딱할 정도로 조바심을 치기 시작했다. 내가 벌써 귀띔을 해 줘서 어른들은 명선이가 숙부에게 버림받은 게 아니라 스스로 도망쳤다는 사실을 이미 알고 있었다. 전쟁이 끝나기 전에 어떻게 해서든 명선이의 입을 열게 하려고 아버지는 수단 방법을 안 가릴 기세였다.

그날도 나는 명선이와 함께 부서진 다리에 가서 놀고 있었다. 예의 그 위험천만한 곡예 장난을 명선이는 한창 즐기는 중이었다. 콘크리트 부위를 벗어나 그 애가 앙상한 철근을 타고 거미처럼 지옥의 가장귀를 향해 조마조마하게 건너갈 때였다. 그때 우리들 머리 위의 하늘을 두 쪽으로 가르는 굉장한 폭음이 귀뺨을 갈기는 기세로 갑자기 울렸다. 푸른 하늘 바탕을 질러 하얗게 호주기 편대가 떠가고 있었다. ㉢ 비행기의 폭음에 가려 나는 철근 사이에서 울리는 비명을 거의 듣지 못했다. 다른 것은 도무지 무서워할 줄 모르면서도 유독 비행기만은 병적으로 겁을 내는 서울 아이한테 얼핏 생각이 미쳐, 눈길을 하늘에서 허리가 동강이 난 다리로 끌어 내렸을 때, 내가 본 것은 강심을 겨냥하고 빠른 속도로 멀어져 가는 한 송이 ㉣ 쥐바라숭꽃이었다.

명선이가 들꽃이 되어 사라진 후 어느 날 한적한 오후에 나는 그때까지 한 번도 성공한 적이 없는 모험을 혼자서 시도해 보았다. 겁쟁이라고 비웃는 사람이 아무도 없으니까 의외로 용기가 나고 마음이 차갑게 가라앉는 것이었다.

— 윤흥길, 「기억 속의 들꽃」 —

11 윗글의 서술상 특징으로 가장 적절한 것은?

① 작품 속에서 서술자가 계속 바뀌고 있다.

② 작품 밖 서술자가 등장인물을 관찰하고 있다.

③ 작품 속 인물이 경험한 내용을 서술하고 있다.

④ 작품 밖에서 서술자가 인물의 심리를 제시하고 있다.

12 '명선이'에 대한 설명으로 적절하지 <u>않은</u> 것은?

① 금반지를 숨겨 두고 있다.

② 숙부로부터 버림을 받았다.

③ 위험천만한 곡예 장난을 했다.

④ 비행기를 병적으로 무서워했다.

13 ㉠~㉣ 중 다음 설명에 해당하는 것은?

6·25 전쟁의 폭력으로 죽어 간 한 소녀를 상징한다.

① ㉠ ② ㉡

③ ㉢ ④ ㉣

[14~16] 다음 글을 읽고 물음에 답하시오.

> [내]를 건너서 ㉠ 숲으로
> ㉡ 고개를 넘어서 마을로
>
> 어제도 가고 오늘도 갈
> 나의 길 새로운 길
>
> ㉢ 민들레가 피고 까치가 날고
> ㉣ 아가씨가 지나고 바람이 일고
>
> 나의 길은 언제나 새로운 길
> 오늘도…… 내일도……
>
> 내를 건너서 숲으로
> 고개를 넘어서 마을로 $\quad$ [A]
>
> – 윤동주, 「새로운 길」 –

14 윗글의 표현상 특징으로 가장 적절한 것은?

① 색채 대비를 통해 시상을 전개하고 있다.

② 소리를 흉내 내는 말로 생동감을 살리고 있다.

③ 동일한 시어를 반복하여 운율을 형성하고 있다.

④ 후각적 심상을 통해 시적 분위기를 조성하고 있다.

15 다음을 참고할 때, ㉠~㉣ 중 [내]의 함축적 의미와 가장 유사한 것은?

> 이 시에서 '길'이 인생을 상징한다고 보면, '내'는 인생에서 극복해야 할 시련이나 장애물로 해석할 수 있다.

① ㉠   ② ㉡

③ ㉢   ④ ㉣

16 [A]에 대한 설명으로 가장 적절한 것은?

① 계절의 변화로 화자의 심리를 드러낸다.

② 대상을 의인화하여 친근감을 느끼게 한다.

③ 과거와 현재를 대비하여 상실감을 표현한다.

④ 공간의 이동을 통해 화자의 지향을 보여준다.

[17~19] 다음 글을 읽고 물음에 답하시오.

> "오늘 밤 새벽 때를 함지에다 머물게 하고, 내일 아침 돋는 해를 부상지에다 매어 두면 가련하신 우리 아버지 좀 더 모셔 보련마는, 날이 가고 달이 가니 뉘라서 막을쏘냐.
> 애고 애고, 설운지고."
> 천지가 사정없어 이윽고 닭이 우니 심청이 하릴없어,
> "닭아 닭아, 우지 마라. 제발 덕분에 우지 마라. 반야[1] 진관에서 닭 울음 기다리던 맹상군이 아니로다. 네가 울면 날이 새고, 날이 새면 나 죽는다. 죽기는 섫잖아도 의지 없는 우리 아버지 어찌 잊고 가잔 말이냐?"
> 어느덧 동방이 밝아 오니, 심청이 아버지 진지나 마지막 지어 드리리라 하고 문을 열고 나서니, 벌써 뱃사람들이 사립문밖에서,
> "오늘이 배 떠나는 날이오니 수이 가게 해 주시오."
> 하니, 심청이 이 말을 듣고 ㉠ 얼굴빛이 없어지고 손발에 맥이 풀리며 목이 메고 정신이 어지러워 뱃사람들을 겨우 불러,
> "여보시오 선인네들, 나도 오늘이 배 떠나는 날인 줄 이미 알고 있으나, 내 몸 팔린 줄을 우리 아버지가 아직 모르십니다. 만일 아시게 되면 지레 야단이 날 테니, 잠깐 기다리면 진지나 마지막으로 지어 잡수시게 하고 말씀 여쭙고 떠나게 하겠어요."
> 하니 뱃사람들이,
> "그리하시지요."
> 하였다. 심청이 들어와 눈물로 밥을 지어 아버지께

올리고, 상머리에 마주 앉아 아무쪼록 진지 많이 잡수시게 하느라고 자반도 떼어 입에 넣어 드리고 김쌈도 싸서 수저에 놓으며,

"진지를 많이 잡수셔요."

심 봉사는 철도 모르고,

"야, 오늘은 반찬이 유난히 좋구나. 뉘 집 제사 지냈느냐."

그날 밤에 꿈을 꾸었는데, 부자간은 천륜지간²⁾이라 꿈에 미리 보여 주는 바가 있었다.

"아가 아가, 이상한 일도 있더구나. 간밤에 꿈을 꾸니, 네가 큰 수레를 타고 한없이 가 보이더구나. 수레라 하는 것이 귀한 사람이 타는 것인데 우리 집에 무슨 좋은 일이 있을 란가 보다. 그렇지 않으면 장 승상 댁에서 가마 태워 갈란가 보다."

심청이는 저 죽을 꿈인 줄 짐작하고 둘러대기를,

"그 꿈 참 좋습니다."

하고 진짓상을 물려 내고 담배 태워 드린 뒤에 밥상을 앞에 놓고 먹으려 하니 간장이 썩는 눈물은 눈에서 솟아나고, 아버지 신세 생각하며 저 죽을 일 생각하니 정신이 아득하고 몸이 떨려 밥을 먹지 못하고 물렸다. 그런 뒤에 심청이 사당³⁾에 하직하려고 들어갈 제, 다시 세수하고 사당 문을 가만히 열고 하직 인사를 올렸다.

— 작자 미상, 「심청전」 —

1) 반야 : 한밤중.
2) 천륜지간 : 천륜으로 맺어진 사이. '천륜'은 부모와 자식 간에 하늘의 인연으로 정하여져 있는 사회적 관계나 혈연적 관계를 뜻함.
3) 사당 : 조상의 신주를 모셔 놓은 집.

17 윗글에 대한 설명으로 가장 적절한 것은?

① 전통적인 효 사상이 반영되어 있다.

② 간결하고 건조한 문체를 사용하고 있다.

③ 시대적 배경을 구체적으로 묘사하고 있다.

④ 영웅적 인물이 등장하여 갈등을 해결하고 있다.

18 ㉠에서 짐작할 수 있는 '심청'의 심리와 거리가 먼 것은?

① 걱정　　　　② 긴장

③ 분노　　　　④ 불안

19 윗글에 대한 감상으로 가장 적절한 것은?

① '심 봉사'가 딸의 상황을 모르고 있어서 안타깝다.

② 뱃사람을 기다리게 하는 '심청'의 태도가 무례하다.

③ 새벽 닭 우는 장면을 떠올리니 희망찬 느낌이 든다.

④ '심청'의 부탁을 들어주지 않는 뱃사람들이 야속하다.

[20~22] 다음 글을 읽고 물음에 답하시오.

㉠'모두를 위한 디자인'은 노인이나 장애를 가진 사람도 사용하는 데 불편하지 않은 디자인을 말한다. 이 디자인은 처음에 장애인과 노약자 같은 사회적 약자를 위한 복지 차원에서 시작되었다. 그러나 지금은 좀 더 보편적인 의미인 '모든 사람을 위한 디자인'이라는 의미로 통용되고 있으며, 개인이 사용하는 도구나 물건은 물론 공공시설 같은 환경으로까지 확대되고 있다.

이 디자인이 시작된 미국에서는 신체, 인종, 종교, 문화 차이에 따라 차별을 받지 않도록 규정하는 '동등한 기회' 정신이 보편화되어 있는데, 이러한 가치관이 디자인에도 적용되었다. 옆으로 긴 막대 모양의 문손잡이(옛날에 주로 쓰이던 동그란 문손잡이는 손이 불편하거나 악력이 약한 사람이 사용하기에는 힘들다.), 휠체어를 자유롭게 이용할 수 있는 지하철의엘리베이터(지하철 계단에 설치된 휠체어 리프트보다 훨씬 유용하다.), 횡단보도에서 파란불이 켜질 때 나오는 소리, 공공장소나 대중교통에서 나오는 다국어 음성 안내 등을 '모두를 위한 디자인'이라 부를 수

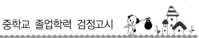

있다. 이런 디자인은 사회적 약자뿐만이 아니라 사회적 약자가 아닌 사람에게도 유용하다.

'모두를 위한 디자인'의 원칙을 보면, 이와 같은 특징을 잘 이해할 수 있다.

㉮

이 외에도 비싸지 않아야 하고 내구성이 있어야 한다. 또한 품질이 좋고 심미적이어야 하며, 인체와 환경을 배려해야 함은 말할 것도 없다.

– 김신, 「모두를 위한 디자인」 –

20 윗글에서 '모두를 위한 디자인'이 적용된 예가 아닌 것은?

① 건물 출입구의 계단
② 지하철의 엘리베이터
③ 횡단보도의 신호등 소리
④ 긴 막대 모양의 문손잡이

21 ㉠과 같은 설명 방법이 사용된 것은?

① 동물은 척추동물과 무척추동물로 나뉜다.
② 발효 음식의 예로 김치와 간장, 된장이 있다.
③ 지구촌 곳곳의 폭염과 화재의 원인은 기후 변화이다.
④ 정삼각형은 변의 길이와 내각의 크기가 모두 같은 삼각형이다.

22 ㉮에 들어갈 원칙으로 적절하지 <u>않은</u> 것은?

① 누구나 쉽게 접근할 수 있어야 한다.
② 누가 쓰더라도 차별 받는 느낌이 없어야 한다.
③ 무리한 힘을 들이지 않아도 사용할 수 있어야 한다.
④ 잘못 다루었을 때 원래 상태로 되돌리기 어려워야 한다.

[23~25] 다음 글을 읽고 물음에 답하시오.

파스퇴르가 살던 시대 사람들은 미생물이 저절로 발생한다고 믿었습니다. 권위 있는 학자들도 예외는 아니어서 이러한 믿음을 학설로 굳혀 놓기까지 했습니다. ㉮ 파스퇴르는 권위에 따르지 않고 실험을 통해 반론을 폈습니다.

㉠ 파스퇴르는 멸균하지 않은 육즙은 발효되었지만, 멸균한 육즙은 발효가 일어나지 않고 원래의 맛과 모습을 계속 유지한다는 사실을 알아냈습니다. 생명이 없는 육즙이 변형되어 생명체인 미생물이 발생하는 것은 불가능하다는 사실을 보여 준 것이지요. 미생물이 무생물로부터 자연적으로 발생하는 것이 아니라 사람처럼 생명을 지닌 고유한 존재라는 사실을 입증했습니다.

의심은 마법사의 물과 같습니다. 의심하는 순간 죽어 있던 진실이 생명을 얻고 살아나기 시작하니까요. 그렇다고 밑도 끝도 없이 의심만 해야 한다는 이야기는 아닙니다. ㉯ 모두가 옳다고 주장하는 이야기라도 틀릴 수 있다는 사실을 잊지 말아야 한다는 것입니다.

"자유 낙하를 하는 두 물체 중 더 무거운 것이 더 빨리 땅에 떨어진다."

㉡ 아리스토텔레스는 이렇게 주장하고, 대부분의 사람은 이 주장을 별 의심 없이 받아들였습니다. 하지만 ㉢ 갈릴레이는 이 주장에 의문을 품었습니다. 그리고 여러 번의 실험으로 모든 물체는 그 무게와 관계없이 똑같은 속도로 자유 낙하한다는 사실을 증명해 냈습니다.

㉣ 코페르니쿠스 역시 누구나 믿고 따르던 프톨레마이오스의 생각, 즉 우주의 중심이 지구라는 생각에 의심을 품었습니다. 그리고 지구가 태양을 중심으로 돈다는 지동설을 주장했습니다.

이처럼 탐구하는 것은 우리를 둘러싸고 있는 잘못된 믿음에 의심을 품고, 새로운 가설을 세우고 실험으로 입증하여 그 잘못을 바로잡는 일을 뜻합니다.

– 남창훈, 「생명을 불어넣는 마법사의 물」 –

23 윗글의 내용과 일치하는 것은?

① 멸균한 육즙에서는 발효가 일어난다.
② 미생물은 무생물로부터 자연적으로 발생한다.
③ 프톨레마이오스는 우주의 중심이 태양이라고 생각했다.
④ 모든 물체는 무게와 관계없이 같은 속도로 자유 낙하한다.

24 ㉮에 들어갈 말로 가장 적절한 것은?

① 그러나   ② 그리고
③ 따라서   ④ 왜냐하면

25 ㉠~㉣ 중 윗글에서 ㉯를 뒷받침하는 사례로 제시된 인물이 아닌 것은?

① ㉠   ② ㉡
③ ㉢   ④ ㉣

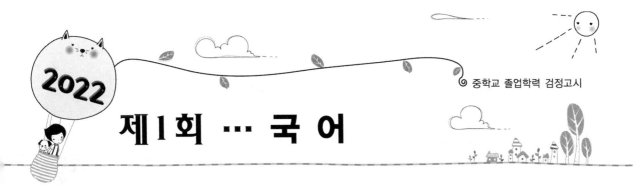

제1회 … 국어

01 다음 대화에 대한 설명으로 가장 적절한 것은?

> 사회자 : 우리 학교 화단이 허전하다는 의견
>   이 많습니다. 이 문제를 해결할 수
>   있는 의견을 말해 주십시오.
> 학생 1 : 봄을 맞아 꽃들을 심는 건 어떨까요?
> 학생 2 : 동의합니다. 꽃 이름을 알려주는 팻
>   말을 함께 붙이는 것도 좋겠습니다.
> 사회자 : 네, 좋은 의견 감사합니다. 다른 의
>   견 있으십니까?

① 진로를 위한 상담이다.
② 문제 해결을 위한 토의이다.
③ 직업 선택을 위한 전문가 면담이다.
④ 전학 온 친구를 위한 학교 소개이다.

02 다음 말하기 상황을 고려할 때 ㉠의 의도로 가장 적절한 것은?

① '재희'의 안부가 궁금하다.
② '재희'에게 도움을 요청한다.
③ '재희'의 잘못된 점을 지적한다.
④ '재희'와 학교 밖에서 만나고 싶다.

03 다음 규정에 맞지 <u>않는</u> 것은?

> **■ 표준 발음법 ■**
> 【제5항】 'ㅢ'는 이중모음 [ㅢ]로 발음한다. 다
>   만 3. 자음을 첫소리로 가지고 있는 음절
>   의 'ㅢ'는 [ㅣ]로 발음한다.

① 무늬[무니]
② 의자[의자]
③ 희망[희망]
④ 띄어쓰기[띠어쓰기]

04 다음 밑줄 친 낱말이 문장에서 바르게 쓰인 것은?

> • 반드시 : 틀림없이 꼭
> • 반듯이 : 작은 물체, 또는 생각이나 행동 등이
>   비뚤어지거나 기울거나 굽지 않고
>   바르게

① 겨울이 가면 **반듯이** 봄이 온다.
② 이번 시험에는 **반드시** 합격할 것이다.
③ 비가 오는 날이면 **반듯이** 허리가 쑤신다.
④ 큰 지진 뒤에는 **반듯이** 피해가 일어난다.

05 다음 밑줄 친 부분의 예로 적절하지 <u>않은</u> 것은?

> **[탐구 과제]**
> 관용 표현은 둘 이상의 낱말이 합쳐져 원래의 뜻과는 다른 특별한 뜻을 나타내는 관습적인 말입니다. 그중 <u>신체부위와 관련한 관용 표현</u>을 찾아봅시다.

① 아이가 **눈이 작아서** 귀엽다.
② 그는 **귀가 얇아서** 남의 말을 잘 믿는다.
③ 이야기가 재미있어서 **배꼽 빠지게** 웃었다.
④ 그는 사회생활을 많이 해서인지 **발이 넓다.**

06 ㉠에 해당하는 것은?

> 단모음은 발음할 때 입술을 둥글게 오므려 소리 내는 ㉠<u>원순 모음</u>과 그렇지 않은 평순 모음으로 나눌 수 있어요.

  〈원순 모음〉   〈평순 모음〉

① ㅏ   ② ㅗ
③ ㅡ   ④ ㅣ

07 밑줄 친 단어의 품사가 <u>다른</u> 것은?

① 그는 <u>매우</u> 착하다.
② 일을 <u>빨리</u> 끝내다.
③ <u>새</u> 옷을 꺼내 입다.
④ 선물을 <u>살며시</u> 건네주다.

08 ㉠에 해당하는 것은?

> ㉠<u>홑문장</u>은 주어와 서술어의 관계가 한 번만 나타나는 문장입니다.

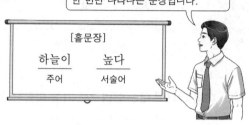

> **[홑문장]**
> 하늘이   높다
> 주어   서술어

① 국화가 활짝 피었다.
② 민호가 소리도 없이 다가왔다.
③ 나는 노래하고 영희는 춤춘다.
④ 비가 그쳐서 지수는 외출했다.

09 (가)에 들어갈 내용으로 가장 적절한 것은?

근거 1	즉석식품을 자주 섭취할 경우 우리 몸에 필요한 여러 영양소가 결핍되기 쉽다.
근거 2	즉석식품에는 나트륨과 식품 첨가물이 과다하게 함유되어 있다.

⇓

주장	(가)

① 즉석식품의 과도한 섭취는 건강에 해롭다.
② 즉석식품의 포장 관리를 철저히 해야 한다.
③ 즉석식품에서 발생하는 쓰레기를 줄여야 한다.
④ 즉석식품에는 우리 몸에 필요한 영양소가 들어 있다.

10 다음은 글쓰기 계획의 일부이다. ㉠에 해당하는 내용으로 가장 적절한 것은?

> ☉ 우리 지역 축제 보고서 쓰기 계획 ☉
> • 목적 : (㉠)
> • 기간 : 2022년 ○월 ○일 ~ ○월 ○일
> • 방법 : 설문 조사
>   – 대상 : 축제 방문자
>   – 내용
>
> | ◆ 축제의 만족도는? | (□ 안에 체크하세요.) |
> |---|---|
> | □ 매우 불만족   □ 불만족   □ 보통 | □ 만족   □ 매우 만족 |
> | 〈매우 불만족/불만족〉일 때 응답하세요. | 〈만족/매우 만족〉일 때 응답하세요. |
> | • 축제에 만족하지 못한 이유는? | • 축제에서 좋았던 행사는? |
> | • 축제에서 고쳐야 할 점은? | • 다음 해에 참가하고 싶은 행사는? |

① 우리 지역 환경오염의 심각성을 알리기 위해

② 우리 지역 청소년 시설의 현황을 조사하기 위해

③ 우리 지역 축제의 문제점과 발전 방안을 찾기 위해

④ 전통 시장을 홍보해서 지역의 축제 예산을 늘리기 위해

[11~13] 다음 글을 읽고 물음에 답하시오.

위층의 소리는 멈추지 않았다. 드르륵거리는 ㉠소리에 머리털이 진저리를 치며 곤두서는 것 같았다. 철없고 상식없는 요즘 젊은 엄마들이 아이들에게 집 안에서 자전거나 스케이트보드 따위를 타게도 한다는데, 아무래도 그런 것 같았다. 인터폰의 수화기를 들자, 경비원의 응답이 들렸다. 내 목소리를 알아채자마자 길게 말꼬리를 늘이며 지레 짚었다. 귀찮고 성가셔하는 표정이 눈앞에 역력히 떠올랐다.

"위층이 또 시끄럽습니까? 조용히 해 달라고 말씀드릴까요?"

잠시 후 인터폰이 울렸다.

"충분히 주의하고 있으니 염려 마시랍니다."

경비원의 전갈이었다. 염려 마시라고? 다분히 도전적인 저의(底意)[1]가 느껴지는 전언이었다. 게다가 드르륵드르륵 소리는 여전하지 않은가? 이젠 한판 싸워 보자는 얘긴가? 나는 인터폰을 들어 다짜고짜 909호를 바꿔 달라고 말했다. 신호음이 서너 차례 울린 후에야 신경질적인 젊은 여자의 응답이 들렸다.

"아래층인데요. 댁이 그런 식으로 말할 건 없잖아요? 나도 참을 만큼 참았다고요. 공동 주택에는 지켜야 할 규칙들이 있잖아요? 난 그 ㉡소리 때문에 병이 날 지경이에요."

"여보세요. 난 날아다니는 나비나 파리가 아니에요. 내 집에서 맘대로 움직이지도 못하나요? 해도 너무하시네요. 이틀 거리로 전화를 해대시니 저도 피가 마르는 것 같아요. 저더러 어쩌라는 거예요?"

"하여튼 아래층 사람 고통도 생각하시고 주의해 주세요."

나는 거칠게 수화기를 내려놓았다. "뻔뻔스럽긴. 이젠 순배짱이잖아?" 소리 내어 욕설을 퍼부어도 화가 가라앉지 않았다. 그렇다고 언제까지 경비원을 사이에 두고 '하랍신다', '하신다더라' 하며 신경전을 펼 수도 없는 일이었다. 화가 날수록 침착하고 부드럽게 처신해야 한다는 것은 나이가 가르친 지혜였다. 지난 겨울 선물로 받은, 아직 쓰지 않은 실내용 슬리퍼에 생각이 미친 것은 스스로도 신통했다. 선물도 무기가 되는 법. 발소리를 죽이는 푹신한 슬리퍼를 선물함으로써 ㉢소리를 죽이라는 메시지와 함께 소리 때문에 고통받는 내 심정을 간접적으로 나타낼 수 있으리라. 사려 깊고 양식 있는 이웃으로서 공동생활의 규범에 대해 조곤조곤 타이르리라.

위층으로 올라가 벨을 눌렀다. 안쪽에서 "누구세요?" 묻는 ㉣소리가 들리고도 십 분 가까이 지나 문이 열렸다. '이웃 사촌이라는데 아직 인사도 없이…….' 등등 준비했던 인사말과 함께 포장한 슬리퍼를 내밀려던 나는 첫마디를 뗄 겨를도 없이 우두망찰했다.[2] 좁은 현관을 꽉 채우며 휠체어에 앉은 젊은 여자가 달갑잖은 표정으로 나를 올려다보았다.

"안 그래도 바퀴를 갈아 볼 작정이었어요. 소리가 좀 덜 나는 것으로요. 어쨌든 죄송해요. 도와주는 아줌마가 지금 안 계셔서 차 대접할 형편도 안 되네요."

여자의 텅 빈, 허전한 하반신을 덮은 화사한 빛깔의 담요와 휠체어에서 황급히 시선을 떼며 나는 할 말을 잃은 채 부끄러움으로 얼굴만 붉히며 슬리퍼 든 손을 등 뒤로 감추었다.

1) 겉으로 드러나지 아니한, 속에 품은 생각
2) 정신이 얼떨떨하여 어찌할 바를 몰랐다.

– 오정희, 「소음공해」

11 윗글의 내용으로 가장 적절한 것은?

① 경비원은 층간 소음 문제를 적극적으로 해결했다.

② 위층 여자는 아래층의 소음에 대해 여러 번 항의했다.

③ '나'는 위층 여자의 사정을 알고 나서 부끄러움을 느꼈다.

④ '나'는 위층 여자를 오해했던 것이 미안하여 사과의 선물을 전달했다.

12 윗글을 연극으로 공연하고자 할 때, 준비할 소품으로 볼 수 없는 것은?

① 화사한 빛깔의 담요

② 선물로 준비한 과일

③ 포장된 실내용 슬리퍼

④ 바퀴 소리가 큰 휠체어

13 ㉠~㉣ 중 성격이 다른 것은?

① ㉠   ② ㉡

③ ㉢   ④ ㉣

[14~16] 다음 글을 읽고 물음에 답하시오.

┌─ 열무 삼십 단을 이고
│   ㉠시장에 간 우리 엄마
│   안 오시네, 해는 시든 지 오래
│   나는 ㉡찬밥처럼 방에 담겨
[A] │ 아무리 천천히 숙제를 해도
│   엄마 안 오시네,
│   ㉢배춧잎 같은 발소리 타박타박
│   안 들리네, 어둡고 무서워
│   금 간 ㉣창틈으로 고요히 빗소리
└─ 빈방에 혼자 엎드려 훌쩍거리던

아주 먼 옛날
지금도 내 눈시울을 뜨겁게 하는
그 시절, 내 유년[1]의 윗목[2]

– 기형도, 「엄마 걱정」

1) 나이가 어린 때.
2) 온돌방에서 아궁이로부터 먼 쪽의 방바닥. 불길이 잘 닿지 않아 아랫목보다 상대적으로 차가운 쪽이다.

14 윗글에 대한 설명으로 가장 적절한 것은?

① 어른이 된 화자가 어린 시절을 회상한다.

② 속마음을 반대로 표현하여 현실을 비판한다.

③ 의성어를 통해 어머니의 발소리를 경쾌하게 표현했다.

④ 감각적 표현을 통해 유년의 행복했던 기억을 생생하게 전달한다.

15 [A]에 나타난 화자의 정서와 거리가 먼 것은?

① 무서움   ② 외로움

③ 쓸쓸함   ④ 부끄러움

16 ⊙∼② 중 밑줄 친 '이것'에 해당하는 것은?

> 일하러 간 엄마를 기다리는 '나'의 모습을
> 이것에 빗대어 표현하였다.

① ⊙   ② ⊙
③ ⊙   ④ ②

[17∼19] 다음 글을 읽고 물음에 답하시오.

> 규중 부인이 아침 단장을 마치매, 칠우가 모여
> 할 일을 함께 의논하여 각각 맡은 일을 이루어 내
> 는지라. 하루는 칠우가 모여 바느질의 공을 의논
> 하는데 ⊙ 척 부인이 긴 허리를 뽐내며 말하기를,
> "여러 벗들은 들으라. 가는 명주, 굵은 명주, 흰
> 모시, 가는 실로 짠 천, 파랑, 빨강, 초록, 자주
> 비단을 다 내어 펼쳐 놓고 남녀의 옷을 마련할
> 때, 길이와 넓이며 솜씨와 격식을 내가 아니면 어
> 찌 이루리오. 그러므로 옷 짓는 공은 내가 으뜸이
> 되리라."
> ⊙ 교두 각시가 두 다리를 빠르게 놀리며 뛰어나
> 와 이르되,
> "척 부인아, 그대 아무리 마련을 잘한들 베어 내
> 지 아니하면 모양이 제대로 되겠느냐? 내 공과
> 내 덕이니 네 공만 자랑 마라."
> 세요 각시가 가는 허리를 구부리며 날랜 부리 돌
> 려 이르되,
> "두 벗의 말이 옳지 않다. 진주 열 그릇이라도 꿴
> 후에야 보배라 할 것이니, 재단에 두루 능하다 하
> 나 내가 아니면 옷 짓기를 어찌하리오. 잘게 누빈
> 누비, 듬성하게 누빈 누비, 맞대고 꿰맨 솔기, 긴
> 옷을 지을 때 나의 날래고 빠름이 아니면 어찌 잘
> 게 뜨며, 굵게 박아 마음대로 하리오. 척 부인이
> 재고 교두 각시가 옷감을 베어 낸다 하나, 나 아
> 니면 공이 없으련만 두 벗이 무슨 공이라 자랑하
> 느뇨."
> ⊙ 청홍흑백 각시가 얼굴이 붉으락푸르락하여 화
> 내며 말하기를,

> "세요야, 네 공이 내 공이라. 자랑 마라. 네 아무
> 리 잘난 체하나 한 솔기나 반 솔기인들 내가 아니
> 면 네 어찌 성공하리오."
> ② 감투 할미가 웃으며 이르되,
> "각시님네, 웬만히 자랑하소. 이 늙은이 머리부터
> 발끝까지 온몸으로 아기씨네 손부리 아프지 아니
> 하게 바느질 도와드리나니, 옛말에 이르기를 '닭
> 의 입이 될지언정 소의 꼬리는 되지 말라'고 했
> 소. ㉮ 청홍흑백 각시는 세요의 뒤를 따라다니며
> 무슨 말을 하시느뇨. 실로 얼굴이 아까워라. 나는
> 매양 세요의 귀에 찔렸으나, 낯가죽이 두꺼워 견
> 딜 만하여 아무 말도 아니하노라."
> – 규중의 어느 부인, 「규중의 일곱 벗」–

17 ⊙∼②에 해당하는 내용이 적절한 것은?

	외적 특징		실제 사물
⊙	긴 허리	……	자
⊙	두 다리	……	다리미
⊙	두꺼운 낯	……	골무
②	붉으락푸르락한 얼굴	……	가위

① ⊙   ② ⊙
③ ⊙   ④ ②

18 윗글의 내용으로 보아 빈칸에 들어갈 말로 적
절한 것은?

> 칠우가 모여 함께 이루어 내는 일은 (   )
> 이다.

① 옷 만들기
② 집 안 정리하기
③ 규중 부인 깨우기
④ 규중 부인의 머리 꾸미기

19 ㉮의 의미로 가장 적절한 것은?

① 이야기를 좋아하는 규중 부인

② 바늘이 꽂혀 있는 골무의 모습

③ 화려하게 장식된 규중 부인의 방

④ 바늘귀에 꿰여 달려 있는 실의 모습

[20~22] 다음 글을 읽고 물음에 답하시오.

여름밤에 잠을 못 자게 하는 두 가지 공포는 밤새도록 더위가 가시지 않는 열대야 현상과 ⎡ ㉠ ⎤ 이다. 밤새 가로수에 매달려 우는 매미 때문에 창문을 열어 놓을 수가 없다. 도로를 지나다니는 차들의 경적도 시끄럽지만, 매미의 기세도 보통이 아니다.

하지만 매미는 원래 밝은 낮에만 울고 어두워지면 울지 않았다. 매미의 수컷이 내는 소리에는 세 가지 의미가 있는데, 첫째 주변에 있는 매미들에게 자신의 존재를 알리고, 둘째 자신의 영역을 침범하지 말라고 경고하며, 셋째 암컷을 유인해 짝짓기를 하는 것이다. 특히 매미의 울음소리는 수컷이 암컷 매미를 만나 짝짓기를 하여 종족을 번식하는 데 없어서는 안 될 신호인 셈이다. 그런데 가로등이나 상점 간판의 네온사인, 자동차의 전조등과 같은 인공 불빛으로 밤이 너무 밝아지자 낮이 아닌데도 매미들이 우는 것이다.

[A] 사람도 빛 공해의 피해를 입고 있다. 우리나라의 도시에 사는 아이들은 시골에 사는 아이들보다 안과를 자주 찾는다. 세계적으로 유명한 과학 잡지 「네이처」에서는 밤에 항상 불을 켜 놓고 자는 아이의 34퍼센트가 근시라는 조사 결과를 발표했다. 불빛 아래에서는 잠드는 데 ㉡걸리는 시간인 수면 잠복기가 길어지고 뇌파도 불안정해진다. 이 때문에 도시의 눈부신 불빛은 아이들의 깊은 잠을 방해하고 있는 것이다.

이와 같이 도시의 빛 공해로 인해 생물체들이 피해를 입고 있다. 생물체가 살아가려면 햇빛이 필요하듯이 어둠과 고요도 꼭 있어야 한다. 어둠 속에서 편히 쉬어야 다시 생기를 얻을 수 있기 때문이다. 생명을 위해 이제 도시의 밤하늘에 어둠과 고요를 돌려주자. 인공의 불빛이 아닌 자연의 별빛을 밝히자.

– 박경화, 「도시의 밤은 너무 눈부시다」–

---

20 윗글의 ㉠에 들어갈 내용으로 가장 적절한 것은?

① 아파트 위층에서 들리는 세탁기 소리

② 운동장에서 들리는 아이들의 웃음소리

③ 집 안에서 키우는 반려견의 발자국 소리

④ 창밖에서 들리는 시끄러운 매미 울음소리

---

21 [A]에 대한 설명으로 가장 적절한 것은?

① 질문을 통해 화제에 집중하게 하고 있다.

② 속담을 이용하여 독자의 흥미를 불러일으키고 있다.

③ 과장된 수치를 사용하여 경각심을 불러일으키고 있다.

④ 세계적으로 유명한 과학 잡지를 인용하여 신뢰도를 높이고 있다.

---

22 ㉡과 같은 의미로 쓰인 것은?

① 감기에 걸리다.

② 그림이 벽에 걸리다.

③ 물고기가 그물에 걸리다.

④ 밥하는 시간이 오래 걸리다.

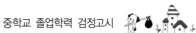

[23~25] 다음 글을 읽고 물음에 답하시오.

남극과 북극 가운데 어디가 더 추울까? 남극이 훨씬 춥다. 육지는 바다에 비해 쉽게 데워지고 쉽게 식는다. 남극은 이러한 육지가 밑에 있어서 한겨울에 해당하는 8월 말 무렵이면 높은 곳에서는 기온이 영하 70℃ 가까이 내려간다고 한다. 역사상 최저 기온은 영하 89℃였다. 이러한 기후 조건 때문에 남극에는 연구를 목적으로 거주하는 사람들 외에는 원주민이 없다. ◯㉠ 남극의 추위를 견뎌 내기가 그만큼 어렵기 때문이다.

북극은 주변에 있는 바다와 해류의 영향을 받는다. 얼음 덩어리보다 상대적으로 온도가 높은 바다에서 상승하는 따뜻한 공기 때문에 겨울에는 최저 기온이 영하 30~40℃까지 내려가지만, 여름에는 영상 10℃ 정도로 비교적 따뜻하다. 그리고 북극에는 우리가 에스키모라고 알고 있는 원주민인 이누이트인들이 살아가고 있다.

– 고현덕 외, 「살아있는 과학 교과서 1」

23 윗글의 내용과 일치하지 <u>않는</u> 것은?

① 북극이 남극보다 훨씬 춥다.
② 북극은 해류의 영향을 받는다.
③ 이누이트인이 북극에 살고 있다.
④ 육지는 바다에 비해 쉽게 데워진다.

24 다음 빈칸에 들어갈 말로 가장 적절한 것은?

윗글은 남극과 북극의 (   ) 특징을 대비하여 설명하고 있다.

① 경제적   ② 기후적
③ 문화적   ④ 역사적

25 ㉠에 들어갈 말로 가장 적절한 것은?

① 또한   ② 그러나
③ 왜냐하면   ④ 예를 들면

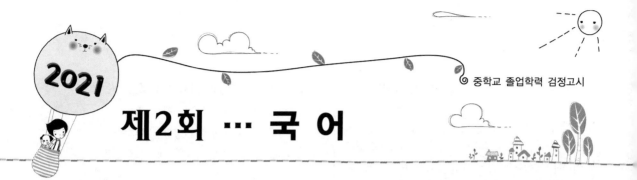
제2회 ··· 국어

01 공감하며 반응하는 대화로 ㉠에 들어가기에 가장 적절한 것은?

동아리 기타 연주회를 앞두고 있는데 연주가 잘 안 돼서 속상해.

㉠

① 동아리에서 배운 대로만 하는데 그게 어려워?

② 그럼 지금이라도 그만둬! 괜히 피해 주지 말고.

③ 거봐, 그럴 줄 알았다. 어쩐지 연습을 안 하더라.

④ 그렇구나! 연주회를 앞두고 있어서 걱정이 되는구나.

02 다음은 토론의 일부이다. ㉠에 들어갈 내용으로 가장 적절한 것은?

> **논제 : 학교 내 복도에 무인 방범 카메라를 설치하자.**
>
> 찬성 측 : 교내의 모든 복도에 무인 방범 카메라가 설치되어야 합니다. 학교의 사각지대가 사라진다면 학생들이 자신의 행동을 스스로 조심하게 되어 학교 폭력이 줄어들 것입니다.
>
> 반대 측 : 저는 바로 그 점 때문에 교내 복도 무인 방범 카메라 설치에 반대합니다. 학교의 모든 복도에 카메라가 설치되어 학생들의 일거수일투족이 빠짐없이 촬영된다면 　　　㉠

① 사생활 침해 우려가 크기 때문입니다.

② 초기 설치 비용이 많이 들기 때문입니다.

③ 유지 및 보수 관리가 어렵기 때문입니다.

④ 교내에 외부인 출입이 어려워지기 때문입니다.

03 다음 〈표준 발음법〉 규정에 맞지 <u>않는</u> 것은?

> **■ 표준 발음법 ■**
>
> 【제9항】받침 'ㄲ, ㅋ', 'ㅅ, ㅆ, ㅈ, ㅊ, ㅌ', 'ㅍ'은 어말 또는 자음 앞에서 각각 대표음 [ㄱ, ㄷ, ㅂ]으로 발음한다.

① 낮[낟]　　　　② 밖[박]

③ 옷[옷]　　　　④ 앞[압]

04 밑줄 친 단어의 품사가 <u>다른</u> 것은?

① 오늘은 <u>어느</u> 집에서 모이나요?

② <u>모든</u> 학생은 강당으로 모여 주세요.

③ 언제나 시작할 때의 <u>첫</u> 마음을 잊지 말자.

④ 엄마가 들려주신 이야기는 <u>매우</u> 흥미로웠다.

05 ㉠과 같은 어휘를 사용하는 이유로 가장 적절한 것은?

> (엄마가 아들에게) 당근은 가늘고 길게 채 썰어 줘.
>
> (요리사들의 대화) 당근은 ㉠ 쥘리엔*으로 썰어 주세요!
>
> *쥘리엔: 채소나 고기를 길고 가는 모양으로 채 써는 것을 가리키는 요리 용어.

① 고유어를 사용하여 생생하게 표현하기 위해

② 지역 방언을 사용하여 동질감을 형성하기 위해

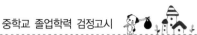

③ 전문어를 사용하여 소통을 효율적으로 하기 위해

④ 유행어를 사용하여 문화적 특징을 드러내기 위해

06 밑줄 친 문장 성분이 ㉠에 해당하는 것은?

> 문장을 이루는 데 필요한 주성분에는 주어, 목적어, ㉠ 보어, 서술어가 있다.

① 아침에 까치가 울었다.

② 내 동생이 반장이 되었다.

③ 형이 강가에서 산책을 한다.

④ 여름에는 수박을 많이 먹는다.

07 ㉠에 해당하지 않는 것은?

> 훈민정음의 자음 글자 'ㄱ, ㄴ, ㅁ, ㅅ, ㅇ'은 상형의 원리로 만들어진 기본 글자이다. ㉠ 이 기본 글자에 가획의 원리에 따라 획을 더하여 글자를 추가로 만들었다.

① ㅋ

② ㄲ

③ ㄷ

④ ㅈ

08 다음 개요에서 통일성을 고려할 때, 적절하지 않은 것은?

제목	지진의 피해와 대처 방안
처음	지진의 개념

중간	• 지진 피해 실태
	  – 지진과 태풍의 원인 비교·········①
	  – 각국의 지진 피해 사례·············②
	• 지진 발생 시 대처 방안
	  – 지진 발생 시 장소에 따른 대피 방법···③
	  – 지진 강도에 따른 행동 요령·········④

끝	당부의 말

09 (가)를 활용하여 표현하기에 적절한 것을 (나)의 ㉠~㉣에서 고른 것은?

> (가) 속담 : 울며 겨자 먹기
>
> (나) 어제 아버지께서 등산을 가자고 하셨다. ㉠ 가기 싫었지만 억지로 따라갔다. 급하게 올라가려니 너무 힘들었다. 아버지께서 ㉡ 힘들면 내려가자고 하셨다. 그때는 ㉢ 포기하고 싶다는 생각이 들었다. 그런데 산 정상에 도착하니 눈앞에 펼쳐진 풍경에 ㉣ 올라 갈 때의 고통이 사라지는 것 같았다.

① ㉠

② ㉡

③ ㉢

④ ㉣

10 ㉠~㉣에 대한 고쳐쓰기 방안으로 적절하지 않은 것은?

> 종묘는 1995년에 유네스코 세계 문화유산으로 지정된 우리나라의 대표적인 문화재이다. ㉠ 유네스코는 프랑스 파리에 본부를 두고 있다. 종묘는 조선 시대에 왕과 왕비의 위패를 모시고 제사를 지내던 공간이다. ㉡ 조상은 추모하는 장소이므로 화려한 단청 같은 장식은 없다. 모든 건축물이 단순하고 절제된 아름다움을 ㉢ 드러내고 있어서 방문한 사람들도 ㉣ 경박함을 느낄 수 있는 곳이다.

① ㉠ : 글의 흐름에서 벗어난 내용이므로 삭제한다.

② ㉡ : 조사의 쓰임이 맞지 않으므로 '조상을'로 바꾼다.

③ ㉢ : 문장의 호응을 고려하여 '드러나고'로 바꾼다.

④ ㉣ : 문맥에 맞지 않으므로 '경건함'으로 바꾼다.

[11~13] 다음 글을 읽고 물음에 답하시오.

"이제부터 내가 노새다. 이제부터 내가 노새가 되어야지 별수 있니? 그놈이 도망쳤으니까 이제 내가 노새가 되는 거지."

기분 좋게 취한 듯한 아버지는 놀라는 나를 보고 히힝 한 번 웃었다. 나는 어쩐지 그런 아버지가 무섭지만은 않았다. 그러면 형들이나 나는 노새 새끼고, 어머니는 암노새고, 할머니는 어미 노새가 되는 것일까? 나도 아버지를 따라 히히힝 웃었다. 어른들은 이래서 술집에 오는 모양이었다. 나는 안주만 집어 먹었는데도 술 취한 사람마냥 턱없이 즐거웠다. 노새 가족…… . 노새 가족은 우리 말고는 이 세상에 또 없을 것이다.

그러나 그러한 생각은 아버지와 내가 집에 당도했을 때 무참히 깨어지고 말았다. ㉠우리를 본 어머니가 허둥지둥 달려 나와 매달렸다.

"이걸 어쩌우, 글쎄 경찰서에서 당신을 오래요. 그놈의 노새가 사람을 다치고 ⓐ가게 물건들을 박살을 냈대요.

이걸 어쩌지."

"노새는 찾았대?"

"찾고나 그러면 괜찮게요? 노새는 간데온데없고 사람들만 다치고 하니까, 누구네 노새가 그랬는지 수소문 끝에 우리 집으로 순경이 찾아왔지 뭐유."

오늘 낮에 지서에서 나온 사람이 우리 노새가 튀는 바람에 많은 피해를 입었으니 도로 무슨 법이라나 하는 ⓑ법으로 아버지를 잡아넣어야겠다고 이르고 갔다는 것이었다. 아버지는 술이 확 깨는 듯 그 자리에 선 채 한동안 눈만 데룩데룩 굴리고 서 있더니 힝 하고 코를 풀었다. 그러고는 아무 말 없이 스적스적 문밖으로 걸어 나갔다. 나는 '아버지' 하고 따랐으나 아버지는 돌아보지도 않고 어두운 골목길을 나가고 있었다. 나는 그 순간 또 한 마리의 노새가 집을 나가는 것 같은 착각을 일으켰다. 그러고는 무엇인가가 뒤통수를 때리는 것을 느꼈다. 아, 우리 같은 노새는 어차피 이렇게 비행기가 붕붕거리고, 헬리콥터가 앵앵거리고, ⓒ자동차가 빵빵거리고, 자전거가 쌩쌩거리는 대처에서는 발붙이기 어려운

것인가 하는 생각이 들었다. 언젠가 남편이 택시 운전사인 칠수 어머니가 하던 말, '최소한도 자동차는 굴려져야 지금이 어느 땐데 노새를 부려.' 했다는 말이 생각났다. 그러나 그것은 잠깐 동안이고 나는 금방 아버지를 쫓았다. ⓓ또 한 마리의 노새를 찾아 캄캄한 골목길을 마구 뛰었다.

– 최일남, 「노새 두 마리」

11 윗글에 대한 설명으로 가장 적절한 것은?

① '나'의 시각을 통해 이야기를 전개하고 있다.

② 구체적 지명을 제시하여 사실성을 높이고 있다.

③ 배경 묘사를 통해 향토적 분위기를 드러내고 있다.

④ 대화를 통해 등장인물 간 갈등 해소를 나타내고 있다.

12 ㉠의 이유로 가장 적절한 것은?

① 노새가 죽었다는 소식을 들었기 때문에

② 노새를 찾으러 나갔던 형이 다쳤기 때문에

③ 노새가 난동을 부려 순경이 찾아왔기 때문에

④ 경찰서에서 노새를 잡았다는 얘기를 들었기 때문에

13 ⓐ~ⓓ 중 다음 설명에 해당하는 것은?

산업화·도시화에 적응하지 못하는 '아버지' 의 삶을 비유하는 소재

① ⓐ   ② ⓑ

③ ⓒ   ④ ⓓ

[14~16] 다음 글을 읽고 물음에 답하시오.

> (A)
> 나는 나룻배
> 당신은 행인.
>
> 당신은 ㉠ 흙발로 나를 짓밟습니다.
> 나는 당신을 안고 물을 건너갑니다.
> 나는 당신을 안으면 깊으나 얕으나 급한 여울이나 건너갑니다.
>
> 만일 ㉡ 당신이 아니 오시면 나는 바람을 쐬고 눈비를 맞으며 밤에서 낮까지 당신을 기다리고 있습니다.
> 당신은 물만 건너면 ㉢ 나를 돌아보지도 않고 가십니다그려.
> 그러나 ㉣ 당신이 언제든지 오실 줄만은 알아요.
> 나는 당신을 기다리면서 날마다 날마다 낡아 갑니다.
>
> 나는 나룻배
> 당신은 행인.
>
> – 한용운, 「나룻배와 행인」

14 윗글에 대한 설명으로 적절하지 않은 것은?

① 묻고 답하는 형식을 활용하고 있다.
② 비유적 표현을 통해 시상을 전개하고 있다.
③ 첫 연을 마지막 연에서 다시 제시하고 있다.
④ '–ㅂ니다'의 반복을 통해 운율을 살리고 있다.

15 ㉠~㉣ 중 다음 밑줄 친 부분이 가장 잘 드러난 것은?

> 일제 강점기라는 시대 배경을 고려할 때, 이 작품에는 조국 독립에 대한 확신이 담겨 있다.

① ㉠   ② ㉡
③ ㉢   ④ ㉣

16 [A]로 볼 때, '당신'에 대한 '나'의 태도로 적절하지 않은 것은?

① 인내하는 태도   ② 도전하는 태도
③ 희생하는 태도   ④ 헌신하는 태도

[17~19] 다음 글을 읽고 물음에 답하시오.

> "여봐라, 사령들아. 너희 사또께 여쭈어라. 먼 데 있는 걸인이 마침 잔치를 만났으니 고기하고 술이나 좀 얻어 먹자고 여쭈어라."
> 사령 하나가 뛰어나와 등을 밀쳐 낸다.
> "어느 양반인데 이리 시끄럽소. 사또께서 거지는 들이지도 말라고 했으니 말도 내지 말고 나가시오."
> 운봉 수령이 그 거동을 지켜보다가 무슨 짐작이 있었는지 변 사또에게 청했다.
> "㉠ 저 걸인이 옷차림은 남루하나 양반의 후예인 듯하니 저 끝자리에 앉히고 술이나 한잔 먹여 보내는 것이 어떻겠소?"
> "운봉 생각대로 하지요마는……."
> 마지못해 입맛을 다시며 허락을 한다. ㉡ 어사또 속으로,
> '오냐, 도적질은 내가 하마. 오랏줄은 ㉢ 네가 져라.'
> 되뇌이며 주먹을 꽉 쥐고 있는데 운봉 수령이 사령을 부른다.
> "㉣ 저 양반 드시라고 해라."

어사또 들어가 단정히 앉아 좌우를 살펴보니 마루 위의 모든 수령이 다과상을 앞에 놓고 진양조 느린 가락을 즐기는데, 어사또 상을 보니 어찌 아니 통분하랴. 귀퉁이가 떨어진 개다리소반에 닥나무 젓가락, 콩나물에 깍두기, 막걸리 한 사발이 놓였구나. 상을 발로 탁 차 던지며 운봉의 갈비를 슬쩍 집어 들고,

"갈비 한 대 먹읍시다."

"다리도 잡수시오."

하고 운봉이 하는 말이,

"이런 잔치에 풍류로만 놀아서는 맛이 적으니 운 자를 따라 시 한 수씩 지어 보면 어떻겠소?"

"그 말이 옳다."

다들 찬성을 했다. 운봉이 먼저 운을 낼 때 '높을 고(高)' 자, '기름 고(膏)' 자 두 자를 내놓고 차례로 운을 달아 시를 지었다. 앞사람이 끝나면 뒷사람이 받아 시를 지을 때 어사또 끼어들어 하는 말이,

"이 걸인도 어려서 글을 좀 읽었는데, 좋은 잔치를 맞아 술과 안주를 포식하고 그냥 가기가 염치가 아니니 한 수 하겠소이다."

운봉이 반갑게 듣고 붓과 벼루를 내주니, 백성들의 사정과 변 사또의 정체를 생각하여 시 한 편을 써 내려갔다.

[A]
> 금 술잔의 좋은 술은 수많은 사람의 피요
> 옥쟁반의 좋은 안주는 만백성의 기름이라
> 촛농이 떨어질 때 백성들 눈물도 떨어지고
> 노랫소리 높은 곳에 원망의 소리도 높구나

이렇게 시를 지어 보이니 술에 취한 변 사또는 무슨 뜻인지도 모르지만, 글을 받아 본 운봉은 속으로 '아뿔싸! 일 났다.'

가슴이 철렁 내려앉았다.

— 작자 미상, 「춘향전」

17 윗글의 인물에 대한 설명으로 일치하는 것은?

① '사령'은 '어사또'를 잔치에 몰래 들여보냈다.

② '운봉'은 '어사또'의 시가 의미하는 바를 파악하였다.

③ '어사또'는 자신의 지조를 자연물에 빗대어 표현하였다.

④ '변 사또'는 '어사또'의 정체를 알아보려고 시를 지었다.

18 ㉠~㉣ 중 가리키는 대상이 다른 것은?

① ㉠
② ㉡
③ ㉢
④ ㉣

19 [A]의 기능으로 가장 적절한 것은?

① 비유를 통해 대상을 비판하고 있다.

② 후렴구를 활용하여 흥을 돋우고 있다.

③ 과거에 즐거웠던 한때를 떠올리게 한다.

④ 헤어진 인물들이 서로의 사랑을 의심하게 한다.

[20~22] 다음 글을 읽고 물음에 답하시오.

겨울만 되면 정전기가 기승을 부린다. ㉠ 정전기란 전하[1]가 정지 상태로 있어 그 분포가 시간적으로 변화하지 않는 전기 및 그로 인한 전기 현상을 말한다.

정전기로 고생하는 정도는 사람마다 다르다. 정전기는 건조할 때 잘 ㉡ 생긴다. 습도가 높으면 공기 중의 수분이 전하가 흘러갈 수 있는 도체 역할을 하여 정전기가 수시로 방전된다. 따라서 습도가 높으면 정전기도 잘 생기지 않는다. 땀을 많이 흘리는 사람보다는 적게 흘리는 사람에게 정전기가 많이 생기는 것도 같은 까닭에서이다.

또한 정전기는 전자를 쉽게 주고받을 수 있는 마찰에 의해 잘 생긴다. 마찰할 때 전자를 쉽게 잃는 물체가 있고, 전자를 쉽게 얻는 물체가 있다. 예를 들면, 털가죽 종류는 전자를 쉽게 잃고, 플라스틱 종류는 전자를 쉽게 얻는다. 우리 몸은 전자를 잘 잃는 편이므로 전자를 쉽게 얻는 나일론, 아크릴, 폴리에스테르 같은 합성 섬유로 된 옷을 자주 입는 사람은 정전기와 친할 수밖에 없다.

정전기는 우리 생활을 편리하게 하는 데에도 이용되고 있다. 복사기는 정전기를 이용한 대표적인 제품이다. 복사기는 정전기를 이용해 토너의 잉크 가루를 종이에 붙인다. 식품을 포장할 때 쓰는 랩이 그릇에 잘 달라붙는 것도 정전기 때문이다.

[1] 전하 : 물체가 띠고 있는 정전기의 양.

– 김정훈, 「정전기가 겨울로 간 까닭은?」

20 윗글에서 알 수 있는 내용으로 가장 적절한 것은?

① 습도가 높으면 정전기가 잘 생긴다.
② 마찰에 의해 정전기를 줄일 수 있다.
③ 정전기는 포장용 랩이 그릇에 붙지 않게 한다.
④ 마찰할 때 털가죽 종류는 전자를 쉽게 잃는다.

21 ㉠에 사용된 설명 방법이 쓰인 예로 가장 적절한 것은?

① 시계는 태엽, 초침, 분침, 시침 등으로 구성되어 있다.
② 요구르트, 된장, 치즈는 발효 식품의 예로 들 수 있다.
③ 지구의 기온이 상승하면 남극과 북극의 빙하가 녹게 되어 해수면이 상승한다.
④ 마술이란 재빠른 손놀림이나 여러 장치 등을 써서 불가사의한 일을 해 보이는 것을 말한다.

22 밑줄 친 부분이 ㉡과 같은 의미로 쓰인 것은?

① 그녀는 이국적으로 생겼다.
② 비가 와서 무지개가 생겼다.
③ 은밀히 한 일이 발각되게 생겼다.
④ 그 약은 맛있는 사탕처럼 생겼다.

[23~25] 다음 글을 읽고 물음에 답하시오.

옛날 우리 조상들이 겨울철에 저장한 얼음을 여름까지 보관할 수 있었던 방법은 무엇이었을까? 비밀은 석빙고에 있다.

석빙고의 얼음 저장 과정은 냉각과 저온 ㉠ 유지의 두 단계로 나뉜다. 얼음을 넣기 전에 내부를 냉각하는 것이 첫 번째 단계이고, 얼음을 넣은 뒤 7~8개월 동안 내부 온도를 낮게 유지하는 것이 두 번째 단계이다.

첫 번째 단계는 우선 겨울에 석빙고의 내부를 냉각하는 것부터 시작한다. 경주 석빙고의 겨울철 내부 온도는 평균 영상 3.9도 정도이다. 일반적으로 건물의 지하실 내부 평균 온도가 영상 15도 안팎이니 석빙고 내부가 얼마나 차가운지 쉽게 알 수 있다.

우리 조상들은 어떻게 석빙고 ㉡ 내부를 냉각할 수 있었을까? 그 비밀은 석빙고 출입문 옆에 세로로 튀어나온 '날개벽'에 숨어 있다. 겨울에 부는 찬 바람은 날개벽에 부딪히면서 소용돌이로 변한다. 이 소용돌이는 추진력이 있어 힘차게 석빙고 내부 깊은 곳까지 밀고 들어가게 되고, 석빙고 내부는 이렇게 ㉢ 냉각이 된다.

두 번째 단계는 2월 말 무렵 얼음을 저장하고 나서 7~8개월 동안 석빙고 내부를 저온 상태로 유지하는 것이다. 저장한 얼음은 봄이 지나고 여름이 되어도 녹지 않아야 한다. 그렇다면 어떻게 한여름에도 저온 상태를 유지할 수 있었을까? 그 비밀은 석빙고의 절묘한 천장 구조에 있다. 석빙고의 천장은 1~2미터 ㉣ 간격을 두고 나란히 배치된 4~5개의 아치형 구조물로 되어 있다. 각각의 아치 사이에는 움푹 들어간 공간이 있는데, 이를 '에어 포켓'이라고 한다. 얼음이 저장된 후 조금씩 더워진 내부 공기가 위로 뜨면 그 공기는 에어 포켓에 갇혀 아래로는 내려올 수 없게 된다. 이곳에 갇힌 더운 공기는 에어 포켓 위쪽에 설치된 환기구를 통해 밖으로 배출된다. 이렇게 해서 석빙고 내부는 한여름에도 저온 상태를 유지할 수 있었다.

– 이광표, 「조상의 슬기가 낳은 석빙고의 비밀」

23 윗글의 내용 전개 방식으로 가장 적절한 것은?
① 가설을 통해 중심 화제를 검증하고 있다.
② 중심 화제의 원리를 단계별로 설명하고 있다.
③ 전문가의 견해를 인용하여 신뢰성을 높이고 있다.
④ 통계 자료를 통해 중심 화제의 장점을 부각하고 있다.

24 윗글의 내용과 일치하지 <u>않는</u> 것은?
① 얼음 저장은 석빙고 내부를 냉각하는 것부터 시작한다.
② 석빙고의 겨울철 내부 온도는 일반적인 건물의 지하실 내부 평균 온도보다 낮다.
③ 석빙고 내부의 '날개벽'은 더운 공기를 위로 뜨게 한다.
④ '에어 포켓' 위쪽에 설치된 환기구는 내부를 저온 상태로 유지하는 장치이다.

25 ㉠~㉣의 사전적 의미로 적절하지 <u>않은</u> 것은?
① ㉠ : 낮은 데서 위로 올라감.
② ㉡ : 안쪽의 부분.
③ ㉢ : 식어서 차게 됨.
④ ㉣ : 공간적으로 벌어진 사이.

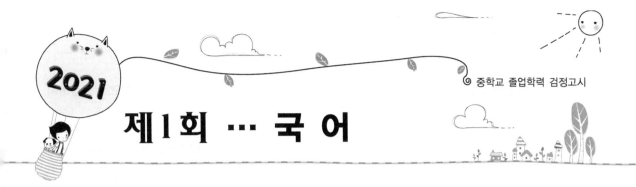

제1회 ··· 국 어

01 다음 대화에서 '수연'의 말하기 목적으로 가장 적절한 것은?

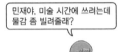

민재야, 미술 시간에 쓰려는데 물감 좀 빌려줄래?

응, 수연아. 찾아서 줄게

① 격려　　　　② 부탁
③ 사과　　　　④ 조언

02 다음 질문 목록에 들어갈 내용으로 적절하지 <u>않은</u> 것은?

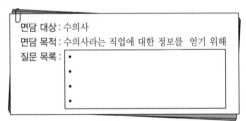

면담 대상 : 수의사
면담 목적 : 수의사라는 직업에 대한 정보를 얻기 위해
질문 목록 :
·
·
·
·

① 수의사의 가족 관계
② 수의사라는 직업의 장점
③ 수의사가 되기 위해 필요한 자격증
④ 수의사로 일하면서 느꼈던 직업적 보람

03 밑줄 친 단어의 품사가 <u>다른</u> 것은?

① 시험이 끝나서 <u>즐겁다</u>.
② 동생의 방은 <u>깨끗하다</u>.
③ 친구가 운동장을 <u>달린다</u>.
④ 가을 하늘이 맑고 <u>푸르다</u>.

04 밑줄 친 부분이 올바르게 쓰인 것은?

① 그 일은 내가 먼저 <u>할께</u>.
② 이 <u>설겆이</u>는 누가 할래?
③ 감기가 어서 <u>낳기</u>를 바라.
④ 좋아하는 사진을 벽에 <u>붙이자</u>.

05 다음 규정을 적용할 수 있는 단어는?

■ 표준 발음법 ■

【제12항】 받침 'ㅎ'의 발음은 다음과 같다.
　　3. 'ㅎ' 뒤에 'ㄴ'이 결합되는 경우에는 [ㄴ]
　　　으로 발음한다.

① 놓는　　　　② 입학
③ 각하　　　　④ 쌓으니

06 다음 설명에 해당하는 자음은?

> 입술소리는 '두 입술 사이에서 나는 소리'이다.

① ㄱ   ② ㅂ
③ ㅇ   ④ ㅎ

07 밑줄 친 부분이 ㉠에 해당하는 것은?

> 문장을 이루는 데 필요한 주성분에는 주어, ㉠ 목적어, 보어, 서술어가 있다.

① 소년은 <u>어른이</u> 되었다.
② 겨울에는 <u>연을</u> 날렸다.
③ <u>화단에</u> 장미꽃이 피었다.
④ <u>강아지가</u> 재채기를 하였다.

08 ㉠~㉣ 중 글의 통일성을 고려할 때 적절하지 <u>않은</u> 것은?

제목	건강을 위해 탄산음료 섭취를 줄이자.
처음	과도한 탄산음료 섭취 실태…………㉠
중간	• 과도한 탄산음료 섭취의 문제점……㉡ 　– 과도한 당류 섭취로 인해 비만의 우려가 있다. • 탄산음료 섭취를 줄일 수 있는 방법‥㉢ 　– 탄산음료 대신 물을 마신다. • 탄산음료 판매로 얻는 경제적 효과‥㉣ 　– 자선 활동 비용을 충당할 수 있다.
끝	과도한 탄산음료 섭취를 줄여야 함

① ㉠   ② ㉡
③ ㉢   ④ ㉣

09 ㉠~㉣에 대한 고쳐 쓰기 방안으로 적절하지 <u>않은</u> 것은?

> 　독도에 살았던 희귀한 생물에는 독도 강치가 있다. ㉠ 독도에는 다양한 암석과 지형, 지질 구조가 있다. 독도 강치는 독도를 중심으로 동해 연안에 살았던 바다사자이다. 덩치가 크고 지능이 좋았던 독도 강치는 ㉡ 먹이가 풍부한 독도 주변에서 수만 마리가 서식했다. 그러나 일제 강점기 때 무자비한 포획으로 독도 강치는 ㉢ 멸망되었고 이제는 박제로밖에 ㉣ 볼수없다.

① ㉠ : 글의 흐름에서 벗어난 내용이므로 삭제한다.
② ㉡ : 조사의 쓰임이 맞지 않으므로 '먹이에게'로 바꾼다.
③ ㉢ : 문맥에 맞지 않으므로 '멸종'으로 바꾼다.
④ ㉣ : 띄어쓰기가 바르지 않으므로 '볼 수 없다'로 고친다.

10 ㉠에 들어갈 내용으로 적절하지 <u>않은</u> 것은?

> **우리 고장 야생화를 조사하여 보고서 쓰기**
>
> • 목적 : 우리 고장의 야생화를 조사하여 보고서를 쓴다.
> • 조사 내용 : 우리 고장 야생화의 종류
　　　　　　 우리 고장 야생화의 특징
　　　　　　 우리 고장 야생화의 서식지
> • 조사 방법 : 야생화 애호가 인터뷰
　　　　　　 우리 고장 야생화 박물관 방문
　　　　　　 인터넷 및 관련 책 조사
> • 보고서를 쓸 때 유의할 점 :　　㉠

① 조사한 내용은 야생화 전문가에게 사실 여부를 확인한다.
② 야생화 애호가의 인터뷰 내용은 동의를 구하여 인용한다.

③ 야생화 박물관에서 찾은 자료는 재미를 위해 과장한다.

④ 인터넷 및 책에서 찾은 내용은 출처를 밝힌다.

[11~13] 다음 글을 읽고 물음에 답하시오.

형이 돈을 많이 벌어 오면 — 이런 기대에 온 집안 식구가 하루하루를 매달려 살았다. 어느 날 밤, 형은 돌아왔다. 옷과 운동화와 과자와 고기를 한 짐이나 되게 사 가지고. 형이 정말 돈을 벌어서 별의별 것을 다 사 가지고 온 것이었다. 아버지는 밤중이지만 동네 사람을 모아 큰 잔치를 벌이지 못해 안달을 했다.

[가] ┌ 형이 험악한 얼굴을 하고 안 된다고 했다. 잔치는커녕 동생들이 좋아서 떠드는 것도 못 하게 윽박질렀다. └

수남이는 지금도 그날 밤 일이 생생하다. 그날 밤 형의 ㉠누런 똥빛 얼굴은 정말로 못 잊겠다. 꼭 악몽 같다.

다음 날 형은 읍내에서 온 순경한테 수갑이 채워져 붙들려 갔다. 형은 악을 써서 변명을 하며 갔다.

"2년 만에 빈손으로 집에 들어갈 수는 없었단 말이야. 도저히 그럴 수는 없었단 말이야."

그래서 읍내 ㉡양품점을 털어 돈과 물건을 훔친 것이다. 다음에 수남이가 형을 본 것은 읍내에 현장 검증인가를 나왔을 때다. 도둑질한 것을 다시 한번 되풀이해 보여 주는 것인데, 딴 ㉢구경꾼들 틈에 섞여 수남이는 몸서리를 치면서 그것을 봤다. 그 도둑놈과 형제간이란 게 두고두고 생각해도 몸서리가 쳐졌다.

아버지는 화병으로 몸져눕고 집안 형편은 말이 아니었다. 수남이는 드디어 어느 날 형이 그랬던 것처럼 서울 가서 돈 벌어 오겠다고 집을 나섰다. 아버지는 말리지 않았다.

문지방을 짚고 일어나 앉아서 띄엄띄엄 수남이를 타일렀다.

"무슨 짓을 하든지 그저 도둑질을 하지 말아라, 알았자?"

그런데 도둑질을 하고 만 것이다. 하지만 수남이는 스스로 그것은 결코 도둑질이 아니었다고 변명을 한다.

그런데 왜 그때, 그렇게 떨리고 무서우면서도 짜릿하니 기분이 좋았던 것인가? 문제는 그때의 그 쾌감이었다. 자기 내부에 도사린 부도덕성이었다. 오늘 한 짓이 도둑질이 아닐지 모르지만 앞으로 도둑질을 할지도 모르겠다는 생각이 들었다. 형의 일이 자기와 정녕 무관한 일이 아니란 생각이 들었다.

소년은 아버지가 그리웠다. 도덕적으로 자기를 견제해 줄 어른이 그리웠다.

주인 영감님은 자기가 한 짓을 나무라기는커녕 손해 안 난 것만 좋아서 "오늘 운 텄다."고 좋아하지 않았던가.

수남이는 짐을 꾸렸다. 아아, 내일도 바람이 불었으면. 바람이 물결치는 보리밭을 보았으면.

마침내 결심을 굳힌 수남이의 얼굴은 누런 똥빛이 말끔히 가시고, 소년다운 ㉣청순함으로 빛났다.

– 박완서, 「자전거 도둑」

11 윗글에서 알 수 있는 내용으로 적절하지 않은 것은?

① 아버지는 형이 돌아온 날 잔치를 벌이고 싶어 했다.

② 수남이는 형의 현장 검증 장면을 구경꾼들 틈에서 보았다.

③ 아버지는 서울로 돈 벌러 가겠다는 수남이를 말렸다.

④ 주인 영감님은 손해나지 않은 것을 좋아했다.

12 [가]에 나타난 '형'의 심리로 가장 적절한 것은?

① 동생들이 좋아하는 모습에 쑥스러워 한다.

② 자신에 대한 식구들의 기대가 충족되어 뿌듯해 한다.

③ 자신이 도둑질한 사실이 밝혀질 것 같아서 걱정한다.

④ 가지고 온 물건을 동네 사람들에게 빼앗길까 봐 두려워한다.

13 ㉠~㉣ 중 다음 설명과 가장 관련이 있는 것은?

> • 비양심적이고 부도덕한 태도를 상징함
> • 형이 옳지 않은 일을 했다는 수남이의 생각을 드러냄

① ㉠   ② ㉡

③ ㉢   ④ ㉢

[14~16] 다음 글을 읽고 물음에 답하시오.

> 우리가 눈발이라면
> 허공에서 쭈빗쭈빗 흩날리는
> ㉠ 진눈깨비는 되지 말자
> 세상이 바람 불고 춥고 어둡다 해도
> 사람이 사는 마을
> 가장 낮은 곳으로
> 따뜻한 ㉡ 함박눈이 되어 내리자
> 우리가 눈발이라면
> 잠 못 든 이의 창문가에서는
> ㉢ 편지가 되고
> 그이의 깊고 ㉮ 붉은 상처 위에 돋는
> ㉣ 새살이 되자
>   – 안도현, 「우리가 눈발이라면」

14 윗글에 대한 이해로 가장 적절한 것은?

① 청유형 문장을 사용하고 있다.

② 묻고 답하는 형식이 드러나 있다.

③ 사계절의 변화에 따라 시상을 전개하고 있다.

④ 직유법을 사용하여 화자의 정서를 표현하고 있다.

15 ㉠~㉣ 중 시적 화자가 지향하는 대상이 <u>아닌</u> 것은?

① ㉠   ② ㉡

③ ㉢   ④ ㉣

16 ㉮와 같은 심상이 나타난 것은?

① 향기로운 꽃 냄새

② 짭조름한 소금 맛

③ 활짝 핀 노란 개나리

④ 개구리 소리 개굴개굴

[17~19] 다음 글을 읽고 물음에 답하시오.

> 용골대가 모든 장졸을 뒤로 물린 후, 왕비와 세자, 대군을 모시고 장안의 재물과 미녀를 거두어 돌아갈 채비를 꾸몄다. 오랑캐에게 잡혀가는 사람들의 슬픈 울음소리가 장안을 진동했다.
> 박 씨가 계화를 시켜 용골대에게 소리쳤다.
> "무지한 오랑캐 놈들아! 내 말을 들어라. 조선의 운수가 사나워 은혜도 모르는 너희에게 패배를 당했지만, 왕비는 데려가지 못할 것이다. 만일 그런 뜻을 둔다면 내 너희를 몰살할 것이니 당장 왕비를 모셔 오너라."
> 하지만 용골대는 오히려 코웃음을 날렸다.
> "참으로 가소롭구나. 우리는 이미 조선 왕의 항서를 받았다. 데려가고 안 데려가고는 우리 뜻에

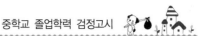

달린 일이니, 그런 말은 입 밖에 내지도 마라."
오히려 욕설만 무수히 퍼붓고 듣지 않자 계화가
다시 소리쳤다.

"너희의 뜻이 진실로 그러하다면 이제 내 재주를
한 번 더 보여 주겠다."

계화가 주문을 외자 문득 공중에서 두 줄기 무지
개가 일어나며 모진 비가 천지를 뒤덮을 듯 쏟아졌
다. 뒤이어 얼음이 얼고 그 위로는 흰 눈이 날리니,
오랑캐 군사들의 말발굽이 땅에 붙어 한 걸음도 옮
기지 못하게 되었다. 그제야 용골대는 사태가 예사
롭지 않음을 깨달았다.

"당초 우리 왕비께서 분부하시기를 장안에 신인
(神人)이 있을 것이니 이시백의 후원을 범치 말라
하셨는데, 과연 그것이 틀린 말이 아니었구나. 지
금이라도 부인에게 빌어 무사히 돌아가는 편이
낫겠다."

용골대가 갑옷을 벗고 창칼을 버린 뒤 무릎을 꿇
고 애걸하였다.

"소장이 천하를 두루 다니다 조선까지 나왔지만,
지금까지 무릎을 꿇은 적은 한 번도 없었습니다.
이제 부인 앞에 무릎을 꿇어 비나이다. 부인의
명대로 왕비는 모셔 가지 않을 것이니, 부디 길
을 열어 무사히 돌아가게 해 주십시오."

무수히 애원하자 그제야 박 씨가 발을 걷고 나
왔다.

"원래는 너희의 씨도 남기지 않고 모두 죽이려 했
었다. 하지만 내가 사람 목숨 죽이는 것을 좋아하
지 않기에 용서하는 것이니, 네 말대로 왕비는 모
셔 가지 마라. 너희가 부득이 세자와 대군을 모셔
간다면 그 또한 하늘의 뜻이기에 거역하지 못하
겠구나. 부디 조심하여 모셔 가라. 그렇게 하지
않으면 신장과 갑옷 입은 군사를 몰아 너희를 다
죽인 뒤, 너희 국왕을 사로잡아 분함을 풀고 무죄
한 백성까지 남기지 않을 것이다. 나는 앉아 있어
도 모든 일을 알 수 있다. 부디 내 말을 명심하여
라."

오랑캐 병사들은 황급히 머리를 조아리고 용골대
는 다시 애원을 했다.

– 작자 미상, 「박씨전」

17 윗글에 대한 설명으로 적절한 것은?

① 말장난으로 웃음을 유발한다.
② 1인칭 서술자가 사건을 서술한다.
③ 신비롭고 기이한 일들이 일어난다.
④ 사람처럼 말하는 동물이 등장한다.

18 윗글의 내용과 일치하지 <u>않는</u> 것은?

① 용골대는 짐을 꾸려 돌아갈 준비를 했다.
② 계화가 주문을 외자 오랑캐 군사들은 꼼짝
을 못했다.
③ 용골대는 박 씨에게 무릎을 꿇고 애원했다.
④ 용골대는 조선의 왕비를 조심해서 모셔 가
겠다고 말했다.

19 윗글에 드러난 박 씨의 태도로 가장 적절한
것은?

① 당당함   ② 비겁함
③ 공손함   ④ 나태함

[20~22] 다음 글을 읽고 물음에 답하시오.

우리 음식 생활에서 고추는 가장 기본적인 식재료로 사랑받고 있다. 붉은색 김치는 우리나라를 상징하는 음식 중 하나이다. 그래서 우리 조상들이 아주 오래전부터 고추를 먹은 것으로 잘못 알고 있는 사람이 많다. 인도와 동남아시아에도 우리처럼 고추의 원산지가 자기 나라라고 생각하는 사람들이 많다. 그러나 우리나라와 인도, 동남아시아 등지에서 고추를 먹기 시작한 것은 16세기에 들어서이다.

그렇다면 고추의 고향은 어디일까? 바로 중남미이다. 고추는 오랫동안 중남미인들이 먹어 온 음식 가운데 하나로 중남미 고대 국가의 ㉠유물 중에는 고추가 그려진 그릇들이 있다. 이 고추를 에스파냐와 포르투갈 사람들이 배에 실어 유럽으로 가지고 갔다. 그것이 인도양을 거쳐 인도와 동남아시아로 왔고, 뒤이어 우리나라에까지 들어온 것이다. 이렇듯 고추의 ㉡재배 지역은 나뭇가지처럼 ㉢사방으로 뻗어 나갔다.

우리나라에 고추가 들어오기 전까지 김치는 소금물에 절이기만 해서 ㉣발효시킨 것으로 흰색이었다. 고추가 들어온 다음 비로소 김치는 붉은색으로 바뀌었고, 고추 특유의 붉은 색깔과 매운맛이 더욱 식욕을 돋우게 되었다. 영양 면에서는 비타민 시(C) 등이 더 풍부해졌으며, 고추 속의 캡사이신 성분이 채소가 시어 문드러지는 것을 막아 음식을 더욱 오랫동안 보관할 수 있게 되었다. 수백 년 사이에 김치는 우리 삶에 더욱 중요한 음식이 되었고, 나아가 우리 음식 문화의 상징이 되었다.

– 전국지리교사모임, 「지리, 세상을 날다」

20 윗글에 대한 설명으로 가장 적절한 것은?

① 용어의 개념을 정의하고 있다.
② 설문 조사 자료를 활용하고 있다.
③ 전문가와 한 인터뷰 내용을 인용하고 있다.
④ 묻고 답하는 방식으로 정보를 전달하고 있다.

21 ㉠~㉣의 사전적 의미로 적절하지 않은 것은?

① ㉠ : 과거의 조상이 후세에 남긴 물건
② ㉡ : 식물을 심어 가꿈
③ ㉢ : 동, 서, 남, 북 네 방위를 통틀어 이르는 말
④ ㉣ : 보람이나 효과를 나타냄

22 윗글의 내용과 일치하지 않는 것은?

① 고추의 원산지는 우리나라이다.
② 우리나라는 16세기부터 고추를 먹기 시작했다.
③ 고추가 들어오기 전 우리나라 김치의 색깔은 흰색이었다.
④ 고추에는 음식을 오래 보관할 수 있게 하는 성분이 있다.

[23~25] 다음 글을 읽고 물음에 답하시오.

우리는 누구나 사람답게 살 권리, 즉 인권을 가지고 있다. 그런데 종종 다른 사람은 신경 쓰지 않고 자신의 권리만 내세우는 사람을 볼 수 있다. 이로 인해 인권을 침해받는 사람이 생기기도 한다. 이러한 사람 없이 모든 사람들의 인권을 지키기 위해서는 ㉠ 우리의 노력이 필요하다. 그렇다면 우리는 어떻게 해야 할까?

먼저 우리는 인권은 인간이 갖는 보편적인 권리로, 누구에게나 적용되어야 한다는 것을 인식해야 한다. 인권은 국적, 종교, 직업, 성별, 연령에 관계없이 인간이라면 누구나 가지는 권리이다. 그러므로 어떤 조건으로도 인권을 제한할 수 없다.

하지만 아직도 열악한 환경에서 인권을 침해받으며 고통을 겪는 사람들이 있다. 이런 약자들까지도 인권을 누려야 할 사람들이다. 그렇기 때문에 우리는 이들의 인권에 관심을 가져야 한다.

또한 우리는 인권이 책임을 동반한 권리라는 것을 명심해야 한다. 모든 사람이 인권을 가지고 있다는 것은 다른 사람의 인권을 존중할 책임 또한 가지고 있다는 뜻이다. 인간은 혼자 살아갈 수 없고 많은 사람들과 관계를 ㉡ 맺으며 살아가는 존재이기 때문이다.

인권은 누구에게나 적용되는 보편적인 권리이자 책임을 다할 때 누릴 수 있는 권리이다. 우리는 자신의 인권은 물론이고 다른 사람의 인권을 소중히 여겨 모든 사람들의 인권을 지키기 위해 노력해야 한다.

－ 정용주, 「인권이 뭘까요」

23 윗글을 읽는 방법으로 가장 적절한 것은?

① 무대 공연을 상상하며 읽는다.
② 주장과 근거를 파악하며 읽는다.
③ 인물의 생애를 따라가며 읽는다.
④ 등장인물의 갈등에 유의하며 읽는다.

24 윗글의 내용으로 볼 때 ㉠으로 적절하지 않은 것은?

① 인권이 누구에게나 적용된다는 것을 인식한다.
② 인권을 침해받는 약자들에게 관심을 가져야 한다.
③ 인권이 책임을 동반한 권리라는 것을 명심한다.
④ 인권의 존중보다 경제적 이익을 더 중시한다.

25 밑줄 친 부분이 ㉡과 같은 의미로 쓰인 것은?

① 눈에는 눈물방울이 맺어 있었다.
② 열매를 맺은 나무를 찾아 나섰다.
③ 좋은 인연을 맺었던 소년을 만났다.
④ 하던 일의 끝을 맺고 점심을 먹었다.

> **물방울**이 바위를 뚫을 수 있음은
> 그 힘이 아니라 꾸준함이다.

MEMO

수 학

중학교 졸업학력 검정고시 대비 기출문제

똑 같 은 **기 출** 똑 똑 한 **해 설**

제1회 ··· 수 학

01 다음은 45를 소인수분해하는 과정을 나타낸 것이다. 45를 소인수분해한 결과로 옳은 것은?

① 3^2

② 3×5

③ $3^2 \times 5$

④ $3^2 \times 5^2$

02 $6 + (-4)$를 계산한 값은?

① 1 ② 2

③ 3 ④ 4

03 다음을 문자가 사용된 식으로 바르게 나타낸 것은?

> 한 송이에 2000원인 장미꽃 a 송이의 가격

① $(2000 + a)$원

② $(2000 - a)$원

③ $(2000 \times a)$원

④ $(2000 \div a)$원

04 일차방정식 $2x - 3 = 5$의 해는?

① 3 ② 4

③ 5 ④ 6

05 다음은 5km 단축 마라톤 대회에 참가한 어느 학생의 시간에 따른 이동 거리를 나타낸 그래프이다. 이 학생이 출발한 후 10분부터 25분까지 이동한 거리는?

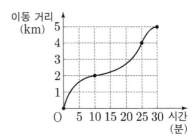

① 2km ② 3km

③ 4km ④ 5km

06 그림과 같이 원 O에서 부채꼴 AOB의 넓이는 3cm^2, 부채꼴 COD의 넓이는 5cm^2이다. ∠AOB = $60°$일 때, ∠COD의 크기는?

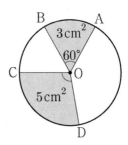

① $90°$

② $100°$

③ $110°$

④ $120°$

07 다음은 어느 반 학생 20명의 통학 시간을 조사하여 나타낸 표이다. a의 값은?

통학 시간(분)	학생 수(명)	상대도수
0 이상 ~ 10 미만	2	0.1
10 ~ 20	12	a
20 ~ 30	6	0.3
합계	20	1

① 0.5　　　　　② 0.6

③ 0.7　　　　　④ 0.8

08 순환소수 $0.\dot{8}$를 기약분수로 나타낸 것은?

① $\dfrac{5}{9}$　　　　② $\dfrac{2}{3}$

③ $\dfrac{7}{9}$　　　　④ $\dfrac{8}{9}$

09 $a^2 \times a^7 \div a^3$을 간단히 한 것은? (단, $a \neq 0$)

① a^4　　　　② a^5

③ a^6　　　　④ a^7

10 연립방정식 $\begin{cases} x - y = 1 \\ 2x - y = 3 \end{cases}$ 의 해는?

① $x = 1,\ y = 1$

② $x = 2,\ y = 1$

③ $x = 3,\ y = 2$

④ $x = 4,\ y = 3$

11 그림은 일차함수 $y = ax + 4$의 그래프이다. 상수 a의 값은?

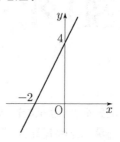

① 2　　　　　② 3

③ 4　　　　　④ 5

12 그림과 같이 $\overline{AB} = \overline{AC}$인 이등변삼각형 ABC에서 ∠A= 80°일 때 ∠x의 크기는?

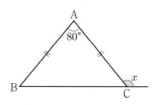

① 130°　　　　② 140°

③ 150°　　　　④ 160°

13 그림과 같이 삼각형 ABC에서 변 BC에 평행한 직선이 두 변 AB, AC와 만나는 점을 각각 D, E라고 하자. $\overline{AD}$=6cm, $\overline{DB}$=3cm, $\overline{AE}$=8cm, $\overline{EC}$=$x$cm 일 때, x의 값은?

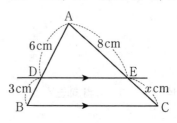

① 1　　　　　② 2

③ 3　　　　　④ 4

14 그림과 같이 1부터 10까지의 자연수가 적힌 공 10개가 들어 있는 상자가 있다. 이 상자에서 임의로 한 개의 공을 꺼낼 때, 5의 배수가 나올 확률은?

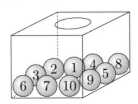

① $\dfrac{1}{5}$　　　　② $\dfrac{3}{10}$

③ $\dfrac{2}{5}$　　　　④ $\dfrac{1}{2}$

15 $2\sqrt{5} = \sqrt{a}$일 때, a의 값은?

① 10　　　　② 15
③ 20　　　　④ 25

16 이차방정식 $x^2 - 3x + 2 = 0$의 한 근이 1이다. 다른 한 근은?

① 2　　　　② 3
③ 4　　　　④ 5

17 이차함수 $y = x^2 + 2$의 그래프에 대한 설명으로 옳은 것은?

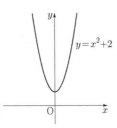

① 위로 볼록하다.
② 점 (1, 4)를 지닌다.
③ 직선 $y + 1$을 축으로 한다.
④ 꼭짓점의 좌표는 (0, 2)이다.

18 직각삼각형 ABC에서 $\overline{AB} = 8$, $\overline{BC} = 17$, $\overline{CA} = 15$일 때, $\sin B$의 값은?

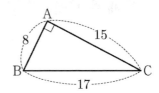

① $\dfrac{8}{17}$　　　　② $\dfrac{8}{15}$

③ $\dfrac{15}{17}$　　　　④ $\dfrac{15}{8}$

19 그림에서 두 점 A, B는 점 P에서 원 O에 그은 두 접선의 접점이다. $\overline{PB} = 5\,\text{cm}$, $\angle PBA = 60°$일 때, $\overline{AB}$의 길이는?

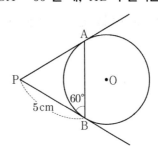

① 5cm　　　　② 6cm
③ 7cm　　　　④ 8cm

20 다음 중 표준편차가 가장 큰 자료는?

① 1, 1, 1, 1, 1, 1
② 1, 2, 1, 2, 1, 2
③ 2, 3, 2, 3, 2, 3
④ 2, 4, 2, 4, 2, 4

제2회 ··· 수 학

01 다음은 84를 소인수분해하는 과정을 나타낸 것이다. 84를 소인수분해한 것은?

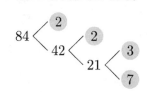

① 3×7 ② $2 \times 3 \times 7$

③ $2^2 \times 3 \times 7$ ④ $2^3 \times 3 \times 7$

02 다음 중 수의 대소 관계가 옳은 것은?

① $-4 > -3$ ② $-\dfrac{1}{2} < \dfrac{5}{2}$

③ $0 > (-3)^2$ ④ $5 < 4$

03 그림은 밑변의 길이가 6cm, 높이가 $a$cm인 직각삼각형이다. 이 직각삼각형의 넓이를 문자를 사용하여 나타낸 식으로 옳은 것은?

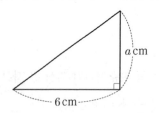

① $\dfrac{(6+a)}{2}$cm^2 ② $\dfrac{(6 \times a)}{2}$cm^2

③ $(6+a)$cm^2 ④ $(6 \times a)$cm^2

04 일차방정식 $3x - 5 = 3 + x$의 해는?

① 1   ② 2

③ 3   ④ 4

05 다음은 어느 학생이 집에서부터 5km 떨어진 도서관까지 자전거를 타고 가는 동안 시간에 따른 이동 거리를 나타낸 그래프이다. 이 학생이 집을 출발한 후 10분 동안 이동한 거리는?

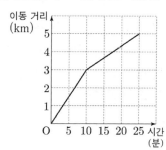

① 1km   ② 2km

③ 3km   ④ 4km

06 그림과 같이 평행한 두 직선 l, m이 다른 한 직선 n과 만날 때, $\angle x$의 크기는?

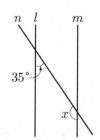

① $135°$

② $140°$

③ $145°$

④ $150°$

07 다음은 어느 반 학생 25명의 통학 시간을 조사하여 나타낸 히스토그램이다. 통학 시간이 30분 미만인 학생 수는?

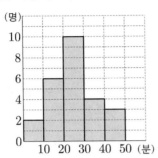

① 18명　　　　② 19명
③ 20명　　　　④ 21명

08 분수 $\dfrac{x}{2^2 \times 7}$ 를 유한소수로 나타낼 수 있을 때, x의 값이 될 수 있는 가장 작은 자연수는?

① 1　　　　② 3
③ 5　　　　④ 7

09 $(2x^3)^2$을 간단히 한 것은?

① $2x^5$　　　　② $2x^6$
③ $4x^5$　　　　④ $4x^6$

10 $(5a-2b)+(2a+3b)$를 간단히 한 것은?

① $7a-b$　　　　② $7a+b$
③ $8a-b$　　　　④ $8a+b$

11 일차부등식 $5x-20 \geq 0$의 해를 수직선 위에 나타낸 것은?

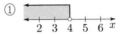

①

②

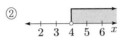

③

④

12 그림은 연립방정식 $\begin{cases} x+y=3 \\ 3x-y=1 \end{cases}$ 의 해를 구하기 위하여 두 일차방정식의 그래프를 좌표평면 위에 나타낸 것이다. 이 연립방정식의 해는?

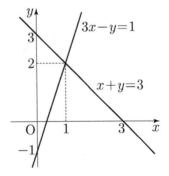

① $x=0,\ y=3$
② $x=1,\ y=0$
③ $x=1,\ y=2$
④ $x=2,\ y=1$

13 그림과 같이 삼각형 ABC에서 변 BC에 평행한 직선이 두 변 AB, AC와 만나는 점을 각각 D, E라고 하자.

$\overline{AC} = 15cm$, $\overline{AD} = 4cm$, $\overline{AE} = 6cm$일 때, x의 값은?

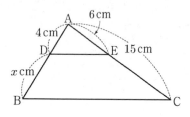

① 6   ② 7
③ 8   ④ 9

14 그림과 같이 1에서 10까지의 자연수가 각각 적힌 공 10개가 들어 있는 주머니가 있다. 이 주머니에서 공 한 개를 꺼낼 때, 4의 배수 또는 6의 배수가 나오는 경우의 수는?

① 1   ② 2
③ 3   ④ 4

15 $7\sqrt{5} - 4\sqrt{5}$ 를 간단히 한 것은?

① $3\sqrt{5}$ ② $4\sqrt{5}$
③ $5\sqrt{5}$ ④ $6\sqrt{5}$

16 이차방정식 $(x-2)(x+5) = 0$의 한 근이 -5일 때, 다른 한 근은?

① 1   ② 2
③ 3   ④ 4

17 이차함수 $y = (x-2)^2$의 그래프에 대한 설명으로 옳은 것은?

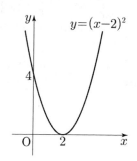

① 위로 볼록하다.
② 점 $(4, 0)$을 지난다.
③ 꼭짓점의 좌표는 $(2, 0)$이다.
④ 직선 $y = 2$를 축으로 한다.

18 그림과 같이 직각삼각형 ABC에서 $\overline{AB} = 10$, $\overline{BC} = 6$, $\overline{CA} = 8$일 때, $\tan B$의 값은?

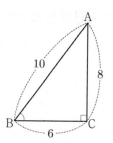

① $\dfrac{3}{5}$ ② $\dfrac{3}{4}$
③ $\dfrac{4}{5}$ ④ $\dfrac{4}{3}$

19 그림과 같이 원 O 위에 서로 다른 네 점 A, B, C, D가 있다. 호 AB에 대한 원주각 ∠ACB= 40°일 때, ∠ADB의 크기는?

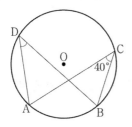

① 40°   ② 45°

③ 50°   ④ 55°

20 자료는 학생 4명이 주말 동안 봉사 활동에 참여한 시간을 조사하여 나타낸 것이다. 이 자료의 평균은?

(단위 : 시간)

4	5	7	8

① 5시간   ② 6시간

③ 7시간   ④ 8시간

중학교 졸업학력 검정고시

제1회 … 수 학

01 다음은 24를 소인수분해하는 과정을 나타낸 것이다. 24를 소인수분해한 것은?

$\begin{array}{r} 2\,)\,24 \\ 2\,)\,12 \\ 2\,)\,6 \\ \,3 \end{array}$

① 2×3
② 2×3^2
③ $2^3 \times 3$
④ $2^3 \times 3^2$

02 다음 수를 작은 수부터 차례대로 나열할 때, 세 번째 수는?

$$-\frac{2}{3}, \quad 4, \quad 3, \quad -5, \quad 11$$

① -5
② $-\frac{2}{3}$
③ 3
④ 4

03 그림은 가로의 길이가 4cm, 세로의 길이가 a cm인 직사각형이다. 이 직사각형의 넓이를 문자를 사용한 식으로 바르게 나타낸 것은?

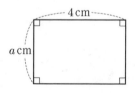

① $(2+a)\mathrm{cm}^2$
② $(4+a)\mathrm{cm}^2$
③ $(2 \times a)\mathrm{cm}^2$
④ $(4 \times a)\mathrm{cm}^2$

04 $a = 5$일 때, $2a + 3$의 값은?

① 11
② 13
③ 15
④ 17

05 다음 좌표평면 위에 있는 점 A의 좌표는?

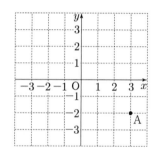

① $\mathrm{A}(3, -2)$
② $\mathrm{A}(2, 3)$
③ $\mathrm{A}(-3, 2)$
④ $\mathrm{A}(-3, -2)$

06 그림과 같이 평행한 두 직선 l, m이 다른 한 직선 n과 만날 때, $\angle x$의 크기는?

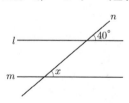

① $40°$
② $60°$
③ $80°$
④ $100°$

07 다음은 어느 반 학생 30명의 하루 수면 시간을 조사하여 나타낸 도수분포표이다. 하루 수면 시간이 6시간 미만인 학생 수는?

수면 시간(시간)	도수(명)
$4^{이상} \sim 5^{미만}$	5
5~6	3
6~7	4
7~8	15
8~9	3
합계	30

① 5명   ② 6명
③ 7명   ④ 8명

08 순환소수 $0.\dot{2}$를 기약분수로 나타낸 것은?

① $\dfrac{1}{9}$ ② $\dfrac{2}{9}$

③ $\dfrac{1}{3}$ ④ $\dfrac{4}{9}$

09 $2a \times 3a^2$을 간단히 한 것은?

① $2a$ ② $3a^2$
③ $5a^3$ ④ $6a^3$

10 일차부등식 $20x \geq 40$을 풀면?

① $x > 2$ ② $x \geq 2$
③ $x \leq 2$ ④ $x < 2$

11 그림은 일차함수 $y = -\dfrac{3}{2}x + 3$의 그래프이다. 이 일차함수의 그래프의 y절편은?

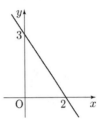

① -3 ② 2
③ 3 ④ 6

12 그림과 같이 $\overline{AB} = \overline{AC}$인 이등변삼각형 ABC에서 ∠A의 이등분선과 변 BC의 교점을 D라고 하자. $\overline{BD} = 4cm$일 때, $\overline{BC}$의 길이는?

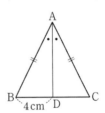

① 7cm   ② 8cm
③ 9cm   ④ 10cm

13 그림에서 △ABC∽△DEF 일 때, $\overline{DE}$의 길이는?

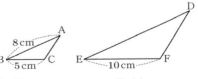

① 12cm   ② 14cm
③ 16cm   ④ 18cm

14 그림과 같이 주머니 속에 모양과 크기가 같은 흰 공 3개, 검은 공 5개가 들어 있다. 이 주머니에서 임의로 한 개의 공을 꺼낼 때, 흰 공이 나올 확률은?

① $\dfrac{3}{8}$ ② $\dfrac{1}{2}$

③ $\dfrac{5}{8}$ ④ $\dfrac{3}{4}$

15 $2\sqrt{5} + 3\sqrt{5}$ 를 간단히 한 것은?

① $5\sqrt{5}$ ② $6\sqrt{5}$

③ $7\sqrt{5}$ ④ $8\sqrt{5}$

16 이차방정식 $(x-7)^2 = 0$의 근은?

① 4   ② 5

③ 6   ④ 7

17 이차함수 $y = \dfrac{1}{4}x^2$의 그래프에 대한 설명으로 옳은 것은?

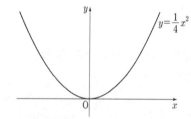

① 위로 볼록하다.
② y축을 축으로 한다.
③ 점 $(-1,\ 2)$를 지난다.
④ 꼭짓점의 좌표는 $\left(\dfrac{1}{4},\ 0\right)$이다.

18 그림과 같이 직각삼각형 ABC에서 $\overline{AB} = 13$, $\overline{BC} = 12$, $\overline{CA} = 5$일 때, $\cos B$의 값은?

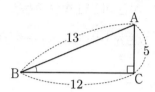

① $\dfrac{5}{13}$ ② $\dfrac{5}{12}$

③ $\dfrac{12}{13}$ ④ $\dfrac{12}{5}$

19 그림과 같이 원 O의 중심에서 두 현 AB, CD에 내린 수선의 발을 각각 M, N이라고 하자. $\overline{AB} = \overline{CD} = 8cm$, $\overline{OM} = 5cm$일 때, $\overline{ON}$의 길이는?

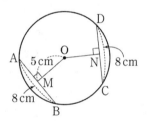

① 5cm   ② 6cm

③ 7cm   ④ 8cm

20 자료는 학생 5명의 수학 점수를 조사하여 나타낸 것이다. 이 자료의 중앙값은?

(단위 : 점)

80	75	85	95	90

① 75   ② 80

③ 85   ④ 90

제2회 ··· 수 학

01 다음은 28을 소인수분해하는 과정을 나타낸 것이다. 28을 소인수분해한 것은?

$$
\begin{array}{r}
2\,)\,28 \\
2\,)\,14 \\
\hline
7
\end{array}
$$

① 2×7 ② $2^2 \times 7$

③ 2×7^2 ④ $2^2 \times 7^2$

02 $(-2) \times (+3)$을 계산하면?

① -6 ② -1

③ 1 ④ 6

03 $a = -3$일 때, $4 + a$의 값은?

① 1 ② 2

③ 3 ④ 4

04 일차방정식 $1 - 2x = -5$의 해는?

① 1 ② 2

③ 3 ④ 4

05 다음 좌표평면 위의 네 점 A, B, C, D의 좌표를 나타낸 것으로 옳은 것은?

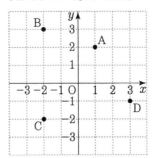

① $A(2, 1)$ ② $B(-2, -2)$

③ $C(-2, 2)$ ④ $D(3, -1)$

06 그림과 같이 원 O에서 $\overset{\frown}{AB} = 6\text{cm}$, $\overset{\frown}{CD} = 12\text{cm}$이고 $\angle COD = 80°$일 때, $\angle x$의 크기는?

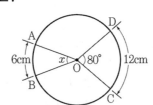

① $40°$

② $50°$

③ $60°$

④ $70°$

07 다음은 20가지 과자의 10g당 나트륨 함량을 조사하여 나타낼 도수분포표이다. 10g당 나트륨 함량이 70mg 이상인 과자의 수는?

나트륨 함량(mg)	과자의 수(가지)
$10^{이상} \sim 30^{미만}$	2
30 ~ 50	5
50 ~ 70	9
70 ~ 90	3
90 ~ 110	1
합계	20

① 3 ② 4
③ 12 ④ 13

08 분수 $\dfrac{x}{2^2 \times 3 \times 5}$ 를 유한소수로 나타낼 수 있을 때, x의 값이 될 수 있는 가장 작은 자연수는?

① 1 ② 2
③ 3 ④ 4

09 $(2a)^3$을 간단히 한 것은?

① $2a^3$ ② $4a^3$
③ $6a^3$ ④ $8a^3$

10 연립방정식 $\begin{cases} x+y=6 \\ x=2y \end{cases}$의 해는?

① $x=1, y=0$ ② $x=2, y=1$
③ $x=3, y=3$ ④ $x=4, y=2$

11 그림은 일차함수 $y=x-3$의 그래프이다. 이 그래프의 y절편은?

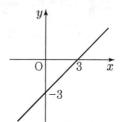

① -3
② -1
③ 1
④ 3

12 그림과 같이 삼각형 ABC에서 $\angle A = 100°$, $\angle B = 40°$이고 $\overline{AB} = 7$일 때, x의 값은?

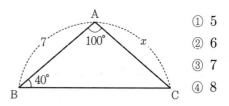

① 5
② 6
③ 7
④ 8

13 그림과 같이 $\overline{AC}=24$, $\overline{BC}=30$인 삼각형 ABC에서 변 BC에 평행한 직선이 두 변 AB, AC와 만나는 점을 각각 D, E라고 하자. $\overline{AE}=8$일 때, x의 값은?

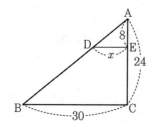

① 8
② 9
③ 10
④ 11

14 서로 다른 두 개의 주사위를 동시에 던질 때, 나오는 두 눈의 수의 합이 4가 되는 경우의 수는?

① 1
② 3
③ 5
④ 7

15 $\sqrt{(-5)^2}$ 의 값은?

① -10
② -5
③ 5
④ 10

16 이차방정식 $(x-1)(x+4)=0$의 한 근이 -4이다. 다른 한 근은?

① 1
② 2
③ 3
④ 4

17 이차함수 $y=\dfrac{1}{2}x^2$의 그래프에 대한 설명으로 옳은 것은?

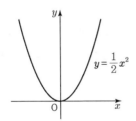

① 위로 볼록이다.
② 점 $(1,1)$을 지난다.
③ 직선 $x=1$을 축으로 한다.
④ 꼭짓점의 좌표는 $(0,0)$이다.

18 직각삼각형 ABC에서 $\overline{AB}=17$, $\overline{BC}=5$, $\overline{AC}=8$일 때, $\sin B$의 값은?

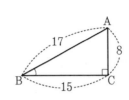

① $\dfrac{8}{15}$
② $\dfrac{8}{17}$
③ $\dfrac{15}{8}$
④ $\dfrac{15}{17}$

19 그림에서 두 점 A, B는 점 P에서 원 O에 그은 두 접선의 접점이다. $\angle PAB=65°$일 때, $\angle ABP$의 크기는?

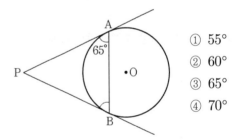

① 55°
② 60°
③ 65°
④ 70°

20 다음 자료는 학생 8명의 운동화 크기를 조사하여 나타낸 것이다. 이 자료의 최빈값은?

(단위 : mm)

| 230 | 270 | 265 | 250 |
| 250 | 250 | 230 | 265 |

① 230mm
② 250mm
③ 265mm
④ 270mm

중학교 졸업학력 검정고시

제1회 ··· 수 학

01 다음은 54를 소인수분해하는 과정을 나타낸 것이다. 54를 소인수분해한 것은?

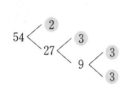

① 2×3^2

② $2^2 \times 3^2$

③ 2×3^3

④ $2^2 \times 3^3$

02 다음 수를 작은 수부터 차례대로 나열할 때, 넷째 수는?

$$3, \quad -7, \quad \frac{1}{2}, \quad -1, \quad 1$$

① -1

② $\frac{1}{2}$

③ 1

④ 3

03 $a = 2$일 때, $3a+1$의 값은?

① 3

② 5

③ 7

④ 9

04 일차방정식 $4x-4 = x+2$의 해는?

① 1

② 2

③ 3

④ 4

05 순서쌍 $(2, -3)$을 좌표평면 위에 나타낸 점은?

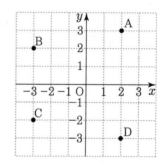

① A

② B

③ C

④ D

06 그림과 같이 평행한 두 직선 l, m이 다른 한 직선 n과 만날 때, $\angle x$의 크기는?

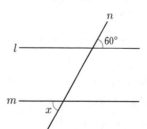

① $30°$

② $40°$

③ $50°$

④ $60°$

07 다음은 학생 20명을 대상으로 1분 동안의 윗몸 일으키기 기록을 줄기와 잎 그림으로 나타낸 것이다. 윗몸 일으키기 기록이 40회 이상인 학생의 수는?

윗몸 일으키기 기록

(1 | 2는 12회)

줄기	잎
1	2 4 6
2	1 2 5 5 6 7
3	2 3 3 7
4	5 7 9 9
5	3 6 9

① 4   ② 5
③ 6   ④ 7

08 순환소수 $0.\dot{5}$를 기약분수로 나타낸 것은?

① $\dfrac{1}{3}$ ② $\dfrac{4}{9}$

③ $\dfrac{5}{9}$ ④ $\dfrac{2}{3}$

09 $a^2 \times a^2 \times a^3$을 간단히 한 것은?

① a^7 ② a^8
③ a^9 ④ a^{10}

10 다음 문장을 부등식으로 옳게 나타낸 것은?

> 한 권에 700원인 공책 x권의 가격은 3500원 이상이다.

① $700x \geq 3500$ ② $700x > 3500$
③ $700x \leq 3500$ ④ $700x < 3500$

11 그림은 일차함수 $y = 2x + k$의 그래프이다. 상수 k의 값은?

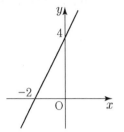

① 2
② 3
③ 4
④ 5

12 그림과 같이 $\overline{AB} = \overline{AC}$인 이등변삼각형에서 ∠A의 이등분선과 $\overline{BC}$의 교점을 D라고 하자. $\overline{BC} = 10cm$일 때, $\overline{BD}$의 길이는?

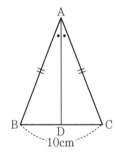

① 4cm
② 5cm
③ 6cm
④ 7cm

13 그림에서 두 원기둥 A와 B는 서로 닮음이고 밑면의 반지름의 길이가 각각 2cm, 3cm이다. 원기둥 A의 높이가 4cm일 때, 원기둥 B의 높이는?

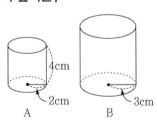

① 6cm
② 6.5cm
③ 7cm
④ 7.5cm

14 그림과 같이 1에서 10까지의 자연수가 각각 적힌 공 10개가 들어 있는 주머니가 있다. 이 주머니에서 공 한 개를 꺼낼 때, 짝수가 적힌 공이 나올 확률은?

① $\dfrac{1}{5}$

② $\dfrac{3}{10}$

③ $\dfrac{2}{5}$

④ $\dfrac{1}{2}$

15 $\sqrt{8} = a\sqrt{2}$일 때, a의 값은?

① 1   ② 2

③ 3   ④ 4

16 이차방정식 $x^2 - 5x + 6 = 0$의 한 근이 2이다. 다른 한 근은?

① 3   ② 4

③ 5   ④ 6

17 이차함수 $y = -(x-1)^2 + 1$의 그래프에 대한 설명으로 옳은 것은?

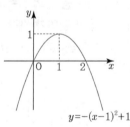

$y = -(x-1)^2 + 1$

① 아래로 볼록하다.

② 점 $(1, 2)$를 지난다.

③ 직선 $x = 0$을 축으로 한다.

④ 꼭짓점의 좌표는 $(1, 1)$이다.

18 직각삼각형 ABC에서 $\overline{AB} = 5$, $\overline{BC} = 4$, $\overline{AC} = 3$일 때, $\tan B$의 값은?

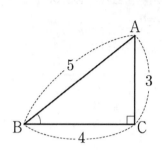

① $\dfrac{3}{5}$

② $\dfrac{3}{4}$

③ $\dfrac{4}{5}$

④ $\dfrac{4}{3}$

19 그림과 같이 원 O에서 호 AB에 대한 중심각 $\angle APB = 80°$일 때, 호 AB에 대한 원주각 $\angle APB$의 크기는?

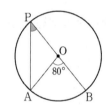

① $30°$

② $40°$

③ $50°$

④ $60°$

20 다음 자료는 학생 5명이 방학 동안 읽은 책의 권수를 조사하여 나타낸 것이다. 이 자료의 중앙값은?

3, 0, 3, 1, 2

① 0   ② 1

③ 2   ④ 3

제2회 ··· 수 학

01 다음은 36을 소인수분해하는 과정을 나타낸 것이다. 36을 소인수분해한 것은?

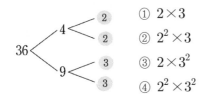

① 2×3
② $2^2 \times 3$
③ 2×3^2
④ $2^2 \times 3^2$

02 $(-3) + (+5)$를 계산하면?

① 2
② 3
③ 4
④ 5

03 다음을 문자를 사용한 식으로 바르게 나타낸 것은?

> 한 개에 500원인 막대 사탕 a개의 가격

① $(500 + a)$원
② $(500 - a)$원
③ $(500 \times a)$원
④ $(500 \div a)$원

04 일차방정식 $4x - 3 = 6 + x$의 해는?

① 3
② 4
③ 5
④ 6

05 다음 좌표평면 위에 있는 점 A의 좌표는?

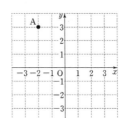

① $A(-2, -3)$
② $A(-2, 3)$
③ $A(2, -3)$
④ $A(2, 3)$

06 그림과 같이 원 O에서 ∠AOB = 30°, ∠COD = 150°이고, 부채꼴 AOB의 넓이가 5cm²일 때, 부채꼴 COD의 넓이는?

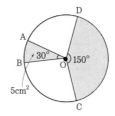

① 10cm^2
② 15cm^2
③ 20cm^2
④ 25cm^2

07 다음은 어느 반 학생 25명의 하루 평균 통화 시간을 조사하여 나타낸 히스토그램이다. 하루 평균 통화 시간이 40분 이상인 학생 수는?

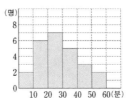

① 3
② 5
③ 7
④ 9

08 다음 분수 중 유한소수로 나타낼 수 있는 것은?

① $\dfrac{1}{3}$　　　② $\dfrac{1}{5}$

③ $\dfrac{1}{7}$　　　④ $\dfrac{1}{9}$

09 $-2x^2 \times 3x^5$ 을 간단히 한 것은?

① $-6x^7$　　　② $-6x^{10}$

③ $5x^7$　　　④ $5x^{10}$

10 일차부등식 $2x \leq 6$의 해를 수직선 위에 나타낸 것은?

①

②
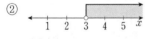

③
④

11 그림은 일차함수 $y = ax + 2$의 그래프이다. 상수 a의 값은?

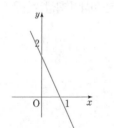

① -2

② -1

③ 1

④ 2

12 그림과 같이 $\overline{AB} = \overline{AC}$인 이등변삼각형 ABC에서 ∠B=45°일 때, ∠x의 크기는?

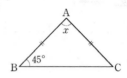

① $80°$

② $85°$

③ $90°$

④ $95°$

13 그림에서 □ABCD ∽ □EFGH이고 닮음비가 5:3이다. $\overline{BC}$=10cm일 때, $\overline{FG}$의 길이는?

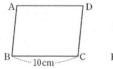

① 3cm　　　② 4cm

③ 5cm　　　④ 6cm

14 항아리에 1부터 9까지의 자연수가 각각 하나씩 적힌 공 9개가 들어 있다. 이 항아리에서 공 한 개를 꺼낼 때, 3의 배수가 적힌 공이 나올 경우의 수는?

① 1

② 2

③ 3

④ 4

15 $5\sqrt{3} - 3\sqrt{3}$ 을 간단히 한 것은?

① $-2\sqrt{3}$

② $-\sqrt{3}$

③ $\sqrt{3}$

④ $2\sqrt{3}$

16 다항식 $x^2 + 5x + 6$을 인수분해한 것은?

① $(x+2)(x+3)$

② $(x+2)(x+4)$

③ $(x+3)^2$

④ $(x+4)(x+5)$

17 이차함수 $y = x^2 + 1$의 그래프에 대한 설명으로 옳은 것은?

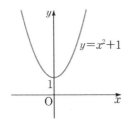

① 위로 볼록하다.

② 점 $(1, 1)$을 지난다.

③ 직선 $x = 0$을 축으로 한다.

④ 꼭짓점의 좌표는 $(1, 0)$이다.

18 그림과 같이 반지름의 길이가 1인 사분원에서 $\sin 42°$의 값은? (단, 0.67, 0.74는 어림한 값이다.)

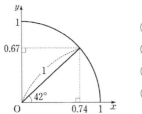

① 0

② 0.67

③ 0.74

④ 1

19 그림과 같이 원 O의 중심에서 두 현 AB, CD에 내린 수선의 발을 각각 M, N이라고 하자. $\overline{OM} = \overline{ON} = 5cm$, $\overline{CD} = 16cm$일 때, $\overline{AM}$의 길이는?

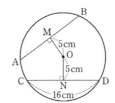

① $5cm$

② $6cm$

③ $7cm$

④ $8cm$

20 다음 자료는 학생 8명의 수학 퀴즈 점수를 조사하여 나타낸 것이다. 이 자료의 최빈값은?

(단위 : 점)

8 7 8 6 9 10 10 8

① 7점

② 8점

③ 9점

④ 10점

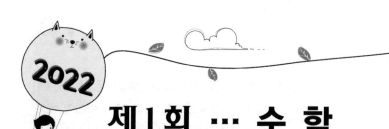

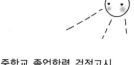 중학교 졸업학력 검정고시

제1회 ··· 수 학

01 56을 소인수분해한 결과로 옳은 것은?

① $2^2 \times 7$ ② $2^3 \times 7$

③ 2×7^2 ④ $2^2 \times 7^2$

02 다음 중 수의 대소 관계가 옳은 것은?

① $-2 < 0$ ② $-1 < -2$

③ $3 < -1$ ④ $7 < 4$

03 $x = 3$, $y = -1$일 때, $2x + y$의 값은?

① -1 ② 1

③ 3 ④ 5

04 그림은 가로의 길이가 7cm, 세로의 길이가 $x$cm인 직사각형이다. 이 직사각형의 둘레의 길이가 24cm일 때, x의 값은?

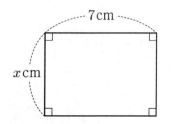

① 4
② 5
③ 6
④ 7

05 그림과 같이 평행한 두 직선 l, m이 다른 한 직선 n과 만날 때, $\angle x$의 크기는?

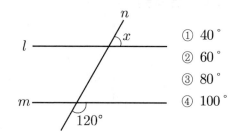

① $40°$
② $60°$
③ $80°$
④ $100°$

06 그림과 같이 원 O에서 $\angle AOB = 30°$, $\angle COD = 90°$, $\overset{\frown}{CD} = 12$cm일 때, x의 값은?

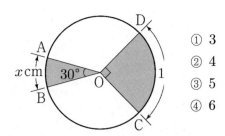

① 3
② 4
③ 5
④ 6

07 다음은 청소년 40명의 일일 평균 스마트폰 사용 시간을 조사하여 만든 도수분포표이다. 일일 평균 스마트폰 사용 시간이 3시간 이상인 청소년의 수는?

시청 시간(시간)	청소년 수(명)
$0^{이상}$ ~ $1^{미만}$	2
1 ~ 2	8
2 ~ 3	10
3 ~ 4	12
4 ~ 5	8
합 계	40

① 16   ② 18
③ 20   ④ 22

08 $\dfrac{4}{9}$ 를 순환소수로 나타낸 것은?

① $0.\dot{1}$ ② $0.\dot{2}$
③ $0.\dot{3}$ ④ $0.\dot{4}$

09 $a \times a^2 \times a^3$ 을 간단히 한 것은?

① a^3 ② a^4
③ a^5 ④ a^6

10 연립방정식 $\begin{cases} x+y=1 \\ 2x-y=2 \end{cases}$ 의 해는?

① $x=-1, y=2$ ② $x=0, y=1$
③ $x=1, y=0$ ④ $x=2, y=-1$

11 일차함수 $y=ax$의 그래프를 y축의 방향으로 2만큼 평행이동하면 일차함수 $y=-2x+2$의 그래프와 일치한다. 상수 a의 값은?

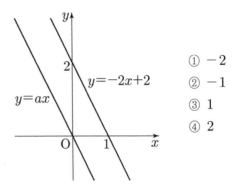

① -2
② -1
③ 1
④ 2

12 그림과 같이 평행사변형 ABCD에서 $\overline{AB}=5$cm, $\angle D=120°$일 때, x, y값은?

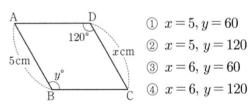

① $x=5, y=60$
② $x=5, y=120$
③ $x=6, y=60$
④ $x=6, y=120$

13 그림에서 $\triangle ABC \backsim \triangle DEF$일 때, $\triangle ABC$와 $\triangle DEF$의 닮음비는?

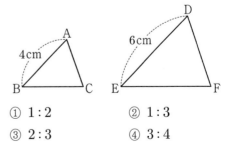

① $1:2$ ② $1:3$
③ $2:3$ ④ $3:4$

14 그림과 같은 주사위 한 개를 한 번 던질 때, 나오는 눈의 수가 3 이상일 확률은?

① $\dfrac{1}{6}$　　　② $\dfrac{1}{3}$

③ $\dfrac{1}{2}$　　　④ $\dfrac{2}{3}$

15 $3\sqrt{2}+\sqrt{2}$ 를 간단히 한 것은?

① $\sqrt{2}$　　　② $2\sqrt{2}$

③ $3\sqrt{2}$　　　④ $4\sqrt{2}$

16 이차방정식 $(x-1)(x-3)=0$의 한 근이 1이다. 다른 한 근은?

① 3　　　② 4

③ 5　　　④ 6

17 이차함수 $y=-2x^2$의 그래프에 대한 설명으로 옳은 것은?

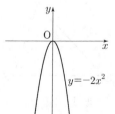

① 위로 볼록하다.
② x축에 대칭이다.
③ 점 $(1,\ 2)$를 지난다.
④ 꼭짓점의 좌표는 $(0,\ -2)$이다.

18 직각삼각형 ABC에서 $\overline{AB}=5$, $\overline{BC}=4$, $\overline{AC}=3$일 때, $\cos B$의 값은?

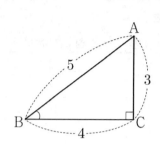

① $\dfrac{3}{5}$

② $\dfrac{3}{4}$

③ $\dfrac{4}{5}$

④ $\dfrac{5}{4}$

19 그림과 같이 원 O에서 호 AB에 대한 원주각 ∠APB의 크기가 35°일 때, 이 호에 대한 중심각 ∠AOB의 크기는?

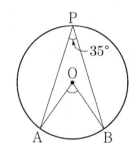

① 50°
② 60°
③ 70°
④ 80°

20 다음 중 음의 상관관계를 나타내는 산점도는?

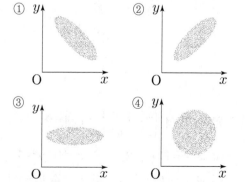

제2회 ··· 수 학

01 다음과 같이 40을 소인수분해하면 $2^a \times 5$이다. a의 값은?

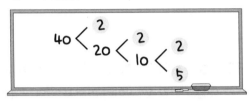

① 1　　　　　② 2
③ 3　　　　　④ 4

02 $a = 2$일 때, $5a - 1$의 값은?

① 1　　　　　② 3
③ 6　　　　　④ 9

03 일차방정식 $3x - 2 = 4$의 해는?

① 2　　　　　② 4
③ 6　　　　　④ 8

04 y가 x에 정비례할 때, ㉠에 알맞은 수는?

x	1	2	3	4	5
y	4	8	12	㉠	20

① 16　　　　　② 17
③ 18　　　　　④ 19

05 그림과 같이 두 직선 l과 m이 한 점에서 만날 때, $\angle a$의 크기는?

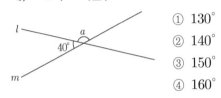

① $130°$
② $140°$
③ $150°$
④ $160°$

06 그림과 같이 직사각형 ABCD를 직선 l을 회전축으로 하여 1회전 시킬 때 생기는 입체도형은?

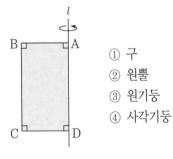

① 구
② 원뿔
③ 원기둥
④ 사각기둥

07 다음은 어느 학급의 학생 20명을 대상으로 지난 올림픽 기간의 경기 시청 시간을 조사하여 나타낸 도수분포표이다. 이 학급의 학생들 중 경기 시청 시간이 6시간 미만인 학생 수는?

시청 시간(시간)	학생 수(명)
0^{이상} ~ 3^{미만}	1
3 ~ 6	4
6 ~ 9	7
9 ~ 12	5
12 ~ 15	3
합 계	20

① 5명   ② 6명
③ 7명   ④ 8명

08 분수 $\frac{1}{3}$을 순환소수로 나타낼 때, 순환마디는?

① 1   ② 3
③ 5   ④ 7

09 $x^4 \times x^3 \div x^2$을 간단히 한 것은? (단, $x \neq 0$)

① x^2 ② x^3
③ x^4 ④ x^5

10 일차부등식 $2x - 2 \leq 4$를 풀면?

① $x \leq 3$ ② $x \geq 3$
③ $x \leq 4$ ④ $x \geq 4$

11 함수 $f(x) = 3x$에 대하여 $f(-2)$의 값은?

① -6 ② -5
③ -4 ④ -3

12 그림과 같이 $\overline{AB} = \overline{AC}$인 이등변삼각형 ABC에서 $\angle A = 80°$일 때, $\angle x$의 크기는?

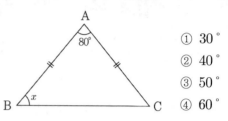

① 30°
② 40°
③ 50°
④ 60°

13 그림과 같이 삼각형 ABC에서 두 변 AB, AC의 중점을 각각 M, N이라고 하자. $\overline{BC} = 12cm$일 때, $\overline{MN}$의 길이는?

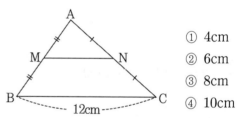

① 4cm
② 6cm
③ 8cm
④ 10cm

14 그림과 같이 집에서 학교까지 가는 길과 학교에서 도서관까지 가는 길은 각각 3가지이다. 집에서 출발하여 학교를 거쳐 도서관까지 가는 모든 경우의 수는? (단, 같은 지점은 두 번 이상 지나지 않는다.)

① 3   ② 5
③ 7   ④ 9

15 $3\sqrt{2} = \sqrt{a}$일 때, a의 값은?

① 17　　　　　② 18

③ 19　　　　　④ 20

16 다항식 $x^2 + 2x + 1$을 인수분해하면?

① $(x-2)^2$　　② $(x-1)^2$

③ $(x+1)^2$　　④ $(x+2)^2$

17 이차방정식 $(x-2)(x+3)=0$의 한 근이 -3이다. 다른 한 근은?

① -2　　　　② -1

③ 1　　　　　④ 2

18 이차함수 $y = 2x^2$의 그래프에 대한 설명으로 옳은 것은?

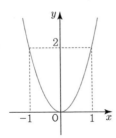

① 위로 볼록하다.

② 점 $(1, 0)$을 지난다.

③ 직선 $x = 1$을 축으로 한다.

④ 꼭짓점의 좌표는 $(0, 0)$이다.

19 그림과 같이 원 O의 중심에서 현 AB에 내린 수선의 발을 M이라고 하자. $\overline{AM} = 2\text{cm}$일 때, $\overline{AB}$의 길이는?

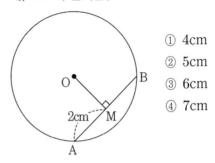

① 4cm

② 5cm

③ 6cm

④ 7cm

20 다음 자료는 어느 학급의 학생 5명이 1년 동안 이웃 돕기 행사에 참가한 횟수를 조사하여 나타낸 것이다. 이 자료의 중앙값은?

(단위 : 회)

3, 1, 2, 4, 6

① 1회　　　　　② 2회

③ 3회　　　　　④ 4회

제1회 ··· 수 학

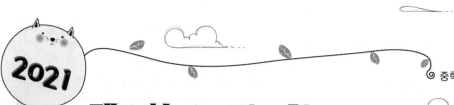

01 다음은 두 수 24와 90을 소인수분해하여 최대공약수를 구하는 과정이다. ㉠에 알맞은 수는?

$24 = 2^3 \times 3$
$90 = 2 \times 3^2 \times 5$
최대공약수 : ㉠ $\times 3$

① 2
② 2^2
③ 2^3
④ 2^4

02 다음 중 절댓값이 가장 큰 수는?

① -5
② -2
③ 1
④ 4

03 $a = 3$일 때, $2a + 1$의 값은?

① 3
② 5
③ 7
④ 9

04 일차방정식 $5x - 2 = 3x + 8$의 해는?

① -1
② 1
③ 3
④ 5

05 다음은 어느 학생이 집에서 출발하여 학교까지 갈 때, 시간에 따른 이동 거리를 나타낸 그래프이다. 이 학생이 출발한 후 30분 동안 이동한 거리는?

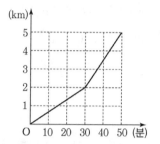

① 1km
② 2km
③ 3km
④ 4km

06 모든 면의 모양이 정사각형인 정다면체는?

① 정사면체
② 정육면체
③ 정팔면체
④ 정십이면체

07 다음은 어느 학급의 학생 20명을 대상으로 지난 일주일 동안 독서한 시간을 조사하여 나타낸 도수분포표이다. 이 학생들 중 일주일 동안 독서한 시간이 6시간 이상인 학생의 수는?

독서 시간(시간)	학생 수(명)
0 이상 ~ 2 미만	2
2 ~ 4	7
4 ~ 6	6
6 ~ 8	4
8 ~ 10	1
합 계	20

① 3명
② 5명
③ 7명
④ 9명

08 순환소수 $0.\dot{7}$을 기약분수로 나타낸 것은?

① $\dfrac{5}{9}$ ② $\dfrac{2}{3}$

③ $\dfrac{7}{9}$ ④ $\dfrac{8}{9}$

09 $2x \times x^2$을 간단히 한 것은?

① $2x$ ② $2x^2$

③ $2x^3$ ④ $2x^4$

10 연립방정식 $\begin{cases} y = 2x \\ x + y = 9 \end{cases}$ 의 해는?

① $x = -3,\ y = -6$

② $x = -3,\ y = 6$

③ $x = 3,\ y = -6$

④ $x = 3,\ y = 6$

11 일차함수 $y = x + 2$의 그래프는 일차함수 $y = x$의 그래프를 y축의 방향으로 a만큼 평행이동한 것이다. 상수 a의 값은?

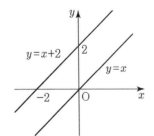

① -1
② 0
③ 1
④ 2

12 그림과 같이 △ABC에서 ∠B = 50°, ∠C = 50°, $\overline{AB}$ = 5cm일 때, x의 값은?

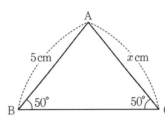

① 3
② 4
③ 5
④ 6

13 그림과 같이 직각삼각형 ABC에서 $\overline{AB}$ = 6cm, $\overline{BC}$ = 8cm일 때, x의 값은?

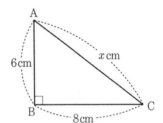

① 9
② 10
③ 11
④ 12

14 그림과 같이 포도 맛 사탕 3개, 딸기 맛 사탕 7개가 들어 있는 주머니가 있다. 이 주머니에서 한 개의 사탕을 임의로 꺼낼 때, 포도 맛 사탕이 나올 확률은?

⬡ : 포도 맛 사탕
◯ : 딸기 맛 사탕

① $\dfrac{3}{10}$ ② $\dfrac{2}{5}$

③ $\dfrac{1}{2}$ ④ $\dfrac{3}{5}$

15 $6\sqrt{3} - 2\sqrt{3}$ 을 간단히 한 것은?

① $\sqrt{3}$ ② $2\sqrt{3}$

③ $3\sqrt{3}$ ④ $4\sqrt{3}$

16 $(x+1)(x+3)$ 을 전개한 것은?

① $x^2 + 2x - 3$ ② $x^2 + 2x + 3$

③ $x^2 + 4x - 3$ ④ $x^2 + 4x + 3$

17 이차함수 $y = 2x^2 - 2$의 그래프에 대한 설명으로 옳은 것은?

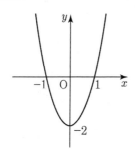

① 위로 볼록하다.

② 점 $(1, 1)$을 지난다.

③ 직선 $x = 1$을 축으로 한다.

④ 꼭짓점의 좌표는 $(0, -2)$이다.

18 직각삼각형 ABC에서 $\overline{AB} = 13$, $\overline{BC} = 12$, $\overline{AC} = 5$일 때, $\sin B$의 값은?

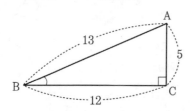

① $\dfrac{5}{13}$ ② $\dfrac{5}{12}$

③ $\dfrac{12}{13}$ ④ 1

19 그림에서 두 점 A, B는 점 P에서 원 O에 그은 두 접선의 접점이다. $\overline{PA}$와 $\overline{PB}$의 길이의 합이 12cm일 때, $\overline{PA}$의 길이는?

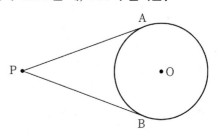

① 4cm   ② 5cm

③ 6cm   ④ 7cm

20 다음 중 양의 상관관계를 나타내는 산점도는?

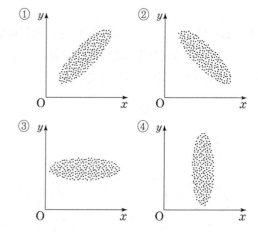

영 어

중학교 졸업학력 검정고시 대비 기출문제

똑 같 은 **기 출** 똑 똑 한 **해 설**

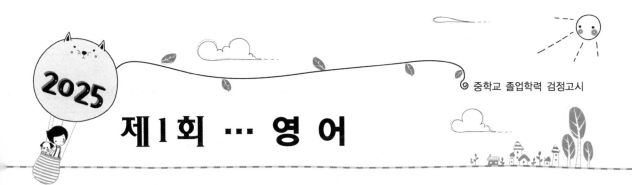

01 다음 중 밑줄 친 단어의 뜻으로 가장 적절한 것은?

> My parents are really <u>proud</u> of me.

① 신나는　　　　② 친절한
③ 무관심한　　　④ 자랑스러운

02 다음 중 밑줄 친 두 단어의 의미 관계와 <u>다른</u> 것은?

> This question is <u>difficult</u>. Please give me an <u>easy</u> one.

① wide − narrow
② wise − foolish
③ healthy − colorful
④ cheap − expensive

[3~4] 다음 중 빈칸에 들어갈 말로 가장 적절한 것을 고르시오.

03
> Eric and I _____ good friends.

① are　　　　② am
③ is　　　　④ be

04
> He brushed his teeth _____ he had lunch.

① to　　　　② of
③ with　　　④ after

[5~6] 다음 중 대화의 빈칸에 들어갈 말로 가장 적절한 것을 고르시오.

05
> A : How _____ tickets do you need?
> B : I need three tickets, please.

① long　　　　② many
③ much　　　④ often

06
> A : What are you going to do this after-noon?
> B : I'm going to play computer games with my brother.
> A : _____.

① No, I haven't
② You're welcome
③ Of course not
④ That sounds fun

07 다음 중 빈칸에 공통으로 들어갈 말로 가장 적절한 것은?

> • What _____ of music do you like?
> • She helped me a lot. I think she is very _____.

① kind   ② fat
③ well   ④ light

08 다음은 Mike의 여행 일정표이다. 오전 10시에 할 일은?

8:00 a.m.	10:00 a.m.	3:00 p.m.	5:00 p.m.
have breakfast at the hotel	visit the traditional market	have snacks in the park	go to the theater

① 호텔에서 아침 먹기
② 전통 시장 방문하기
③ 공원에서 간식 먹기
④ 극장에 가기

09 그림으로 보아 빈칸에 들어갈 말로 가장 적절한 것은?

> A : What is the boy doing?
> B : He is _____.

① watching TV
② driving a car
③ drinking water
④ playing the guitar

10 다음 대화가 끝난 후 두 사람이 함께 할 일은?

> A : Oh, my! I lost my smartphone.
> B : Really? Can you remember where you put it?
> A : I'm not sure. I should check the Lost and Found center, first.
> B : That's a good idea. Let's go together.

① 수영하러 가기
② 치과 진료 받기
③ 분실물 센터 가기
④ 합창 연습하러 가기

11 다음 대화의 빈칸에 들어갈 말로 가장 적절한 것은?

> A : What do you think of this bag?
> B : _____. Did you buy it?
> A : No, my sister gave it to me as a gift.

① It looks pretty
② I think so, too
③ I want to be a doctor
④ Don't forget to call me

12 다음 대화의 주제로 가장 적절한 것은?

> A : Kevin, what are you interested in?
> B : I'm interested in making robots. How about you?
> A : I like playing badminton.

① 관심 분야   ② 요리 방법
③ 교통안전   ④ 환경 보호

13 다음 홍보문을 보고 행사에 대해 알 수 없는 것은?

> ### School Sports Day
> ∘ **When** : 9:00~11:00 a.m., May 9th, 2025
> ∘ **Where** : Mirae Middle School
> ∘ **What to do** : Baseball, Basketball, and Volleyball
> *Have Fun! Enjoy Sports!*

① 행사 일시 ② 행사 장소
③ 경기 종목 ④ 신청 방법

14 다음 방송의 목적으로 가장 적절한 것은?

> Hello, students. I have an announcement. There is a problem with the school air conditioner. We are trying to fix it, but it will take two hours. Thank you for your understanding.

① 학교 규칙 공지
② 강의 주제 전달
③ 학생회 선거 홍보
④ 에어컨 고장 안내

15 다음 대화에서 B가 수업에 늦은 이유는?

> A : Why are you late, Amy?
> B : I missed the bus. I'm sorry for being late.
> A : Well, try to be on time. Let's begin our class.

① 버스를 놓쳐서
② 수업이 빨리 끝나서
③ 숙제를 안 해서
④ 아침을 먹지 않아서

16 다음 Mr. Papa에 대한 설명과 일치하지 않는 것은?

> There is a story about an old man called Mr. Papa. He wears a hat made of gold. He flies on a dragon on June 5th. He gives good children toys and candies. However, he gives garlic and onions to bad kids.

① 황금으로 만든 모자를 쓴다.
② 6월 5일에 용을 타고 날아다닌다.
③ 착한 어린이들에게는 장난감과 사탕을 준다.
④ 나쁜 어린이들에게는 아무것도 주지 않는다.

17 다음 글에서 Julia Smith에 대해 언급된 내용이 아닌 것은?

> Julia Smith found her true talent in her 40s. At the age of 46, she moved to Rome with her husband. She went to a cooking school there. While she was studying, she ran an Italian restaurant, *'Julia's Trattoria'* and it became famous for pasta.

① 재능 발견 시기
② 이사한 도시
③ 남편의 직업
④ 운영한 식당

18 다음 글에서 Alex가 제안한 것으로 가장 적절한 것은?

> Tomorrow is my mom's birthday. I was thinking about what to get her, so I asked Alex for advice. He suggested that I write her a letter because I'm good at writing.

① 선물 사기   ② 편지 쓰기
③ 청소하기   ④ 여행 가기

19 그래프로 보아 다음 빈칸에 들어갈 말로 가장 적절한 것은?

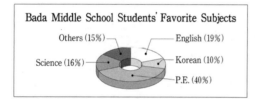

Bada Middle School Students' Favorite Subjects

Others (15%)
English (19%)
Science (16%)
Korean (10%)
P.E. (40%)

> The students at Bada Middle School like _____ the most.

① English   ② Korean
③ P.E.   ④ Science

20 다음 글의 흐름으로 보아 어울리지 않는 문장은?

> There are several things to remember during a flood. ① First of all, you should turn off all electricity. ② Second, you should stay out of moving water. ③ You need to water the plants regularly. ④ You have to move to higher ground for safety. Finally, keep listening to the news reports.

21 다음 글에서 밑줄 친 They가 가리키는 것으로 가장 적절한 것은?

> Jiho likes making new things from something old. Yesterday, he brought pencil cases that he made from used clothes to school. He gave them to his classmates. They were surprised to get his presents and wanted to know how he made them.

① cups   ② teachers
③ classmates   ④ pencil cases

22 미술관에서 지켜야 할 사항으로 언급되지 않은 것은?

> *Modern Art Museum Rules*
> ◦ Don't run.
> ◦ Don't eat food.
> ◦ Don't take pictures.

① 뛰지 않기
② 낙서하지 않기
③ 음식 먹지 않기
④ 사진 찍지 않기

23 다음 글의 주제로 가장 적절한 것은?

> Have you ever seen eagles flying high in the sky? They can see even small ants from up there. They are great hunters because of their powerful eyes. They can see tiny animals 2.8 kilometers away. Isn't that amazing?

① 개미의 특성   ② 독수리의 시력
③ 사냥의 역사   ④ 시력에 좋은 음식

24 다음 글을 쓴 목적으로 가장 적절한 것은?

> I have a jacket for sale. It is white and has many pockets. I bought it last year but it is just like new. I paid 80 dollars. I'm selling it for only 20 dollars!

① 판매하려고
② 환불하려고
③ 사과하려고
④ 구입하려고

25 다음 글의 바로 뒤에 이어질 내용으로 가장 적절한 것은?

> Hi! My name is Brian. I am Canadian and I have been living in Korea for two years. Have you ever been to Canada? Today, I will give you some tips for visiting Canada. Let's start with the best time to visit there.

① 한국의 다양한 날씨
② 효과적인 영어 학습 방법
③ 자신이 좋아하는 음악 소개
④ 캐나다를 방문하기에 좋은 시기

01 다음 밑줄 친 단어의 뜻으로 가장 적절한 것은?

> I feel <u>shy</u> when I speak in front of people.

① 고마운 ② 신나는
③ 피곤한 ④ 부끄러운

02 다음 밑줄 친 두 단어의 의미 관계와 <u>다른</u> 것은?

> Don't make a <u>loud</u> noise in our <u>quiet</u> area.

① rich - poor
② kind - nice
③ clean - dirty
④ full - empty

[3~4] 다음 빈칸에 들어갈 말로 가장 적절한 것을 고르시오.

03
> There _____ many wonderful places in Korea.

① are ② be
③ is ④ was

04
> I called him yesterday, _____ he didn't answer.

① but ② of
③ to ④ with

[5~6] 다음 대화의 빈칸에 들어갈 말로 가장 적절한 것을 고르시오.

05
> A : _____ color do you like more, yellow or blue?
> B : I prefer blue to yellow.

① How ② Where
③ Which ④ Why

06
> A : What's the matter, John? Are you okay?
> B : I hurt my back when I lifted a box yesterday.
> A : _____.

① That's too bad
② I'm afraid I can't
③ I look forward to it
④ Turn off the water

07 다음 빈칸에 공통으로 들어갈 말로 가장 적절한 것은?

> • Please take a _____ at this picture.
> • He will _____ after my dog when I'm away.

① buy　　　　② look

③ tell　　　　④ wear

08 다음은 Julia의 내일 일정표이다. 내일 오후 8시에 할 일은?

8:00 a.m.	12:00 p.m.	4:00 p.m.	8:00 p.m.
exercise at the gym	have lunch with Mike	go shopping with Mary	do English homework

① 체육관에서 운동하기

② Mike와 점심 먹기

③ Mary와 쇼핑하기

④ 영어 숙제 하기

09 그림으로 보아 빈칸에 들어갈 말로 가장 적절한 것은?

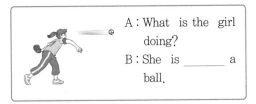

> A : What is the girl doing?
> B : She is _____ a ball.

① buying　　　　② kicking

③ throwing　　　④ washing

10 다음 대화가 끝난 후 오후에 두 사람이 함께 할 일은?

> A : Are you free this afternoon?
> B : Yeah, why?
> A : I was thinking we could go to the library and study together.
> B : Okay. That sounds like a good plan.

① 집에서 숙제하기

② 서점에서 책 읽기

③ 학교에서 수업 듣기

④ 도서관에서 공부하기

11 다음 대화의 빈칸에 들어갈 말로 가장 적절한 것은?

> A : What should we do for Jane's birthday?
> B : Let's have dinner at her favorite restaurant.
> A : _____.

① He must be tired

② Nice to meet you

③ That's a good idea

④ It's not your fault

12 다음 대화의 주제로 가장 적절한 것은?

> A : Sam, what do you do in your free time?
> B : I like watching movies. What about you?
> A : I enjoy playing the guitar.

① 여가 활동　　　② 영화 예매

③ 음악 감상　　　④ 여행 계획

13 다음 홍보문을 보고 알 수 <u>없는</u> 것은?

Summer Science Camp

◦ Place: National Science Museum
◦ Date: August 10th-11th, 2024
◦ To sign up, visit www.sciencecamp.org.

Meet and learn from real scientists!

① 행사 장소　　② 행사 날짜
③ 참가 인원　　④ 신청 방법

14 다음 방송의 목적으로 가장 적절한 것은?

Good evening, ladies and gentlemen.
The musical is going to start soon. Please
turn off your phones. Also, please avoid
taking photos during the show. We hope
you have a wonderful time!

① 관람 예절 안내
② 예매 방법 설명
③ 장소 변경 공지
④ 출연 배우 소개

15 다음 대화에서 A가 동아리 활동에 참여하지
못하는 이유는?

A : I won't be able to make it to our club
　　meeting today.
B : Oh no, I'm sorry to hear that. Why
　　not?
A : I have a bad cold.

① 감기에 걸려서
② 날씨가 너무 추워서
③ 콘서트에 가야 해서
④ 친구와 약속이 있어서

16 다음 Songkran에 대한 설명과 일치하지 <u>않</u>
는 것은?

Songkran, a big festival in Thailand, is
held in April. This festival celebrates the
traditional Thai New Year. You can enjoy
a big water fight at the festival. You can
also try traditional Thai food.

① 태국에서 4월에 열리는 큰 축제이다.
② 태국의 전통적인 새해맞이 행사이다.
③ 축제 기간 동안 소싸움을 즐길 수 있다.
④ 태국 전통 음식을 맛볼 수 있다.

17 다음 글에서 Siberian tiger에 대해 언급된 내
용이 <u>아닌</u> 것은?

The Siberian tiger is the biggest cat in
the world. It lives in cold places in east-
ern Russia. It has orange fur with black
stripes. It likes to eat big animals like
deer. A hungry tiger can eat almost 30
kilograms in one night.

① 서식지　　　② 수명
③ 털 무늬　　　④ 먹이

18 다음 글에서 Yumi가 제안한 것으로 가장 적절한 것은?

> These days, I often forget things that I need to do. For example, I forgot to bring my soccer uniform today. I asked Yumi for advice. She suggested making a list of things to do. It might be helpful.

① 축구 연습하기
② 운동복 구매하기
③ 전문가와 상담하기
④ 할 일 목록 작성하기

19 그래프로 보아 빈칸에 들어갈 말로 가장 적절한 것은?

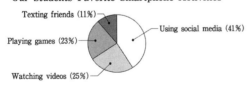
Our Students' Favorite Smartphone Activities

Texting friends (11%)
Using social media (41%)
Playing games (23%)
Watching videos (25%)

> More students at our school like _____ than watching videos on their smartphones.

① using social media
② calling friends
③ playing games
④ texting friends

20 다음 글의 흐름으로 보아 어울리지 <u>않는</u> 문장은?

> My favorite season is summer. ① I love going to the beach and playing in the sand. ② Swimming in the sea feels great. ③ I also enjoy eating ice cream to cool down. ④ Earth's ice is melting fast. Summer is the best time to have fun.

21 다음 글에서 밑줄 친 <u>They</u>가 가리키는 것으로 가장 적절한 것은?

> Imagine you are on the 10th floor. Can you see ants on the street? Of course not. But eagles can. They are great hunters because of their powerful eyes. <u>They</u> can see rabbits up to 3.2 kilometers away.

① ants   ② eagles
③ rabbits   ④ kilometers

22 다음 글에서 동물원 안전 수칙으로 언급되지 <u>않은</u> 것은?

> Zoo Safety Rules:
> • Don't feed the animals.
> • Don't enter any cages.
> • Keep your voice down.

① 먹이 주지 않기
② 사진 찍지 않기
③ 우리에 들어가지 않기
④ 목소리 낮춰 말하기

23 다음 글의 주제로 가장 적절한 것은?

> I'll share some tips on how I reduce my stress. First, I go outside for a walk. When I get some fresh air, I feel better. I also listen to my favorite music. It helps me relax. I hope these tips can help you feel less stressed.

① 올바른 걷기 자세
② 대기 오염의 심각성
③ 클래식 음악의 역사
④ 스트레스를 줄이는 방법

24 다음 글을 쓴 목적으로 가장 적절한 것은?

> I ordered a black cap from your website on July 3rd. But the cap I got is brown, not black. I'm sending the wrong cap back to you. Please return my money when you receive the brown cap.

① 주문하려고
② 교환하려고
③ 환불을 요청하려고
④ 분실 신고 하려고

25 다음 글의 바로 뒤에 이어질 내용으로 가장 적절한 것은?

> We can learn many useful things by reading. Reading good books helps us build thinking skills and understand others' feelings. What kinds of books should we read, then? Here is how to choose the right books.

① 다양한 독서 방법
② 잘못된 의사소통 사례
③ 창의적인 사람의 특징
④ 적절한 책을 고르는 방법

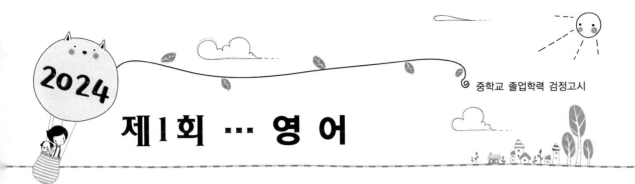
제1회 … 영 어

01 밑줄 친 단어의 뜻으로 가장 적절한 것은?

> Everyone thinks that ice cream is <u>delicious</u>.

① 쉬운   ② 가능한
③ 맛있는   ④ 흥미로운

02 다음 중 두 단어의 의미 관계가 나머지 셋과 <u>다른</u> 것은?

① big – small   ② dry – wet
③ old – young   ④ tall – high

[3~4] 다음 빈칸에 들어갈 말로 가장 적절한 것을 고르시오.

03
> A lot of students _____ standing in line.

① am   ② is
③ was   ④ were

04
> How _____ does it take to go to the train station?

① long   ② many
③ often   ④ tall

[5~6] 다음 대화의 빈칸에 들어갈 말로 가장 적절한 것을 고르시오.

05
> A : _____ do you usually get up?
> B : I usually get up at seven.

① How   ② What
③ When   ④ Which

06
> A : Can you ride a bike?
> B : _____.

① Yes, I can
② No, I don't
③ Yes, you can
④ No, I'm not

07 다음 빈칸에 공통으로 들어갈 말로 가장 적절한 것은?

> • I play the piano in my _____ time.
> • You can have this candy for _____.

① busy   ② close
③ free   ④ hard

08 다음은 가족이 주말에 할 일이다. Tom이 할 일은?

Father	Mother	Tom	Emma
water the plants	clean the windows	do the laundry	bake cookies

① 식물 물 주기　　② 창문 닦기
③ 빨래하기　　　　④ 쿠키 굽기

09 그림으로 보아 빈칸에 들어갈 말로 가장 적절한 것은?

A : What is the girl doing?
B : She is _____.

① reading a book
② drawing a picture
③ listening to music
④ playing basketball

10 다음 대화가 끝난 후 두 사람이 함께 갈 장소는?

A : I'm worried about my leg. I can't walk easily.
B : Why don't you see a doctor?
A : I think I should. Can you go with me now?
B : Sure.

① 병원　　　　② 서점
③ 문구점　　　④ 우체국

11 다음 대화의 빈칸에 들어갈 말로 가장 적절한 것은?

A : How's the weather outside?
B : It's raining. _____?
A : No, I don't. I have to buy one.

① What time is it
② How have you been
③ Where did you get it
④ Do you have an umbrella

12 다음 대화의 주제로 가장 적절한 것은?

A : We need to change the meeting time. It's too early.
B : I agree. What about 10 a.m.?
A : That's much better.

① 회의 시간 변경
② 회의 장소 변경
③ 회의 주제 변경
④ 회의 참가자 변경

13 다음 홍보문을 보고 알 수 없는 것은?

World Food Festival
• Date : April 13th-14th
• Time : 11 a.m.-4 p.m.
• Place : Seaside Park
Come and Enjoy!
Try food from all over the world!

① 행사 날짜　　② 행사 시간
③ 행사 장소　　④ 행사 참가비

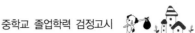

14 다음 방송의 목적으로 가장 적절한 것은?

> Hello, everyone. I have something to tell you about tomorrow's lunch menu. The original menu was spaghetti, cake, and orange juice. However, we'll serve milk instead of orange juice. Sorry about the change.

① 기부금 모금
② 학교 규칙 안내
③ 새로운 요리사 소개
④ 점심 메뉴 변경 공지

15 다음 대화에서 B가 수영장에 가지 못하는 이유는?

> A : Steve and I are going to the swimming pool this Saturday. Do you want to join us?
> B : Sorry, but I'm taking a trip with my family this weekend.
> A : Okay. Maybe next time.

① 수학 시험이 있어서
② 가족 여행을 가야 해서
③ 치과 예약이 있어서
④ 축구 경기를 해야 해서

16 다음 Moai에 대한 설명과 일치하지 <u>않는</u> 것은?

> Have you ever heard of the Moai? They are on Easter Island. They are tall, human-shaped stones. Most of them are about four meters tall, and the tallest one is around 20 meters tall. They mainly face towards the village, and some are looking out to sea.

① 이스터섬에 있다.
② 사람 모양의 돌이다.
③ 대부분 높이가 약 20미터이다.
④ 주로 마을 쪽을 보고 있다.

17 다음 글에서 City Flea Market에 대해 언급된 내용이 <u>아닌</u> 것은?

> City Flea Market is a great place for many shoppers. It is open every Saturday. It is in front of the History Museum. You can buy clothes, shoes, books, and toys at low prices in this market.

① 열리는 요일   ② 열리는 장소
③ 주차 정보   ④ 판매 품목

18 다음 글에서 Jimin이 제안한 것으로 가장 적절한 것은?

> My big problem at school is getting poor grades on tests. I never do well on them. So, I asked Jimin for advice. Jimin suggested making a study group. He told me that studying with friends could help me do better on tests.

① 친구들과 함께 공부하기
② 조용한 공부 장소 찾기
③ 시험공부 계획 세우기
④ 선생님께 질문하기

19 다음 그래프로 보아 빈칸에 들어갈 말로 가장 적절한 것은?

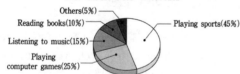

Our Classmates' Interests

> More than forty percent of the students in our class are interested in _____.

① playing sports
② playing computer games
③ listening to music
④ reading books

20 다음 글의 흐름으로 보아 어울리지 <u>않는</u> 문장은?

> Last year, I went to a mountain. ① I took a cable car to the middle of the mountain. ② My father bought a new car. ③ Then, I hiked to the top. ④ At the top, I found that the trees were red and yellow. It was amazing and exciting to see beautiful autumn leaves.

21 밑줄 친 <u>It</u>이 가리키는 것으로 가장 적절한 것은?

> Do you like walking? How many steps do you walk in a day? Walking can offer lots of health benefits to people of all ages. <u>It</u> may help prevent certain diseases, so you can live a long life. It also doesn't require any special equipment and can be done anywhere.

① Equipment   ② Life
③ Stress   ④ Walking

22 도서관 이용 시 주의해야 할 사항으로 언급되지 <u>않은</u> 것은?

> Library Rules :
> • Return books on time.
> • Do not make loud noises.
> • Do not eat any food.

① 제시간에 책 반납하기
② 시끄럽게 하지 않기
③ 음식 먹지 않기
④ 책에 낙서하지 않기

23 다음 글의 주제로 가장 적절한 것은?

> Do you know what to do when there is a fire? You should shout, "Fire!" You need to cover your face with a wet towel. You have to stay low and get out. Remember to use the stairs, not the elevator. Also, you need to call 119 as soon as possible.

① 건강한 식생활 방법
② 지진의 원인과 대처법
③ 화재 발생 시 행동 요령
④ 전자 제품 사용 시 유의점

24 다음 글을 쓴 목적으로 가장 적절한 것은?

> My name is John Brown. I'd like to report a problem on Main Street. This morning I saw that the traffic lights were broken. I'm afraid this might cause an accident. Please come and check right away.

① 사과하려고   ② 신고하려고
③ 축하하려고   ④ 홍보하려고

25 다음 글의 바로 뒤에 이어질 내용으로 가장 적절한 것은?

> Yoga is a mind and body practice that can build strength and balance. It may also help manage pain and reduce stress. There are a lot of types of yoga. Let's take a look at the various types of yoga.

① 요가의 좋은 점
② 다양한 요가의 유형
③ 요가가 시작된 나라
④ 요가할 때 주의할 점

제2회 ··· 영 어

01 다음 밑줄 친 단어의 뜻으로 가장 적절한 것은?

> I love my friends. They're very special to me.

① 엄격한　　　　② 용감한
③ 특별한　　　　④ 현명한

02 다음 중 두 단어의 의미 관계가 나머지 셋과 다른 것은?

① fast – slow　　② large – big
③ late – early　　④ long – short

[3~4] 다음 빈칸에 들어갈 말로 가장 적절한 것을 고르시오.

03

> There _____ a big tree in front of my house.

① be　　　　　② is
③ are　　　　　④ were

04

> She didn't eat dessert _____ she was too full.

① to　　　　　② by
③ from　　　　④ because

[5~6] 다음 대화의 빈칸에 들어갈 말로 가장 적절한 것을 고르시오.

05

> A : _____ do you think of my new skirt?
> B : It looks good on you.

① Who　　　　② What
③ Where　　　④ Which

06

> A : I can't walk. I broke my leg yesterday.
> B : _____.

① Yes, I am
② Nice to meet you
③ You're welcome
④ I'm sorry to hear that

07 다음 빈칸에 공통으로 들어갈 말로 가장 적절한 것은?

• It's _____ outside. You should wear a coat.
• He said he had a sore throat. Did he catch a _____ ?

① cold
② soft
③ tall
④ well

08 다음 대화에서 A가 찾아가려는 곳의 위치로 옳은 것은?

A : Excuse me, how can I get to City Hall?
B : Go straight one block and turn right. You'll find it on your left.
A : Thank you.

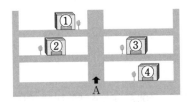

09 그림으로 보아 빈칸에 들어갈 말로 가장 적절한 것은?

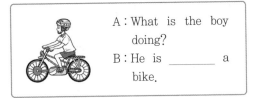

A : What is the boy doing?
B : He is _____ a bike.

① riding
② eating
③ singing
④ cooking

10 다음 대화가 끝난 후 두 사람이 함께 갈 장소는?

A : Where are you going, Minsu?
B : I'm going to the school gym to play basketball.
A : Really? Can I join you?
B : Sure. Let's go together.

① 체육관
② 보건실
③ 미술실
④ 도서관

11 다음 대화의 빈칸에 들어갈 말로 가장 적절한 것은?

A : You look so happy today. What's up?
B : _____.
A : Oh, where did you find your dog?
B : He was in the park near my house.

① I failed the test
② I'm a Canadian
③ I found my missing dog
④ I don't like vegetables

12 다음 대화의 주제로 가장 적절한 것은?

A : Boram, what's your plan for this vacation?
B : I plan to take guitar lessons. How about you?
A : I'm going to visit my grandparents in Jeju-do.

① 친구 관계
② 방학 계획
③ 생일 선물
④ 운동 추천

13 다음 홍보문을 보고 알 수 <u>없는</u> 것은?

Robot Making Class

○ **Date** : August 25th, 2023
○ **Place** : Science Room
○ **Activities** : You will make a robot
and learn how to control it.

① 수업 날짜   ② 수업 장소
③ 수업료   ④ 수업 활동

14 다음 방송의 목적으로 가장 적절한 것은?

Hello, students. Tomorrow is Sports Day. Please remember to wear comfortable clothes and shoes. Keep the rules to play safely and fairly. Stay with your classmates during the events. Have fun!

① 지역 특산물 소개
② 체육 대회 유의 사항 설명
③ 백화점 행사 홍보
④ 학교 식당 공사 일정 안내

15 다음 대화에서 A가 Nepal로 여행 가고 싶은 이유는?

A : I want to travel to Nepal someday.
B : What makes you want to go there?
A : I want to climb the wonderful mountains.

① 멋진 산을 오르고 싶어서
② 은하수 사진을 찍고 싶어서
③ 외국인 친구를 사귀고 싶어서
④ 새로운 문화를 경험하고 싶어서

16 White Winter Festival에 관한 다음 글의 내용과 일치하지 <u>않는</u> 것은?

The White Winter Festival starts in the last week of January and goes on for five days. People can enjoy ice fishing. There is also a snowman building contest. Musicians play live music at night.

① 1월 마지막 주에 시작한다.
② 얼음낚시를 즐길 수 있다.
③ 눈사람 만들기 대회가 있다.
④ 음악가들이 오전에 공연을 한다.

17 다음 글에서 Elena에 대해 언급된 내용이 <u>아닌</u> 것은?

I'm Elena from France. I want to be a fashion designer someday. I tried on a *hanbok* when I visited Korea in 2020. I loved the style of *hanbok*. My dream is to make such beautiful clothes in the future.

① 출신 국가   ② 장래 희망
③ 한국 방문 연도   ④ 반려동물

18 다음 글에서 Susan이 제안한 것으로 가장 적절한 것은?

> Susan and I walked home together yesterday. We saw that the walls around the school looked ugly. We wanted to make them pretty and colorful. Susan suggested that we paint pictures on the walls.

① 벽에 그림 그리기
② 밝게 인사하기
③ 청바지 재활용하기
④ 선생님 찾아뵙기

19 그래프로 보아 빈칸에 들어갈 말로 가장 적절한 것은?

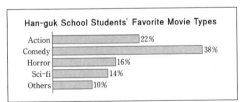

Han-guk School Students' Favorite Movie Types

Action	22%
Comedy	38%
Horror	16%
Sci-fi	14%
Others	10%

> Han-guk School students like _____ movies the most.

① action
② comedy
③ horror
④ sci-fi

20 다음 글의 흐름으로 보아 어울리지 않는 문장은?

> Jiho's father runs a small restaurant. ① He makes amazing spaghetti. ② Jiho wants to learn how to cook it. ③ So, he's going to practice cooking spaghetti with his father this week. ④ Burgers are his favorite food. He hopes to make delicious spaghetti like his father.

21 밑줄 친 them이 가리키는 것으로 가장 적절한 것은?

> I read the news about newly designed buses. It says people can get on these buses more easily. The buses have no steps and have very low floors. Even a person in a wheelchair can use them without any help.

① books
② buses
③ people
④ windows

22 캠핑 시 주의해야 할 사항으로 언급되지 않은 것은?

> • Don't put up a tent right next to the river.
> • Don't feed wild animals.
> • Don't leave your trash behind.

① 강 바로 옆에 텐트 치지 않기
② 야생 동물에게 먹이 주지 않기
③ 쓰레기 남겨 두지 않기
④ 텐트 안에서 요리하지 않기

23 다음 글의 주제로 가장 적절한 것은?

> Are you feeling down? Here are some tips to help you feel better. First, go outdoors. Getting lots of sunlight makes you feel happy. Another thing you can do is exercise. You can forget about worries while working out.

① 수면과 건강의 관계
② 다양한 호르몬의 역할
③ 지구 온나화의 원인
④ 기분이 나아지게 하는 방법

24 다음 글을 쓴 목적으로 가장 적절한 것은?

> Hello, Mr. Brown. The school concert is coming. My music club members are preparing for the concert. We need a place to practice together. Can we please use your classroom this week?

① 과제를 확인하기 위해서
② 봉사 활동에 지원하기 위해서
③ 교실 사용을 허락받기 위해서
④ 마을 축제에 초대하기 위해서

25 다음 글의 바로 뒤에 이어질 내용으로 가장 적절한 것은?

> Visiting markets is a good way to learn about the culture of a country. You can meet people, learn history, and taste local food. I'd like to introduce some famous markets around the world.

① 다양한 조리 방법 제안
② 용돈 관리의 중요성 강조
③ 세계의 유명한 시장들 소개
④ 외국어를 배워야 하는 이유 설명

01 다음 밑줄 친 단어의 뜻으로 가장 적절한 것은?

> My sister is really <u>funny</u>. She makes me laugh a lot.

① 슬픈   ② 게으른
③ 수줍은   ④ 재미있는

02 다음 중 두 단어의 의미 관계가 나머지 셋과 다른 것은?

① pass - fail   ② sit - stand
③ say - tell   ④ begin - end

[3~4] 다음 빈칸에 들어갈 말로 가장 적절한 것을 고르시오.

03

> Mr. Kim _____ my Korean teacher last year.

① is   ② are
③ was   ④ were

04

> It was raining, _____ I took my umbrella.

① if   ② or
③ so   ④ for

[5~6] 다음 대화의 빈칸에 들어갈 말로 가장 적절한 것을 고르시오.

05

> A : _____ were you late for school?
> B : Because I missed the bus.

① Why   ② What
③ When   ④ Where

06

> A : I am not feeling well. I think I have a cold.
> B : _____.

① That's too bad
② Yes, I'd love to
③ You're welcome
④ Thank you for your help

07 다음 빈칸에 공통으로 들어갈 말로 가장 적절한 것은?

• Some shops ＿＿＿ on Sundays.
• My school is very ＿＿＿ to the post office.

① free   ② next
③ close   ④ among

08 다음 대화에서 A가 찾아가려는 곳의 위치로 옳은 것은?

A : Excuse me, how can I get to the library?
B : Go straight two blocks and turn right. It's on your left.
A : Thank you.

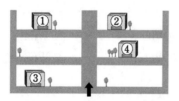

09 그림으로 보아 빈칸에 들어갈 말로 가장 적절한 것은?

A : What is the boy doing?
B : He is ＿＿＿ a picture.

① buying   ② taking
③ sitting   ④ playing

10 다음 대화에서 두 사람이 할 운동으로 가장 적절한 것은?

A : What are you going to do on sports day?
B : I am going to play soccer.
A : Me, too. I'm really looking forward to it.
B : Good luck. Let's do our best.

① 농구   ② 수영
③ 야구   ④ 축구

11 다음 대화의 빈칸에 들어갈 말로 가장 적절한 것은?

A : Are you happy with your school uniform, Jane?
B : ＿＿＿＿＿＿＿＿＿＿.
A : Why not?
B : I don't like the color.

① Yes, I really like it
② I'm really happy for you
③ No, I'm not very happy with it
④ You should bring your own lunch

12 다음 대화의 주제로 가장 적절한 것은?

A : My father's birthday is coming. What should I get for him?
B : How about a nice tie?
A : That sounds good. I think he needs one.

① 생일 선물   ② 시험 성적
③ 여가 활동   ④ 여행 계획

13 다음 홍보문을 보고 알 수 <u>없는</u> 것은?

> ## City Library Book Camp
> Date : May 6th (Saturday), 2023
> Time : 9:00 a.m. – 11:00 a.m.
> Place : City Library
> Activities :
> – Talking about books
> – Meeting authors

① 참가 인원 ② 행사 일시
③ 행사 장소 ④ 활동 내용

14 다음 방송의 목적으로 가장 적절한 것은?

> Good morning, everyone. I would like to give you some safety tips in case of a fire. Make sure you cover your mouth with a wet cloth. Also, use stairs instead of elevators.

① 기상 악화 예보
② 일정 변경 공지
③ 건물 내 시설 소개
④ 화재 안전 수칙 안내

15 다음 대화에서 회의 시간을 바꾸려는 이유는?

> A : We need to change the time for to-morrow's meeting. It's too early.
> B : I agree. How about 10 a.m.?
> A : That's much better.

① 늦게 도착해서
② 교통 체증이 심해서
③ 회의 시간이 길어서
④ 너무 이른 시간이어서

16 cookie cup에 관한 다음 글의 내용과 일치하지 <u>않는</u> 것은?

> Here's an eco-friendly item! It's a cookie cup. It is a cookie made in the shape of a cup. After using the cup, you can just eat it instead of throwing it away. By doing this, you can make less trash.

① 친환경 제품이다.
② 유리로 만든다.
③ 먹을 수 있다.
④ 쓰레기를 줄일 수 있다.

17 다음 글의 흐름으로 보아 어울리지 <u>않는</u> 문장은?

> I want to win the school singing contest. ⓐ I love singing. ⓑ And I think I have a good voice. ⓒ I'm a really poor tennis player. ⓓ However, I am too shy to sing in front of many people. How can I feel more comfortable singing on stage?

① ⓐ ② ⓑ
③ ⓒ ④ ⓓ

18 다음 글에서 Gina가 제안한 것으로 가장 적절한 것은?

> Gina and I saw a little dog on our way to school. The dog seemed to have a broken leg, and we were worried about it. Gina suggested that we take it to an animal doctor.

① 아침 일찍 일어나기
② 개를 공원에서 산책시키기
③ 친구와 함께 공부하기
④ 개를 수의사에게 데려가기

19 그래프로 보아 빈칸에 들어갈 말로 가장 적절한 것은?

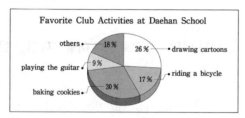

> The most popular club activity among the students at Daehan school is
> _____ .

① drawing cartoons
② riding a bicycle
③ baking cookies
④ playing the guitar

20 다음 글에서 David에 대해 언급된 내용이 <u>아닌</u> 것은?

> My name is David. I am good at painting. I want to be a famous artist like Vincent Van Gogh. My favorite painting is *The Starry* Night. Please visit my blog and check out my artwork.

① 잘하는 것
② 출신 학교
③ 장래 희망
④ 가장 좋아하는 그림

21 다음 밑줄 친 <u>It</u>이 가리키는 것으로 가장 적절한 것은?

> Bees are very helpful to humans. First, bees give us honey. Honey is a truly wonderful food. <u>It</u> is good for our health and tastes good. Second, bees help produce many fruits like apples and peaches.

① bird
② honey
③ apple
④ peach

22 수업 규칙으로 언급되지 <u>않은</u> 것은?

Class Rules
- Help each other.
- Take notes in class.
- Bring your textbooks.

① 활동 시간 지키기
② 서로 도와주기
③ 수업 중 필기하기
④ 교과서 가져오기

23 다음 글의 주제로 가장 적절한 것은?

> Today, I will talk about what makes a good leader. First, a good leader is friendly and easy to talk to. Second, a good leader gives advice to people. Lastly, a good leader listens to others carefully.

① 조언의 필요성
② 좋은 리더의 특징
③ 아침 식사의 중요성
④ 운동을 해야 하는 이유

24 다음 글을 쓴 목적으로 가장 적절한 것은?

> Thank you for inviting me to your home last Friday. I had a really good time and the food was great. The bulgogi was very delicious. Also, thank you for showing me how to cook tteokbokki.

① 감사
② 거절
③ 불평
④ 사과

25 다음 글의 바로 뒤에 이어질 내용으로 가장 적절한 것은?

> Smartphones can cause some health problems. One problem is dry eyes because we don't often blink when using smartphones. Another problem is neck pain. Looking down at one can cause neck pain. Here are some tips to solve these problems.

① 스마트폰 요금제를 선택하는 방법
② 스마트폰 종류별 특징과 수리 방법
③ 스마트폰을 저렴하게 구입하는 다양한 방법
④ 스마트폰 사용으로 인한 건강 문제 해결 방법

01 다음 밑줄 친 단어의 뜻으로 가장 적절한 것은?

> He is a very <u>famous</u> singer and has a lot of fans.

① 독특한　　　② 유명한
③ 친절한　　　④ 편안한

02 다음 중 두 단어의 의미 관계가 나머지 셋과 다른 것은?

① rise - fall　　② win - lose
③ open - close　④ end - finish

03 다음 빈칸에 들어갈 말로 가장 적절한 것은?

> Kate is good at skating, but she _____ good at skiing.

① are　　　　② does
③ isn't　　　④ don't

[4~6] 다음 대화의 빈칸에 들어갈 말로 가장 적절한 것을 고르시오.

04
> A : How _____ do you play basketball?
> B : Three times a week.

① tall　　　　② often
③ many　　　④ pretty

05
> A : Tom, what are you doing?
> B : Mom, I'm _____ for my math textbook. I can't find it.
> A : Why don't you check under the bed?

① putting　　② sleeping
③ looking　　④ wearing

06
> A : Jessica, how about going to the flower festival today?
> B : Sure, Dad. What time do you want to go?
> A : _____ .

① I'll buy a cap
② That's a nice flower
③ I'm taking a taxi
④ Let's leave home at 2 o'clock

07 다음 빈칸에 공통으로 들어갈 말로 가장 적절한 것은?

> • He looks _____ his father.
> • What do you _____ to do during the vacation?

① try　　　　② like
③ take　　　④ work

08 다음 대화에서 A가 찾아가려는 곳의 위치로 옳은 것은?

> A : Excuse me. How do I get to the post office?
> B : Go straight one block and turn left. It's on your right.
> A : Thank you.

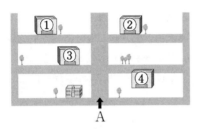

09 그림으로 보아 빈칸에 들어갈 말로 가장 적절한 것은?

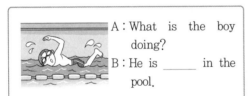

> A : What is the boy doing?
> B : He is _____ in the pool.

① flying   ② writing
③ drawing   ④ swimming

10 다음 대화가 끝난 후 두 사람이 주문할 음식은?

> A : What would you like to eat for dinner?
> B : What about hamburgers?
> A : Well, I had that for lunch. Why don't we order a pizza?
> B : Sounds great.

① 피자   ② 샐러드
③ 스파게티   ④ 스테이크

11 다음 대화의 빈칸에 들어갈 말로 가장 적절한 것은?

> A : Mr. Smith, can I go home early today?
> B : Oh, you don't look so good. What's wrong?
> A : _____ .

① You're welcome
② I have a high fever
③ I'm happy to hear that
④ You should exercise more

12 다음 대화의 주제로 가장 적절한 것은?

> A : What do you do in your free time?
> B : I like to bake cookies. How about you?
> A : I usually watch movies.

① 여가 활동   ② 장래 희망
③ 영화 추천   ④ 선호 음식

13 다음 홍보문을 보고 알 수 없는 것은?

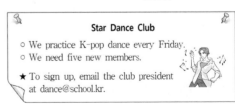

Star Dance Club
○ We practice K-pop dance every Friday.
○ We need five new members.
★ To sign up, email the club president at dance@school.kr.

① 연습 요일   ② 활동 장소
③ 모집 인원   ④ 신청 방법

14 다음 방송의 목적으로 가장 적절한 것은?

> Good morning, everyone. Let me tell you some safety rules for riding a bike in the park. First, put on a helmet to protect your head. Second, wear bright colors at night so that people can see you easily.

① 보건실 이전 공지
② 지역 관광 명소 홍보
③ 공원 내 편의 시설 소개
④ 자전거 운행 시 안전 수칙 안내

15 다음 대화에서 B가 늦은 이유는?

> A : You're late. What happened?
> B : I'm so sorry. I took the wrong subway.
> A : That's terrible. I'm glad you're here before the game starts.

① 수업이 늦게 끝나서
② 지하철을 잘못 타서
③ 표를 구하지 못해서
④ 심부름을 해야 해서

16 Ocean Hotel에 관한 다음 글의 내용과 일치하지 <u>않는</u> 것은?

> Ocean Hotel is next to the beach. Every room has a view of the sea. Guests can eat fresh seafood at the hotel restaurant. There are also free boat tours for all guests.

① 해변 옆에 있다.
② 모든 객실에서 바다를 볼 수 있다.
③ 식당에서 신선한 해산물을 먹을 수 있다.
④ 무료 버스 관광을 제공한다.

17 다음 글의 흐름으로 보아 어울리지 <u>않는</u> 문장은?

> I would like to introduce our new orchestra member, Sophie. ⓐ She plays the violin. ⓑ She has lots of experience playing in orchestras. ⓒ The violin is smaller than the guitar. ⓓ She has won many violin contests. Let's all welcome Sophie.

① ⓐ   ② ⓑ
③ ⓒ   ④ ⓓ

18 다음 글에서 Mike가 책을 빌리지 못한 이유로 가장 적절한 것은?

> Mike had to read some books for his science project. So, he went to the library yesterday. He found the books there. However, he couldn't borrow them because he left his library card at home.

① 이미 너무 많은 책을 빌려서
② 필요한 책이 도서관에 없어서
③ 도서관 카드를 집에 두고 와서
④ 도서관 공사로 대출이 중단되어서

19 그래프로 보아 빈칸에 들어갈 말로 가장 적절한 것은?

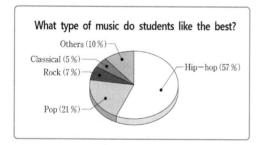

> More than half of the students like _____ the best.

① hip-hop   ② pop
③ rock   ④ classical

20 다음 글에서 언급된 내용이 <u>아닌</u> 것은?

> My name is David. This is my family photo. Here is my younger sister, Christine. She is in the third grade. Next to her, my parents are sitting in chairs. My father is a teacher, and my mother is a doctor. We are a happy family.

① 글쓴이의 이름
② 여동생의 학년
③ 아버지의 직업
④ 어머니의 나이

21 다음 밑줄 친 <u>them</u>이 가리키는 것으로 가장 적절한 것은?

> Here's how to relax your eyes when they feel tired. Close your eyes and press <u>them</u> gently with your fingers. When you finish, cover your eyes with warm towels. This will make your eyes feel more relaxed.

① eyes   ② hands
③ towels   ④ glasses

22 영화관에서 지켜야 할 사항으로 언급되지 않은 것은?

- Don't talk loudly.
- Don't use cell phones.
- Don't throw trash on the floor.

① 크게 말하지 않기
② 휴대폰 사용하지 않기
③ 앞좌석 발로 차지 않기
④ 바닥에 쓰레기 버리지 않기

23 다음 글의 주제로 가장 적절한 것은?

These days robots play many different roles. Some robots take orders at restaurants. Others make coffee at cafés. They also work as guides at airports. They even talk to people as friends.

① 로봇의 다양한 역할
② 온라인 쇼핑의 장단점
③ 컴퓨터 교육의 필요성
④ 친구 간 대화의 중요성

24 다음 글을 쓴 목적으로 가장 적절한 것은?

Hi, Sam. It's me, Chris. I know we were going to play soccer today. But it's raining now, and I heard that it will not stop until tonight. So, why don't we change the plan?

① 계획 변경을 제안하려고
② 경기 규칙을 설명하려고
③ 최신 스피커를 광고하려고
④ 공부에 관한 조언을 구하려고

25 다음 글의 바로 뒤에 이어질 내용으로 가장 적절한 것은?

Do you like cheese? Making cheese at home is easy and fun. It takes only 30 minutes. And you just need some milk, lemon juice, and salt. Now, let's take a look at the steps to make cheese with these three things.

① 버터 활용 사례
② 캠핑 음식의 종류
③ 주요 소금 생산지
④ 치즈를 만드는 절차

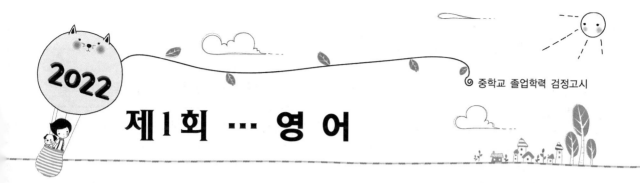

제1회 … 영어

01 다음 밑줄 친 단어의 뜻으로 가장 적절한 것은?

> I heard this movie is <u>boring</u>, so I don't want to watch it.

① 지루한   ② 즐거운
③ 무서운   ④ 놀라운

02 다음 중 두 단어의 의미 관계가 나머지 셋과 <u>다른</u> 것은?

① buy – sell   ② tell – speak
③ push – pull   ④ start – finish

03 다음 빈칸에 들어갈 말로 가장 적절한 것은?

> This _____ one of my favorite songs.

① be   ② is
③ am   ④ are

[4~6] 다음 대화의 빈칸에 들어갈 말로 가장 적절한 것을 고르시오.

04

> A : Excuse me, how _____ is this book?
> B : It's only five dollars.

① far   ② tall
③ long   ④ much

05

> A : Can you please _____ the dishes?
> B : I'm sorry, but I don't have time. I'll do it later.

① go   ② call
③ hear   ④ wash

06

> A : I like this jacket very much.
> B : Why do you like it?
> A : _____.

① I like the color
② They look so tired
③ Don't worry about it
④ I am reading a magazine

07 다음 빈칸에 공통으로 들어갈 말로 가장 적절한 것은?

> • You can't _____ your car here.
> • Let's go to the _____ for a picnic.

① fly   ② cook

③ park   ④ watch

08 다음은 Alice의 주간계획표이다. 목요일에 할 일은?

Tuesday	Wednesday	Thursday	Friday
ride my bike	go swimming	make pizza	play soccer

① 자전거 타기   ② 수영하기

③ 피자 만들기   ④ 축구하기

09 그림으로 보아 빈칸에 들어갈 말로 가장 적절한 것은?

> A : What is the boy doing?
> B : He is _____ the violin.

① driving   ② playing

③ reading   ④ walking

10 다음 대화가 끝난 후 두 사람이 만날 장소는?

> A : Why don't we play badminton today?
> B : Sure. Where shall we meet?
> A : How about the school playground?
> B : O.K. See you there at 3 o'clock.

① 경찰서   ② 도서관

③ 운동장   ④ 주차장

11 다음 대화의 빈칸에 들어갈 말로 가장 적절한 것은?

> A : Mom, can I go to the movies?
> B : Who are you going to go with?
> A : _____.

① At 3 o'clock

② I'm going to go with Sora

③ We're going to see *The Planet*

④ We'll meet in front of the theater

12 다음 대화의 주제로 가장 적절한 것은?

> A : Which season do you like?
> B : I like summer because I can go to the beach.
> A : I love skiing, so I like winter.

① 새해 소망   ② 좋아하는 계절

③ 여행지 추천   ④ 외국인 친구 소개

13 다음 홍보문을 보고 알 수 없는 것은?

> **Learn from Artists**
> • Place : Modern Art Museum
> • Date : May 7th, 2022
> • Activity : Drawing pictures with artists

① 장소　　　　　② 날짜
③ 참가비　　　　④ 활동 내용

14 다음 방송의 목적으로 가장 적절한 것은?

> Good afternoon. Welcome to the downtown library. We have a special event today. Julia Smith will talk about her new book, *Harry Botter*, in the main hall at 2p.m. If you're a fan, please don't miss this event!

① 기부 방법 설명
② 화장실 고장 공지
③ 중고 서적 판매 광고
④ 도서관 특별 행사 안내

15 다음 대화에서 B가 긴장한 이유는?

> A : Hi, Judy. You look worried. What's wrong?
> B : I have to give a speech in English. I'm so nervous.
> A : Don't worry. You'll do a good job.

① 요리 대회에 출전해서
② 약속 시간에 늦어서
③ 좋아하는 배우를 만나서
④ 영어로 연설을 해야 해서

16 seahorse에 관한 다음 글의 내용과 일치하지 않는 것은?

> The seahorse is very interesting in many ways. It is a kind of fish, but it looks like a horse. It swims standing up. It moves slowly in the water. When it is in danger, it can change its color.

① 말처럼 생겼다.
② 서서 헤엄친다.
③ 빠르게 이동한다.
④ 색을 바꿀 수 있다.

17 주어진 말에 이어질 두 사람의 대화를 〈보기〉에서 찾아 순서대로 가장 적절하게 배열한 것은?

> Seho, where are you going?

> **보기**
> (A) To the library. I need to return these books.
> (B) Yes, please. Thank you!
> (C) They look heavy. Do you need any help?

① (A) – (B) – (C)　　② (A) – (C) – (B)
③ (B) – (A) – (C)　　④ (B) – (C) – (A)

18 다음 글에서 Minsu가 버스에서 내린 이유로 가장 적절한 것은?

> Yesterday, Minsu got on a bus. He put his card on the reader to pay the fare. But the machine said that there was not enough money on his card. So he had to get off the bus. He was embarrassed.

① 버스를 잘못 타서
② 목적지에 도착해서
③ 버스가 갑자기 고장 나서
④ 버스 카드 잔액이 부족해서

19 그래프로 보아 빈칸에 들어갈 말로 가장 적절한 것은?

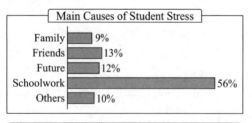

> More than 50% of the students chose _____ as the main cause of their stress.

① family
② friends
③ future
④ schoolwork

20 Franz Liszt에 관한 다음 글에서 언급된 내용이 <u>아닌</u> 것은?

> Have you heard of Franz Liszt? He was born in Hungary in 1811. His father played the cello, so Liszt became interested in music. Liszt first started playing the piano when he was seven. He later became a great pianist, composer, and teacher.

① 작곡한 작품의 수
② 태어난 나라
③ 피아노를 치기 시작한 나이
④ 직업

21 다음 밑줄 친 <u>they</u>가 가리키는 것으로 가장 적절한 것은?

> The Sahara Desert is a very hot place. It is difficult for animals to survive there, but ants can live in this environment. How can <u>they</u> do that? Because their bodies can reflect the heat from the sun.

① ants
② bears
③ foxes
④ lions

22 수영장에서 지켜야 할 규칙으로 언급되지 <u>않은</u> 것은?

- Do not run.
- Do not eat food.
- Do not dive into the pool.

① 뛰지 않기
② 음식 먹지 않기
③ 다이빙하지 않기
④ 사진 촬영하지 않기

23 다음 글의 주제로 가장 적절한 것은?

There are many good things about using a smartphone. First, I can get in touch with my friends anywhere. Also, I can easily get the information I need. This is useful when I have a lot of homework to do.

① 다양한 원격 수업 방법
② 인터넷 중독의 위험성
③ 스마트폰 사용의 좋은 점
④ 학교 숙제가 필요한 이유

24 다음 글을 쓴 목적으로 가장 적절한 것은?

Hello, Dr. Brown. I have a problem. I keep buying things that I don't need. So I have a lot of unnecessary things. I really want to break this bad habit. What should I do?

① 조언을 구하기 위해서
② 환불을 요청하기 위해서
③ 주말 약속을 잡기 위해서
④ 전시회를 소개하기 위해서

25 다음 글의 바로 뒤에 이어질 내용으로 가장 적절한 것은?

Why do people dance? They dance to express feelings, give happiness to others, or enjoy themselves. Now, let's take a look at different kinds of dance around the world.

① 여러 나라의 인사법
② 세계의 다양한 춤 소개
③ 감정을 잘 표현하는 방법
④ 책을 많이 읽어야 하는 이유

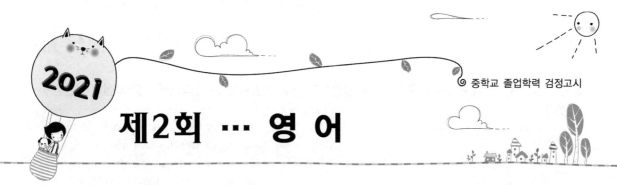
01 다음 밑줄 친 단어의 뜻으로 가장 적절한 것은?

> Tom is watching a <u>popular</u> Korean drama on TV.

① 예의 바른   ② 용기 있는

③ 인기 있는   ④ 전통적인

02 다음 밑줄 친 두 단어의 의미 관계와 <u>다른</u> 것은?

> I don't know who will <u>win</u> or <u>lose</u>.

① ask − answer

② begin − start

③ open − close

④ forget − remember

03 다음 빈칸에 들어갈 말로 가장 적절한 것은?

> He will _____ here for the interview tomorrow.

① be   ② am

③ is   ④ was

[4~6] 다음 대화의 빈칸에 들어갈 말로 가장 적절한 것을 고르시오.

04

> A : Is this salt from France?
> B : _____. It's from Korea.

① Yes, it is   ② Yes, it does

③ No, it isn't   ④ No, it doesn't

05

> A : Who is the man wearing glasses?
> B : That's our new teacher. Let's _____ hello to him.

① come   ② say

③ take   ④ walk

06

> A : You look sad. _____?
> B : I broke my favorite watch.

① What happened

② How's the weather

③ Who did you go with

④ Where are you staying

07 다음 빈칸에 공통으로 들어갈 말로 가장 적절한 것은?

- Why don't you _____ your bike to school?
- I can give you a _____ after work.

① cost
② fall
③ live
④ ride

08 다음은 Tony가 집에서 할 일이다. 금요일에 할 일은?

Thursday	Friday	Saturday	Sunday
doing the dishes	making cookies	cleaning the room	throwing out the garbage

① 설거지하기
② 쿠키 만들기
③ 방 청소하기
④ 쓰레기 버리기

09 그림으로 보아 빈칸에 들어갈 말로 가장 적절한 것은?

 The girl is _____ a tree.

① crying
② drawing
③ eating
④ planting

10 다음 대화의 마지막 말로 가장 적절한 것은?

A : John, did you find your phone?
B : Yes, Jane found it for me.
A : _____.

① Not really
② That's too bad
③ You're welcome
④ Glad to hear that

11 다음 대화의 주제로 가장 적절한 것은?

A : Did you see the movie, *The Higher*?
B : No, I didn't. What is it about?
A : It's about flying an airplane.

① 영화 내용
② 휴가 계획
③ 회원 가입
④ 병원 예약

12 다음 공연 포스터를 보고 알 수 없는 것은?

Summer Rock Concert

When?   August 15th
Where?   Grand Park
How much? $30 per ticket

Watch your favorite singers perform live!

① 공연 날짜
② 가수 이름
③ 공연 장소
④ 티켓 가격

13 다음 방송의 목적으로 가장 적절한 것은?

Welcome, visitors! When you go up the mountain, please keep these things in mind. First, watch out for wild animals. Second, come down before it gets dark. Lastly, take your trash back with you. Enjoy your hike!

① 관광 명소 홍보
② 일정 변경 공지
③ 멸종 위기 동물 소개
④ 등산 시 유의 사항 안내

14 다음 대화에서 Bora가 주말에 파티에 가지 못하는 이유는?

> A : Bora, let's go to a party this weekend.
> B : I'm sorry, but I can't. I'm going on a family trip.

① 친구와 약속이 있어서
② 가족 여행을 가야 해서
③ 남동생을 돌봐야 해서
④ 집 청소를 해야 해서

15 Star Flea Market에 관한 다음 글의 내용과 일치하지 <u>않는</u> 것은?

> Next to the Natural History Museum, you can find Star Flea Market. It opens every Saturday from 9 a.m. to 6 p.m. You can buy clothes, shoes, and toys at low prices. You can get more information on the website.

① 박물관 안에 위치한다.
② 매주 토요일에 열린다.
③ 옷, 신발, 장난감을 낮은 가격에 살 수 있다.
④ 웹사이트에서 더 많은 정보를 얻을 수 있다.

16 주어진 말에 이어질 두 사람의 대화를 〈보기〉에서 찾아 순서대로 가장 적절하게 배열한 것은?

> Would you like some cake?

> **보기**
> (A) Then, could I get you something to drink?
> (B) A cup of coffee, please.
> (C) No, thanks. I'm trying to lose weight.

① (A)-(C)-(B)   ② (B)-(A)-(C)
③ (C)-(A)-(B)   ④ (C)-(B)-(A)

17 다음 동아리 홍보문을 보고 알 수 없는 내용은?

> We are looking for new members!
> **English Book Club**
> • We read English books and talk about them after school on Wednesdays.
> • To sign up, come to the English classroom.

① 활동 내용   ② 신청 기간
③ 활동 요일   ④ 신청 장소

18 다음 글의 흐름으로 보아 어울리지 <u>않는</u> 문장은?

> Octopuses are very smart. ⓐ <u>They use coconut shells for protection.</u> ⓑ <u>When they can't find a good hiding place, they hide under coconut shells.</u> ⓒ <u>Many people like to swim in the ocean.</u> ⓓ <u>Some octopuses even save coconut shells for later.</u> Aren't they really smart?

① ⓐ   ② ⓑ
③ ⓒ   ④ ⓓ

19 다음 글에서 *haka*춤을 췄던 이유로 가장 적절한 것은?

> Have you heard of *haka*? It is a famous New Zealand dance. This dance was originally performed by the Maori before a fight. They used the dance to show their strength to the enemy.

① 힘을 보여 주려고
② 행복을 기원하려고
③ 손님을 맞이하려고
④ 아름다움을 표현하려고

20 그래프로 보아 빈칸에 들어갈 말로 가장 적절한 것은?

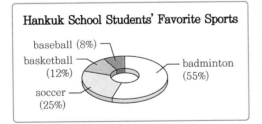

Hankuk School Students' Favorite Sports
baseball (8%)
basketball (12%)
soccer (25%)
badminton (55%)

> Hankuk School students like _____ the most.

① badminton   ② baseball
③ basketball   ④ soccer

21 Central Library에 관한 다음 글에서 언급된 내용이 <u>아닌</u> 것은?

> Central Library is located across from City Hall. It has a collection of about 400,000 books. It opened its doors in 2013. Since then, many people have visited this library.

① 위치   ② 보유 도서 권수
③ 개관 연도   ④ 일일 방문객 수

22 다음 밑줄 친 <u>They</u>가 가리키는 것으로 가장 적절한 것은?

> Eating vegetables and fruits is good for your health. If you want to have healthy skin, try some lemons. <u>They</u> contain a lot of vitamin C. If you want to have a healthy heart, eat more tomatoes.

① apples   ② carrots
③ lemons   ④ tomatoes

23 온라인상에서 지켜야 할 사항으로 언급되지 <u>않은</u> 것은?

>
> 〈Online Manners〉
> • Don't use bad language.
> • Don't leave rude comments.
> • Don't post false information.

① 나쁜 언어 사용하지 않기
② 무례한 글 남기지 않기
③ 개인 정보 유출하지 않기
④ 거짓 정보 게시하지 않기

24 다음 글의 주제로 가장 적절한 것은?

> People in Vietnam love their traditional hat, *non las*, because it has various uses. In the summer, it protects the skin from the sun. When it rains, people use it as an umbrella. It can also be used as a basket.

① 베트남의 유명한 관광지
② 베트남과 한국의 공통점
③ 베트남 음식이 유행하는 이유
④ 베트남 전통 모자의 다양한 용도

25 다음 글의 바로 뒤에 이어질 내용으로 가장 적절한 것은?

> Living without smartphones is difficult these days. However, using smartphones too much can cause several problems. Let's talk about them in more detail.

① 올바른 스마트폰 사용 사례
② 스마트폰이 우리 생활에 주는 도움
③ 과도한 스마트폰 사용으로 인한 문제점
④ 스마트폰 중독에서 벗어날 수 있는 방법

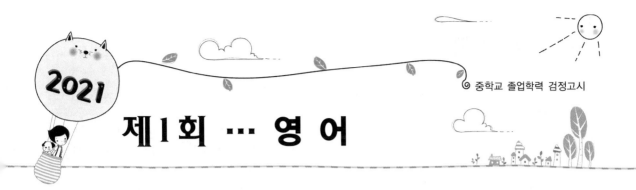

제1회 … 영어

01 다음 밑줄 친 단어의 뜻으로 가장 적절한 것은?

> You should be <u>polite</u> to others.

① 공손한　　　② 명랑한
③ 성실한　　　④ 정직한

02 다음 밑줄 친 두 단어의 의미 관계와 <u>다른</u> 것은?

> A lion is <u>big</u> and a cat is <u>small</u>.

① fast−quick　　② high−low
③ light−heavy　　④ same−different

03 다음 빈칸에 들어갈 말로 가장 적절한 것은?

> These shoes ＿＿＿ really expensive.

① is　　　　② be
③ are　　　④ was

[4~6] 다음 대화의 빈칸에 들어갈 말로 가장 적절한 것을 고르시오.

04

> A : Can you sing well?
> B : ＿＿＿＿＿＿, but I can dance well.

① Yes, I am　　② Yes, I do
③ No, I can't　　④ No, I didn't

05

> A : Excuse me. Where is the bank?
> B : Go straight two blocks and ＿＿＿＿＿
> 　　left. It'll be on your right.

① push　　　② turn
③ use　　　④ write

06

> A : What is Alice good at?
> B : ＿＿＿＿＿＿＿＿＿＿.

① She's having dinner
② She's good at drawing
③ She doesn't like music
④ She has a younger sister

07 다음 대화의 빈칸에 공통으로 들어갈 말로 가장 적절한 것은?

> A : These plants look dry. You should _____ them.
> B : You're right. They need a lot of _____.

① food　　　　② show
③ tell　　　　④ water

08 다음은 Tom의 여행 계획이다. 토요일에 할 일은?

Thursday	Friday	Saturday	Sunday
Go to the beach	Eat street food	Visit a museum	Ride a boat

① 해변에 가기　　② 길거리 음식 먹기
③ 박물관 방문하기　④ 보트 타기

09 다음 그림으로 보아 빈칸에 들어갈 말로 가장 적절한 것은?

> A : What is the boy doing?
> B : He is _____.

① washing a car
② taking a walk
③ moving a desk
④ playing the drums

10 다음 대화가 끝난 후 A가 이용할 교통수단은?

> A : Dad, can you give me a ride to school?
> B : Sorry, David. I have to go to a business meeting.
> A : That's okay. I'll go by bus.

① 버스　　　　② 비행기
③ 승용차　　　④ 지하철

11 다음 대화의 빈칸에 들어갈 말로 가장 적절한 것은?

> A : Which do you prefer, the mountains or the ocean?
> B : _____ because I love swimming.

① I like the fresh air
② I like the ocean better
③ He likes to go hiking
④ Mountains are beautiful

12 다음 대화의 주제로 가장 적절한 것은?

> A : What do you want to be in the future?
> B : I want to be a writer. What about you?
> A : Well, I'm interested in taking pictures. So, I want to be a photographer.
> B : Great. That's the perfect job for you.

① 가족 소개　　② 공부 방법
③ 선물 구입　　④ 장래 희망

13 다음 방송의 목적으로 가장 적절한 것은?

> Attention, students. The new science room is open from today. Let me tell you the safety rules to follow. First, make sure to use safety glasses. Second, don't run around in the room. Be safe and have fun.

① 수업 변경 공지
② 학생의 날 행사 홍보
③ 과학실 안전 수칙 안내
④ 동아리 회원 모집 공고

14 다음 대화에서 B가 부산에 간 이유는?

> A : You went to Busan last week, didn't you?
> B : Yes, I went there to attend my uncle's wedding.

① 바다 야경을 보려고
② 맛있는 음식을 먹으려고
③ 삼촌 결혼식에 참석하려고
④ 할머니 생신을 축하하려고

15 다음 대화의 빈칸에 들어갈 말로 가장 적절한 것은?

> A : I went to the food festival yesterday.
> B : Good for you! What food did you try?
> A : _____.

① It was very comfortable
② I always cook for my friends
③ He usually goes there on foot
④ I tried the ice cream sandwich

16 다음 대화의 내용에 따라 (a)~(c)를 순서대로 배열한 것은?

> A : Excuse me. How can I use this ticket machine?
> B : First, choose the station you want to go to. Next, press the number of tickets. Then, put your card into the machine.

> (a) 카드를 넣는다.
> (b) 승차권 매수를 누른다.
> (c) 가고 싶은 역을 고른다.

① (a)－(c)－(b)　　② (b)－(a)－(c)
③ (c)－(a)－(b)　　④ (c)－(b)－(a)

17 다음 연극 초대장을 보고 알 수 없는 내용은?

> Invitation for a Play
> Title : The Wooden Toy
> When : June 16th, 3 p.m.
> Where : School Gym
> Please come and enjoy the play.

① 연극 제목　　② 공연 일시
③ 공연 장소　　④ 주연 배우

18 다음 글의 내용과 일치하지 <u>않는</u> 것은?

> These days, we don't get many visitors to our town. This is because there is not enough information about our town on the internet. So we are planning to create a town homepage. We are also going to make a video introducing our town.

① 요즘 마을에 방문객이 많지 않다.
② 인터넷상에는 마을에 대한 충분한 정보가 있다.
③ 마을 홈페이지를 만들 계획이다.
④ 마을을 소개하는 비디오를 제작할 예정이다.

19 다음 글에서 코끼리가 발로 땅을 치는 이유로 가장 적절한 것은?

> Have you ever seen an elephant hit the ground with its feet? It does this to communicate with other elephants. Elephants can feel shaking with their feet, so they can get a message from far away.

① 운동을 하기 위해
② 소화를 촉진하기 위해
③ 발바닥 상태를 점검하기 위해
④ 다른 코끼리와 소통하기 위해

20 다음 그래프로 보아 빈칸에 들어갈 말로 가장 적절한 것은?

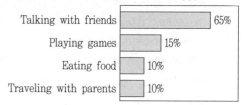

When Teenagers Feel Happy

Talking with friends 65%
Playing games 15%
Eating food 10%
Traveling with parents 10%

> More than half of the teenagers feel happy when they _____.

① talk with friends
② play games
③ eat food
④ travel with parents

21 다음 글에서 언급된 내용이 <u>아닌</u> 것은?

> Today, I saw the movie, *Move to Mars*. It is about a man who is trying to live on Mars. It is a science fiction movie made by my favorite director, Seho Lee. I think it is an interesting movie.

① 영화 제목   ② 영화 장르
③ 영화관 위치   ④ 감독 이름

22 다음 밑줄 친 them이 가리키는 것으로 가장 적절한 것은?

> I have two goals this year. The first one is to get along with my new classmates. I hope they are nice. The second one is to read many books. I will read them as often as possible.

① books ② classes
③ feelings ④ goals

23 다음 글을 쓴 목적으로 가장 적절한 것은?

> Hello, I'm Steve, and I would like to join your project, "No Unhappy Dogs." I love dogs and I'd be happy to do many things for them. I am sure I can be a big help to your project.

① 문화 센터 소개
② 도서관 공사 공지
③ 동물원 개장 안내
④ 프로젝트 참가 신청

24 다음 글의 주제로 가장 적절한 것은?

> Do you want to make special *ramyeon*? This is my recipe. First, boil water and put in *ramyeon* and sauce. Add some carrots and *gimchi*. And put in some milk and cheese. Now, enjoy!

① 다양한 김치의 종류
② 특별한 라면 요리법
③ 라면이 인기 있는 이유
④ 김치가 건강에 미치는 영향

25 다음 글의 바로 뒤에 이어질 내용으로 가장 적절한 것은?

> The earth is dying because of trash. Think about all the plastic bags and paper boxes you throw away each day. We need to do something about this. Let me tell you how we can reduce trash in our daily lives.

① 지구 온난화가 생기는 원인
② 미세 먼지로 인한 피해 사례
③ 쓰레기를 줄일 수 있는 방법
④ 과학자들이 우주를 연구하는 이유

물방울이 바위를 뚫을 수 있음은
그 힘이 아니라 꾸준함이다.

MEMO

사 회

중학교 졸업학력 검정고시 대비 기출문제

제1회 ··· 사 회

01 다음에서 설명하는 것은?

> 지리 정보를 수집하여 컴퓨터에 입력, 저장한 후 이를 사용자의 필요에 따라 가공, 분석하여 사용하는 종합적인 정보 시스템

① 랜드 마크
② 원격 탐사
③ 플랜테이션
④ 지리 정보 시스템(GIS)

02 다음 ㉠에 공통으로 들어갈 용어로 옳은 것은?

> ○ (㉠)은/는 적도를 기준으로 하여 북쪽은 북위 0°~90°, 남쪽은 남위 0°~90°로 나타낸다.
> ○ 지구는 둥글기 때문에 태양으로부터 지표면에 도달하는 일사량은 (㉠)에 따라 차이가 난다.

① 경도
② 위도
③ 날짜 변경선
④ 본초 자오선

03 다음에서 설명하는 농업 방식은?

> 열대 우림 기후에서는 숲을 태워 만든 밭에서 카사바, 얌 등을 재배하고, 땅이 척박해지면 새로운 농경지를 만들기 위해 다른 장소로 이동합니다.

① 낙농업
② 수목 농업
③ 오아시스 농업
④ 이동식 화전 농업

04 다음에서 설명하고 있는 기후는?

> ○ 바다에서 불어오는 편서풍의 영향으로 연중 강수량이 고르고 기온의 연교차가 작다.
> ○ 주로 곡물 재배와 가축 사육이 함께 이루어지는 혼합 농업이 발달한다.

① 사막 기후
② 스텝 기후
③ 툰드라 기후
④ 서안 해양성 기후

05 다음 ㉠에 들어갈 용어로 옳은 것은?

> 2025년 ○월 □일
> 오늘은 오스트레일리아의 그레이트 오션 로드에 갔다. 그곳엔 주로 파도의 (㉠) 작용을 받아 형성된 해안 절벽과 기둥 모양의 바위가 있었다.

① 습곡
② 침식
③ 퇴적
④ 화산

06 다음에서 설명하는 현상은?

> ○ 도심의 주거 기능 약화로 나타나는 현상
> ○ 낮에는 업무나 쇼핑을 위해 이동해 온 사람들이 많지만 밤에는 도심 바깥쪽의 주거 지역으로 빠져나가는 현상

① 스콜
② 기후 변화
③ 성비 불균형
④ 인구 공동화

07 다음에서 설명하는 것은?

> ○ 다국적 기업이 여러 기능에 따라 서로 다른 지역에 입지하여 업무를 분담함.
> ○ 본사는 주로 자국의 대도시에 위치하고, 생산 공장은 대체로 노동비가 저렴한 국가에 위치함.

① 공정 무역
② 공간적 분업
③ 장소 마케팅
④ 국제 비정부 기구

08 다음 ㉠에 공통으로 들어갈 용어로 옳은 것은?

> ○ (㉠)은/는 영해를 설정한 기선에서부터 200해리에 이르는 수역 중 영해를 제외한 바다이다.
> ○ (㉠)에서는 해양 자원을 탐사하고 개발할 수 있다.

① 영공
② 영토
③ 중심 업무 지구
④ 배타적 경제 수역(EEZ)

09 다음 ㉠에 들어갈 용어로 옳은 것은?

〈소속감에 따른 사회 집단의 분류〉

> 자신이 소속되어 있어 소속감과 공동체 의식을 느끼는 집단인가?
> 예 → 내집단
> 아니요 → ㉠

① 외집단
② 우리 집단
③ 1차 집단
④ 2차 집단

10 다음에서 설명하는 문화의 속성은?

> 문화는 선천적으로 타고나는 것이 아니라 자신이 속한 사회에서 성장하면서 후천적으로 배우는 것입니다.

① 변동성
② 전체성
③ 학습성
④ 획일성

11 다음 ㉠에 해당하는 민주주의의 원리는?

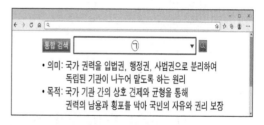

통합 검색   ㉠

> • 의미: 국가 권력을 입법권, 행정권, 사법권으로 분리하여 독립된 기관이 나누어 맡도록 하는 원리
> • 목적: 국가 기관 간의 상호 견제와 균형을 통해 권력의 남용과 횡포를 막아 국민의 자유와 권리 보장

① 입헌주의의 원리
② 국민 자치의 원리
③ 국민 주권의 원리
④ 권력 분립의 원리

12 다음에서 설명하는 기본권은?

> ○ 국민이 국가 기관의 형성과 국가의 정치적 의사 형성 과정에 참여할 수 있는 권리이다.
> ○ 선거권, 국민 투표권, 공무 담임권 등을 예로 들 수 있다.

① 교육권
② 사회권
③ 참정권
④ 환경권

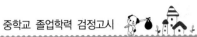

13 다음에서 설명하는 민주 선거의 원칙은?

> ○ 어느 후보나 정당에 투표하였는지 다른 사람이 알지 못하도록 한다.
> ○ 유권자가 다른 사람으로부터 압력을 받지 않고 본인의 의사에 따라 자유롭게 투표할 수 있도록 하기 위한 것이다.

① 공개 선거 　　　② 보통 선거
③ 비밀 선거 　　　④ 직접 선거

14 다음 ㉠에 들어갈 용어는?

> 국회의 가장 대표적인 역할은 입법 활동이다. 따라서 국회는 (㉠)을/를 제정하고 개정할 수 있는 권한과 헌법 개정을 제안하고 의결할 수 있는 권한을 갖는다.

① 도덕 　　　② 법률
③ 조례 　　　④ 행정

15 다음 ㉠, ㉡에 들어갈 내용으로 옳은 것은?

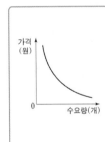

> 이 그래프는 빵의 가격과 수요량 간의 관계를 나타낸 것이다. 가격이 상승하면 수요량이 (㉠)하고, 가격이 하락하면 수요량이 (㉡)하는 수요 법칙을 알 수 있다.

	㉠	㉡
①	감소	감소
②	감소	증가
③	증가	감소
④	증가	증가

16 다음 상황에 대한 설명으로 옳은 것을 〈보기〉에서 고른 것은? (단, 원화 기준으로 판단함.)

> 이전에는 1달러를 1,300원에 살 수 있었다면 이제는 환율의 변화로 1달러를 1,500원에 살 수 있다.

〈보기〉
ㄱ. 환율 상승 　　　ㄴ. 환율 하락
ㄷ. 원화 가치 상승 　　ㄹ. 원화 가치 하락

① ㄱ, ㄷ 　　　② ㄱ, ㄹ
③ ㄴ, ㄷ 　　　④ ㄴ, ㄹ

17 다음에서 설명하는 나라는?

> ○ 우리나라 역사상 최초의 국가이다.
> ○ '남을 다치게 한 사람은 곡식으로 갚는다.'는 내용이 담긴 8조법을 만들었다.

① 발해 　　　② 고구려
③ 고조선 　　　④ 대한 제국

18 다음 설명에 해당하는 왕은?

> ○ 화랑도를 국가적인 조직으로 정비함.
> ○ 영토 확장을 기념하여 정복한 지역에 순수비를 세움.

① 세종 　　　② 공민왕
③ 진흥왕 　　　④ 광개토 대왕

19 다음에서 설명하는 국가유산을 제작한 나라는?

- 명칭: 석굴암 본존불
- 소재지: 경상북도 경주시
- 특징: 완벽한 비례로 안정감과 균형미를 자랑함.

① 고려　　　② 부여
③ 조선　　　④ 통일 신라

20 다음 ㉠에 들어갈 내용으로 옳은 것은?

이성계는 (㉠)을 계기로 권력을 장악하였습니다. 그 후 나라의 이름을 조선으로 정하고 수도를 한양으로 옮겼습니다.

① 병자호란　　　② 임진왜란
③ 살수 대첩　　　④ 위화도 회군

21 다음 설명에 해당하는 사건은?

○ 1920년 평양에서 시작되었다.
○ 민족 산업 발전을 통한 경제적 자립을 목표로 하였다.
○ 국산품 애용, '내 살림 내 것으로', '조선 사람 조선 것' 등을 주장하였다.

① 6·10 만세 운동
② 동학 농민 운동
③ 물산 장려 운동
④ 서경 천도 운동

22 다음 ㉠에 해당하는 사건은?

1894년에 군국기무처가 추진한 (㉠)으로 과거제와 신분제가 폐지되었다.

① 갑오개혁　　　② 무신 정변
③ 아관 파천　　　④ 이자겸의 난

23 다음 ㉠에 해당하는 것은?

중종반정을 주도한 훈구 세력이 정국을 주도하자, 중종은 훈구 세력을 견제하고자 조광조를 비롯한 (㉠)을/를 등용하였다.

① 사림　　　② 호족
③ 6두품　　　④ 개화파

24 다음 ㉠에 들어갈 업적으로 옳은 것은?

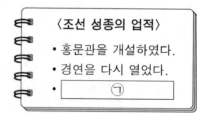

〈조선 성종의 업적〉
- 홍문관을 개설하였다.
- 경연을 다시 열었다.
- ㉠

① 훈요 10조를 남겼다.
② 척화비를 건립하였다.
③ 탕평책을 실시하였다.
④ 『경국대전』을 완성하였다.

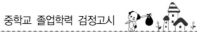

25 다음 ㉠에 해당하는 사건은?

> (㉠)은 1919년에 일어난 독립 운동으로 중국 상하이에 대한민국 임시 정부가 수립되는 계기가 되었다.

① 3 · 1 운동
② 새마을 운동
③ 국채 보상 운동
④ 금 모으기 운동

01 ㉠에 들어갈 내용으로 옳은 것은?

○ 주제 : (㉠) 차이에 따른 인간 생활
○ 사례 : 미국의 실리콘 밸리와 인도는 약 12시간의 시차가 나는데, 이러한 지리적 특성이 인도의 정보 기술 산업 발달에 큰 몫을 하였다. 양쪽의 밤낮이 반대가 되어 작업을 끊임없이 할 수 있기 때문이다.

① 경도
② 기온
③ 해류
④ 강수량

02 밑줄 친 ㉠에 해당하는 기후는?

○○에게, 오늘도 ㉠이곳은 덥단다.
사회 선생님께서 ㉠이곳은 가장 추운 달의 평균 기온이 18℃ 이상이고 연중 덥고 습하다고 하셨어.
하지만 괜찮아! 낮에 쏟아진 스콜이 더위를 식혀 주니까.

① 냉대 기후
② 한대 기후
③ 지중해성 기후
④ 열대 우림 기후

03 지도에 표시된 (가) 지역에 대한 설명으로 적절하지 않은 것은?

황해
동해
남해
▨ (가)

① 용암 동굴인 만장굴이 있다.
② 화강암 산지인 설악산이 있다.
③ 작은 화산체인 오름이 분포한다.
④ 화산 지형인 성산 일출봉이 있다.

04 ㉠에 들어갈 내용으로 가장 적절한 것은?

○ 건조 기후 지역은 강수량보다 증발량이 많아 (㉠)이/가 부족한 현상이 나타난다.
○ 국제 하천 주변의 일부 국가들은 용수 확보를 위해 (㉠)을/를 둘러싼 갈등을 겪고 있다.

① 슬럼
② 해식애
③ 현무암
④ 물 자원

05 다음에서 설명하는 것은?

> 국경을 넘어 제품 기획과 생산, 판매 활동을 하는 기업으로 두 개 이상의 국가에 자회사, 영업소, 생산 공장을 운영함.

① 노동조합
② 민주주의
③ 석회동굴
④ 다국적 기업

06 ㉠에 들어갈 검색어로 옳은 것은?

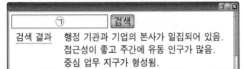

검색 결과 | 행정 기관과 기업의 본사가 밀집되어 있음. 접근성이 좋고 주간에 유동 인구가 많음. 중심 업무 지구가 형성됨.

① 도심
② 비무장 지대
③ 개발 제한 구역
④ 세계 자연 유산

07 다음에서 설명하는 환경 문제는?

> 대기 중에 온실가스의 양이 많아지면서 온실 효과가 과도하게 나타나 지구의 평균 기온이 높아지는 현상

① 인구 공동화
② 전자 쓰레기
③ 지구 온난화
④ 해양 쓰레기

08 다음에서 설명하는 지역화 전략은?

> ○ 사례 : 보성 녹차, 성주 참외, 의성 마늘 등
> ○ 의미 : 특정 상품을 생산지의 기후와 지형, 토양 등 지역의 자연환경과 독특한 재배 방법으로 생산하고 품질이 우수 했을 때 원산지의 지명을 상표권으로 인정하는 제도

① 인플레이션
② 생태 발자국
③ 지리적 표시제
④ 기후 변화 협약

09 다음에서 설명하는 개념은?

> ○ 의미 : 지위나 사회 환경의 변화로 다시 새로운 지식과 기술, 생활 양식 등을 배우는 것
> ○ 사례 : 직장이 바뀌어서 새로운 지식과 기술을 익히는 것, 우리나라에 이민 온 외국인이 한국 문화를 배우는 것

① 재사회화
② 귀속 지위
③ 역할 갈등
④ 지방 자치 제도

10 다음에서 강조하는 문화의 속성은?

> 문화는 선천적으로 타고나는 것이 아니라 후천적으로 배우는 것이다. 한국 사람이 한국어로 말할 수 있는 것은 후천적으로 한국어를 배웠기 때문이다.

① 수익성
② 안전성
③ 학습성
④ 희소성

11 ㉠에 들어갈 내용으로 옳은 것은?

> 국회는 국민이 직접 뽑은 대표들로 구성된 국민의 대표기관이며, (㉠)을 제정·개정한다.

① 관습
② 도덕
③ 법률
④ 종교 규범

12 민주 선거의 기본 원칙으로 옳지 <u>않은</u> 것은?

① 비밀 선거
② 제한 선거
③ 직접 선거
④ 평등 선거

13 다음에서 설명하는 것은?

> ○ 급을 달리하는 법원에서 여러 번 재판을 받을 수 있도록 하는 제도이다.
> ○ 우리나라에서는 일반적으로 하나의 사건에 대해 세 번까지 재판을 받을 수 있다.

① 심급 제도
② 선거 공영제
③ 선거구 법정주의
④ 국민 참여 재판 제도

14 표는 라면의 가격에 따른 수요량과 공급량을 나타낸 것이다. 라면의 균형 가격과 균형 거래량은?

가격(원)	1,000	2,000	3,000	4,000
수요량(개)	250	200	150	100
공급량(개)	50	100	150	200

　　　균형 가격　　　　　균형 거래량
① 　1,000원　　　　　　250개
② 　2,000원　　　　　　100개
③ 　3,000원　　　　　　150개
④ 　4,000원　　　　　　200개

15 다음에서 설명하는 것은?

> 일을 할 수 있는 능력이 있고 일을 하고자 하는 마음도 있지만 일자리가 없어서 일을 하지 못하는 상태

① 신용
② 실업
③ 환율
④ 물가 지수

16 '노동 3권' 중 ㉠에 들어갈 내용으로 옳은 것은?

> 헌법 제33조 ① 근로자는 근로 조건의 향상을 위하여 자주적인 단결권·단체 교섭권 및 　㉠　 을 가진다.

① 자유권
② 평등권
③ 국민 투표권
④ 단체 행동권

17 다음 유물을 처음으로 제작한 시대의 생활 모습으로 옳지 않은 것은?

〈주먹도끼〉

① 사냥을 하였다.
② 동굴에서 살았다.
③ 뗀석기를 사용하였다.
④ 철제 농기구를 제작하였다.

18 ㉠에 들어갈 내용으로 옳은 것은?

> 〈학습 주제 : 　㉠　 의 전개〉
> ○ 시기 : 조선 순조, 헌종, 철종 3대 60여 년
> ○ 정치 : 일부 유력 가문이 외척의 지위를 이용하여 정치 권력을 독점함.
> ○ 사회 : 삼정의 문란이 심화됨.

① 골품제
② 세도 정치
③ 제가 회의
④ 병참 기지화 정책

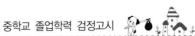

19 ㉠에 해당하는 나라는?

* ㉠ 의 역사

고이왕		무령왕		성왕
주변의 마한 소국 병합	➡	22담로 설치	➡	사비 천도

① 고려
② 백제
③ 옥저
④ 고조선

20 ㉠에 해당하는 인물은?

(㉠)은/는 옛 고구려 장군 출신으로 고구려 유민과 말갈인 일부를 이끌고 지린성 동모산 근처에 도읍을 정하고 발해를 건국하였다.

① 원효
② 대조영
③ 정약용
④ 흥선 대원군

21 다음에서 설명하는 역사서는?

고려 인종의 명을 받아 김부식이 유교적 입장에서 편찬한 역사서로, 주로 신라, 고구려, 백제에 대한 역사를 기록 하고 있다.

① 천마도
② 농사직설
③ 삼국사기
④ 대동여지도

22 ㉠에 들어갈 내용으로 옳은 것은?

〈조선 시대 세종의 업적〉
○ 국방 : 4군 6진 개척
○ 문화 : 자격루 제작, 훈민정음 창제
○ 정치 : 경연의 활성화, (㉠)

① 집현전 설치
② 화랑도 조직
③ 유신 헌법 제정
④ 한국 광복군 창설

23 ㉠에 해당하는 지역은?

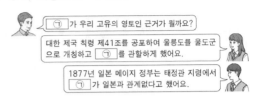

㉠ 가 우리 고유의 영토인 근거가 뭘까요?

대한 제국 칙령 제41조를 공포하여 울릉도를 울도군으로 개칭하고 ㉠ 를 관할하게 했어요.

1877년 일본 메이지 정부는 태정관 지령에서 ㉠ 가 일본과 관계없다고 했어요.

① 독도
② 강화도
③ 거문도
④ 제주도

24 ㉠에 해당하는 인물은?

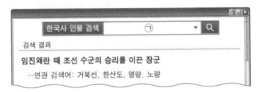

한국사 인물 검색   ㉠

검색 결과
임진왜란 때 조선 수군의 승리를 이끈 장군
···연관 검색어 : 거북선, 한산도, 명량, 노량

① 강감찬
② 김유신
③ 윤봉길
④ 이순신

25 다음에서 설명하는 사건은?

○ 배경 : 3·15 부정 선거(1960년)
○ 과정 : 학생과 시민들이 전국적인 시위를 전개함.
○ 결과 : 이승만이 대통령직에서 물러남.

① 3·1 운동
② 4·19 혁명
③ 6·25 전쟁
④ 광주 학생 항일 운동

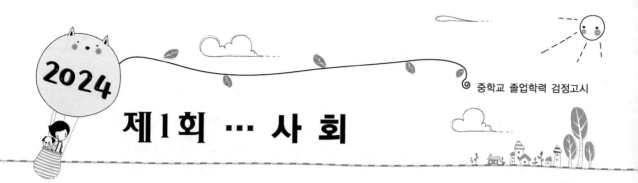

제1회 ··· 사 회

01 ㉠에 들어갈 자원으로 가장 적절한 것은?

○○신문 ○○○○년 ○○월 ○○일

첨단 산업에 필수적인 (㉠)

원자 번호 21번 스칸듐(Sc), 39번 이트륨(Y), 57~71번까지 총 17개의 원소 그룹을 말한다. 스마트폰, 전기차 배터리 등을 만드는 데 없어서는 안 될 중요한 자원이 되었지만 생산 지역이 한정되어 있고 생산량도 매우 적다.

① 석탄　　　　　② 철광석
③ 희토류　　　　④ 천연가스

02 다음에서 설명하는 것으로 가장 적절한 것은?

• 한 장소를 상징하는 대표적인 건축물이나 조형물 등을 말한다.
• 주변 경관 중에서 눈에 가장 잘 띄기 때문에 사람들이 자신의 위치를 파악하는 데 도움을 준다.

① 위도　　　　　② 랜드마크
③ 행정 구역　　④ 날짜 변경선

03 다음에서 설명하는 문화 지역으로 가장 적절한 것은?

• 북부 아프리카, 서남아시아, 중앙아시아 일대에 나타난다.
• 주로 이슬람교를 믿으며, 유목과 관개 농업을 볼 수 있다.

① 건조 문화 지역
② 북극 문화 지역
③ 유럽 문화 지역
④ 오세아니아 문화 지역

04 ㉠에 들어갈 기후로 가장 적절한 것은?

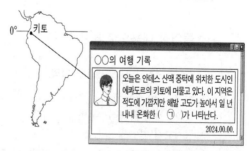

○○의 여행 기록

오늘은 안데스 산맥 중턱에 위치한 도시인 에콰도르의 키토에 머물고 있다. 이 지역은 적도에 가깝지만 해발 고도가 높아서 일 년 내내 온화한 (㉠)가 나타난다.

2024.00.00.

① 건조 기후　　② 고산 기후
③ 열대 기후　　④ 한대 기후

05 다음에서 설명하는 섬으로 옳은 것은?

> • 우리나라에서 가장 동쪽에 위치한 영토이다.
> • 섬 전체가 천연기념물로 지정되어 있다.

① 독도   ② 마라도
③ 울릉도   ④ 제주도

06 다음에서 설명하는 농업으로 옳은 것은?

> • 열대 기후 지역에서 선진국의 자본과 기술, 원주민의 노동력을 결합하여 상품 작물을 대규모로 재배한다.
> • 주요 작물로는 천연고무, 카카오, 바나나 등이 있다.

① 낙농업   ② 수목 농업
③ 혼합 농업   ④ 플랜테이션

07 ㉠에 들어갈 자연재해로 가장 적절한 것은?

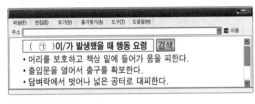

> (㉠)이/가 발생했을 때 행동 요령 [검색]
> • 머리를 보호하고 책상 밑에 들어가 몸을 피한다.
> • 출입문을 열어서 출구를 확보한다.
> • 담벼락에서 벗어나 넓은 공터로 대피한다.

① 가뭄   ② 지진
③ 폭설   ④ 홍수

08 ㉠에 들어갈 지형으로 옳은 것은?

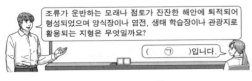

> 조류가 운반하는 모래나 점토가 잔잔한 해안에 퇴적되어 형성되었으며 양식장이나 염전, 생태 학습장이나 관광지로 활용되는 지형은 무엇일까요?
>
> (㉠)입니다.

① 갯벌   ② 고원
③ 피오르   ④ 용암 동굴

09 ㉠에 들어갈 내용으로 옳은 것은?

> • 서로 다른 두 나라 화폐의 교환 비율을 (㉠)이라고 한다.
> • (㉠)은 외국 화폐 1단위와 교환되는 자국 화폐의 가격으로 표시한다.

① 환율   ② 실업률
③ 경제 성장률   ④ 물가 상승률

10 다음 설명에 해당하는 문화의 속성은?

> • 한번 만들어진 문화는 고정되는 것이 아니라 시간이 흐름에 따라 끊임없이 변화한다.
> • 휴대 전화가 급속하게 보급되면서 공중전화가 점차 사라져 가고 있는 것을 그 예로 들 수 있다.

① 변동성   ② 수익성
③ 일회성   ④ 희소성

11 다음 퀴즈에 대한 정답으로 옳은 것은?

> **노동권 침해 사례**
>
> 회사원 김○○ 씨가 회사에 결혼한다고 말하자 회사는 결혼한 여성은 근무할 수 없다며 사표를 강요하였습니다. 결국 김○○ 씨는 결혼 후 회사를 그만두게 되었습니다. 김○○ 씨의 사례는 어디에 해당할까요?

① 권력 분립   ② 부당 해고
③ 임금 체불   ④ 국민 투표

12 다음 설명에 해당하는 것은?

> • 선거구를 미리 법률로 획정하는 것이다.
> • 특정 정당이나 특정 후보에게 유리하도록 임의로 선거구를 변경하는 것을 막아 선거가 공정하게 치러지도록 보장한다.

① 심급 제도   ② 지역화 전략
③ 사법부의 독립   ④ 선거구 법정주의

13 다음에서 설명하는 정치 주체는?

> • 정치 과정에 참여하는 국가 기관이다.
> • 국회에서 제정한 법률에 근거하여 구체적인 정책을 수립하고 이를 실행에 옮긴다.

① 언론   ② 정당
③ 정부   ④ 이익 집단

14 다음 심판을 담당하는 기관은?

> 위헌 법률 심판, 헌법 소원 심판, 탄핵 심판, 권한 쟁의 심판, 정당 해산 심판

① 국회   ② 지방 법원
③ 헌법 재판소   ④ 선거 관리 위원회

15 다음에서 설명하는 것은?

> • 개인이나 단체가 소유한, 경제적 가치가 있는 실물 자산이다.
> • 아파트나 빌딩 등과 같이 움직여 옮길 수 없는 자산이다.

① 예금   ② 적금
③ 현금   ④ 부동산

16 표는 아이스크림의 가격에 따른 수요량과 공급량을 나타낸 것이다. 이를 통해 알 수 있는 균형 가격은?

가격(원)	1,000	1,500	2,000	2,500	3,000
수요량(개)	300	250	200	150	100
공급량(개)	100	150	200	250	300

① 1,000원   ② 1,500원
③ 2,000원   ④ 2,500원

17 다음 유적이 처음으로 만들어진 시대는?

> • 명칭 : 탁자식 고인돌
> • 용도 : 주로 지배자의 무덤으로 사용

① 구석기 시대   ② 신석기 시대
③ 청동기 시대   ④ 철기 시대

18 ㉠에 들어갈 내용으로 옳은 것은?

> **〈조선 후기 [㉠]의 등장〉**
> • 주요 인물 : 정약용, 박지원, 박제가 등
> • 특징 : 현실 문제를 해결하기 위해 토지 제도 개혁, 상공업 발전 등을 주장함.

① 불교   ② 도교
③ 실학   ④ 풍수지리설

19 다음 퀴즈의 정답으로 옳은 것은?

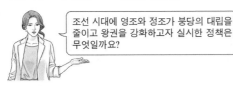

조선 시대에 영조와 정조가 붕당의 대립을 줄이고 왕권을 강화하고자 실시한 정책은 무엇일까요?

① 호패법　　　　② 탕평책

③ 과전법　　　　④ 위화도 회군

20 ㉠에 들어갈 왕은?

〈통일 신라 시대 ㉠ 의 정책〉
- 교육 제도 : 국학 설치
- 지방 제도 : 9주 5소경 설치
- 토지 제도 : 관료전 지급, 녹읍 폐지

① 세조　　　　　② 신문왕

③ 유형원　　　　④ 흥선 대원군

21 다음 설명에 해당하는 내용으로 옳은 것은?

청과의 전쟁에 패한 후 청에게 복수하여야 한다는 움직임이 일어났다. 이를 주도한 효종은 성곽과 무기를 정비하고 군대를 양성하여 청을 정벌하고자 하였다.

① 북벌 운동

② 화랑도 조직

③ 별무반 편성

④ 광주 학생 항일 운동

22 ㉠에 들어갈 내용으로 가장 적절한 것은?

〈신라의 ㉠ 과정〉

신라와 당의 동맹 → 백제의 멸망 → 고구려의 멸망
→ 신라와 당의 전쟁에서 신라 승리

① 삼국 통일　　　② 신분제 폐지

③ 금속 활자 발명　④ 임진왜란 승리

23 ㉠에 해당하는 나라는?

〈학습 주제 : ㉠ 이/가 몽골의 침입에 맞서 싸우다.〉
- 강화도 천도　　　• 삼별초의 항쟁
- 팔만대장경 완성

① 가야　　　　　② 발해

③ 고려　　　　　④ 조선

24 다음 정책을 추진한 정부는?

- 한·일 국교 정상화　• 새마을 운동
- 베트남 파병　　　• 유신 헌법 선포

① 김대중 정부　　② 김영삼 정부

③ 노태우 정부　　④ 박정희 정부

25 ㉠에 들어갈 답변으로 옳은 것은?

1938년 일제는 인력과 물자를 수탈하기 위해 국가 총동원법을 만들었어요. 이를 근거로 벌어진 상황이 무엇일까요?

㉠ 입니다.

① 병자호란

② 과거제 시행

③ 서경 천도 운동

④ 일본군 '위안부' 동원

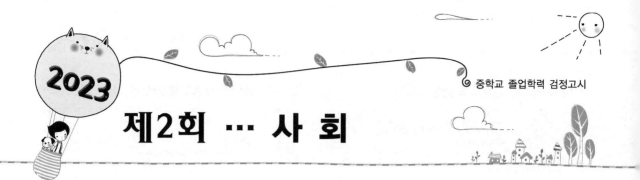
01 ㉠에 들어갈 기후로 옳은 것은?

> • 단원 : 온대 기후 지역의 생활 모습
> • 주제 : (㉠)의 특징
> • 학습 내용
>   − 분포 지역 : 이탈리아, 그리스, 미국 캘리
>   포니아 연안 등
>   − 주민 생활 : 수목 농업(여름), 곡물 농업
>   (겨울)

① 고산 기후　　　　② 스텝 기후
③ 지중해성 기후　　④ 열대 우림 기후

02 다음 설명에 해당하는 문화 지역으로 가장 적
절한 것은?

> • 북반구의 툰드라 지역을 중심으로 분포한다.
> • 순록 유목과 사냥을 바탕으로 생활하는 지
>   역이 있다.

① 건조 문화 지역
② 인도 문화 지역
③ 북극 문화 지역
④ 아프리카 문화 지역

03 ㉠, ㉡에 들어갈 지역을 지도의 A~D에서 고
른 것은?

> • (㉠) : 한라산, 성산
>   일출봉, 거문오름 용암
>   동굴계가 유네스코 세
>   계 자연 유산에 등재되
>   었다.
> • (㉡) : 우리나라에서
>   가장 동쪽에 위치한 섬
>   으로, 동도와 서도 및
>   여러 개의 바위섬으로
>   이루어져 있다.

　　㉠　㉡　　　　　　㉠　㉡
①　A　B　　　②　A　C
③　B　D　　　④　C　D

04 ㉠, ㉡에 들어갈 내용으로 옳은 것은?

> • (㉠) 발전 : 강한 바람이 지속적으로 부는
>   곳에서 바람의 힘을 이용해 전
>   기를 생산한다.
> • (㉡) 발전 : 밀물과 썰물 때의 바다 높이 차
>   이를 이용하여 전기를 생산한다.

　　㉠　㉡　　　　　　㉠　㉡
①　풍력　조력　　②　풍력　지열
③　지열　조력　　④　지열　풍력

05 다음 설명에 해당하는 것은?

> 특정한 장소를 상품으로 인식하고, 그 장소의 이미지를 개발하는 지역화 전략이다.

① 역도시화
② 장소 마케팅
③ 임금 피크제
④ 자유 무역 협정

06 밑줄 친 ㉠에 해당하는 지형으로 옳은 것은?

> ○○에게,
> 나는 노르웨이에 여행을 왔어. 오늘 다녀온 곳은 ㉠ 빙하의 침식으로 생긴 골짜기에 바닷물이 들어오면서 형성된 만이야. 경치가 좋아서 여행 온 관광객이 많아.

① 고원
② 사막
③ 산호초
④ 피오르

07 다음 설명에 해당하는 것은?

> 기업이 성장하며 기업의 본사, 연구소, 공장 등이 각각의 기능을 수행하는 데 적합한 지역을 찾아 지리적으로 분산되는 것이다.

① 이촌 향도
② 공간적 분업
③ 인구 공동화
④ 지리적 표시제

08 ㉠에 들어갈 내용으로 가장 적절한 것은?

> (㉠)은/는 주로 석탄을 사용하는 화력 발전소와 노후 경유차의 운행 등으로 발생하며 호흡기에 나쁜 영향을 미칠 수 있다.

① 도시 홍수
② 미세 먼지
③ 지진 해일
④ 열대 저기압

09 다음 설명에 해당하는 사회화 기관은?

> • 사회화를 목적으로 만든 공식적인 기관이다.
> • 사회생활에 필요한 지식과 규범, 가치 등을 체계적으로 교육한다.

① 가정
② 직장
③ 학교
④ 대중 매체

10 다음 학생이 지닌 문화 이해의 태도는?

> 우리는 한 사회의 문화를 이해할 때, 그 사회가 처한 특수한 환경과 맥락 속에서 이해해야 합니다.

① 문화 사대주의
② 문화 상대주의
③ 문화 제국주의
④ 자문화 중심주의

11 다음 설명에 해당하는 정치 참여 주체는?

> • 의미 : 사회 문제를 해결하고 집단의 특수 이익이 아닌 공익을 실현하기 위하여 시민들이 자발적으로 만든 집단
> • 기능 : 정부 활동 감시 및 여론 형성, 시민의 정치 참여 유도 등

① 개인
② 기업
③ 이익 집단
④ 시민 단체

12 ㉠에 들어갈 내용으로 가장 적절한 것은?

> 우리나라는 (㉠)을/를 위해 선거구 법정주의와 선거 공영제를 시행하고, 선거 관리 위원회를 두고 있다.

① 공정한 선거 운영
② 합리적 자산 관리
③ 효과적 민간 외교
④ 국제 거래 활성화

13 ㉠에 들어갈 내용으로 옳은 것은?

> • 우리나라의 (㉠)은/는 국가의 대표이자 동시에 행정부 수반으로서의 권한을 갖는다.
> • 국민의 선거를 통해 선출된 우리나라의 (㉠)은/는 국회에서 의결된 법률안을 거부할 수 있다.

① 장관   ② 대통령
③ 국무총리   ④ 국회의원

14 다음의 권한을 가진 기관으로 옳은 것은?

> • 주로 3심 사건의 최종적인 재판을 담당한다.
> • 명령·규칙 또는 처분이 헌법이나 법률에 위반되는지 여부를 최종적으로 심사할 권한을 가진다.

① 감사원   ② 대법원
③ 가정 법원   ④ 지방 법원

15 다음 내용에 해당하는 개념으로 옳은 것은?

> • 시장에서 수요와 공급의 상호 작용에 의해 형성된다.
> • 생산자와 소비자의 활동을 어떻게 조절할지 알려 주는 신호등 역할을 한다.

① 기대 수명   ② 무역 장벽
③ 생애 주기   ④ 시장 가격

16 ㉠에 들어갈 내용으로 옳은 것은?

> (㉠)은/는 한 나라의 생산 규모나 국민 전체의 소득을 파악하기에 유용하지만, 소득 분배 수준이나 빈부 격차의 정도를 파악하기 힘들다는 한계를 가지고 있어요.

① 실업률   ② 물가 지수
③ 인구 밀도   ④ 국내 총생산

17 다음 유물이 처음 제작된 시대는?

> **역사 유물 카드**
> ○명칭: 주먹도끼
> ○발견 지역: 경기 연천 전곡리
> ○용도: 사냥, 나무 손질, 고기 자르기 등

① 구석기 시대   ② 신석기 시대
③ 청동기 시대   ④ 철기 시대

18 밑줄 친 '그'에 해당하는 고구려의 왕은?

> 그는 백제를 공격하여 한강 이북 지역을 차지하였으며, 신라에 침입한 왜를 물리쳤다. 또한 '영락'이라는 연호를 사용하고 스스로 '태왕'이라 칭하였다.

① 인종   ② 현종
③ 지증왕   ④ 광개토 대왕

19 ㉠에 들어갈 인물로 옳은 것은?

역사 스피드 퀴즈 | 불교 대중화를 위해 '나무아미타불'을 열심히 외우면 극락에 갈 수 있다고 한 신라의 승려는?

① 원효
② 만적
③ 강감찬
④ 조광조

20 고려 광종의 정책으로 옳은 것을 〈보기〉에서 고른 것은?

〈보기〉
ㄱ. 서원 정리   ㄴ. 과거제 실시
ㄷ. 훈민정음 반포   ㄹ. 노비안검법 시행

① ㄱ, ㄴ
② ㄱ, ㄷ
③ ㄴ, ㄹ
④ ㄷ, ㄹ

21 다음 설명에 해당하는 조선의 정치 세력은?

• 훈구 세력의 비리를 비판함.
• 성종 때 본격적으로 중앙 정계에 진출함.
• 무오, 갑자, 기묘, 을사사화 등을 겪음.

① 사림
② 개화파
③ 권문세족
④ 진골 귀족

22 ㉠에 들어갈 전쟁으로 옳은 것은?

질문 | ㉠ 에 대해 알려 주세요.
답변 | 청은 군사를 이끌고 조선을 침략하였습니다. 인조는 남한산성으로 들어가 항전하였지만, 청에 항복하였습니다. 소현 세자를 비롯한 많은 백성들이 청으로 끌려갔습니다.

① 병자호란
② 신미양요
③ 임진왜란
④ 살수 대첩

23 다음 설명에 해당하는 사건은?

1894년 고부에서 농민들이 부당한 세금 징수에 항의하며 봉기하였다. 농민들은 전라도 일대를 장악하고 전주성을 점령하였다. 외세가 개입하자 농민군은 정부와 전주 화약을 맺고 집강소를 설치하였다.

① 3·1 운동
② 국채 보상 운동
③ 서경 천도 운동
④ 동학 농민 운동

24 다음 정책을 시행한 조선의 왕은?

• 화성 건설 • 규장각 설치 • 대전통편 편찬

① 세조
② 정조
③ 장수왕
④ 진흥왕

25 다음 설명에 해당하는 사건은?

1987년 박종철이 경찰의 고문으로 사망하는 사건이 발생하였다. 이에 국민들은 진상 규명을 요구하였으나 정부가 거부하였다. 그러자 국민들은 정권 퇴진과 대통령 직선제 개헌을 요구하며 전국적으로 시위를 벌였다.

① 북벌론
② 6월 민주 항쟁
③ 애국 계몽 운동
④ 광주 학생 항일 운동

01 ㉠에 들어갈 내용으로 옳은 것은?

 ㉠ 는 적도를 기준으로 북쪽으로 북위 0°~90°, 남쪽으로 남위 0°~90°로 나타냅니다.

① 경도
② 위도
③ 랜드마크
④ 도로명 주소

02 ㉠에 들어갈 기후로 옳은 것은?

• 건조 기후는 연 강수량을 기준으로 ㉠ 와 스텝 기후로 구분한다.
• ㉠ 지역은 스텝 기후 지역보다 강수량이 적으며, 오아시스나 관개 수로를 이용해 밀, 대추야자 등을 재배한다.

① 사막 기후
② 툰드라 기후
③ 열대 우림 기후
④ 서안 해양성 기후

03 다음 내용에 해당하는 지형은?

석회암이 지하수에 녹으며 형성된 지형으로, 종유석, 석순, 석주 등이 나타난다.

① 갯벌
② 오름
③ 주상 절리
④ 석회동굴

04 다음 설명에 해당하는 자원의 특성은?

자원이 지구상에 고르게 분포하지 않고 일부 지역에 집중되어 분포하는 특성이다.

① 창의성
② 편재성
③ 학습성
④ 공유성

05 ㉠에 들어갈 내용을 옳은 것은?

㉠ 은/는 여성 100명에 대한 남성의 수를 말한다. 일부 국가에서는 남아 선호 사상 등으로 인해 ㉠ 불균형의 문제가 발생하기도 한다.

① 관습
② 도덕
③ 문화
④ 성비

06 다음 설명에 해당하는 것은?

자신이 그 집단에 속해 있다는 소속감과 '우리'라는 공동체 의식이 강한 집단이다.

① 내집단
② 외집단
③ 역할 갈등
④ 역할 행동

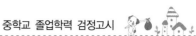

07 다음 설명에 해당하는 정치 주체는?

> 이해관계를 같이하는 사람들이 자신들의 특수한 이익을 실현하기 위해 만든 단체이다.

① 개인
② 대통령
③ 감사원
④ 이익 집단

08 ㉠에 들어갈 내용으로 옳은 것은?

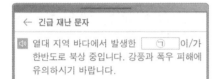

> ← 긴급 재난 문자
>
> 🔊 열대 지역 바다에서 발생한 [㉠]이/가 한반도로 북상 중입니다. 강풍과 폭우 피해에 유의하시기 바랍니다.

① 황사
② 가뭄
③ 태풍
④ 폭설

09 ㉠, ㉡에 해당하는 것으로 옳은 것은?

> 국가의 주권이 미치는 범위를 영역이라고 하며, ㉠와/과 영해의 수직 상공을 ㉡(이)라고 한다.

	㉠	㉡
①	영토	영공
②	영공	영토
③	영토	배타적 경제 수역
④	영공	배타적 경제 수역

10 다음에서 설명하고 있는 것은?

> • 의미 : 한 개인의 자신이 속한 사회의 언어, 규범, 가치관 등을 배워 나가는 과정
> • 기능 : 자신만의 독특한 개성과 자아를 형성함.

① 선거
② 사회화
③ 신급 제도
④ 빈부 격차

11 ㉠, ㉡에 해당하는 것으로 옳은 것은?

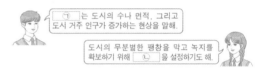

> ㉠ 는 도시의 수나 면적, 그리고 도시 거주 인구가 증가하는 현상을 말해.
>
> 도시의 무분별한 팽창을 막고 녹지를 확보하기 위해 ㉡ 을 설정하기도 해.

	㉠	㉡
①	도시화	도심
②	인구 공동화	도심
③	도시화	개발 제한 구역
④	인구 공동화	개발 제한 구역

12 다음 설명에 해당하는 국가 기관은?

> 법을 해석하고 적용하여 분쟁을 해결해 주는 역할을 한다.

① 법원
② 국세청
③ 기상청
④ 금융 감독원

13 다음 설명에 해당하는 것은?

> 개인과 개인 사이에서 일어난 법률관계에 관한 다툼을 해결하기 위한 재판이다.

① 선거 재판   ② 행정 재판
③ 민사 재판   ④ 형사 재판

14 그래프와 같이 수요 곡선이 오른쪽으로 이동했을 때, 균형 가격과 균형 거래량의 변화로 옳은 것은? (단, 다른 조건은 일정함.)

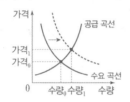

	균형 가격	균형 거래량
①	상승	감소
②	상승	증가
③	하락	감소
④	하락	증가

15 다음에서 설명하고 있는 제도는?

> • 의미 : 국가 기관에서 선거 과정을 관리하고 선거 운동 비용의 일부를 국가와 지방 자치 단체가 부담하는 제도
> • 목적 : 선거 운동의 과열과 부정 선거 방지, 후보자에게 선거 운동의 균등한 기회 보장

① 의원 내각제   ② 주민 투표제
③ 선거 공영제   ④ 주민 소환제

16 ㉠, ㉡에 들어갈 경제 활동으로 옳은 것은?

> • (㉠) : 필요한 재화나 서비스를 만들어 내거나 그 가치를 높이는 활동
> • (㉡) : 필요한 재화나 서비스를 구매하여 사용하는 활동

	㉠	㉡		㉠	㉡
①	소비	생산	②	분배	생산
③	생산	분배	④	생산	소비

17 다음에서 설명하는 유물이 처음으로 제작된 시대는?

>
> 비파형 동검
>
> 만주와 한반도 지역의 비파형 동검은 중국식 동검과 모양이 다르고, 칼날과 손잡이를 따로 만들어 조립한 것이 특징이다.

① 구석기 시대   ② 신석기 시대
③ 청동기 시대   ④ 철기 시대

18 다음 정책을 시행한 고구려의 왕은?

> • 남진 정책을 추진함.
> • 수도를 평양으로 옮김.
> • 백제의 수도 한성을 함락함.

① 진흥왕   ② 장수왕
③ 충선왕   ④ 선덕여왕

19 다음 설명에 해당하는 고려 후기 정치 세력은?

> • 명분과 도덕을 중시하는 성리학을 공부함.
> • 공민왕의 개혁에 참여하며 정치 세력을 형성함.
> • 대표적 인물 : 정몽주, 정도전 등

① 사림　　　　　② 진골
③ 6두품　　　　④ 신진 사대부

20 밑줄 친 ㉠에 해당하는 나라는?

대조영이 세운 ㉠나라에 대해 알고 있니?

응, 9세기 전반에는 고구려의 옛 땅을 대부분 회복하고 전성기를 이루어 당으로부터 해동성국이라 불리었어.

① 발해　　　　　② 신라
③ 고조선　　　　④ 후백제

21 ㉠에 들어갈 책으로 옳은 것은?

> 질문 ㉠ 에 대해 알려 주세요.
> 답변 조선 태조에서 철종까지의 역사적 사실을 기록한 책으로, 1997년 유네스코 세계 기록 유산으로 등재되었습니다.

① 농사직설　　　② 동의보감
③ 고려사절요　　④ 조선왕조실록

22 다음 설명에 해당하는 민족 운동은?

> • 일제 강점기 최대 규모의 민족 운동임.
> • 대한민국 임시 정부 수립의 계기가 됨.

① 3·1 운동　　　② 새마을 운동
③ 국채 보상 운동　④ 물산 장려 운동

23 밑줄 친 ㉠에 해당하는 법은?

> 광해군 시기에 ㉠ 공납의 폐단을 극복하고 국가 재정을 확보하고자 경기도에서 처음 시행한 법이다. 집집마다 토산물을 납부하게 한 방식을 바꾸어 토지를 기준으로 하여 쌀로 납부하도록 하였다.

① 대동법　　　　② 유신 헌법
③ 노비안검법　　④ 국가 총동원법

24 다음 대화 내용에 해당하는 제도는?

> **〈수행 평가 계획서〉**
> • 주제 : ㉠ 시기 이순신의 활약
> • 조사할 내용 – 한산도 대첩
> 　　　　　　　– 옥포 해전

① 병자호란　　　② 신미양요
③ 임진왜란　　　④ 정묘호란

25 다음 설명에 해당하는 정부는?

> 분단 이후 최초로 남과 북의 정상이 평양에서 만나 6·25 남북 공동 선언을 발표하였다(2000년). 이 선언에서 남과 북은 경제, 문화 등 교류와 협력을 활성화하고 이산가족 문제 등을 조속히 풀어 나가기로 합의하였다.

① 전두환 정부　　② 노태우 정부
③ 김영삼 정부　　④ 김대중 정부

제2회 ··· 사 회

01 ⊙, ⓒ에 해당하는 것으로 옳은 것은?

> ⊙ 은/는 한 나라의 표준시를 정하는 기준이 되는 선이다. 지구는 24시간 동안 360°를 회전하기 때문에 ⓒ 15°마다 1시간의 시차가 발생한다.

	⊙	ⓒ		⊙	ⓒ
①	적도	경도	②	적도	위도
③	표준 경선	경도	④	표준 경선	위도

02 다음 편지글에 나타난 지역의 기후는?

> ○○에게,
> ○○아 안녕. 나는 오늘 브라질의 아마존 강 근처를 탐험했어. 이곳은 덥고 습한 지역이지만, 다행히 한낮에는 스콜이라고 불리는 소나기가 내려서 그때는 조금 시원한 기분이 들기도 해.

① 스텝 기후
② 사막 기후
③ 툰드라 기후
④ 열대 우림 기후

03 다음에서 설명하는 지역으로 옳은 것은?

> 힌두교의 발상지로, 다양한 종교와 언어가 나타나고 소를 신성시한다.

① 인도 문화 지역
② 아프리카 문화 지역
③ 오세아니아 문화 지역
④ 라틴 아메리카 문화 지역

04 다음에서 설명하는 자연재해는?

> 오랜 기간 비가 오지 않아 땅이 메마르고 물이 부족해지는 재해로, 농업 활동에 지장을 초래한다.

① 가뭄
② 태풍
③ 폭설
④ 홍수

05 다음 설명에 해당하는 것은?

> • 도시의 중심부에 위치하여 접근성이 좋고 땅값이 비쌈.
> • 상업과 업무 기능이 밀집된 중심 업무 지구가 형성됨.

① 도심
② 촌락
③ 주변지역
④ 개발 제한 구역

06 우리나라의 영역 중 ⊙에 해당하는 것은?

> ⊙ 은/는 국가의 주권이 미치는 바다로, 기선으로부터 측정하여 그 바깥쪽 12해리의 선까지에 이르는 수역으로 한다.

① 영공
② 영토
③ 영해
④ 배타적 경제 수역

07 (가), (나)에 해당하는 것으로 옳은 것은?

> (가) 바람을 이용해 전력을 생산하며, 산지나 해안 등 바람이 강하고 지속적으로 부는 지역에서 유리하다.
> (나) 땅 속의 열을 이용해 전력을 생산하며, 아이슬란드, 뉴질랜드 등 화산 지대에서 볼 수 있다.

	(가)	(나)
①	조력 발전	지열 발전
②	풍력 발전	지열 발전
③	조력 발전	원자력 발전
④	풍력 발전	원자력 발전

08 ㉠에 들어갈 산맥으로 옳은 것은?

> ㉠ 에는 세계 최고봉인 에베레스트 산이 위치한다. 이 산맥과 인접한 국가에서는 등산객들을 대상으로 한 관광 산업이 발달하였다.

① 로키 산맥   ② 우랄 산맥
③ 안데스 산맥   ④ 히말라야 산맥

09 다음과 같은 사회적 지위의 공통적인 특성은?

> • 교사   • 대학생   • 회사원

① 귀속 지위에 해당한다.
② 태어날 때부터 자연적으로 주어진다.
③ 지위에 따라 기대되는 행동 양식이 없다.
④ 개인의 의지와 노력으로 얻게 되는 지위이다.

10 다음 내용에 해당하는 문화의 속성은?

> 문화는 언어와 문자 등을 통해 다음 세대에 전승되면서 더욱 풍부하고 다양해진다.

① 축적성   ② 유동성
③ 안전성   ④ 수익성

11 다음에서 설명하는 민주 선거의 원칙은?

> 일정한 연령 이상의 국민이면 누구나 선거권을 갖는 원칙이며 재산, 성별, 인종 등을 이유로 선거권을 부당하게 제한하지 않는 것을 의미한다.

① 공개 선거   ② 대리 선거
③ 보통 선거   ④ 차등 선거

12 그래프와 같이 공급 곡선이 A에서 B로 이동했을 때, 균형 가격과 균형 거래량의 변화로 옳은 것은? (단, 다른 조건은 일정함.)

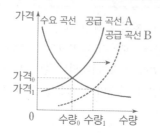

	균형 가격	균형 거래량
①	상승	증가
②	하락	증가
③	상승	감소
④	하락	감소

13 다음에서 설명하는 것은?

> • 주민과 그들이 뽑은 대표들이 지역의 사무를 자율적으로 처리하는 제도
> • '민주주의의 학교', '풀뿌리 민주주의'라고도 함.

① 심급 제도　　② 문화 사대주의
③ 증거 재판주의　④ 지방 자치 제도

14 밑줄 친 ㉠에 해당하는 재판은?

> 경찰이 대형 마트에서 500만 원대의 전자 제품을 훔친 A 씨를 붙잡았다. 이 사건에 대하여 검사가 법원에 공소를 제기하면서 ㉠ <u>재판</u>이 시작되었다.

① 가사 재판　　② 선거 재판
③ 형사 재판　　④ 행정 재판

15 ㉠에 해당하는 국가 기관으로 옳은 것은?

> **헌법**
> 제40조 입법권은 　㉠　에 속한다.

① 국회　　　　② 감사원
③ 대법원　　　④ 헌법 재판소

16 다음 설명에 해당하는 자원의 특성은?

> 인간의 욕구는 무한하지만 이를 충족해 줄 자원이 상대적으로 부족한 상태

① 합리성　　　② 희소성
③ 효율성　　　④ 형평성

17 다음 유물이 처음 제작된 시기의 생활 모습으로 옳지 않은 것은?

〈빗살무늬 토기〉

① 움집을 짓고 살았다.
② 간석기를 사용하였다.
③ 철제 무기를 제작하였다.
④ 농경과 목축이 시작되었다.

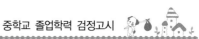

18 다음에서 설명하는 고려의 왕은?

> 호족 세력을 포섭하기 위해 유력한 호족들과 혼인 관계를 맺었으며, 사심관제도, 기인 제도를 실시하여 호족을 견제하였다. 또한 후손들에게 훈요 10조를 남겨 통치의 교훈으로 삼도록 하였다.

① 대조영　　　　② 장수왕
③ 박혁거세　　　④ 태조 왕건

19 다음에서 설명하는 역사서는?

> 승려 일연은 단군 이야기를 포함하여 고대로부터 전해 오는 역사와 설화 등을 담은 역사서를 저술하였다.

① 경국대전　　　② 삼국유사
③ 동의보감　　　④ 삼강행실도

20 ㉠에 들어갈 내용으로 옳은 것은?

> 〈진흥왕의 업적〉
> • 한강 유역으로 진출하여 영토 확장
> • ㉠ 을/를 통해 인재 양성
> • 황룡사를 건립하여 불교 진흥

① 별무반　　　　② 화랑도
③ 삼별초　　　　④ 훈련도감

21 ㉠에 들어갈 국가로 옳은 것은?

> 위화도 회군으로 권력을 장악한 이성계는 과전법을 실시한 후, 새 왕조 개창에 반대하던 정몽주 등을 제거하고 ㉠ 을/를 건국하였다.

① 백제　　　　　② 신라
③ 조선　　　　　④ 고구려

22 조선 정조의 업적으로 옳은 것을 〈보기〉에서 고른 것은?

> 〈보기〉
> ㄱ. 척화비 건립　　ㄴ. 규장각 설치
> ㄷ. 훈민정음 창제　ㄹ. 수원 화성 건설

① ㄱ, ㄴ　　　　② ㄱ, ㄷ
③ ㄴ, ㄷ　　　　④ ㄴ, ㄹ

23 ㉠에 들어갈 내용으로 옳은 것은?

> 〈수행평가 보고서〉
> 주제 : ㉠
> • 전개 : 황토현 전투 → 전주 화약 체결 → 집강소 설치 → 우금치 전투

① 병인양요
② 살수대첩
③ 동학 농민 운동
④ 6월 민주 항쟁

24 ㉠에 들어갈 내용으로 옳은 것은?

역사 스피드 퀴즈

3·1 운동 이후 중국 상하이에 수립되었고, 민주 공화제를 지향하였어.

① 청해진
② 교정도감
③ 독립협회
④ 대한민국 임시 정부

25 다음에서 설명하는 민주화 운동이 일어난 배경은?

> 1960년 4월 19일, 학생과 시민들은 이승만 정부의 퇴진을 요구하며 대규모 시위를 벌였다. 학생과 시민의 저항이 거세지자 이승만은 결국 대통령직에서 물러났다.

① 단발령
② 금융 실명제
③ 새마을 운동
④ 3·15 부정 선거

제1회 ··· 사 회

01 다음에서 설명하는 것은?

> 어떤 장소나 지역에 대한 정보를 수치화하여 컴퓨터에 입력·저장한 후, 가공·분석·처리하여 다양하게 표현해 주는 체계

① 시차
② 표준시
③ 랜드마크
④ 지리 정보 시스템

02 다음 자료에서 (가)에 해당하는 기후는?

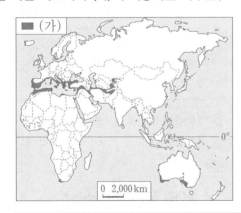

> • 지도에 표시된 (가)는 여름에는 고온 건조하고, 겨울에는 온난 습윤하다.
> • 이 지역은 주로 올리브, 포도 등의 수목 농업이 이루어진다.

① 고산 기후
② 툰드라 기후
③ 지중해성 기후
④ 열대 우림 기후

03 다음 내용에 해당하는 지형은?

> • 용암이 빠른 속도로 식어 굳으면서 다각형의 기둥 모양으로 쪼개짐.
> • 주로 제주도에 분포함.

① 갯벌
② 모래사장
③ 석회동굴
④ 주상절리

04 다음에서 설명하는 자연재해는?

> • 집중 호우에 의한 하천의 범람으로 발생
> • 가옥이나 농경지 등이 침수되어 재산 및 인명 피해 발생

① 홍수
② 황사
③ 폭염
④ 가뭄

05 다음 설명에 해당하는 자원은?

> • 자동차 보급의 확산으로 수요가 급증함.
> • 편재성이 매우 크고, 국제적 이동량이 많음.
> • 주요 수출국 : 사우디아라비아, 러시아, 아랍에미리트 등

① 구리
② 석유
③ 석탄
④ 철광석

06 다음에서 설명하는 것은?

> 푸드 마일리지를 줄이기 위한 대안으로 등장하였으며, 지역에서 생산된 먹거리를 해당 지역에서 직접 소비하는 것을 뜻한다.

① 공정 무역
② 로컬 푸드
③ 혼합 농업
④ 플랜테이션

07 개발 제한 구역의 설정 목적으로 가장 적절한 것은?

① 도시 내 시가지 개발
② 대규모 중공업 단지 조성
③ 도시의 무질서한 팽창 방지
④ 각종 건축물의 자유로운 건설

08 ㉠, ㉡에 들어갈 말로 옳은 것은?

> • ㉠ 은/는 국가의 주권이 미치는 해역이다.
> • ㉡ 은/는 국가의 주권이 미치는 육지와 바다의 수직 상공이다.

	㉠	㉡		㉠	㉡
①	영해	영공	②	영해	영토
③	영공	영해	④	영토	영공

09 다음 상황을 설명하는 용어로 적절한 것은?

> ○○은 신인 가수 그룹의 리더로서 중요한 오디션이 있던 날, 어머니의 건강이 위독하다는 연락을 받았다. 그는 오디션에 참가해야 할지 어머니에게 가야 할지 고민에 빠졌다.

① 외집단
② 재사회화
③ 역할 갈등
④ 지역 갈등

10 다음 내용에 해당하는 문화의 속성은?

> 문화는 한 사회의 구성원들이 공통으로 가지는 생활양식이다. 이를 통하여 사회 구성원들은 특정한 상황에서 서로의 행동을 쉽게 이해하고 예측할 수 있다.

① 공유성
② 선천성
③ 수익성
④ 일회성

11 ㉠에 들어갈 내용으로 적절한 것은?

> 우리나라의 지방 자치 단체는 의결 기관인 (㉠)와/과 집행 기관인 지방 자치 단체장으로 구성됩니다.

① 국회
② 대통령
③ 국무회의
④ 지방 의회

12 다음에서 설명하는 일반적인 정부 형태는?

> 국민이 선거를 통해 의회를 구성하고, 의회 다수당의 대표가 총리(수상)가 된다. 총리는 내각을 구성할 권한을 가진다.

① 대통령제
② 절대 왕정
③ 귀족 정치제
④ 의원 내각제

13 ㉠에 들어갈 국민의 기본권은?

> ㉠ [검색]
> • 의미 : 국가 권력의 간섭을 받지 않고 자유롭게 생활할 수 있는 권리
> • 관련 조항 : 모든 국민은 직업선택의 자유를 가진다(헌법 제15조).

① 자유권
② 평등권
③ 참정권
④ 사회권

14 다음의 역할을 담당하는 국가 기관은?

> • 선거와 국민 투표의 공정한 관리
> • 정당 및 정치 자금에 관한 사무, 선거 참여 홍보 활동

① 감사원
② 선거 관리 위원회
③ 헌법 재판소
④ 국가 인권 위원회

15 ㉠에 들어갈 경제 개념은?

> (㉠)은/는 어떤 것을 선택함으로써 포기하게 되는 대안의 가치 중 가장 큰 것을 의미하며, 편익과 더불어 합리적 선택을 위해 고려해야 할 요소이다.

① 수요
② 실업
③ 기회비용
④ 물가 지수

16 ㉠에 해당하는 경제 주체는?

> 인플레이션 발생 시, (㉠)은/는 물가 안정을 위해 과도한 재정 지출을 줄이고, 공공요금 인상을 억제하며, 세금을 늘리는 정책을 집행한다.

① 가계
② 정부
③ 기업
④ 법원

17 다음 유물이 처음으로 제작된 시대는?

> • 명칭 : 빗살무늬 토기
> • 용도 : 식량을 저장하고 음식을 조리하는 데 사용함.

① 구석기 시대
② 신석기 시대
③ 청동기 시대
④ 철기 시대

18 다음 설명에 해당하는 고구려의 왕은?

> • '영락'이라는 독자적인 연호를 사용함.
> • 신라에 침입한 왜군을 물리치고 금관가야를 공격함.
> • 영토를 넓혀 만주와 한반도 중부에 걸치는 대제국을 건설함.

① 내물왕
② 신문왕
③ 근초고왕
④ 광개토 대왕

19 ㉠에 해당하는 국가는?

> 〈 ㉠ 의 발전 과정〉
> • 대조영 : 만주 동모산 근처에 나라를 세움.
> • 무왕 : 장문휴를 보내 당의 산둥 반도를 공격함.
> • 선왕 : 당으로부터 '해동성국'이라 불리며 전성기를 이룸.

① 가야
② 발해
③ 부여
④ 백제

20 ㉠에 들어갈 내용으로 옳은 것은?

<공민왕의 개혁 정치>
• 쌍성총관부를 공격하여 철령 이북의 땅을 되찾음.
• 신돈을 등용하고 ㉠ .

① 삼국을 통일함
② 경복궁을 중건함
③ 훈민정음을 창제함
④ 전민변정도감을 설치함

21 다음 설명에 해당하는 전쟁은?

• 원인 : 조선 인조 때 청의 군신 관계 요구 거부
• 전개 : 청의 침략 → 남한산성에서 항전
• 결과 : 조선이 삼전도에서 항복, 청과 군신 관계 체결

① 병자호란
② 임진왜란
③ 살수 대첩
④ 봉오동 전투

22 ㉠에 들어갈 내용으로 가장 적절한 것은?

• 조선 후기 ㉠
 – 한글 소설, 사설시조 유행
 – 판소리와 탈춤 공연
 – 풍속화와 민화의 유행

① 성리학의 전래
② 불교 예술의 발달
③ 서민 문화의 발달
④ 서양 문물의 수용

23 다음 설명에 해당하는 사건은?

김옥균, 박영효 등의 급진 개화파가 정변을 일으켜 근대 국가 건설을 목표로 한 개혁을 추진하였으나, 청군의 개입으로 3일 만에 실패하였다.

① 3 · 1 운동
② 갑신정변
③ 홍경래의 난
④ 만민 공동회

24 다음 대화 내용에 해당하는 제도는?

이제부터 군포를 1년에 1필만 내는 법이 시행된다고 하네.

정말인가? 군포를 반만 내도 되니 부담이 줄어들겠군.

① 균역법
② 진대법
③ 호패법
④ 유신 헌법

25 다음 설명에 해당하는 사건은?

• 신군부의 비상계엄 전국 확대에 반발하여 일어남.
• 광주에서 계엄군의 무력 진압으로 많은 사상자가 발생함.
• 1980년대 민주화 운동의 중요한 원동력이 됨.

① 6 · 10 만세 운동
② 국채 보상 운동
③ 동학 농민 운동
④ 5 · 18 민주화 운동

제2회 ··· 사 회

01 다음에서 ㉠에 들어갈 것은?

> 지구의 경도를 결정할 때 기준이 되는 선으로, 영국의 그리니치 천문대를 지나는 경선을 ㉠ (이)라 한다.

① 적도
② 북회귀선
③ 날짜 변경선
④ 본초 자오선

02 다음에서 ㉠에 들어갈 것은?

> • 건조 기후는 연 강수량 250mm를 기준으로 사막 기후와 ㉠ 로 구분됨.
> • ㉠ 지역의 주민들은 염소, 양 등을 기르며 물과 풀을 찾아 이동하는 유목 생활을 함.

① 빙설 기후
② 스텝 기후
③ 툰드라 기후
④ 열대 우림 기후

03 다음에서 설명하는 지형은?

> • 산봉우리를 뜻하는 제주도 방언으로, 제주도 곳곳에 발달한 300여 개의 작은 화산체이다.
> • 큰 화산의 사면에 형성된 측화산 또는 기생 화산을 의미한다.

① 오름
② 피오르
③ 시 스택
④ 해식 동굴

04 다음에서 ㉠에 들어갈 것으로 가장 적절한 것은?

> **㉠ 의 사례**
> • 세계 여러 지역의 식생활과 전통을 반영한 햄버거
> • 외국에서 들어온 침대와 한국의 전통 온돌이 만나 새롭게 만들어진 돌침대

① 1차 집단
② 귀속 지위
③ 역할 갈등
④ 문화 변용

05 그래프를 통해 알 수 있는 현상으로 옳은 것은?

〈우리나라 65세 이상 인구 비율의 변화 추이〉

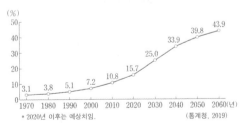

① 인플레이션
② 인구 고령화
③ 다문화 사회
④ 오존층 파괴

06 다음에서 설명하는 것은?

> 선진국의 대도시에서 주로 발생하며, 도시의 인구가 도시 이외의 지역이나 촌락으로 이동하는 현상

① 세계화   ② 정보화
③ 역도시화   ④ 이촌 향도

07 다음에서 설명하는 것은?

> • 밀과 함께 대표적인 식량 자원이다.
> • 아시아 계절풍 기후의 평야 지역에서 주로 생산된다.

① 쌀   ② 커피
③ 대추야자   ④ 사탕수수

08 다음에서 설명하는 것은?

> 기업의 본사, 연구소, 공장 등이 각각의 기능을 수행하는 데 적합한 지역으로 분산되는 현상

① 탈공업화   ② 공정 무역
③ 전자 상거래   ④ 공간적 분업

09 다음에서 ㉠에 들어갈 것은?

> 헌법 제1조 ① 대한민국은 민주공화국이다.
> ② 대한민국의 ㉠ 은/는 국민에게 있고, 모든 권력은 국민으로부터 나온다.

① 자유   ② 정치
③ 주권   ④ 평등

10 문화 상대주의에 대한 설명으로 적절하지 <u>않은</u> 것은?

① 문화의 다양성을 존중한다.
② 문화의 고유한 가치를 인정한다.
③ 문화를 비교하여 우열을 평가한다.
④ 문화가 형성된 배경 속에서 문화를 이해한다.

11 다음에서 설명하는 정치 주체는?

> • 정치적 의견이 같은 사람들이 모여서 만든 단체이다.
> • 정치권력 획득을 목적으로 한다.

① 법원   ② 정당
③ 감사원   ④ 헌법 재판소

12 다음에서 ㉠에 들어갈 기본권으로 가장 적절한 것은?

> 대한민국 국민의 ㉠ !
> • 국민이 선거에 참여해 대통령을 직접 뽑을 수 있어요.
> • 국가의 중요한 일을 결정하는 투표에 참여할 수 있어요.

① 노동권   ② 사회권
③ 참정권   ④ 청구권

13 다음에서 ㉠, ㉡에 들어갈 경제 활동을 알맞게 짝지은 것은?

> • ㉠ : 재화나 서비스를 만들거나 가치를 높이는 활동
> • ㉡ : 재화나 서비스를 구입하여 사용하는 활동

	㉠	㉡		㉠	㉡
①	분배	생산	②	분배	소비
③	생산	분배	④	생산	소비

14 표는 초콜릿의 수요량과 공급량을 나타낸 것이다. 이에 대한 설명으로 옳은 것은? (단, 다른 조건은 일정함.)

가격(원)	수요량(개)	공급량(개)
1,000	400	200
2,000	300	300
3,000	200	400
4,000	100	500

① 균형 가격은 4,000원이다.
② 균형 거래량은 300개이다.
③ 가격이 1,000원일 때, 초과 공급이 발생한다.
④ 가격이 3,000원일 때, 초과 수요가 발생한다.

15 다음에서 ㉠에 해당하는 것으로 가장 적절한 것은?

> 현대 사회에서 부각되고 있는 주요한 사회 문제로는 ㉠ 노동 문제, 인구 문제, 환경 문제 등이 있다.

① 노사 갈등
② 영토 분쟁
③ 해양 오염
④ 지구 온난화

16 퀴즈에 대한 정답으로 옳은 것은?

> 공정한 선거를 위해 국가가 선거를 관리하고, 국가나 지방 자치 단체가 비용 일부를 지원하는 제도는 무엇일까요?

① 심급 제도
② 게리맨더링
③ 선거 공영제
④ 보통 선거 제도

17 다음 유물이 처음으로 제작된 시대는?

① 구석기 시대
② 신석기 시대
③ 청동기 시대
④ 철기 시대

〈주먹도끼〉

18 고구려 장수왕의 업적으로 옳은 것은?

① 서원 철폐
② 과거제 실시
③ 경국대전 편찬
④ 한강 유역 차지

19 다음에서 설명하는 인물은?

> • 완도에 청해진을 설치해 해적을 소탕함.
> • 당과 신라, 일본을 연결하는 해상 무역을 장악하여 해상왕이라고 불림.

① 원효
② 혜초
③ 이차돈
④ 장보고

20 다음에서 ㉠에 들어갈 내용으로 옳은 것은?

⊙ 역사 인물 카드 ⊙
- 재위 연도 : 918~943
- 주요 활동 – 고려를 건국함.
　　　　　　 – 사심관 제도와 기인 제도를 시행함.
　　　　　　 – ┌─ ㉠ ─┐을/를 남김.

① 동의보감　　　　② 훈요 10조
③ 대동여지도　　　④ 몽유도원도

21 다음 중 조선 후기 서민 문화에 대한 설명으로 옳은 것을 〈보기〉에서 고른 것은?

〈보기〉
ㄱ. 판소리가 유행하였다.
ㄴ. 한글 소설이 보급되었다.
ㄷ. 상감 청자의 사용이 보편화되었다.
ㄹ. 커피와 케이크 등 서양 음식이 유행하였다.

① ㄱ, ㄴ　　　　② ㄱ, ㄷ
③ ㄴ, ㄹ　　　　④ ㄷ, ㄹ

22 다음에서 ㉠에 들어갈 내용으로 옳은 것은?

　광해군 집권 당시 만주 지역에서 여진족이 세력을 키워 후금을 세웠다. 후금이 명과 대립하자 광해군은 두 나라 사이에서 ┌─ ㉠ ─┐을/를 추진하였다.

① 남진 정책　　　② 대몽 항쟁
③ 중립 외교　　　④ 나·제 동맹

23 다음에서 ㉠에 들어갈 내용으로 옳은 것은?

〈조선 세종의 업적〉
- 측우기 제작
- ┌─ ㉠ ─┐
- 앙부일구와 자격루 제작

① 대동법 실시　　　② 훈민정음 창제
③ 노비안검법 실시　④ 팔만대장경 제작

24 일제의 식민지 지배 정책이 아닌 것은?

① 국채 보상 운동　　② 산미 증식 계획
③ 토지 조사 사업　　④ 헌병 경찰 제도

25 다음에서 ㉠에 들어갈 내용으로 옳은 것은?

〈6·25 전쟁의 전개 과정〉
북한의 남침 ➡ ┌─ ㉠ ─┐ ➡ 중국군 참전
➡ 1·4 후퇴 ➡ 정전 협정

① 3·1 운동　　　② 4·19 혁명
③ 인천 상륙 작전　④ 부·마 민주 항쟁

제1회 ··· 사 회

01 다음에서 ㉠에 들어갈 자연 재해는?

> ○ ○ 신 문　2021년 ○월 ○○일
>
> ㉠ (으)로 인한 피해 속출
>
> △△지역에서는 이번 ㉠ (으)로 인하여 피해가 속출하였다. 비닐하우스가 하중을 견디지 못해 무너졌고, 도로가 미끄러워 교통이 마비되었다. ······.

① 가뭄　　　　② 폭설
③ 폭염　　　　④ 황사

02 다음에서 설명하는 개념으로 가장 적절한 것은?

> • 상품의 생산, 유통, 소비의 전 과정에서 생산자를 포함한 여러 경제 주체들에게 이익이 공정하게 분배되도록 하는 무역이다.
> • 생산자의 노동에 정당한 대가를 지급하고자 한다.

① 랜드마크　　　② 공정 무역
③ 원격 탐사　　　④ 노예 무역

03 다음에서 ㉠에 들어갈 주제로 가장 적절한 것은?

> 주제 : ㉠
> • 원인 : 육아 부담, 결혼 연령의 상승 등
> • 대책 : 출산 장려금 지급, 양육 시설 확충 등

① 저출산　　　　② 난민 유입
③ 인종 차별　　　④ 지역 분쟁

04 다음에서 ㉠에 들어갈 것은?

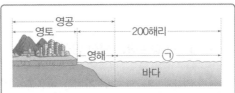

> • ㉠ 은/는 영해 기선으로부터 200해리까지의 수역에서 영해를 제외한 수역이다.
> • ㉠ 에서 연안국은 어업 활동과 천연 자원의 탐사·개발·이용·관리 등에 대한 독점적 권리를 갖는다.

① 백두대간
② 개발 제한 구역
③ 비무장 지대(DMZ)
④ 배타적 경제 수역(EEZ)

05 다음에서 설명하는 현상으로 가장 적절한 것은?

> • 낮에는 업무나 쇼핑 등으로 도심에 사람이 모이지만 밤에는 도심 밖의 집으로 돌아가 도심이 텅 빈 것처럼 한산해지는 현상이다.
> • 출·퇴근 시간대에 교통 혼잡을 불러일으키기도 한다.

① 슬럼화　　　　② 이촌 향도
③ 인구 공동화　　④ 성비 불균형

06 다음에서 설명하는 섬은?

> • 우리나라에서 제일 큰 섬이며, 화산 활동으로 형성되었다.
> • 대표적인 자연 경관으로 한라산, 성산 일출봉, 만장굴 등이 있다.

① 독도   ② 울릉도
③ 제주도   ④ 마안도

07 다음에서 설명하는 발전 방식은?

> • 밀물과 썰물의 수위 차이를 이용하여 전기를 생산한다.
> • 우리나라 시화호 발전소의 발전 방식이다.

① 화력 발전   ② 조력 발전
③ 지열 발전   ④ 원자력 발전

08 다음에서 설명하는 기후는?

> • 가장 따뜻한 달의 평균 기온이 10 ℃ 미만이다.
> • 전통적으로 주민들은 순록 유목, 수렵, 어로 활동을 한다.
> • 얼었던 땅이 여름에 녹아 건물이 기울어지는 것을 막기 위해 고상 가옥을 짓기도 한다.

① 열대 기후   ② 건조 기후
③ 온대 기후   ④ 한대 기후

09 다음에서 설명하는 집단은?

> • 구성원들 간에 직접적이고 친밀한 상호 작용이 이루어진다.
> • 대표적인 예로 가족, 또래 집단 등을 들 수 있다.

① 외집단   ② 1차 집단
③ 2차 집단   ④ 이익 집단

10 다음에서 ㉠에 들어갈 주제는?

> 주제 :   ㉠
>
> • 의미 : 다른 사회의 문화는 우수한 것으로 여기고, 자신의 문화는 열등한 것으로 여기는 태도
> • 장·단점 : 선진 문물을 받아들이는 데 도움을 주기도 하지만, 자기 문화의 주체성을 잃을 수 있음

① 문화 사대주의   ② 문화 상대주의
③ 문화 제국주의   ④ 자문화 중심주의

11 다음 중 '노동 3권'에 해당하지 않는 권리는?

① 단결권   ② 단체 교섭권
③ 단체 행동권   ④ 재판 청구권

12 다음에서 설명하는 법은?

> • 범죄의 종류와 처벌의 기준을 정한 법이다.
> • 공적인 생활 영역을 다루는 공법으로 분류된다.

① 민법   ② 형법
③ 상법   ④ 소비자 기본법

13 감사원의 기능으로 옳은 것은?

① 법률을 제정하거나 개정한다.
② 재판을 통해 분쟁을 해결한다.
③ 선거와 국민 투표를 공정하게 관리한다.
④ 행정 기관 및 공무원의 직무를 감찰한다.

14 다음에서 설명하는 금융 상품은?

> • 기업이 자본금을 마련하기 위해 발행한 것으로 이를 소유한 사람을 주주라고 한다.
> • 일반적으로 수익성이 높은 만큼 위험성도 높다.

① 주식   ② 보험
③ 적금   ④ 예금

15 그래프는 빵 시장의 수요·공급 곡선을 나타낸 것이다. 빵의 균형 가격과 균형 거래량은?

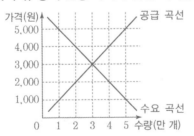

	균형 가격	균형 거래량
①	1,000원	1만 개
②	2,000원	4만 개
③	3,000원	3만 개
④	4,000원	2만 개

16 다음에서 설명하는 개념은?

> 한 개인이 가지는 둘 이상의 지위에 서로 다른 역할이 동시에 요구될 때, 어떤 역할을 우선적으로 수행해야 할지를 두고 느끼는 내적 고민이다.

① 재사회화   ② 역할 갈등
③ 귀속 지위   ④ 상호 작용

17 다음 유적이 처음으로 만들어진 시대의 생활 모습으로 가장 적절한 것은?

〈탁자식 고인돌〉

① 주로 동굴에서 생활하였다.
② 농경과 목축을 시작하였다.
③ 철제 농기구를 사용하였다.
④ 지배자인 군장이 등장하였다.

18 다음 정책을 시행한 고구려의 왕은?

> • 불교 수용   • 태학 설립   • 율령 반포

① 광종   ② 세종
③ 의자왕   ④ 소수림왕

19 조선 광해군의 정책으로 옳은 것은?

① 훈민정음 창제　　② 수원 화성 축조
③ 중립 외교 추진　　④ 노비안검법 시행

20 다음에서 ㉠에 들어갈 정책은?

> 조선 영조는 붕당 간의 대립을 완화하고자
> ㉠ 을/를 실시하여 노론과 소론의 온건파
> 를 중심으로 각 붕당의 인물들을 고르게 등용
> 하였다.

① 탕평책　　　　　② 진대법
③ 사창제　　　　　④ 독서삼품과

21 다음에서 ㉠에 들어갈 내용은?

> 〈거란의 침략과 격퇴〉
> • 1차 침략 : 서희의 외교 담판으로 ㉠
> • 2차 침략 : 양규 등의 활약으로 거란군을
> 　　　　　　물리침
> • 3차 침략 : 강감찬 등이 귀주에서 거란군을
> 　　　　　　격퇴함

① 우산국을 정복함
② 강동 6주를 획득함
③ 4군 6진을 개척함
④ 쓰시마 섬을 정벌함

22 다음 대화 내용에 해당하는 신라의 인물은?

나무아미타불만 외우면 극락에 갈 수 있다고 하여 불교 대중화에 힘썼어.

또 불교 종파 간의 사상적 대립을 조화시키려고 노력하였지.

① 원효　　　　　　② 김홍도
③ 이성계　　　　　④ 정약용

23 다음에서 설명하는 단체는?

> • 1907년 안창호, 양기탁 등이 조직한 비밀
> 　결사
> • 대성 학교, 오산 학교를 설립하여 민족 교육
> 　실시
> • 일제가 조작한 105인 사건으로 해체

① 삼별초　　　　　② 화랑도
③ 신민회　　　　　④ 별무반

24 다음에서 ㉠에 들어갈 사건은?

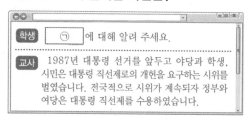

학생　㉠ 에 대해 알려 주세요.

교사　1987년 대통령 선거를 앞두고 야당과 학생, 시민은 대통령 직선제로의 개헌을 요구하는 시위를 벌였습니다. 전국적으로 시위가 계속되자 정부와 여당은 대통령 직선제를 수용하였습니다.

① 3·1 운동　　　　② 6·25 전쟁
③ 6월 민주 항쟁　　④ 동학 농민 운동

25 다음에서 ㉠에 들어갈 내용으로 가장 적절한 것은?

> 〈물산 장려 운동〉
> • 평양에서 시작하여 전국으로 확산됨
> • '내 살림 내 것으로'라는 구호를 내세움
> • ㉠ 을/를 통해 민족 산업을 육
> 　성하고자 함

① 대동법 실시　　　② 국산품 애용
③ 표준어 제정　　　④ 지계 발급 추진

과 학

중학교 졸업학력 검정고시 대비 기출문제

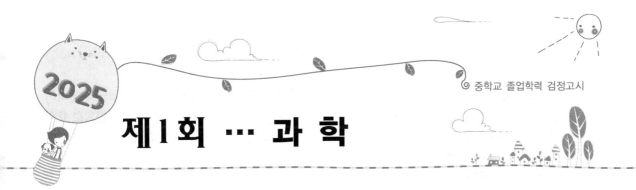

제1회 ··· 과 학

01 지구에서 측정한 물체의 질량이 3kg이다. 이 물체를 달에서 측정하였을 때의 질량은?

① 0.5kg   ② 1kg

③ 3kg   ④ 6kg

02 다음 설명에서 ㉠에 공통으로 들어갈 빛의 색은?

> ○ 영상 장치에서 쓰는 빛의 삼원색으로 ㉠ , 초록색, 파란색이 있다.
> ○ ㉠ 과 초록색 빛을 합성하면 노란색 빛이 된다.

① 흰색   ② 빨간색

③ 자홍색   ④ 청록색

03 그림은 전지, 스위치, 동일한 전구 (가), (나)로 구성한 회로이다. 스위치를 닫았을 때, 이 회로에 대한 설명으로 옳은 것은?

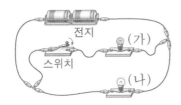

① (가)에 불이 켜진다.

② (나)에 불이 꺼진다.

③ (나)의 밝기는 더 밝아진다.

④ (가)와 (나)는 직렬연결이다.

04 그림은 온도가 다른 두 물체 A, B를 접촉시켜 놓았을 때, 시간에 따른 온도 변화를 나타낸 것이다. 이에 대한 설명으로 옳은 것은? (단, 외부와의 열 출입은 없다.)

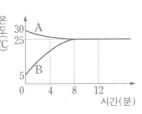

① 열평형 온도는 30℃이다.

② 12분일 때 A와 B의 온도는 같다.

③ 열평형에 도달할 때까지 걸린 시간은 4분이다.

④ 4~8분 사이에 A를 구성하는 입자의 운동은 점점 빨라진다.

05 그림은 수평면에서 일정한 속력으로 움직이는 물체의 위치를 1초 간격으로 나타낸 것이다. 이 물체의 속력은?

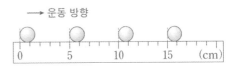

① 5 cm/s   ② 10 cm/s

③ 15 cm/s   ④ 20 cm/s

06 그림은 A지점에서 자유 낙하시킨 공이 B지점을 지나는 모습을 나타낸 것이다. A 지점에서의 역학적 에너지가 15 J이었다면 B 지점에서의 역학적 에너지는? (단, 공기 저항은 무시한다.)

① 0 J   ② 5 J

③ 10 J   ④ 15 J

07 표는 어떤 기체의 압력에 따른 부피 변화를 나타낸 것이다. ㉠에 해당하는 것은? (단, 온도는 일정하다.)

압력(기압)	1	2	4
부피(mL)	40	㉠	10

① 10   ② 20

③ 30   ④ 40

08 그림은 1기압에서 얼음의 가열 시간에 따른 온도 변화를 나타낸 것이다. 온도 A에서 일어나는 물질의 상태 변화는?

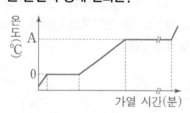

① 기화   ② 승화

③ 융해   ④ 응고

09 그림은 큰 공 1개와 작은 공 4개를 이용하여 분자 모형을 나타낸 것이다. 이 모형으로 표현하고자 한 물질의 화학식은?

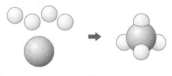

① CH_4 ② CO_2

③ H_2O ④ NH_3

10 그림은 물과 식용유를 분리하기 위한 실험 장치를 나타낸 것이다. 물과 식용유를 분리하기 위해 이용한 물질의 특성은?

① 밀도   ② 끓는점

③ 어는점   ④ 용해도

11 그림은 구리와 산소가 반응하여 산화 구리(Ⅱ)가 생성될 때의 질량 관계를 나타낸 것이다. 산화 구리(Ⅱ)를 구성하는 구리와 산소의 질량비는?

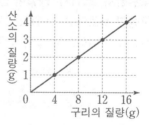

	구리		산소
①	1	:	4
②	2	:	3
③	3	:	2
④	4	:	1

12 그림은 수증기(H_2O)를 생성하는 반응의 부피 모형을 나타낸 것이다. 수소 기체 2 L와 산소 기체 1 L가 모두 반응할 때, 생성되는 수증기의 부피는? (단, 온도와 압력은 일정하다.)

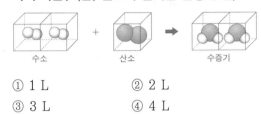

① 1 L
② 2 L
③ 3 L
④ 4 L

13 그림은 생물을 5가지 계로 분류하여 나타낸 것이다. 다음 중 균계에 속하는 생물은?

① 버섯
② 아메바
③ 진달래
④ 코끼리

14 그림은 식물의 잎에서 일어나는 광합성 과정을 나타낸 것이다. ㉠에 해당하는 기체는?

① 수소
② 질소
③ 암모니아
④ 이산화 탄소

15 그림은 사람 귀의 구조를 나타낸 것이다. A~D 중 다음 설명에 해당하는 것은?

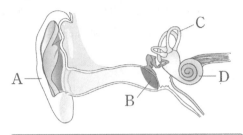

○ 세 개의 반고리관으로 이루어져 있다.
○ 몸의 회전에 대한 자극을 받아들인다.

① A
② B
③ C
④ D

16 무조건 반사의 예에 해당하는 것은?

① 큰 소리를 듣고 손으로 귀를 막는다.
② 건널목에서 빨간 신호등을 보고 멈춘다.
③ 날아오는 공을 보고 야구 방망이로 친다.
④ 무릎을 고무망치로 치면 저절로 다리가 들린다.

17 다음은 동물의 체세포 분열 과정의 일부에 대한 설명이다. 이에 해당하는 시기는?

○ 염색체가 두 가닥으로 분리된다.
○ 분리된 염색 분체가 양쪽 끝으로 이동한다.

① 간기
② 전기
③ 중기
④ 후기

18 그림은 순종의 둥근 완두와 순종의 주름진 완두를 교배하여 자손 1대를 얻은 결과를 나타낸 것이다. ㉠과 ㉡의 유전자형 으로 옳게 짝 지어진 것은? (단, R은 r에 대해 우성이다.)

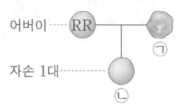

㉠	㉡
① RR	RR
② Rr	RR
③ rr	Rr
④ rr	rr

19 다음 설명에 해당하는 우리 몸의 기관계는?

○ 위, 소장, 대장 등의 기관으로 구성된다.
○ 크기가 큰 영양소를 작은 영양소로 분해한다.

① 배설계　　　　② 소화계
③ 순환계　　　　④ 호흡계

20 다음 암석의 공통점은?

규암, 대리암, 편마암

① 화석이 포함되어 있다.
② 마그마가 식어서 만들어졌다.
③ 열과 압력을 받아 성질이 변하였다.
④ 퇴적물이 다져지고 굳어져서 만들어졌다.

21 다음 설명에 해당하는 행성은?

○ 목성형 행성이며, 태양계 행성 중 두 번째로 크다.
○ 암석과 얼음으로 된 뚜렷한 고리가 있다.

① 수성　　　　② 지구
③ 화성　　　　④ 토성

22 표는 별 A~D의 색깔을 나타낸 것이다. 표면 온도가 가장 낮은 별은?

별	A	B	C	D
색깔	청백색	노란색	백색	붉은색

① A　　　　② B
③ C　　　　④ D

23 그림은 기권의 층상 구조를 나타낸 것이다. 구간 A~D 중 다음 설명에 해당하는 것은?

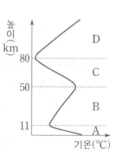

○ 높이 올라갈수록 기온이 낮아진다.
○ 수증기가 거의 없어 기상 현상은 발생하지 않는다.

① A　　　　② B
③ C　　　　④ D

24 그림은 기온에 따른 포화 수증기량 곡선을 나타낸 것이다. 공기 A~D 중 상대 습도가 가장 높은 것은?

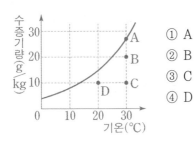

① A
② B
③ C
④ D

25 그림은 지구에서 6개월 간격으로 별 S를 관측한 모습을 나타낸 것이다. 별 S의 연주 시차는?

① 0.1″
② 0.2″
③ 0.3″
④ 0.6″

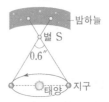

제2회 … 과 학

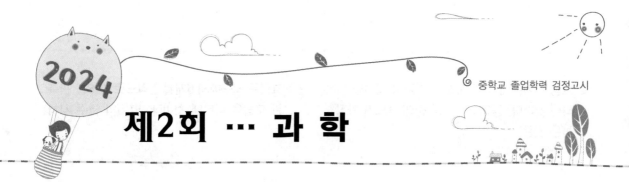

01 그림과 같이 수평면에서 물체를 끌어당겨 움직일 때 접촉면에서 물체의 운동 방향과 반대 방향으로 작용하는 힘 A는?

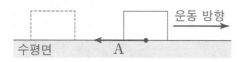

① 부력
② 중력
③ 마찰력
④ 탄성력

02 그림은 횡파의 모습을 나타낸 것이다. ㉠에 해당하는 것은?

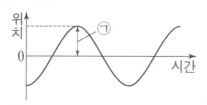

① 주기
② 진폭
③ 파장
④ 진동수

03 표는 니크롬선에 걸리는 전압을 2V씩 높이면서 측정한 전류의 세기를 나타낸 것이다. 이 니크롬선의 저항은? (단, 니크롬선을 제외한 모든 저항은 무시한다.)

전압(V)	2	4	6
전류(A)	1	2	3

① 0.5Ω
② 1Ω
③ 2Ω
④ 4Ω

04 다음 설명에 해당하는 열의 이동 방법은?

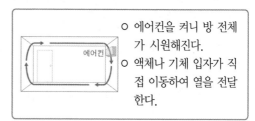

○ 에어컨을 켜니 방 전체가 시원해진다.
○ 액체나 기체 입자가 직접 이동하여 열을 전달한다.

① 단열
② 대류
③ 복사
④ 전도

05 무게가 20N인 물체를 지면으로부터 5m 높이까지 일정한 속력으로 들어 올렸을 때 중력에 대하여 한 일의 양은? (단, 공기의 저항은 무시한다.)

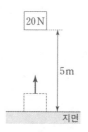

① 25J
② 50J
③ 75J
④ 100J

06 다음 설명에서 ㉠에 공통으로 해당하는 것은?

> ○ 물체의 위치 에너지와 운동 에너지의 합을 ㉠ 에너지라고 한다.
> ○ 공기의 저항이 없으면 자유 낙하하는 물체의 ㉠ 에너지는 일정하다.

① 빛
② 열
③ 전기
④ 역학적

07 그림과 같이 피스톤을 눌러 기체의 부피를 변화시켰을 때 주사기 속 기체의 압력과 입자 사이의 거리 변화로 옳은 것은? (단, 온도는 일정하고 기체의 출입은 없다.)

피스톤

	압력	입자 사이의 거리
①	감소	변화 없음
②	감소	증가
③	증가	변화 없음
④	증가	감소

08 그림의 상태 변화 A~D 중 쇳물이 식어 단단한 철이 되는 현상에 해당하는 것은?

① A
② B
③ C
④ D

09 다음 설명에서 ㉠에 공통으로 해당하는 것은?

> ○ ㉠ 은/는 물질을 이루는 기본 성분이다.
> ○ 일부 금속 ㉠ 은/는 특정한 불꽃 반응 색을 나타낸다.

① 원소
② 분자
③ 혼합물
④ 화합물

10 표는 물질 A~D의 질량과 부피를 나타낸 것이다. 밀도가 가장 큰 것은?

물질	A	B	C	D
질량(g)	10	20	30	50
부피(mL)	10	10	20	20

① A
② B
③ C
④ D

11 다음 화학 반응식에서 수소 분자 3개와 질소 분자 1개가 모두 반응할 때 생성되는 암모니아 분자의 개수는?

$$3H_2 + N_2 \longrightarrow 2NH_3$$

① 2개
② 3개
③ 4개
④ 5개

12 표는 구리가 연소할 때 반응한 구리와 생성된 산화 구리(Ⅱ)의 질량을 나타낸 것이다. ㉠에 해당하는 것은?

구리(g)	4	8	12
산화 구리(Ⅱ)(g)	5	㉠	15

① 8
② 10
③ 12
④ 14

13 다음은 식물의 광합성 과정이다. ㉠에 해당하는 것은?

$$\boxed{㉠} + 물 \xrightarrow{\text{빛에너지}} 포도당 + 산소$$

① 녹말　　　　② 수소
③ 질소　　　　④ 이산화 탄소

14 다음 설명에 해당하는 생물계는?

　다른 생물로부터 양분을 얻는 생물 무리로, 버섯과 곰팡이가 포함된다.

① 균계　　　　② 동물계
③ 식물계　　　④ 원핵생물계

15 생물을 구성하는 단계 중 ㉠에 공통으로 해당하는 것은?

　○ ㉠ 은/는 생명체를 구성하는 기본 단위이다.
　○ 모양과 기능이 비슷한 ㉠ 이/가 모여 조직을 이룬다.

① 세포　　　　② 기관
③ 기관계　　　④ 개체

16 그림의 A~D 중 다음 설명에 해당하는 것은?

　○ 좌우 두 개의 반구로 이루어져 있다.
　○ 기억, 추리, 판단, 학습 등의 정신 활동을 담당한다.

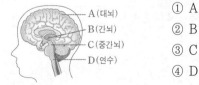

A (대뇌)
B (간뇌)
C (중간뇌)
D (연수)

① A
② B
③ C
④ D

17 다음 설명에서 ㉠에 해당하는 것은?

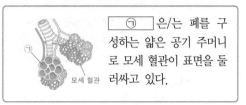

모세 혈관

㉠ 은/는 폐를 구성하는 얇은 공기 주머니로 모세 혈관이 표면을 둘러싸고 있다.

① 융털　　　　② 이자
③ 폐포　　　　④ 네프론

18 그림은 체세포 분열 과정의 일부를 나타낸 것이다. 전기 단계에서 세포 1개 당 염색체 수가 4개일 때, 1개의 딸세포 A의 염색체 수는? (단, 돌연변이는 없다.)

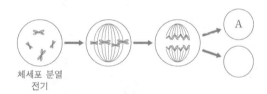

체세포 분열
전기

A

① 1개　　　　② 2개
③ 4개　　　　④ 8개

19 그림은 어느 집안의 특정 형질에 대한 유전자형을 가계도로 나타낸 것이다. ㉠에 해당하는 유전자형은? (단, 돌연변이는 없다.)

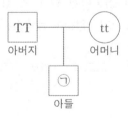

TT
아버지

tt
어머니

㉠
아들

① TT　　　　② Tt
③ tt　　　　④ TTtt

20 다음은 지권의 층상 구조에 대한 설명이다. ㉠에 해당하는 것은?

> ㉠ 은 지구 내부 구조에서 가장 두꺼운 층이고 지구 전체 부피의 약 80 %를 차지하고 있다.

① 지각 ② 맨틀
③ 외핵 ④ 내핵

21 다음 현상이 나타나는 원인은?

> 어느 날 밤 우리나라 북쪽 하늘을 2시간 동안 관찰하였더니 북극성을 중심으로 북두칠성이 시계 반대 방향으로 30° 정도 이동하였다.

① 달의 공전 ② 달의 자전
③ 지구의 공전 ④ 지구의 자전

22 다음 설명에 해당하는 태양계의 행성은?

> ○ 과거에 물이 흘렀던 흔적이 있다.
> ○ 얼음과 드라이아이스로 된 극관이 있다.

① 금성 ② 화성
③ 목성 ④ 토성

23 그림은 염분이 35.0 psu인 해수 1000 g에 녹아 있는 염류의 양을 나타낸 것이다. ㉠에 해당하는 염류는?

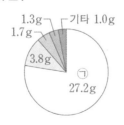

① 황산 칼슘 ② 염화 나트륨
③ 염화 마그네슘 ④ 황산 마그네슘

24 그림은 기온에 따른 포화 수증기량 곡선을 나타낸 것이다. 공기 A~D 중 포화 상태인 것을 모두 고른 것은?

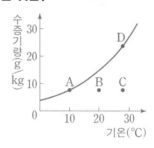

① A, B ② A, D
③ B, C ④ C, D

25 표는 별 A~D의 겉보기 등급과 절대 등급을 나타낸 것이다. 지구에서 맨눈으로 보았을 때 가장 밝게 보이는 별은?

별	A	B	C	D
겉보기 등급	-2.0	-1.0	1.0	2.0
절대 등급	1.0	2.0	-2.0	-1.0

① A ② B
③ C ④ D

중학교 졸업학력 검정고시

제1회 … 과 학

01 다음 설명에 해당하는 힘은?

- 액체나 기체 속에서 물체를 밀어 올리는 힘이다.
- 힘의 크기는 액체나 기체 잠긴 물체의 부피가 클수록 크다.

① 부력   ② 중력
③ 마찰력   ④ 탄성력

02 그림은 레이저 빛이 평면거울에 입사하여 반사되는 모습을 나타낸 것이다. 반사각의 크기가 60°일 때, 입사각의 크기는?

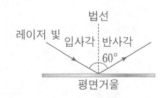

① 40°   ② 50°
③ 60°   ④ 70°

03 그림과 같이 (+)대전체를 알루미늄 막대에 가까이 하였을 때, 알루미늄 막대의 양 끝 ㉠과 ㉡에 유도되는 전하의 종류가 옳게 짝지어진 것은?

    ㉠ ㉡   ㉠ ㉡
① (+) (+)   ② (+) (−)
③ (−) (−)   ④ (−) (+)

04 그림은 전류가 흐르는 도선 위에 놓인 나침반의 모습을 나타낸 것이다. 전류가 흐르는 방향을 반대로 하였을 때 나침반의 모습은? (단, 전류에 의한 자기장만 고려한다.)

①   ②
③   ④

05 그래프는 일정한 속력으로 운동하는 물체의 시간에 따른 이동 거리를 나타낸 것이다. 이 물체의 속력은?

① 2 m/s   ② 4 m/s
③ 6 m/s   ④ 8 m/s

06 그림은 질량이 같은 물체 A~D의 위치를 나타낸 것이다. A~D 중 중력에 의한 위치 에너지가 가장 큰 것은? (단, 물체의 중력에 의한 위치 에너지는 지면을 기준으로 한다.)

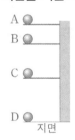

① A   ② B
③ C   ④ D

07 다음 ㉠에 해당하는 현상은?

> 향수병 마개를 연 채로 놓아두면 향수 입자는 사방으로 퍼진다. 이처럼 물질을 이루는 입자가 스스로 운동하여 퍼져 나가는 현상을 ☐ ㉠ ☐ (이)라고 한다.

① 융해   ② 응결
③ 응고   ④ 확산

08 그림은 물질의 상태 변화를 나타낸 것이다. A~D 중 기화에 해당하는 것은?

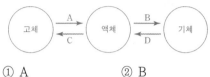

① A   ② B
③ C   ④ D

09 그림은 암모니아(NH_3)의 분자 모형을 나타낸 것이다. 암모니아 분자 1개를 구성하는 수소 원자(H)의 개수는?

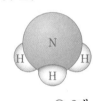

① 1개   ② 2개
③ 3개   ④ 4개

10 그림은 서로 섞이지 않는 액체 A~D를 컵에 넣고 일정 시간이 지난 뒤의 모습을 나타낸 것이다. A~D 중 밀도가 가장 큰 것은?

① A   ② B
③ C   ④ D

11 다음은 과산화 수소를 분해하여 물과 산소가 생성되는 반응의 화학 반응식이다. ㉠에 해당하는 것은?

$$2H_2O_2 \rightarrow 2 \boxed{\quad ㉠ \quad} + O_2$$

① N_2
② H_2O
③ CO_2
④ NH_2

12 그래프는 마그네슘을 연소시켜 산화 마그네슘이 생성될 때 마그네슘과 산화 마그네슘의 질량 관계를 나타낸 것이다. 마그네슘 3g을 모두 연소시켰을 때 생성된 산화 마그네슘의 질량은?

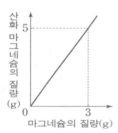

① 2g
② 3g
③ 4g
④ 5g

13 다음은 무궁화에 대한 설명이다. 이 생물이 속하는 계는?

• 광합성을 하여 스스로 양분을 만든다.
• 뿌리, 줄기, 잎, 꽃이 발달한 다세포 생물이다.

① 균계
② 동물계
③ 식물계
④ 원생생물계

14 다음은 생물의 호흡 과정이다. ㉠에 해당하는 것은?

포도당 + 산소 → $\boxed{\quad ㉠ \quad}$ + 물 + 에너지

① 산소
② 질소
③ 헬륨
④ 이산화 탄소

15 사람의 소화계에 속하지 <u>않는</u> 기관은?

① 간
② 위
③ 폐
④ 소장

16 다음 ㉠에 해당하는 것은?

사람 심장의 심방과 심실 사이, 심실과 동맥 사이에는 혈액이 거꾸로 흐르지 않고 한 방향으로만 흐르게 하는 $\boxed{\quad ㉠ \quad}$ 이/가 존재한다.

① 융털
② 판막
③ 폐포
④ 혈구

17 다음 설명에 해당하는 것은?

• 내분비샘에서 만들어져 혈액을 따라 이동한다.
• 혈당량을 조절하는 인슐린, 글루카곤이 그 예이다.

① 물
② 호르몬
③ 무기 염류
④ 바이타민

18 그림은 어떤 동물 세포 1개의 생식세포 형성 과정을 나타낸 것이다. 이와 같은 과정으로 만들어지는 것은?

① 정자
② 간 세포
③ 심장 세포
④ 이자 세포

19 그림은 어느 집안의 ABO식 혈액형 가계도를 유전자형으로 나타낸 것이다. ㉠에 해당하는 유전자형은? (단, 돌연변이는 없다.)

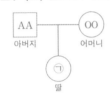

① AO
② BO
③ BB
④ AB

20 지진이 발생할 때 생긴 진동을 분석하여 지구 내부 구조를 연구하는 방법은?

① 화석 연구
② 오존층 연구
③ 지진파 연구
④ 태양풍 연구

21 다음 설명에 해당하는 암석의 종류는?

• 열과 압력을 받아 성질이 변한 암석이다.
• 알갱이들이 재배열되어 줄무늬가 나타나기도 한다.

① 변성암
② 심성암
③ 퇴적암
④ 화산암

22 다음은 월식에 대한 설명이다. 월식이 일어날 수 있는 달의 위치는?

월식은 달이 지구 주위를 공전하는 동안 지구의 그림자 속으로 들어가 어둡게 보이는 현상이다.

23 그림과 같이 태양계 행성을 물리적 특성에 따라 분류할 때 지구형 행성에 해당하지 않는 행성은?

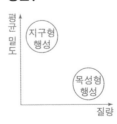

① 금성
② 수성
③ 목성
④ 화성

24 다음 설명에 해당하는 전선은?

- 따뜻한 기단이 찬 기단 위로 타고 올라갈 때 만들어진다.
- 전선 통과 후 기온이 상승한다.

① 온난 전선　　② 정체 전선
③ 폐색 전선　　④ 한랭 전선

25 그림은 지구에서 6개월 간격으로 별을 관측한 연주 시차를 나타낸 것이다. 연주 시차가 발생하는 원인은?

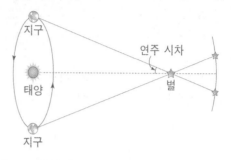

① 별의 공전
② 지구의 공전
③ 지구의 자전
④ 태양의 자전

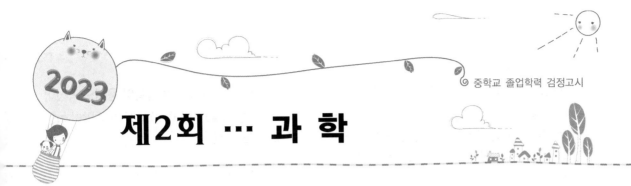

제2회 ··· 과 학

01 그림과 같이 지구 위의 어느 위치에서 공을 놓더라도 공은 지구 중심 방향으로 떨어진다. 이 현상을 나타나게 하는 힘은?

① 부력
② 중력
③ 마찰력
④ 탄성력

02 그림과 같이 흰색 종이 위에 빨간색, 초록색, 파란색 빛을 비추었을 때 합성되어 보이는 색 ㉠은?

① 흰색
② 남색
③ 보라색
④ 주황색

03 그림은 니크롬선에 걸어 준 전압에 따른 전류의 세기를 나타낸 것이다. 이 니트롬선의 저항은?

① 1Ω
② 2Ω
③ 3Ω
④ 5Ω

04 표는 여러 가지 물질의 비열을 나타낸 것이다. 각 물질 1kg에 같은 열량을 가했을 때 온도 변화가 가장 큰 물질은?

물질	철	콩기름	에탄올	물
비열(kcal/kg · ℃)	0.11	0.47	0.57	1.00

① 철
② 콩기름
③ 에탄올
④ 물

05 그림은 레일을 따라 운동하는 쇠구슬의 모습을 나타낸 것이다. 레일 위의 지점 A~D 중 쇠구슬의 운동 에너지가 가장 큰 곳은? (단, 공기 저항과 마찰은 무시한다.)

① A
② B
③ C
④ D

06 표는 물체가 일정한 속력으로 움직이는 동안 시간에 따른 출발점으로부터 이동 거리를 나타낸 것이다. 이 물체의 속력은?

시간(s)	0	1	2	3	4
이동 거리(m)	0	1	2	3	4

① 1 m/s
② 5 m/s
③ 10 m/s
④ 20 m/s

07 그림과 같이 용기에 들어 있는 기체의 온도를 25℃에서 90℃로 높였을 때 기체의 부피 변화와 기체 입자의 운동 변화로 옳은 것은? (단, 외부 압력은 일정하고 기체의 출입은 없다.)

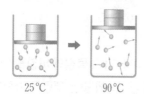

25℃   90℃

	부피	입자 운동
①	감소	빨라진다
②	감소	느려진다
③	증가	빨라진다
④	증가	느려진다

08 표는 1 기압에서 물을 가열하면서 온도를 5분 간격으로 측정하여 기록한 것이다. 물의 끓는 점은?

시간(분)	0	5	10	15	20	25	30
온도(℃)	25	51	78	95	100	100	100

① 25℃   ② 51℃
③ 78℃   ④ 100℃

09 다음 설명에 해당하는 원소는?

- 불꽃 반응 색은 노란색이다.
- 염화 나트륨과 질산 나트륨에 공통으로 포함된 원소이다.

① 구리   ② 칼륨
③ 나트륨   ④ 스트론튬

10 그림은 여러 가지 고체 물질의 용해도 곡선이다. 다음 중 40℃의 물 100g에 가장 많이 녹을 수 있는 물질은?

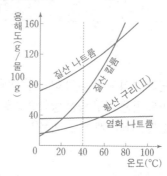

① 질산 나트륨   ② 질산 칼륨
③ 황산 구리(Ⅱ)   ④ 염화 나트륨

11 그림과 같이 구리 8g이 모두 산소와 반응하여 산화 구리(Ⅱ) 10g이 생성되었다. 이때 반응한 산소의 질량 ㉠은?

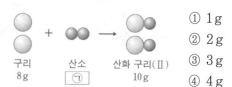

구리   산소   산화 구리(Ⅱ)
8g   ㉠   10g

① 1 g
② 2 g
③ 3 g
④ 4 g

12 다음 중 동물계에 속하는 생물이 아닌 것은?

① 나비   ② 참새
③ 개구리   ④ 해바라기

13 그림은 질소(N_2) 기체와 수소(H_2) 기체가 반응하여 암모니아(NH_3) 기체를 생성하는 반응의 부피 모형과 화학 반응식을 나타낸 것이다. ㉠에 알맞은 숫자는? (단, 온도와 압력은 일정하다.)

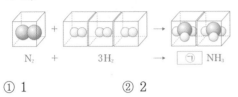

① 1 　　　　　 ② 2
③ 5 　　　　　 ④ 10

14 그림은 식물의 잎에서 일어나는 광합성 과정을 나타낸 것이다. 광합성 결과 생성된 물질 ㉠은?

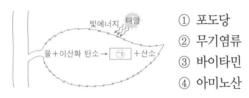

① 포도당
② 무기염류
③ 바이타민
④ 아미노산

15 그림은 동물의 구성 단계를 나타낸 것이다. 이 중 연관된 기능을 하는 기관들이 모여 특정한 역할을 하는 단계는?

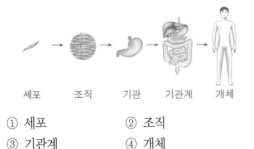

① 세포 　　　　　 ② 조직
③ 기관계 　　　　 ④ 개체

16 그림은 녹말이 포도당으로 분해되는 과정을 나타낸 것이다. 이와 같이 음식물 속의 크기가 큰 영양소가 세포 안으로 흡수될 수 있도록 크기가 작은 영양소로 분해되는 과정은?

① 배설 　　　　　 ② 순환
③ 소화 　　　　　 ④ 호흡

17 다음 설명에 해당하는 혈관은?

> • 온몸에 그물처럼 퍼져 있는 매우 가느다란 혈관이다.
> • 혈관 벽이 한 겹의 세포층으로 되어 있어 물질 교환이 잘 일어난다.

① 대동맥 　　　　 ② 대정맥
③ 폐동맥 　　　　 ④ 모세 혈관

18 그림은 사람 눈의 구조를 나타낸 것이다. A~D 중 시각 세포가 있으며 상이 맺히는 곳은?

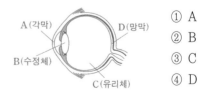

① A
② B
③ C
④ D

19 그림과 같이 순종인 둥근 완두(RR)와 순종인 주름진 완두(㉠)를 교배하여 자손 1대를 얻었다. 이때 유전자형 ㉠은? (단, 돌연변이는 없다.)

① RR
② Rr
③ rr
④ r

20 다음 중 지구를 둘러싸고 있는 대기이며 여러 가지 기체로 이루어져 있는 지구계의 구성 요소는?

① 기권
② 수권
③ 지권
④ 생물권

21 다음 설명에 해당하는 광물의 특성은?

• 광물의 단단한 정도이다.
• 석영과 방해석을 서로 긁으면 방해석에 긁힌 자국이 남는다.

① 색
② 굳기
③ 자성
④ 염산 반응

22 다음 설명에 해당하는 태양계의 행성은?

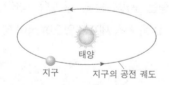

① 일식
② 월식
③ 지구의 공전
④ 지구의 자전

23 다음 중 밀물과 썰물에 의해 해수면의 높이가 주기적으로 높아졌다 낮아졌다 하는 현상은?

① 장마
② 조석
③ 지진
④ 태풍

24 다음 중 우리나라에 영향을 주는 기단의 성질을 나타낸 것이다. 기단 A~D 중 춥고 건조한 겨울 날씨에 주로 영향을 주는 것은?

기단	A	B	C	D
성질	온난 건조	저온 다습	고온 다습	한랭 건조

① A
② B
③ C
④ D

25 그림은 지구에서 관측한 별의 연주 시차를 나타낸 것이다. 별 A~D 중 지구에서 가장 가까운 것은? (단, 초(″)는 연주 시차의 단위이다.)

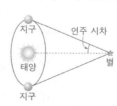

별	연주 시차
A	0.13 ″
B	0.19 ″
C	0.38 ″
D	0.77 ″

① A
② B
③ C
④ D

제1회 ··· 과 학

01 그림의 용수철은 무게 1N의 추를 매달 때마다 1cm씩 늘어난다. 이 용수철에 추 A를 매달았더니 3cm 늘어났다. 추 A의 무게는?

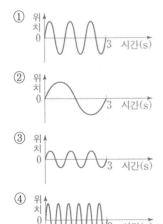

① 1N
② 2N
③ 3N
④ 4N

02 다음 중 가장 진동수가 큰 파동은?

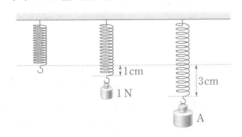

03 그림은 온도가 다른 두 물체 A와 B를 접촉시켜 놓았을 때 시간에 따른 온도 변화를 나타낸 것이다. 이에 대한 설명으로 옳은 것은? (단, 외부와의 열 출입은 없다.)

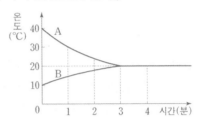

① 열평형 온도는 20℃이다.
② 1분일 때 열은 B에서 A로 이동한다.
③ 2분일 때 A의 온도는 B의 온도보다 낮다.
④ 열평형에 도달할 때까지 걸린 시간은 2분이다.

04 표는 가전제품의 소비 전력을 나타낸 것이다. 두 가전제품을 동시에 1시간 동안 사용했을 때 소비된 총 전기 에너지의 양은?

가전제품	소비 전력
선풍기	50W
텔레비전	100W

① 70Wh
② 150Wh
③ 300Wh
④ 600Wh

05 그림과 같이 A지점에서 자유 낙하시킨 공이 B 지점을 지날 때 감소한 위치 에너지가 10J이었다면 증가한 운동 에너지의 크기는? (단, 공기 저항은 무시한다.)

① 1J
② 5J
③ 10J
④ 20J

06 그림은 밀폐된 주사기의 피스톤을 눌러 변화된 모습을 나타낸 것이다. 주사기 속 공기의 변화에 대한 설명으로 옳은 것은?

① 질량이 증가한다.
② 부피가 줄어든다.
③ 입자 수가 증가한다.
④ 입자들 사이의 거리가 멀어진다.

07 다음 설명에 해당하는 물질의 상태 변화는?

> • 차가운 음료가 담긴 컵의 표면에 물방울이 맺힌다.
> • 추운 겨울날 실내에 들어가면 안경이 뿌옇게 흐려진다.

① 기화
② 응고
③ 액화
④ 융해

08 그림은 리튬 원자(Li)가 리튬 이온(Li⁺)이 되는 과정을 모형으로 나타낸 것이다. 리튬 원자가 잃은 전자의 개수는?

① 1개
② 2개
③ 3개
④ 4개

09 그림은 1기압에서 고체 팔미트산의 가열 시간에 따른 온도 변화를 나타낸 것이다. A~D 중 팔미트산의 녹는 점에 해당하는 온도는?

① A
② B
③ C
④ D

10 그림은 여러 물질을 컵에 넣었을 때의 모습을 나타낸 것이다. 물질이 뜨거나 가라앉는 까닭을 설명할 수 있는 물질의 특성은?

① 밀도
② 녹는점
③ 어는점
④ 끓는점

11 그림은 수증기(H_2O)를 생성하는 반응의 부피 모형과 화학 반응식을 나타낸 것이다. 수소(H_2) 기체 2L가 모두 반응할 때 생성되는 수증기(H_2O)의 부피는? (단, 온도와 압력은 일정하다.)

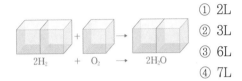

$2H_2$ + O_2 → $2H_2O$

① 2L
② 3L
③ 6L
④ 7L

12 그림은 생물을 5가지의 계로 분류한 것이다. 다음 중 식물계에 속하는 생물은?

균계
식물계
동물계
원생생물계
원핵생물계

① 대장균
② 소나무
③ 아메바
④ 호랑이

13 그림은 검정말을 이용한 식물의 광합성 실험 장치를 나타낸 것이다. 광합성을 통해 검정말이 생성한 기체는?

빛
검정말

① 산소
② 수소
③ 염소
④ 이산화 탄소

14 다음 중 몸속에 침입한 세균을 잡아먹는 혈액의 성분은?

① 혈장
② 백혈구
③ 적혈구
④ 혈소판

15 그림은 사람의 소화 기관을 나타낸 것이다. A~D 중 이자액을 만들어 십이지장으로 분비하는 기관은?

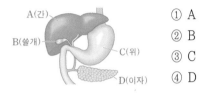

A(간)
B(쓸개)
C(위)
D(이자)

① A
② B
③ C
④ D

16 다음 중 사람의 배설계에 속하지 않는 기관은?

① 방광
② 심장
③ 콩팥
④ 오줌관

17 그림과 같이 순종의 황색 완두와 순종의 녹색 완두를 교배하였다. 이때 자손 1대에서 얻은 100개의 완두 중 황색 완두의 개수는? (단, 돌연변이는 없다.)

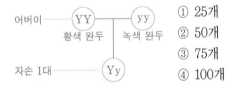

어버이 —— YY   yy
황색 완두   녹색 완두

자손 1대 —— Yy

① 25개
② 50개
③ 75개
④ 100개

18 단세포 생물인 짚신벌레 1마리가 한 번의 체세포 분열을 마쳤다. 이때 짚신벌레의 개체 수는?

① 2마리
② 4마리
③ 6마리
④ 8마리

19 그림은 등속 운동을 하는 물체의 시간에 따른 속력을 나타낸 것이다. 이 물체가 0~4초 동안 이동한 거리는?

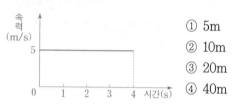

① 5m
② 10m
③ 20m
④ 40m

20 그림과 같이 광물에 묽은 염산을 떨어뜨려 거품이 발생하는 것으로 알 수 있는 광물의 특성은?

묽은 염산

① 광택
② 굳기
③ 자성
④ 염산 반응

21 그림은 달의 공전을 나타낸 것이다. A 위치에서 관측할 때 (가)~(라) 중 보름달의 위치는?

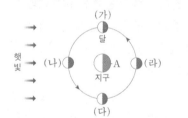

① (가)
② (나)
③ (다)
④ (라)

22 다음 설명에 해당하는 태양계의 행성은?

• 목성형 행성이다.
• 대적점이 있다.
• 태양계 행성 중 반지름이 가장 크다.

① 수성
② 금성
③ 목성
④ 토성

23 그림은 해수의 층상 구조를 나타낸 것이다. A~D의 해수에 대한 설명으로 옳은 것은?

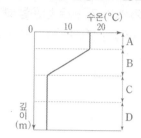

① A는 바람에 의해 혼합된다.
② B는 위아래로 잘 섞인다.
③ C의 수온이 가장 높다.
④ D에 도달하는 태양 에너지가 가장 많다.

24 그림의 A~D는 우리나라 주변의 기단을 나타낸 것이다. 다음 중 우리나라의 한여름 날씨에 주로 영향을 주는 고온다습한 기단은?

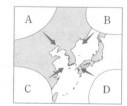

① A
② B
③ C
④ D

25 표는 별 A~D의 겉보기 등급과 절대 등급을 나타낸 것이다. 지구로부터의 거리가 10pc에 있는 별은?

구분	겉보기 등급	절대 등급
A	1.0	−1.0
B	1.0	−2.0
C	1.0	1.0
D	1.0	2.0

① A
② B
③ C
④ D

제2회 ··· 과 학

01 다음에서 설명하는 힘은?

- 지구가 물체를 당기는 힘이다.
- 힘의 방향은 지구 중심을 향한다.
- 힘의 크기는 물체의 질량에 비례한다.

① 부력　　　　　② 중력
③ 마찰력　　　　④ 탄성력

02 암실에서 흰 종이 위에 놓인 빨간색 공에 파란색 빛을 비추었을 때 관찰되는 공의 색은?

① 검은색　　　　② 노란색
③ 빨간색　　　　④ 파란색

03 그림은 전류가 흐르는 원형 코일 옆에 놓인 나침반을 나타낸 것이다. 전류가 흐르는 방향이 반대일 때, 나침반의 모습은? (단, 전류에 의한 자기장만 고려한다.)

①

②
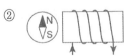

③
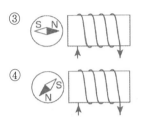

④

04 다음 설명의 ㉠에 해당하는 것은?

(㉠)은/는 열이 물질을 거치지 않고 직접 이동하는 현상이다.

① 단열　　　　　② 대류
③ 복사　　　　　④ 전도

05 표는 물체 A~D의 질량과 A~D를 들어 올린 높이를 나타낸 것이다. A~D 중 위치 에너지가 가장 많이 증가한 것은?

물체	질량(kg)	들어 올린 높이(m)
A	1	1
B	1	2
C	2	1
D	2	2

① A　　　　　② B
③ C　　　　　④ D

06 그림은 P 지점에서 가만히 놓은 쇠구슬이 운동하는 모습을 나타낸 것이다. 지점 A, B, C에서 쇠구슬의 역학적 에너지 크기를 비교한 것으로 옳은 것은? (단, 공기 저항과 마찰은 무시한다.)

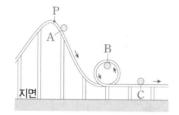

① A = B = C
② A > B > C
③ B > C > A
④ C > B > A

07 나트륨의 원소 기호는?

① na
② nA
③ Na
④ NA

08 그림은 어떤 물질의 상태 변화를 나타낸 것이다. 이에 대한 설명으로 옳은 것은?

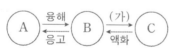

① A는 기체이다.
② B는 고체이다.
③ C는 액체이다.
④ (가)는 기화이다.

09 다음 중 순물질을 모두 고른 것은?

구리, 설탕, 우유, 소금물

① 구리, 설탕
② 설탕, 우유
③ 구리, 소금물
④ 우유, 소금물

10 그림은 일정량의 기체의 압력에 따른 부피 변화를 나타낸 것이다. 2기압일 때 기체의 부피(mL)는? (단, 온도는 일정하다.)

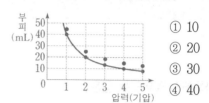

① 10
② 20
③ 30
④ 40

11 다음은 암모니아(NH_3) 기체가 생성되는 반응의 화학 반응식을 나타낸 것이다. 질소(N_2) 기체 1L와 수소(H_2) 기체 3L가 모두 반응할 때 생성되는 암모니아(NH_3) 기체의 부피(L)는? (단, 온도와 압력은 일정하다.)

$N_2 + 3H_2 \rightarrow 2NH_3$

① 1
② 2
③ 3
④ 4

12 다음 중 화학 변화에 해당하는 것은?

① 김치가 시어진다.
② 두부를 작게 자른다.
③ 아이스크림이 녹는다.
④ 물을 가열하면 수증기가 된다.

13 다음 중 생물 다양성의 감소 원인이 <u>아닌</u> 것은?

① 환경 오염
② 서식지 파괴
③ 무분별한 남획
④ 멸종 위기종 보호

14 다음 중 원생생물계에 속하는 생물이 <u>아닌</u> 것은?

① 김   ② 소나무

③ 아메바   ④ 짚신벌레

15 그림과 같이 순종의 황색 완두(YY)와 순종의 녹색 완두(yy)를 교배하여 얻은 잡종 1대를 자가 수분시켜 잡종 2대를 얻었을 때, 잡종 2대에서 황색 완두와 녹색 완두의 표현형의 비는?

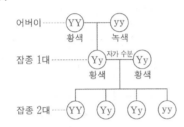

	황색 완두	:	녹색 완두
①	1	:	1
②	2	:	1
③	3	:	1
④	4	:	1

16 그림은 식물의 호흡 결과 생성된 기체를 확인하기 위한 실험 장치를 나타낸 것이다. 이 장치를 어두운 곳에 오래 두었더니 시험관 A의 석회수만 뿌옇게 흐려졌다. 석회수를 뿌옇게 만든 기체는?

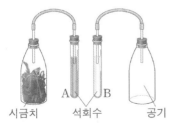

① 산소   ② 수소

③ 질소   ④ 이산화 탄소

17 그림은 사람의 소화 기관을 나타낸 것이다. A~D 중 쓸개즙을 생성하고, 요소를 합성하는 기관은?

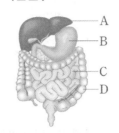

① A

② B

③ C

④ D

18 그림은 생식세포 분열 과정의 일부를 나타낸 것이다. 감수 1분열 전기 단계인 세포의 염색체 수가 4개일 때, 딸세포 A의 염색체 수는? (단, 돌연변이는 없다.)

① 1개

② 2개

③ 4개

④ 8개

19 광합성에 영향을 주는 환경 요인으로 옳은 것만을 〈보기〉에서 모두 고른 것은?

〈보기〉

ㄱ. 온도   ㄴ. 빛의 세기

ㄷ. 이산화 탄소의 농도

① ㄱ, ㄴ   ② ㄱ, ㄷ

③ ㄴ, ㄷ   ④ ㄱ, ㄴ, ㄷ

20 다음 중 어두운색을 띠는 광물을 많이 포함하고 있는 화산암은?

① 대리암   ② 석회암
③ 현무암   ④ 화강암

21 다음 설명에 해당하는 태양계의 행성은?

> • 주로 수소와 헬륨으로 이루어져 있다.
> • 태양계의 행성 중 부피와 질량이 가장 크다.

① 수성   ② 지구
③ 화성   ④ 목성

22 그림은 태양의 표면을 나타낸 것이다. 주변보다 온도가 낮아 어둡게 보이는 A의 명칭은?

① 채층
② 흑점
③ 코로나
④ 플레어

23 다음 중 성층권의 특징으로 옳은 것은?

① 오존층이 존재한다.
② 공기의 대류가 활발하게 일어난다.
③ 높이 올라갈수록 기온이 낮아진다.
④ 비가 내리는 기상 현상이 나타난다.

24 표는 별 A∼D의 겉보기 등급과 절대 등급을 나타낸 것이다. A∼D 중 지구에서 가장 가까운 별은?

별 \ 등급	겉보기 등급	절대 등급
A	−1.5	1.4
B	0.5	−5.1
C	1.3	−8.7
D	2.1	−3.7

① A   ② B
③ C   ④ D

25 그림은 기온에 따른 포화 수증기량을 나타낸 것이다. 기온 A∼D 중 포화 수증기량이 가장 적은 것은?

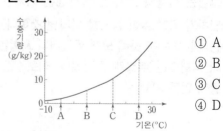

① A
② B
③ C
④ D

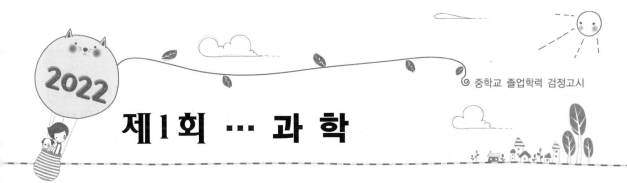

중학교 졸업학력 검정고시

제1회 … 과 학

01 그림과 같이 용수철에 물체를 매달아 화살표 방향으로 잡아 당겼다. 용수철이 원래 길이보다 늘어났을 때 물체에 작용하는 탄성력의 방향은?

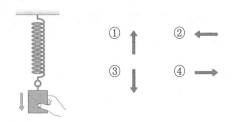

02 그림과 같이 레이저 빛이 입사각 70°로 평면거울에 입사할 때 반사각의 크기는?

① 40°
② 50°
③ 60°
④ 70°

03 그래프는 온도가 다른 두 물체 A와 B를 접촉시켜 놓았을 때 시간에 따른 온도 변화를 나타낸 것이다. 열평형에 도달할 때까지 걸리는 시간은?

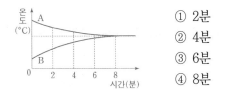

① 2분
② 4분
③ 6분
④ 8분

04 소비 전력이 20W인 전구를 4시간 동안 사용할 때 전구가 소비하는 전기 에너지의 양은?

① 70Wh
② 80Wh
③ 90Wh
④ 100Wh

05 그림은 전기 회로에 연결된 전류계의 모습을 나타낸 것이다. 전류의 세기는? (단, (−)단자가 5A에 연결되어 있다.)

① 1A
② 2A
③ 3A
④ 4A

06 그림은 사람이 물체에 5N의 힘을 가해 힘의 방향으로 4m 이동시킨 것을 나타낸 것이다. 이 사람이 물체에 한 일의 양은?

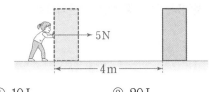

① 10J
② 20J
③ 30J
④ 40J

07 그림은 고무풍선을 씌운 삼각 플라스크를 가열할 때 풍선의 부피가 커지는 모습을 나타낸 것이다. 다음 중 풍선의 부피 변화에 영향을 준 것은? (단, 압력은 일정하다.)

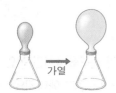

가열

① 냄새
② 색깔
③ 소리
④ 온도

08 그림은 물질의 상태 변화를 나타낸 것이다. A~D 중 얼음이 녹아 물이 되는 과정은?

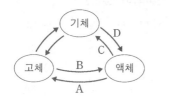

① A
② B
③ C
④ D

09 그림은 수소 원자가 전자를 잃는 과정을 나타낸 것이다. 다음 중 수소 이온식으로 옳은 것은?

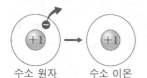

수소 원자   수소 이온

① H^-
② H
③ H^+
④ H^{2+}

10 그림은 과산화 수소(H_2O_2)의 분자 모형을 나타낸 것이다. 수소와 산소의 원자 수의 비는?

과산화 수소

	수소	:	산소
①	1	:	1
②	1	:	2
③	1	:	3
④	1	:	4

11 그림은 원유를 가열하여 증류탑에서 분리하는 과정을 나타낸 것이다. 다음 중 원유를 증류할 때 이용한 물질의 특성은?

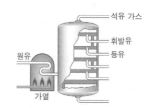

① 밀도
② 끓는점
③ 어는점
④ 용해도

12 다음은 구리와 산소가 반응하여 산화 구리(Ⅱ)를 생성하는 화학 반응식이다. ㉠에 해당하는 것은?

$$2Cu + \boxed{\quad ㉠ \quad} \rightarrow 2CuO$$

① H_2
② N_2
③ O_2
④ Cl_2

13 다음 중 식물계에 속하는 생물이 아닌 것은?

① 민들레
② 소나무
③ 옥수수
④ 푸른곰팡이

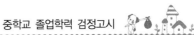

14 다음은 빛에너지를 이용한 광합성 과정이다. ㉠에 해당하는 것은?

$$이산화\ 탄소 + \boxed{㉠} \xrightarrow{빛에너지} 포도당 + 산소$$

① 물　　　　　② 녹말
③ 지방　　　　④ 단백질

15 다음 설명에 해당하는 것은?

- 두 개의 세포가 둘러싸서 식물 잎의 기공을 만든다.
- 기공을 열거나 닫아서 증산 작용을 조절한다.

① 물관　　　　② 열매
③ 뿌리털　　　④ 공변세포

16 다음 설명에 해당하는 사람의 기관계는?

- 음식물의 소화와 흡수에 관여한다.
- 입, 식도, 위, 소장 등으로 구성되어 있다.

① 배설계　　　② 소화계
③ 순환계　　　④ 호흡계

17 그림은 귀의 구조를 나타낸 것이다. A~D 중 다음 설명에 해당하는 것은?

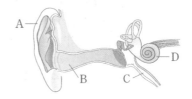

- 청각 세포가 분포하여 소리 자극을 받아들인다.
- 달팽이 모양의 구조이다.

① A　　　　　② B
③ C　　　　　④ D

18 그림과 같이 염색체가 세포의 중앙에 나란히 배열되는 체세포 분열 단계는?

① 간기
② 전기
③ 중기
④ 말기

19 순종의 보라색 꽃 완두(AA)와 흰색 꽃 완두(aa)를 교배하여 얻은 잡종 1대의 유전자형은? (단, 돌연변이는 없다.)

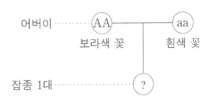

① AA　　　　② Aa
③ aa　　　　④ a

20 다음 설명에 해당하는 광물의 특성은?

노란색인 황동석을 조흔판에 긁었을 때 나타나는 광물 가루의 색은 녹흑색이다.

① 밀도
② 자성
③ 조흔색
④ 염산 반응

21 그림은 판게아가 여러 대륙으로 분리되는 과정을 순서없이 나타낸 것이다. A~C를 시간 순서대로 나열한 것은?

A 　　B 　　C

① A – C – B
② B – A – C
③ C – A – B
④ C – B – A

22 그림은 일식을 관측한 모습이다. 다음 중 태양을 가려 일식현상을 일으키는 천체는?

개기 일식 　　부분 일식

① 달
② 목성
③ 토성
④ 화성

23 염분이 35psu인 해수 2kg에 녹아 있는 염류의 총량은?

① 50g
② 60g
③ 70g
④ 80g

24 다음 설명에 해당하는 우리나라의 계절은?

시베리아 기단

• 주로 시베리아 기단의 영향을 받아 춥고 건조한 날씨가 나타난다.
• 북서 계절풍이 많이 분다.

① 봄
② 여름
③ 가을
④ 겨울

25 다음 설명에 해당하는 우리은하의 구성 천체는?

• 성간 물질이 밀집되어 구름처럼 보인다.
• 주변의 밝은 별에서 오는 별빛을 반사하여 우리 눈에 보인다.

① 암흑 성운
② 반사 성운
③ 산개 성단
④ 구상 성단

제2회 … 과 학

01 그림은 물 위에 배가 떠 있는 모습이다. 다음 중 물이 배를 밀어 올리는 힘은?

① 부력
② 마찰력
③ 자기력
④ 탄성력

02 다음 중 일정한 속력으로 운동하는 물체의 시간에 따른 속력 그래프로 옳은 것은?

①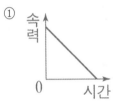
②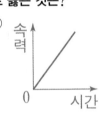
③
④

03 그림은 니크롬선에 걸어 준 전압에 따른 전류의 세기를 나타낸 것이다. 이 니크롬선의 저항은?

① 1Ω
② 3Ω
③ 5Ω
④ 7Ω

04 다음은 A 지점에서 공을 가만히 놓았을 때, A~D에서의 위치 에너지와 운동 에너지를 나타낸 것이다. ㉠의 크기는? (단, 공기 저항은 무시한다.)

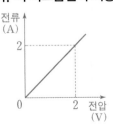

지점	위치 에너지(J)	운동 에너지(J)
A	100	0
B	75	25
C	50	50
D	(㉠)	75

① 0
② 25
③ 75
④ 100

05 그림과 같이 평면거울 면에 입사 광선을 비추었을 때 반사광선의 진행 경로로 옳은 것은?

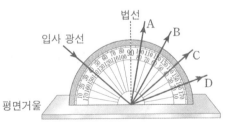

① A
② B
③ C
④ D

06 다음 중 대전된 풍선을 실에 매달았을 때의 모습으로 옳은 것은? (단, 풍선에 대전된 전하량의 크기는 모두 같다.)

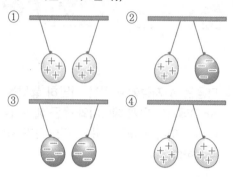

07 그림은 압력에 따른 기체의 부피 변화를 나타낸 것이다. 4기압일 때의 부피 ㉠은? (단, 온도는 일정하고 기체의 출입은 없다.)

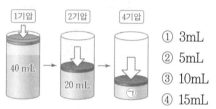

① 3mL
② 5mL
③ 10mL
④ 15mL

08 그림은 액체와 기체 사이의 상태 변화를 나타낸 것이다. A에 해당하는 상태 변화는?

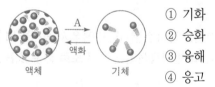

① 기화
② 승화
③ 융해
④ 응고

09 그림은 물(H_2O)의 분자 모형이다. 물 분자 1개를 구성하는 수소 원자의 개수는?

① 1개
② 2개
③ 3개
④ 4개

10 그림은 베릴륨(Be) 원자가 전자 2개를 잃고 이온이 되는 과정을 나타낸 것이다. 베릴륨 이온의 이온식은?

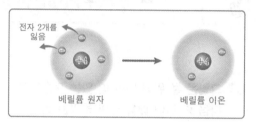

① Be^{3-}
② Be^-
③ Be^+
④ Be^{2+}

11 다음 설명에 해당하는 물질의 특성은?

- 액체가 고체로 될 때 일정하게 유지되는 온도이다.
- 1기압에서 순수한 물은 0℃에서 언다.

① 밀도
② 끓는점
③ 어는점
④ 용해도

12 다음은 구리 4g과 산소 1g이 모두 반응하여 산화 구리(Ⅱ)가 생성된 것을 모형으로 나타낸 것이다. 질량 ㉠은?

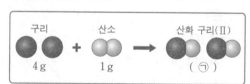

① 2g
② 3g
③ 4g
④ 5g

13 다음 설명에 해당하는 생물 분류의 단위는?

> • 자연 상태에서 짝짓기하여 생식 능력이 있는 자손을 낳을 수 있는 생물 무리를 뜻한다.
> • 생물을 분류하는 기본 단위이다.

① 종   ② 속
③ 과   ④ 목

14 그림은 생물을 5계로 분류한 것이다. 버섯이 속하는 계는?

① 균계
② 동물계
③ 원생생물계
④ 원핵생물계

15 다음 중 식물이 빛에너지를 이용하여 스스로 양분을 만드는 과정은?

① 생식   ② 호흡
③ 광합성   ④ 체세포 분열

16 다음 설명에 해당하는 사람의 기관계는?

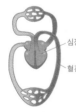

> • 우리 몸에서 영양소와 산소 등의 순환을 담당한다.
> • 심장, 혈관, 혈액이 포함된다.

① 배설계   ② 소화계
③ 순환계   ④ 신경계

17 그림은 서로 다른 뉴런을 연결한 모습이다. 감각 기관에서 받아들인 자극을 연합 뉴런으로 전달하는 A는?

① 뇌   ② 척수
③ 네프론   ④ 감각 뉴런

18 다음 설명에 해당하는 과정은?

> • 정자와 난자가 결합하는 것이다.
> • 이를 통해 수정란이 만들어진다.

① 배설   ② 수정
③ 소화   ④ 유전

19 순종의 키 큰 완두(TT)와 순종의 키 작은 완두(tt)를 교배하여 얻은 잡종 1대의 유전자형은? (단, 돌연변이는 없다.)

① TT   ② Tt
③ tt   ④ t

20 다음 설명에 해당하는 지구 내부 구조 A는?

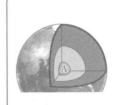

> • 철과 니켈 등의 무거운 물질로 이루어져 있다.
> • 지구의 가장 중심에 위치하며 고체 상태로 추정된다.

① 지각   ② 맨틀
③ 외핵   ④ 내핵

21 그림과 같이 우리나라에서 남동 계절풍의 영향을 받아 덥고 습한 날씨가 나타나는 계절은?

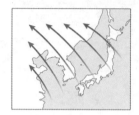

① 봄
② 여름
③ 가을
④ 겨울

22 그림은 지구의 수권에서 물의 부피를 비교한 것이다. 다음 중 가장 많은 양을 차지하는 것은?

① 빙하
② 해수
③ 지하수
④ 하천수와 호수

23 그림과 같이 태양의 표면에 쌀알을 뿌려 놓은 것처럼 보이는 모습의 명칭은?

① 채층
② 홍염
③ 흑점
④ 쌀알 무늬

24 그림은 절대 등급이 같은 별 A~D의 위치를 나타낸 것이다. A~D 중 지구에서 가장 어둡게 보이는 별은? (단, pc은 거리 단위이다.)

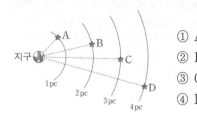

① A
② B
③ C
④ D

25 그림은 지구에서 관측한 별 S의 연주 시차를 나타낸 것이다. 별 A~D 중 연주 시차가 가장 큰 별은?

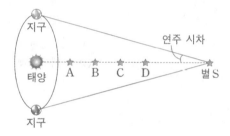

① A
② B
③ C
④ D

중학교 졸업학력 검정고시

제1회 … 과학

01 그림과 같이 수평면에 놓여 있는 나무 도막을 화살표 방향으로 잡아당겼다. 용수철이 원래 길이보다 늘어났을 때 나무 도막에 작용하는 탄성력의 방향은?

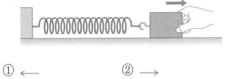

① ←　　　　　　② →
③ ↑　　　　　　④ ↓

02 다음 설명에 해당하는 것은?

- 매질의 한 점이 1초 동안 진동하는 횟수이다.
- 단위로 Hz(헤르츠)를 사용한다.

① 골　　　　　　② 마루
③ 반사　　　　　④ 진동수

03 그림은 저항이 3Ω인 꼬마전구에 3V의 전압을 걸어 준 전기회로를 나타낸 것이다. 이때 전류계에 흐르는 전류의 세기는? (단, 꼬마전구를 제외한 모든 저항은 무시한다.)

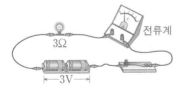

① 1A
② 2A
③ 4A
④ 5A

04 그래프는 온도가 다른 두 물체 A와 B를 접촉시켜 놓았을 때 시간에 따른 온도 변화를 나타낸 것이다. 열평형 상태의 온도는? (단, 외부와의 열 출입은 없다.)

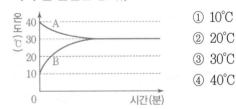

① 10℃
② 20℃
③ 30℃
④ 40℃

05 그림과 같이 무게가 10N인 물체를 지면으로부터 높이 1m까지 들어 올렸을 때 사람이 중력에 대하여 한 일은? (단, 공기의 저항은 무시한다.)

① 5 J
② 10 J
③ 15 J
④ 20 J

06 그림은 A에서 가만히 놓은 물체가 곡면을 따라 운동하는 모습을 나타낸 것이다. A~D 중 속력이 가장 빠른 지점은? (단, 모든 마찰은 무시한다.)

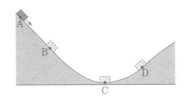

① A
② B
③ C
④ D

07 그림은 25℃의 물에 잉크를 넣었을 때 잉크가 확산되는 모습을 나타낸 것이다. 다음 중 25℃의 물과 비교하여 잉크가 더 빠르게 확산되는 물의 온도는?

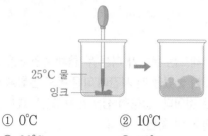

① 0℃　　　　② 10℃
③ 20℃　　　　④ 50℃

08 그림은 여름철 물놀이 후 물 밖으로 나왔을 때 몸에 묻은 물이 기화하여 추위를 느끼는 상황이다. 이때 물이 흡수하는 열에너지는?

① 기화열　　　　② 승화열
③ 액화열　　　　④ 융해열

09 그림은 리튬의 원자 모형을 나타낸 것이다. 리튬 원자의 전자 개수는?

① 1개
② 2개
③ 3개
④ 4개

10 다음 중 원소 이름과 원소 기호를 옳게 짝지은 것은?

① 황 − He　　　　② 칼슘 − Ca
③ 나트륨 − Li　　　　④ 플루오린 − K

11 그림은 어떤 액체 물질의 가열 곡선이다. A~D 중 온도가 일정한 구간은?

① A
② B
③ C
④ D

12 다음은 메테인(CH_4)이 산소와 반응하여 이산화 탄소와 물을 생성하는 화학 반응식이다. ㉠에 해당하는 물질은?

$$CH_4 + 2\boxed{㉠} \rightarrow CO_2 + 2H_2O$$

① O_2(산소)　　　　② H_2(수소)
③ N_2(질소)　　　　④ CO(일산화 탄소)

13 다음은 식물이 빛에너지를 이용하여 이산화 탄소와 물을 원료로 양분을 만드는 광합성 과정이다. ㉠에 해당하는 것은?

$$이산화\ 탄소 + 물 \xrightarrow{빛에너지} \boxed{㉠} + 산소$$

① 메테인　　　　② 포도당
③ 무기염류　　　　④ 바이타민

14 다음 중 식물체 내의 물이 수증기 형태로 잎의 기공을 통해 공기 중으로 빠져 나가는 현상은?

① 생식　　　　　② 유전
③ 변이　　　　　④ 증산 작용

15 다음은 녹말이 침 속의 아밀레이스에 의해 소화되는 과정이다. 단맛이 나는 물질 ㉠은?

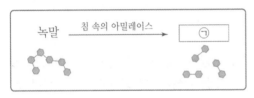

① 엿당　　　　　② 지방
③ 단백질　　　　④ 쓸개즙

16 그림은 모형을 이용하여 호흡 운동 원리를 알아보기 위한 실험 과정이다. 고무 막을 아래로 당길 때 일어나는 변화는?

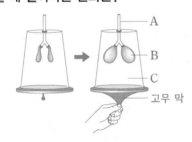

① A를 통해 공기가 나간다.
② B가 부풀어 오른다.
③ C의 부피가 감소한다.
④ C의 압력이 증가한다.

17 다음은 사람이 액체 상태의 화학 물질을 자극으로 받아들여 단맛, 짠맛, 신맛 등을 느끼는 과정을 나타낸 것이다. ㉠에 해당하는 감각 기관은?

① 눈　　　　　② 귀
③ 혀　　　　　④ 피부

18 그림은 사람의 혈액을 구성하는 성분을 나타낸 것이다. A~D 중 가운데가 오목한 원반 모양이며 산소를 운반하는 것은?

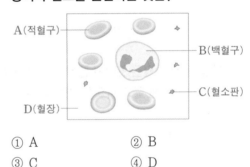

① A　　　　　② B
③ C　　　　　④ D

19 그림은 순종 황색 완두(YY)와 순종 녹색 완두(yy)를 교배하여 잡종 1대에서 황색 완두를 얻은 결과를 나타낸 것이다. ㉠의 유전자형은? (단, 돌연변이는 없다.)

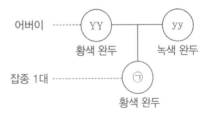

① YY　　　　　② Yy
③ yy　　　　　④ y

20 그림은 암석의 순환 과정을 나타낸 것이다. A~D 중 퇴적암에 해당하는 것은?

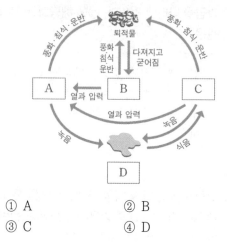

① A
② B
③ C
④ D

21 다음 중 지하 깊은 곳에서 형성된 마그마가 지각의 약한 틈을 뚫고 지표로 분출되는 현상은?

① 빙하
② 성단
③ 화산 활동
④ 석회 동굴

22 그림은 기온에 따른 포화 수증기량 곡선을 나타낸 것이다. A~D 공기 중 포화 수증기량이 가장 큰 것은?

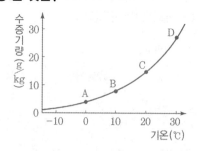

① A
② B
③ C
④ D

23 그림은 해수의 깊이에 따른 수온 분포이다. A~D 중 수심이 깊어질수록 수온이 급격히 낮아지는 구간은?

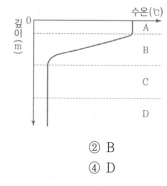

① A
② B
③ C
④ D

24 그림은 태양계 행성을 물리적 특성에 따라 지구형 행성과 목성형 행성으로 분류한 것이다. 다음 중 목성형 행성에 속하는 것은?

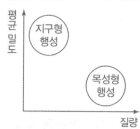

① 수성
② 금성
③ 화성
④ 목성

25 지구에서 바라본 우리은하의 일부로 그림과 같이 밤하늘에 희뿌연 띠 모양으로 관측되는 것은?

① 맨틀
② 흑점
③ 오존층
④ 은하수

도 덕

중학교 졸업학력 검정고시 대비 기출문제

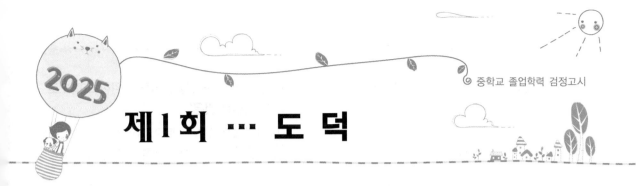

제1회 ··· 도 덕

01 ㉠에 들어갈 용어로 적절한 것은?

> 〈사람의 특성〉
> • (㉠): 사람은 생각하는 능력을 지닌 존재이다.

① 본능적 존재   ② 이성적 존재
③ 이기적 존재   ④ 쾌락적 존재

02 다음 중 도덕적 성찰이 필요한 이유로 적절하지 **않은** 것은?

① 훌륭한 인격을 갖추기 위해서이다.
② 잘못을 줄이고 더욱 성장하기 위해서이다.
③ 충동적인 욕구를 실현할 수 있기 때문이다.
④ 사람은 누구나 불완전한 존재이기 때문이다.

03 다음 중 교사의 질문에 적절한 대답을 한 학생은?

교사 — 도덕적으로 살아야 하는 이유는 무엇일까요?

다른 사람을 비난하기 위해서입니다. — 학생 1
금전적인 이익만을 얻기 위해서입니다. — 학생 2
사람으로서 마땅한 도리를 지키기 위해서입니다. — 학생 3
다른 사람과 경쟁에서 무조건 이기기 위해서입니다. — 학생 4

① 학생1   ② 학생2
③ 학생3   ④ 학생4

04 정신적 가치에 해당하는 것을 〈보기〉에서 고른 것은?

> **보기**
> ㄱ. 사랑   ㄴ. 재물   ㄷ. 주택   ㄹ. 평화

① ㄱ, ㄴ   ② ㄱ, ㄹ
③ ㄴ, ㄷ   ④ ㄷ, ㄹ

05 다음 중 바람직한 이웃 관계를 맺기 위한 방법으로 가장 적절한 것은?

① 이웃을 마주치면 무시하며 지나친다.
② 갈등이 생길 때마다 경찰에 신고한다.
③ 이웃의 사생활에 적극적으로 간섭한다.
④ 이웃에게 관심을 갖고 작은 일에도 배려한다.

06 다음 퀴즈에 대한 정답으로 옳은 것은?

어려움이 닥쳤을 때 좌절하지 않고, 오히려 도약의 발판으로 삼아 더 높이 도전하는 마음의 힘을 무엇이라고 할까요?

① 개성
② 절제
③ 공동체 의식
④ 회복 탄력성

07 (가)에 들어갈 개념으로 옳은 것은?

의미: 인간이 인간답게 살아가기 위해 보장되어야 할 권리
(가)
특징: 보편성, 불가침성, 천부성, 항구성

① 감사　　　　　② 관용
③ 인권　　　　　④ 협동

08 화목한 가정을 이루기 위한 방법으로 옳은 것을 〈보기〉에서 고른 것은?

〈보기〉

ㄱ. 기본 예절 갖추기
ㄴ. 강압적으로 의사 전달하기
ㄷ. 각자의 역할과 책임 다하기
ㄹ. 갈등이 발생하면 소통을 항상 회피하기

① ㄱ, ㄴ　　　　② ㄱ, ㄷ
③ ㄴ, ㄹ　　　　④ ㄷ, ㄹ

09 ㉠에 들어갈 내용으로 적절하지 <u>않은</u> 것은?

진정한 친구는 어떤 모습일까?　　　　㉠

① 어려움을 당할 때 돕는 친구야.
② 기본적인 예의를 지켜 주는 친구야.
③ 다른 사람에게 내 험담을 하는 친구야.
④ 잘못에 대해 진심 어린 충고를 해 주는 친구야.

10 다음 중 양성평등을 실현하기 위한 노력으로 가장 적절한 것은?

① 학교에서 성별에 따라 역할을 차별한다.
② 전통적인 성 역할에 대한 고정 관념을 따른다.
③ 성차별이 나타나는 사회 구조에 비판적 관점을 갖는다.
④ 대중 매체에 등장하는 성차별적 표현을 그대로 사용한다.

11 표에서 평화적인 갈등 해결 방법에만 '✔'표시한 학생은?

갈등 해결 방법 \ 학생	A	B	C	D
• 강압적인 힘과 폭력			✔	✔
• 감정을 앞세워 비난하기		✔	✔	
• 대화를 통한 양보와 타협	✔	✔		
• 상대방의 입장 생각해 보기	✔			✔

① A　　　　　② B
③ C　　　　　④ D

12 다음 사례에서 공통으로 나타나는 도덕 문제는?

○ 뇌물 수수
○ 부정 청탁
○ 공직자의 권력 남용

① 부패 행위　　　② 세대 갈등
③ 종교 갈등　　　④ 환경 파괴

13 ㉠에 들어갈 개념에 대한 설명으로 옳은 것은?

① 하나의 기준으로 문화를 평가한다.
② 자기 문화만 가장 우수하다고 여긴다.
③ 문화가 발생한 역사적 맥락을 이해하고자 한다.
④ 타 문화를 동경하여 자신의 문화를 업신여긴다.

14 다음 중 세계 시민으로서의 자세로 적절하지 않은 것은?

15 사이버 공간에서 발생할 수 있는 도덕 문제에 해당하는 것만을 〈보기〉에서 모두 고른 것은?

〈보기〉
ㄱ. 층간 소음
ㄴ. 개인 정보 유출
ㄷ. 불법 사이트 운영
ㄹ. 악성 프로그램 유포

① ㄱ, ㄴ
② ㄱ, ㄷ
③ ㄱ, ㄴ, ㄹ
④ ㄴ, ㄷ, ㄹ

16 다음 중 도덕적 신념의 조건으로 적절하지 않은 것은?

① 물질적 욕심만을 추구해야 한다.
② 보편적 도덕 원리에 부합해야 한다.
③ 타인에게 좋은 영향을 미쳐야 한다.
④ 신념이 올바른지 끊임없이 점검해야 한다.

17 폭력이 비도덕적인 이유를 올바르게 작성한 모둠이 옳게 짝 지어진 것은?

① 1모둠, 2모둠
② 1모둠, 3모둠
③ 2모둠, 4모둠
④ 3모둠, 4모둠

18 학생의 서술형 평가 답안이다. 밑줄 친 ㉠∼㉣ 중 옳은 것은?

문제: 정의로운 국가가 갖추어야 할 조건을 서술하시오.

〈학생 답안〉
정의로운 국가는 ㉠ 영토 확장을 위해 전쟁을 해야 하고, ㉡ 소수 인종에 대해 차별 대우를 해야 한다. 그리고 ㉢ 개인의 자유를 억압하고 국가의 이익을 가장 앞세워야 하며, ㉣ 사회적 약자를 배려하는 제도를 마련해야 한다.

① ㉠
② ㉡
③ ㉢
④ ㉣

19 다음 중 의미 있는 삶을 위해 필요한 가치가 아닌 것은?

① 교만
② 나눔
③ 도전
④ 배려

20 (가)에 들어갈 검색어로 옳은 것은?

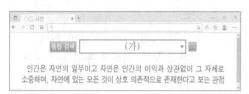

통합 검색 　(가)　

인간은 자연의 일부이고 자연은 인간의 이익과 상관없이 그 자체로 소중하며, 자연에 있는 모든 것이 상호 의존적으로 존재한다고 보는 관점

① 결과 중심주의　② 물질 중심주의
③ 생태 중심주의　④ 인간 중심주의

21 다음에서 설명하는 개념은?

○ 남북의 분단 상태가 지속되는 동안 발생하는 비용
○ 안보 비용, 전쟁 가능성에 대한 공포 등

① 개발 비용　② 분단 비용
③ 통일 비용　④ 통일 편익

22 ㉠에 들어갈 용어로 적절한 것은?

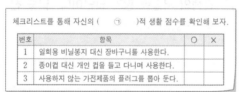

체크리스트를 통해 자신의 (㉠)적 생활 점수를 확인해 보자.

번호	항목	O	X
1	일회용 비닐봉지 대신 장바구니를 사용한다.		
2	종이컵 대신 개인 컵을 들고 다니며 사용한다.		
3	사용하지 않는 가전제품의 플러그를 뽑아 둔다.		

① 예술　② 종교
③ 쾌락　④ 환경 친화

23 다음에서 과학자에게 강조되는 덕목은?

과학 기술은 우리 삶의 모든 영역에 큰 영향을 미친다. 따라서 과학자는 과학 기술이 미치는 사회적 영향력에 주의해야 하며, 과학 기술의 잘못된 활용으로 발생하는 사회적 문제에 경각심을 가져야 한다.

① 독단　② 방관
③ 은폐　④ 책임

24 다음 중 고통에 대처하기 위한 자세로 적절한 것은?

① 주변 사람들을 탓하며 자책한다.
② 자신의 삶을 비관적으로 바라본다.
③ 고통을 극복할 수 있는 용기를 지녀야 한다.
④ 수단과 방법을 가리지 않고 고통을 없애야 한다.

25 ㉠에 들어갈 내용으로 적절하지 <u>않은</u> 것은?

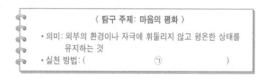

〈 탐구 주제: 마음의 평화 〉
• 의미: 외부의 환경이나 자극에 휘둘리지 않고 평온한 상태를 유지하는 것
• 실천 방법: (㉠)

① 독서　② 명상
③ 산책　④ 폭행

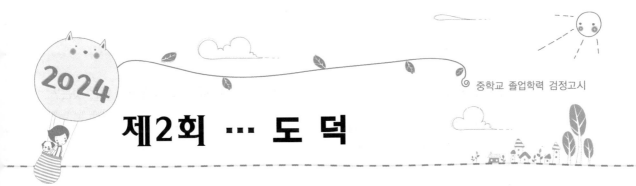

제2회 ··· 도 덕

01 ㉠에 들어갈 용어로 가장 적절한 것은?

> (㉠)은/는 옳고 그름을 판단할 수 있는 기준을 제공하고, 옳은 일을 자발적으로 실천할 수 있도록 돕는다.

① 강요
② 도덕
③ 본능
④ 욕망

02 다음 대화에서 교사가 사용한 도덕 원리 검사 방법은?

선생님, 제가 새치기를 한 것은 바쁜 일이 있었기 때문이에요.

바쁘다고 모든 사람이 새치기를 한다면 어떤 결과가 따르겠니?

학생

교사

① 사실 관계 검사
② 정보 원천 검사
③ 증거 확인 검사
④ 보편화 결과 검사

03 행복한 삶을 위한 좋은 습관을 〈보기〉에서 고른 것은?

> **보기**
> ㄱ. 시간을 낭비한다.
> ㄴ. 독서를 생활화한다.
> ㄷ. 사소한 일에도 금방 화를 낸다.
> ㄹ. 건강을 위해 꾸준히 운동을 한다.

① ㄱ, ㄴ
② ㄱ, ㄷ
③ ㄴ, ㄹ
④ ㄷ, ㄹ

04 다음에서 인권의 특징에만 '✔'를 표시한 학생은?

특징＼학생	A	B	C	D
• 인간이라면 누구나 누려야 하는 권리	✔	✔		✔
• 누구도 절대 침해해서는 안 되는 권리	✔		✔	✔
• 인종, 성별에 따라 차별할 수 있는 권리		✔	✔	✔

① A
② B
③ C
④ D

05 ㉠에 들어갈 대답으로 적절하지 않은 것은?

바람직한 삶의 목적을 설정할 때 고려할 점은 무엇일까?

㉠

① 사회에 도움을 줄 수 있어야 해.
② 그 자체로 의미 있고 옳은 것이어야 해.
③ 돈을 많이 벌 수 있다면 법을 어겨도 돼.
④ 다른 사람에게 고통과 피해를 주지 않아야 해.

06 다음에서 설명하는 폭력의 유형은?

> 수치심을 느끼게 하는 사진, 동영상을 인터넷이나 사회 관계망 서비스(SNS)에 퍼뜨리는 행위

① 절도
② 약물 중독
③ 신체 폭력
④ 사이버 폭력

07 도덕 추론 과정에서 ㉠에 들어갈 용어는?

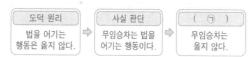

도덕 원리		사실 판단		(㉠)
법을 어기는 행동은 옳지 않다.	⇨	무임승차는 법을 어기는 행동이다.	⇨	무임승차는 옳지 않다.

① 가치 갈등
② 고정 관념
③ 도덕 판단
④ 이해 조정

08 다음 퀴즈에 대한 정답으로 옳은 것은?

> '그'는 고대 그리스의 철학자로서 우리가 궁극적으로 추구하는 것은 행복이라고 하였습니다. 행복은 도덕적 행동을 습관화할 때 얻을 수 있음을 강조한 이 사상가는 누구일까요?

① 순자
② 로크
③ 슈바이처
④ 아리스토텔레스

09 다음에서 설명하는 개념은?

> 친구 사이에서 느끼는 따뜻하고 친밀한 정서적 유대감

① 효
② 우정
③ 경로
④ 자애

10 ㉠에 들어갈 내용으로 적절하지 <u>않은</u> 것은?

> **탐구 주제: 세계 시민**
> • 의미: 지구촌의 문제에 관심을 가지고, 이를 해결하기 위해 적극적으로 노력하는 사람
> • 세계 시민이 갖추어야 할 도덕적 가치: (㉠)

① 인류애
② 연대 의식
③ 차별 의식
④ 평화 의식

11 이웃과의 관계에서 필요한 도덕적 자세를 〈보기〉에서 고른 것은?

> **보기**
> ㄱ. 서로 대화하고 소통한다.
> ㄴ. 서로 양보하는 자세를 갖는다.
> ㄷ. 갈등이 생기면 자신의 이익만을 내세운다.
> ㄹ. 상호 간에 관심을 갖고 사생활을 침해한다.

① ㄱ, ㄴ
② ㄱ, ㄹ
③ ㄴ, ㄷ
④ ㄷ, ㄹ

12 정보 통신 매체 활용을 위한 덕목으로 적절하지 <u>않은</u> 것은?

① 절제
② 존중
③ 책임
④ 해악

13 (가)에 들어갈 인물은?

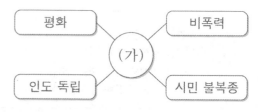

평화 — 비폭력
(가)
인도 독립 — 시민 불복종

① 간디
② 공자
③ 노자
④ 칸트

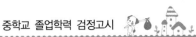

14 다문화 사회에서의 바람직한 태도로 적절한 것은?

① 우리 문화만을 고집한다.
② 인류의 보편적 가치를 추구한다.
③ 다른 문화에 대해 편견을 갖는다.
④ 문화가 다르다는 이유로 차별한다.

15 ㉠에 들어갈 내용으로 적절하지 <u>않은</u> 것은?

① 미움과 원한 표출하기
② 용서와 사랑 실천하기
③ 감정과 욕구 조절하기
④ 몸과 마음 건강하게 하기

16 교사의 질문에 적절한 대답을 한 학생은?

17 평화적 갈등 해결 방법을 〈보기〉에서 고른 것은?

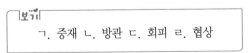

〈보기〉
ㄱ. 중재 ㄴ. 방관 ㄷ. 회피 ㄹ. 협상

① ㄱ, ㄴ
② ㄱ, ㄹ
③ ㄴ, ㄷ
④ ㄷ, ㄹ

18 다음은 서술형 평가 문제와 학생 답안이다. 밑줄 친 ㉠~㉣ 중 적절하지 <u>않은</u> 것은?

문제: 과학 기술의 바람직한 활용 방안을 서술하시오.

〈학생 답안〉
과학 기술을 활용할 때는 ㉠인간 존엄성과 인권 향상에 기여해야 하며, ㉡무분별한 과학 지상주의를 지양해야 한다. 또한 ㉢인간의 복지를 증진하는 방향인지 숙고하며, ㉣미래 세대는 제외하고 현재 세대에 미치는 영향만을 고려해야 한다.

① ㉠
② ㉡
③ ㉢
④ ㉣

19 다음에서 설명하는 용어는?

성품과 행실이 높고 맑아 탐욕이 없는 상태

① 배려
② 청렴
③ 부패
④ 소외

20 통일 한국이 추구해야 할 가치에 해당하지 않는 것은?

① 독재
② 민주
③ 자주
④ 정의

21 다음에 해당하는 국제 사회의 문제는?

세계 각국은 지구 온난화 방지를 위해 온실 가스 배출량을 제한하고, 해로운 쓰레기가 국제적으로 이동하는 것을 규제하는 협약을 체결했다.

① 빈부 격차
② 성 상품화
③ 종교 갈등
④ 환경 파괴

22 (가)에 들어갈 내용으로 적절한 것은?

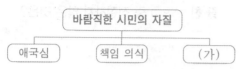

① 무관심   ② 혐오감
③ 참여 의식   ④ 특권 의식

23 도덕적 성찰의 방법으로 적절하지 <u>않은</u> 것은?

| 좌우명을 정하고 삶의 지침으로 삼을 수 있어. | 자신을 돌이켜 보는 명상을 할 수 있어. | 자신의 나쁜 습관을 반복하고자 다짐할 수 있어. | 자신의 행동을 반성하며 일기를 쓸 수 있어. |

① 학생 1   ② 학생 2
③ 학생 3   ④ 학생 4

24 바람직한 국가의 역할로 옳은 것만을 〈보기〉에서 모두 고른 것은?

〈보기〉
ㄱ. 공정한 법과 제도 마련
ㄴ. 국민의 생명과 재산 보호
ㄷ. 사회적 차별과 갈등 조장
ㄹ. 인간다운 삶을 위한 복지 제도 운영

① ㄱ, ㄴ   ② ㄴ, ㄷ
③ ㄷ, ㄹ   ④ ㄱ, ㄴ, ㄹ

25 환경 친화적 삶을 위한 실천 태도로 적절하지 <u>않은</u> 것은?

① 일회용품 사용 줄이기
② 식사 후 음식 많이 남기기
③ 가까운 거리를 이동할 때 걷기
④ 사용하지 않는 전기 플러그 뽑아 두기

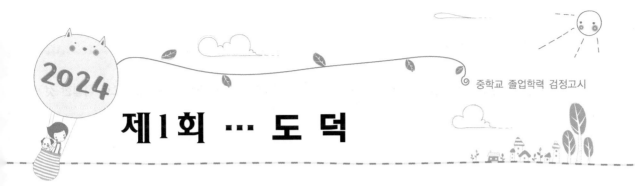

제1회 ··· 도덕

01 다음에서 설명하는 인간의 특성은?

> 사람은 혼자서는 살아가기 어려우므로 다른 사람과 도움을 주고받으며 더불어 살아가고자 한다.

① 배타적 존재
② 사회적 존재
③ 맹목적 존재
④ 충동적 존재

02 다음 중 도덕 원리에 해당하는 것은?

① 정직해야 한다.
② 장미꽃은 아름답다.
③ 해는 동쪽에서 뜬다.
④ 서울은 대한민국의 수도이다.

03 다음 퀴즈에 대한 정답으로 옳은 것은?

'이것'은 불교의 핵심 원리로서 남을 깊이 사랑하고 가엾게 여기는 마음입니다. 생명 존중을 강조하는 '이것'은 무엇일까요?

① 분노
② 자비
③ 준법
④ 쾌락

04 이웃 간의 갈등을 해결하기 위한 적절한 자세를 〈보기〉에서 고른 것은?

> **보기**
> ㄱ. 양보 ㄴ. 배려 ㄷ. 이기심 ㄹ. 사생활 침해

① ㄱ, ㄴ
② ㄱ, ㄹ
③ ㄴ, ㄷ
④ ㄷ, ㄹ

05 ㉠에 들어갈 내용으로 적절하지 않은 것은?

> 주제: 자아
> • 의미 : 자신의 참된 모습
> • 개인적 자아 : (㉠   )

① 소망
② 능력
③ 가치관
④ 사회적 관습

06 다음에서 설명하는 지구 공동체의 도덕 문제는?

> **도덕 신문**   20○○년 ○월 ○일
> 산업 혁명 이후 대량 생산과 대량 소비를 하는 시대가 열리면서 자연의 파괴가 시작되었다. 공장의 매연과 자동차의 배기가스로 대기가 오염되고, 공장 폐수와 생활 하수로 물이 오염되고 있다.

① 환경 문제
② 종교 문제
③ 인종 차별
④ 아동 학대

07 다음 학생이 추구하는 가치 중 성격이 다른 것은?

용돈 감사 사랑 진리

① 사랑 　　　② 용돈
③ 감사 　　　④ 진리

08 다음과 관련된 문제를 해결하기 위해 필요한 덕목은?

> 스마트폰에 너무 많은 시간을 빼앗겨 학교 생활까지 지장을 받을 뿐만 아니라 중독으로 이어지는 경우도 있다.

① 방관 　　　② 자애
③ 절제 　　　④ 정직

09 어느 학생의 서술형 평가 답안이다. 밑줄 친 ㉠~㉢ 중 옳지 않은 것은?

> 문제: 봉사 활동에 참여하는 바람직한 자세를 서술하시오.
>
> 〈학생 답안〉
> ㉠ 자기의 이익보다는 공익을 추구해야 하고, ㉡ 보수나 대가를 바라지 않아야 한다. 그리고 ㉢ 다른 사람의 명령에 따라 억지로 참여해야 하며, ㉣ 일회성으로 끝나지 않고 꾸준히 참여해야 한다.

① ㉠ 　　　② ㉡
③ ㉢ 　　　④ ㉣

10 진정한 우정을 맺기 위한 방법으로 적절한 것은?

친구의 잘못을 무조건 감싸 줘요. 학생 1　기본 예절을 무시하고 편하게 대해요. 학생 2　반드시 이겨야 하는 대상으로 여겨요. 학생 3　친구의 어려움을 외면하지 않고 도와줘요. 학생 4

① 학생 1 　　　② 학생 2
③ 학생 3 　　　④ 학생 4

11 다음에서 설명하는 인권의 특징은?

> 모든 사람은 인종, 피부색, 언어, 종교 등과 관계없이 누구나 동등하게 권리를 누려야 한다.

① 보편성 　　　② 일회성
③ 폐쇄성 　　　④ 폭력성

12 다음과 관련하여 도덕적 실천 의지를 기르기 위한 노력으로 적절하지 않은 것은?

> 어려움에 처한 사람을 도와야 한다는 것을 알면서도 그냥 지나친다.

① 공감 　　　② 관심
③ 독단 　　　④ 용기

13 ㉠에 들어갈 가치로 적절하지 않은 것은?

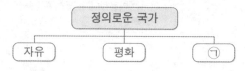

정의로운 국가 — 자유　평화　㉠

① 평등 　　　② 혐오
③ 공정 　　　④ 복지

14 통일을 해야 하는 이유를 〈보기〉에서 고른 것은?

> **〈보기〉**
> ㄱ. 분단 비용 지출을 늘리기 위해서
> ㄴ. 이산가족의 고통을 해소하기 위해서
> ㄷ. 군사적 긴장 관계를 심화시키기 위해서
> ㄹ. 문화적·역사적 동질성을 회복하기 위해서

① ㄱ, ㄴ　　　② ㄱ, ㄷ
③ ㄴ, ㄹ　　　④ ㄷ, ㄹ

15 다음에서 문화를 바라보는 관점은?

문화의 다양성을 이해하고 인정해야 해.

문화가 생기게 된 배경을 그 사회의 관점에서 바라봐야 해.

① 문화 상대주의
② 문화 절대주의
③ 문화 이기주의
④ 자문화 중심주의

16 ㉠에 들어갈 내용으로 적절하지 <u>않은</u> 것은?

> **탐구 주제: 환경 친화적인 삶**
> • 의미: 주변 환경에 미치는 영향을 생각하여 행동하는 삶
> • 실천 방법: (　　　㉠　　　)

① 과대 포장 안 하기
② 일회용품 애용하기
③ 장바구니 사용하기
④ 대중교통 이용하기

17 그림에서 전달하려는 내용과 관련된 용어는?

살다 보면 길이 보이지 않을 때도 있어

그렇다고 좌절하거나 포기하지는 말아야 돼.

새 길을 만들면 되지 뭐!

① 익명성　　　② 가치 전도
③ 시민 불복종　④ 회복 탄력성

18 다음에 해당하는 사상가는?

> 인간의 본성상 자연스럽게 어울려 가족을 이루고, 마을을 이루며, 마을이 커지면서 국가가 형성되었다는 자연발생설을 주장함.

① 칸트　　　　② 롤스
③ 슈바이처　　④ 아리스토텔레스

19 생태 중심주의 자연관을 〈보기〉에서 고른 것은?

> **〈보기〉**
> ㄱ. 자연의 무분별한 개발을 강조한다.
> ㄴ. 자연을 그 자체로 소중하다고 본다.
> ㄷ. 생태계 전체에 대한 배려를 강조한다.
> ㄹ. 인간은 자연을 지배할 권리를 지닌 존재라고 본다.

① ㄱ, ㄴ　　　② ㄱ, ㄹ
③ ㄴ, ㄷ　　　④ ㄷ, ㄹ

20 다음에서 언어폭력에만 '✔'를 표시한 학생은?

행위 \ 학생	A	B	C	D
• 꼬집거나 고의로 밀친다.	✔	✔		✔
• 외모를 비하하는 별명을 부른다.	✔		✔	✔
• 거짓 소문으로 상대방을 괴롭힌다.		✔	✔	✔

① A
② B
③ C
④ D

21 다음에서 설명하는 시민의 자질은?

> 국가의 정책과 법을 만드는 과정에 자발적으로 참여함.

① 주인 의식
② 피해 의식
③ 특권 의식
④ 경쟁 의식

22 다음에 해당하는 세대 간 소통을 위한 방법은?

> 부모와 자녀는 서로를 이해하기 위해 상대방의 처지에서 생각해 보려고 노력해야 한다.

① 청렴
② 차별
③ 자아도취
④ 역지사지

23 교사의 질문에 대한 대답으로 적절한 것은?

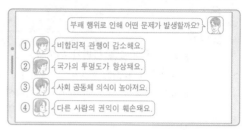

부패 행위로 인해 어떤 문제가 발생할까요?

① 비합리적 관행이 감소해요.
② 국가의 투명도가 향상돼요.
③ 사회 공동체 의식이 높아져요.
④ 다른 사람의 권익이 훼손돼요.

24 과학 기술의 바람직한 활용 방안으로 적절하지 <u>않은</u> 것은?

① 인류 전체의 복지 증진에 기여해야 한다.
② 미래 세대에 대한 책임 의식을 가져야 한다.
③ 어떠한 경우에도 유용성만을 추구해야 한다.
④ 인간의 존엄성과 인권 향상을 위해 노력해야 한다.

25 마음의 평화를 얻기 위한 자세로 적절한 것은?

① 증오심을 표출한다.
② 긍정적 마음을 갖는다.
③ 비관적 태도를 지닌다.
④ 타인의 실수를 용서하지 않는다.

제2회 … 도 덕

01 이웃 간 갈등 해결을 위한 올바른 자세는?

① 불신   ② 양보

③ 강요   ④ 협박

02 다음에서 설명하는 개념은?

> • 한 번 잃으면 소생할 수 없기에 소중한 것
> • 사람이 살아서 숨 쉬고 활동할 수 있게 하는 힘

① 해킹   ② 절망

③ 생명   ④ 중독

03 ㉠에 들어갈 대답으로 적절한 것은?

① 같은 잘못을 반복하기 위해서야.

② 인간은 이미 완벽한 존재이기 때문이야.

③ 마음의 건강은 중요하지 않기 때문이야.

④ 반성을 통해 더 나은 사람이 될 수 있기 때문이야.

04 다음 사례에 해당하는 국제 사회의 문제는?

> 지구 한 편에서는 수많은 사람들이 먹을 것이 없어 죽어 가고 있다. 오랫동안 굶주린 아이들은 영양실조에 걸려 건강이 위태롭다.

① 대기 오염   ② 빈곤과 기아

③ 오존층 파괴   ④ 사이버 폭력

05 ㉠에 들어갈 적절한 용어는?

① 소외   ② 경쟁

③ 무시   ④ 자애

06 올바른 도덕적 신념으로 적절한 것을 〈보기〉에서 고른 것은?

> **보기**
> ㄱ. 어려운 사람을 도와야 한다.
> ㄴ. 자신의 행동에 책임을 져야 한다.
> ㄷ. 나보다 약한 사람을 때려도 된다.
> ㄹ. 피부색에 따라 사람을 차별해도 된다.

① ㄱ, ㄴ   ② ㄱ, ㄷ

③ ㄴ, ㄹ   ④ ㄷ, ㄹ

07 진정한 우정을 맺는 방법으로 가장 적절한 것은?

① 친구와 서로 배려하는 마음을 지닌다.
② 친구와 다투면 다시는 만나지 않는다.
③ 친밀한 사이일수록 예의를 지키지 않는다.
④ 경쟁에서 친구를 이기기 위해 반칙을 한다.

08 다음 대화 중 인권에 대한 설명으로 옳지 <u>않은</u> 것은?

| 누구에게나 있는 보편적인 권리야. | 다른 사람의 인권도 소중히 해야 해. | 인간이 존엄하게 살아가기 위해 존중해야 해. | 인권을 보장 받을수록 개인은 불행해져. |
| 학생 1 | 학생 2 | 학생 3 | 학생 4 |

① 학생 1   ② 학생 2
③ 학생 3   ④ 학생 4

09 바람직한 이성 교제의 자세로 적절하지 <u>않은</u> 것은?

① 서로의 인격을 존중한다.
② 책임감 있는 태도를 가진다.
③ 성별이 다르다는 이유로 차별한다.
④ 상대의 입장을 배려하여 행동한다.

10 다문화 사회에서의 올바른 태도를 〈보기〉에서 고른 것은?

┌─ 보기 ┐
ㄱ. 우리 문화만을 최고로 여긴다.
ㄴ. 타 문화를 무조건적으로 수용한다.
ㄷ. 보편 규범에 근거하여 문화를 성찰한다.
ㄹ. 인권을 침해하는 문화는 비판적으로 검토한다.
└──────┘

① ㄱ, ㄴ   ② ㄱ, ㄷ
③ ㄴ, ㄹ   ④ ㄷ, ㄹ

11 ㉠에 들어갈 검색어로 옳은 것은?

통합 검색   [㉠]
자신의 도덕적 행동이 나와 다른 사람에게 어떤 영향을 미칠지 상상해 보는 것

① 고정 관념   ② 권력 남용
③ 도덕적 상상력   ④ 지역 이기주의

12 사회적 약자의 권리를 보장하기 위한 방법으로 적절한 것은?

① 사회적 약자의 의견을 무시한다.
② 사회적 약자를 이유 없이 차별한다.
③ 사회적 약자에 대한 부정직인 편견을 가진다.
④ 사회적 약자의 생활을 지원할 수 있는 제도를 마련한다.

13 ㉠에 들어갈 대답으로 적절한 것은?

교사: 우리는 왜 삶의 목적을 세워야 할까?
학생: 삶의 목적은 (㉠)

① 자신에게 좌절감을 주기 때문입니다.
② 어려운 일을 극복하는 힘이 되기 때문입니다.
③ 행복을 달성하는 데 방해가 되기 때문입니다.
④ 수동적인 삶의 태도를 갖도록 하기 때문입니다.

14 마음의 고통을 유발하는 원인이 <u>아닌</u> 것은?

① 욕심　　　　② 집착
③ 걱정　　　　④ 행복

15 다음 설명에 해당하는 것은?

> 두 가지 이상의 목표나 동기, 감정 등이 서로 충돌하고 대립하는 상태를 의미함.

① 화해　　　　② 협력
③ 갈등　　　　④ 평화

16 ㉠에 들어갈 용어로 가장 적절한 것은?

> 학생 : 선생님, 친구의 휴대 전화를 몰래 숨긴 것이 (㉠)인가요? 저는 그냥 장난이었어요.
> 선생님 : 그 친구의 기분을 생각해 보았니?

① 폭력　　　　② 칭찬
③ 경청　　　　④ 응원

17 다음에서 설명하는 올바른 갈등 해결의 방법은?

> • 제삼자가 개입하여 갈등을 해결함.
> • 갈등의 당사자들은 제삼자의 해결책을 따라야 함.

① 조롱　　　　② 중재
③ 비난　　　　④ 회피

18 교사의 질문에 바르게 답한 학생은?

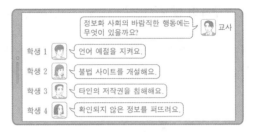

① 학생 1　　　　② 학생 2
③ 학생 3　　　　④ 학생 4

19 바람직한 애국심을 실천하는 자세로 적절한 것은?

① 자기 나라를 맹목적으로 추종한다.
② 국민으로서 권리와 의무를 실천한다.
③ 법을 어기고 사회 질서를 어지럽힌다.
④ 다른 나라의 문화를 무조건 헐뜯는다.

20 다음에서 설명하는 개념은?

> • 의미 : 공정한 절차를 무시하고 부당한 방법으로 자기 이익을 챙기는 행위
> • 사례 : 학연, 지연이 있는 사람에게 뇌물이나 친분, 권력 등을 악용하여 부당한 이익을 얻는 일

① 부패　　　　② 사랑
③ 인권　　　　④ 예절

21 평화 통일을 이루기 위한 자세로 적절하지 <u>않은</u> 것은?

① 화해와 공동 번영을 추구한다.
② 통일을 향한 공감대를 형성한다.
③ 상대방을 적대적 대상으로만 바라본다.
④ 상호 간 협력을 통해 신뢰를 회복한다.

22 다음 대화에서 알 수 있는 정의로운 국가가 추구해야 할 가치는?

정의로운 국가란 어떤 국가여야 한다고 생각해?

경제적 여건에 상관없이 최소한의 인간다운 생활을 보장하는 정책을 운영하는 국가라고 생각해.

① 차별　　② 복지
③ 억압　　④ 혼란

23 과학 기술의 활용으로 인한 문제점을 〈보기〉에서 고른 것은?

┌──〈보기〉──
ㄱ. 디지털 범죄가 일어난다.
ㄴ. 환경 파괴 문제를 가속화한다.
ㄷ. 인류의 건강 증진에 이바지한다.
ㄹ. 멀리 있는 사람과 대화가 가능하다.
└──────

① ㄱ, ㄴ　　② ㄱ, ㄷ
③ ㄴ, ㄹ　　④ ㄷ, ㄹ

24 도덕 추론 과정에서 ㉠에 들어갈 용어는?

┌──────
• 도덕 원리 : 절도는 옳지 않다.
　↓
• (㉠) 판단 : 남의 물건을 허락 없이 가져가는
　　　　　　 것은 절도이다.
　↓
• 도덕 판단 : 남의 물건을 허락 없이 가져가는
　　　　　　 것은 옳지 않다.
└──────

① 연대　　② 유희
③ 사실　　④ 양성

25 환경친화적 소비 생활의 실천 사례에 해당하는 것은?

① 과소비와 충동구매를 생활화하기
② 물품을 구매할 때 장바구니 사용하기
③ 가까운 거리를 이동할 때 자동차 타기
④ 다회용기 대신 일회용 종이컵 사용하기

중학교 졸업학력 검정고시

제1회 ··· 도덕

01 다음에서 설명하는 개념은?

> 인간으로서 마땅히 지켜야 할 도리를 의미한다.

① 도덕   ② 도구
③ 욕구   ④ 혐오

02 세대 간 갈등 해결을 위해 필요한 자세가 <u>아닌</u> 것은?

① 공감   ② 비난
③ 격려   ④ 소통

03 다음에서 설명하는 개념은?

> 전 세계의 교류가 일상화되어 정치, 경제, 사회, 문화 등 여러 분야에서 서로 연결되는 현상

① 세계화   ② 이질화
③ 분업화   ④ 개인화

04 다음에서 설명하는 도덕 원리 검사 방법은?

> • 입장을 바꿔서 도덕 원리를 적용해 보는 것이다.
> • "친구를 괴롭혀도 괜찮다."라고 주장하는 학생에게 "그럼, 다른 친구가 너를 괴롭혀도 괜찮겠니?"라고 역할을 바꿔 묻는 방법이다.

① 사실 관계 검사   ② 정보 원천 검사
③ 역할 교환 검사   ④ 반증 사례 검사

05 과학 기술의 발달로 인한 문제점은?

① 교통수단의 발달로 이동 시간이 줄었다.
② 통신 기술의 발달로 연락이 편리해졌다.
③ 의료 기술의 발달로 건강이 증진되었다.
④ 촬영 장비의 발달로 불법 촬영이 증가했다.

06 ㉠에 들어갈 용어로 알맞은 것은?

선생님, (㉠)이/가 무슨 뜻인가요?

그것은 인간이라면 누구나 소중한 존재로 대우받아야 한다는 뜻이야.

① 진로 탐색   ② 인종 차별
③ 인간 존엄성   ④ 집단 이기주의

07 부패 방지를 위한 노력으로 적절하지 <u>않은</u> 것은?

① 뇌물 수수를 허용한다.
② 청렴 교육을 실시한다.
③ 공익 신고자를 보호한다.
④ 부패에 대한 처벌을 강화한다.

08 ㉠에 들어갈 검색어로 옳은 것은?

각종 정보 통신 기술을 활용하여 다양한 정보를 생산하고 전달하는 일이 생활의 중심이 된 사회를 의미한다.

① 농업 사회   ② 중세 사회
③ 산업화 사회   ④ 정보화 사회

09 진정한 친구의 모습으로 알맞은 것은?

① 뒤에서 친구를 험담한다.
② 친구에게 무례하게 대한다.
③ 친구를 믿어 주고 배려한다.
④ 친구의 나쁜 행동을 방관한다.

10 교사의 질문에 대한 대답으로 적절하지 <u>않은</u> 것은?

이웃 관계에서 필요한 도덕적 자세는 무엇일까요?

① 만나면 먼저 반갑게 인사해요.
② 무거운 짐을 들고 있을 때 도와줘요.
③ 밤늦은 시간에 시끄럽게 노래를 불러요.
④ 어려운 상황에 놓인 이웃을 위해 봉사해요.

11 폭력이 비도덕적인 이유는?

① 타인에게 고통을 주기 때문이다.
② 인간의 존엄성을 보장하기 때문이다.
③ 안전한 사회를 만들 수 있기 때문이다.
④ 타인의 자유를 존중할 수 있기 때문이다.

12 평화적 갈등 해결 방법으로 옳지 <u>않은</u> 것은?

① 협상   ② 조정
③ 폭력   ④ 중재

13 ㉠에 들어갈 용어로 옳은 것은?

정의로운 사회란 공정한 사회 규칙이나 제도를 마련하여 사회 구성원을 (㉠) 없이 대우하는 사회를 뜻한다.

① 배려   ② 존중
③ 차별   ④ 책임

14 다음에서 설명하는 용어로 옳은 것은?

• 부모에 대한 자녀의 도리
• 부모를 공경하고 사랑하는 것

① 효도   ② 절약
③ 청결   ④ 우애

15 ㉠에 들어갈 용어로 옳은 것은?

> **탐구 주제 : (㉠) 실천 방법 찾기**
>
> 발표 내용
> • 1모둠 : 길거리의 꽃을 함부로 꺾지 않는다.
> • 2모둠 : 타인의 생명을 하찮게 여기는 말을 하지 않는다.
> • 3모둠 : 자신을 사랑하고 자신의 몸이 다치지 않도록 조심한다.

① 환경오염　　　　② 고정관념
③ 유언비어　　　　④ 생명 존중

16 공정한 경쟁이 필요한 이유로 옳은 것을 〈보기〉에서 고른 것은?

> **〈보기〉**
> ㄱ. 개인과 사회 전체의 발전을 위해
> ㄴ. 안정된 사회 질서를 무너뜨리기 위해
> ㄷ. 서로 신뢰할 수 있는 사회를 만들기 위해
> ㄹ. 부유한 사람에게 더 유리한 기회를 주기 위해

① ㄱ, ㄴ　　　　② ㄱ, ㄷ
③ ㄴ, ㄹ　　　　④ ㄷ, ㄹ

17 다음 내용이 설명하는 개념은?

> **발표 주제 : 생태 중심주의**
> 인간도 (㉠)의 일부분입니다. (㉠)은/는 모든 생명체가 서로 영향을 주고받으며 함께 살아가는 거대한 생태계입니다.

① 기계　　　　② 학문
③ 기술　　　　④ 자연

18 통일 한국의 바람직한 모습으로 적절한 것은?

① 세계 평화를 위협해야 한다.
② 국민의 인권을 보장해야 한다.
③ 보편적 가치를 무시해야 한다.
④ 문화적으로 폐쇄된 국가여야 한다.

19 환경 친화적 소비 생활의 모습으로 적절하지 <u>않은</u> 것은?

① 물건 과대 포장하기
② 먹을 만큼만 주문하기
③ 친환경 마크 제품 구매하기
④ 일회용 컵 대신 개인 컵 사용하기

20 ㉠에 공통으로 들어갈 용어로 적절한 것은?

> (㉠)(이)란 자신의 생각과 의지대로 살아갈 수 있는 권리이다. 국가는 (㉠)을/를 보장해야 한다. 국민들은 직업이나 종교 등 삶의 방식을 스스로 선택할 수 있어야 한다.

① 명상　　　　② 자유
③ 지식　　　　④ 방관

21 다음 대화 중 양심에 대한 설명으로 옳지 <u>않은</u> 것은?

① 학생1　　　　② 학생2
③ 학생3　　　　④ 학생4

22 삶의 목적을 설정해야 하는 이유로 옳지 <u>않은</u> 것은?

① 자신의 삶을 의미 있게 살기 위해
② 자신의 행동에 대한 책임을 지지 않기 위해
③ 삶 속에서 부딪히는 어려움을 극복해 내기 위해
④ 외부의 유혹에도 흔들리지 않는 삶을 살기 위해

23 다음 강연자가 설명하는 사회는?

이 사회는 서로 다른 생활 양식을 가진 사람들이 함께 살면서 다양한 문화가 공존하는 사회입니다.

① 독재 사회
② 다문화 사회
③ 이기주의 사회
④ 물질주의 사회

24 다음에서 설명하는 개념은?

도덕적으로 옳다고 여기는 것을 굳게 믿고, 그것을 실천하려는 의지

① 이기심
② 무관심
③ 비도덕성
④ 도덕적 신념

25 ㉠에 들어갈 용어로 가장 적절한 것은?

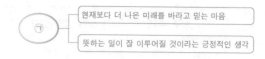

㉠ ── 현재보다 더 나은 미래를 바라고 믿는 마음
└── 뜻하는 일이 잘 이루어질 것이라는 긍정적인 생각

① 고통
② 한계
③ 분노
④ 희망

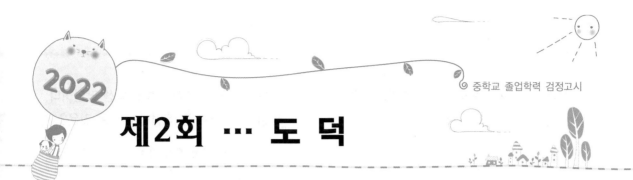

제2회 ··· 도 덕

01 다음 일기에서 알 수 있는 인간의 특성은?

> 20○○년 ○월 ○일
>
> 학교에서 집으로 돌아가다가 도움을 필요로 하는 할머니를 지나쳐 갔다. 처음에는 집에 가고 싶은 생각에 지나쳐 갔지만 양심의 가책을 느껴서 할머니를 도우러 갔다.

① 도구적 존재
② 도덕적 존재
③ 문화적 존재
④ 유희적 존재

02 다음 대화에서 교사가 사용한 비판적 사고의 방법은?

귀찮아서 쓰레기를 교실에 버렸어요. (학생)

모든 사람이 너처럼 귀찮다고 쓰레기를 버리면 교실은 어떻게 될까? (교사)

① 반증 사례 검사
② 오류와 편견 검사
③ 보편화 결과 검사
④ 사실적 판단 검사

03 도덕 추론 과정에서 ㉠에 들어갈 용어는?

- 도덕 원리 : 다른 사람을 돕는 행위는 옳다.
  ↓
- 사실 판단 : 봉사 활동은 다른 사람을 돕는 행위이다.
  ↓
- (㉠) 판단 : 봉사 활동은 옳다.

① 관찰
② 도덕
③ 의식
④ 교차

04 도덕적 신념 형성에 필요한 보편적 가치로 옳은 것은?

① 평화
② 맹목
③ 방종
④ 환상

05 행복한 삶을 위해 필요한 것을 〈보기〉에서 고른 것은?

> **보기**
> ㄱ. 좋은 습관
> ㄴ. 허례허식
> ㄷ. 정서적 건강
> ㄹ. 부정적 자아관

① ㄱ, ㄴ
② ㄱ, ㄷ
③ ㄴ, ㄹ
④ ㄷ, ㄹ

06 세계 시민으로서 할 수 있는 도덕적 실천으로 옳은 것은?

① 난민을 위해 기부하기
② 민족적 정체성만 강조하기
③ 잘못된 편견을 가지고 외국인을 대하기
④ 해외에서 일어나는 전쟁 소식에 무관심하기

07 현대 사회의 가정 윤리로 적절하지 <u>않은</u> 것은?

① 충분한 의사소통하기
② 서로의 가치를 존중하며 대화하기
③ 민주적 협의를 통해 집안일 나누기
④ 시대에 맞지 않는 전통 관습을 그대로 따르기

08 ㉠에 들어갈 덕목은?

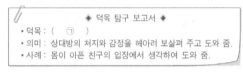

◆ 덕목 탐구 보고서 ◆
• 덕목 : (㉠)
• 의미 : 상대방의 처지와 감정을 헤아려 보살펴 주고 도와 줌.
• 사례 : 몸이 아픈 친구의 입장에서 생각하여 도와 줌.

① 경건
② 무지
③ 배려
④ 탐욕

09 청소년기의 올바른 이성 교제 태도로 가장 적절한 것은?

① 서로를 존중하는 자세 갖기
② 잘못된 부탁이라도 무조건 들어주기
③ 이성에게 잘 보이기 위해 비싼 선물 주기
④ 이성 교제를 성적 욕구의 수단으로 생각하기

10 밑줄 친 ㉠에 들어갈 대답으로 적절하지 <u>않은</u> 것은?

인간에게 인권은 왜 필요할까요?
㉠ 필요합니다.

① 인간다운 삶을 살기 위해
② 차별받지 않는 삶을 위해
③ 인간 존엄성을 보장하기 위해
④ 개인의 자율성을 침해하기 위해

11 다음은 서술형 평가 문제와 학생 답안이다. 밑줄 친 ㉠~㉣ 중 적절하지 <u>않은</u> 것은?

문제 : 이웃 사이에 필요한 도덕적 자세는?

〈답안〉
　이웃과 함께 살아가기 위해서 나의 행동이 이웃에게 좋은 영향을 주는지 생각해야 한다. 구체적으로 ㉠ 늦은 저녁에 음악을 크게 트는 것, ㉡ 층간 소음을 일으키지 않는 것, ㉢ 예절을 지켜 인사하는 것, 그리고 ㉣ 어려울 때 서로 돕는 것이다.

① ㉠
② ㉡
③ ㉢
④ ㉣

12 바람직한 시민이 갖추어야 할 자질이 <u>아닌</u> 것은?

① 준법정신
② 참여의식
③ 책임의식
④ 이기주의

13 교사의 질문에 대한 대답으로 옳은 것은?

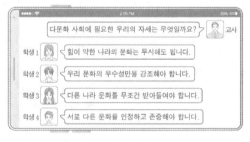

다문화 사회에 필요한 우리의 자세는 무엇일까요? 교사

학생 1 : 힘이 약한 나라의 문화는 무시해도 됩니다.
학생 2 : 우리 문화의 우수성만을 강조해야 합니다.
학생 3 : 다른 나라 문화를 무조건 받아들여야 합니다.
학생 4 : 서로 다른 문화를 인정하고 존중해야 합니다.

① 학생 1
② 학생 2
③ 학생 3
④ 학생 4

14 정보화 시대의 도덕적 자세로 옳지 <u>않은</u> 것은?

① 타인의 사생활 존중
② 사이버 폭력 행위 금지
③ 자유로운 유언비어 유포
④ 다른 사람의 저작권 존중

15 일상생활에서 발생하는 갈등 원인을 〈보기〉에서 고른 것은?

> **보기**
> ㄱ. 가치관의 차이　　ㄴ. 원활한 의사소통
> ㄷ. 이해관계의 충돌　ㄹ. 공정한 분배 실현

① ㄱ, ㄴ　　　　　② ㄱ, ㄷ
③ ㄴ, ㄹ　　　　　④ ㄷ, ㄹ

16 다음에서 소개하는 인물은?

> ◈ 도덕 인물 카드 ◈
> • 인도의 민족 운동 지도자
> • 식민지 지배에 굴하지 않고 비폭력 불복종 운동을 실천하여 독립에 기여함.

① 김구　　　　　② 공자
③ 간디　　　　　④ 칸트

17 학교 폭력 피해자의 대처 방법으로 가장 적절한 것은?

① 일단 선생님께 알리고 함께 대책을 세운다.
② 괴롭히는 상대에게 싫다는 말을 하지 않는다.
③ 문제를 확대시키지 않도록 혼자 조용히 참는다.
④ 돈을 주어 더는 폭력을 행사하지 않도록 부탁한다.

18 정의로운 국가의 역할로 옳은 것은?

① 인간의 기본권 축소
② 국민의 거주권 제한
③ 공정한 법과 제도 마련
④ 자유로운 경제 활동 금지

19 밑줄 친 ㉠에 들어갈 사례로 가장 적절한 것은?

> 〈가치의 종류〉
> • 물질적 가치 : 　㉠
> • 정신적 가치 : 　……

① 사랑　　　　　② 재물
③ 우정　　　　　④ 평화

20 부패가 발생하는 원인으로 옳지 않은 것은?

① 혈연, 학연을 강조하는 사회 분위기
② 부당하게 자신의 이익을 챙기려는 태도
③ 사회 구성원들 간에 공유된 청렴 의식
④ 뇌물 수수, 인사 청탁을 당연하게 생각하는 분위기

21 통일이 필요한 이유로 옳지 않은 것은?

① 민족 공동체를 회복하기 위해
② 이산가족의 고통을 해소하기 위해
③ 인류의 보편적 가치를 실현하기 위해
④ 남북 간의 문화 차이를 확대시키기 위해

22 인간 중심주의 자연관을 〈보기〉에서 고른 것은?

> **보기**
> ㄱ. 인간이 자연의 주인이다.
> ㄴ. 인간이 자연을 통제해서는 안 된다.
> ㄷ. 자연을 인간을 위한 도구로 여긴다.
> ㄹ. 자연이 가진 본래적 가치를 존중한다.

① ㄱ, ㄴ　　　　　② ㄱ, ㄷ
③ ㄴ, ㄹ　　　　　④ ㄷ, ㄹ

23 환경친화적 삶을 위한 실천 태도로 옳은 것은?

① 쓰레기 분리배출하기
② 일회용 종이컵 많이 사용하기
③ 물건을 살 때 장바구니 대신 비닐봉지 사용하기
④ 장기 외출 시 사용하지 않는 전기 플러그 꽂아 두기

24 과학 기술의 발달이 가져다 준 혜택으로 옳은 것은?

① 환경 오염
② 인간 소외
③ 새로운 질병 확산
④ 생활의 편리 증가

25 도덕적인 삶을 위한 노력을 〈보기〉에서 고른 것은?

> **보기**
> ㄱ. 보람된 삶을 추구함.
> ㄴ. 가치 있는 목표를 설정함.
> ㄷ. 자신을 부정적으로 바라봄.
> ㄹ. 배타적인 삶의 태도를 가짐.

① ㄱ, ㄴ
② ㄱ, ㄷ
③ ㄴ, ㄹ
④ ㄷ, ㄹ

제1회 ··· 도 덕

01 다음에서 소개하는 사상가는?

◈ 도덕 인물 카드 ◈
• 고대 그리스의 사상가
• "성찰하지 않는 삶은 살 가치가 없다."라고 주장하며 반성하는 삶을 강조함.

① 공자　　　　　② 칸트
③ 석가모니　　　④ 소크라테스

02 다음에서 설명하고 있는 용어는?

• 인간의 정신 활동으로 얻게 되는 가치
• 진(眞), 선(善), 미(美), 성(聖) 등

① 정신적 가치　　② 물질적 가치
③ 수단적 가치　　④ 도구적 가치

03 도덕적으로 살아야 하는 이유로 적절하지 않은 것은?

① 자신과 타인에게 도움이 되기 때문입니다.
② 인간으로서 마땅히 따라야 할 의무이기 때문입니다.
③ 진정한 행복을 추구하기 위해서입니다.
④ 개인의 도덕성은 사회에 아무런 영향을 줄 수 없기 때문입니다.

04 ㉠에 공통으로 들어갈 개념으로 가장 적절한 것은?

(㉠)은/는 어떤 상황을 도덕 문제로 민감하게 느끼고 반응하는 마음의 상태를 말한다. (㉠)이/가 높은 사람일수록 도덕적 행동을 실천할 가능성이 높다.

① 자아 정체성　　② 정서적 건강
③ 비판적 사고　　④ 도덕적 민감성

05 참된 우정이 필요한 이유로 적절하지 않은 것은?

① 정서적 안정을 줄 수 있다.
② 성숙한 인격을 형성할 수 있다.
③ 공동체 의식을 훼손할 수 있다.
④ 타인과 관계를 맺는 능력을 기를 수 있다.

06 가족 간의 도리에 관한 설명으로 가장 적절한 것은?

① 우애는 자녀가 부모님을 잘 섬기는 것이다.
② 효도는 형제자매 간의 두터운 정과 사랑이다.
③ 자애는 부모가 대가없이 자녀에게 베푸는 사랑이다.
④ 부부 간에는 가깝고 편하기 때문에 예절을 생략해도 된다.

07 성(性)에 대한 바람직한 관점을 〈보기〉에서 고른 것은?

> **보기**
> ㄱ. 성의 인격적 가치를 소중히 여긴다.
> ㄴ. 성의 쾌락적 측면만을 추구해야 한다.
> ㄷ. 성을 상품화하는 수단으로 생각해야 한다.
> ㄹ. 성에 대한 균형 잡힌 시각을 가져야 한다.

① ㄱ, ㄴ   ② ㄱ, ㄹ
③ ㄴ, ㄷ   ④ ㄷ, ㄹ

08 ㉠에 들어갈 대답으로 적절하지 <u>않은</u> 것은?

행복한 삶을 사는 데 좋은 습관이 왜 필요할까요?

㉠

① 훌륭한 성품을 갖게 합니다.
② 긍정적인 자세를 갖게 합니다.
③ 건강한 삶을 살 수 있도록 합니다.
④ 외형적인 모습만 가꿀 수 있게 합니다.

09 바람직한 이웃 간의 자세로 적절한 것은?

① 배려   ② 혐오
③ 해악   ④ 무시

10 다음에서 설명하는 사이버 공간의 특성은?

> 사이버 공간에서는 자신이 누구인지 밝히지 않을 수 있다. 자신의 신분이나 정체성을 드러내지 않고 활동할 수 있기 때문에 무책임한 행동을 하기 쉽다.

① 개방성   ② 익명성
③ 홍보성   ④ 획일성

11 다음에 해당하는 정보화 시대의 도덕 문제는?

극장에서 상영 중인 영화네! 불법인 줄 알지만 공짜로 내려받아 봐야지.

① 세대 갈등
② 악성 댓글
③ 저작권 침해
④ 사이버 따돌림

12 학교 폭력에 대처하는 방법으로 적절하지 <u>않은</u> 것은?

① 자신의 의사를 명확하게 표현해야 한다.
② 사소한 행동도 폭력이 될 수 있음을 알아야 한다.
③ 다른 사람에게 알리기보다 혼자 참고 견뎌야 한다.
④ 법과 제도 및 전문 기관을 적극적으로 활용해야 한다.

13 인권에 대한 설명으로 적절하지 <u>않은</u> 것은?

① 성인에게만 주어지는 권리이다.

② 누구나 누려야 하는 보편적 가치이다.

③ 모든 사람이 태어날 때부터 가지는 권리이다.

④ 인간으로서 마땅히 보장받아야 할 기본적 권리이다.

14 양성평등에 대한 설명으로 가장 적절한 것은?

① 성별에 따라 부당하게 차별하는 것이다.

② 성 역할에 대한 고정관념을 유지하는 것이다.

③ 항상 남성을 우대하고 여성을 배제하는 것이다.

④ 여성과 남성을 동등한 인격체로 존중하는 것이다.

15 다음에서 설명하고 있는 용어는?

> 각 문화의 다양성을 인정하고, 문화가 가진 독특한 환경과 역사적·사회적 상황에서 다른 문화를 바라보는 태도

① 연고주의 　　② 사대주의

③ 문화 상대주의 　④ 자문화 중심주의

16 ㉠에 들어갈 개념으로 적절한 것은?

> （ ㉠ ）은/는 특정 국가의 국민으로서만이 아닌 지구 공동체의 일원으로서 공동체 의식을 가지고 지구촌 문제 해결을 위해 협력하는 사람을 의미한다.

① 세계 시민 　　② 특권 계층

③ 소수 민족 　　④ 사회적 약자

17 다음 내용이 설명하는 개념은?

> • 사회적으로 옳고 그름을 판단하는 기준
> • 사회를 구성하고 유지하는 공정한 원리

① 인권 침해 　　② 사회 정의

③ 부패 행위 　　④ 시민 불복종

18 바람직한 국가의 역할로 적절한 것은?

① 국민의 삶을 불안하게 한다.

② 국민의 생명과 재산을 보호한다.

③ 국민 간의 갈등 상황을 방치한다.

④ 국민 간의 빈부격차를 심화시킨다.

19 다음에 해당하는 갈등 해결 방법은?

갈등 당사자끼리 이렇게 합의하게 되어 기쁩니다.

① 협상

② 비난

③ 조롱

④ 협박

20 평화 통일을 이루기 위한 자세로 적절하지 <u>않은</u> 것은?

① 통일에 대한 관심을 가져야 한다.

② 올바른 안보 의식을 갖춰야 한다.

③ 북한 주민에 대한 편견을 가져야 한다.

④ 다름을 인정하고 포용하는 자세를 지녀야 한다.

21 다음 내용에 해당하는 통일의 필요성으로 가장 적절한 것은?

> 북에 계신 어머니와의 상봉을 마치고 돌아온 아들은 "불쌍한 나의 어머니! 가슴이 찢어져요. 함께 살자고 떨어질 줄 모르시던 어머니, 통일이 되기를 그토록 빌던 어머니의 모습이 눈앞에서 사라지지 않아요."라며 절절한 그리움을 편지글로 표현하였다.

① 군사적 긴장 완화
② 경제적 이익 증대
③ 주변 국가의 원조
④ 이산가족 고통 해소

22 다음 대화에서 을의 입장으로 가장 적절한 것은?

① 인간은 자연의 지배자야.
② 자연은 그 자체로 소중해.
③ 자연을 보호할 필요는 없어.
④ 자연을 무분별하게 개발할 필요가 있어.

23 교사의 질문에 대한 대답으로 적절한 것은?

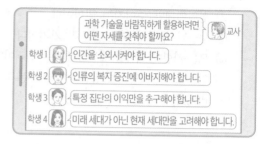

① 학생1
② 학생2
③ 학생3
④ 학생4

24 도덕 추론의 과정에서 ㉠에 들어갈 용어는?

> • (㉠) : 타인에게 피해를 주는 행동을 하면 안 된다.
> • 사실 판단 : 부정행위는 타인에게 피해를 주는 행동이다.
> • 도덕 판단 : 부정행위를 하면 안 된다.

① 도덕 원리
② 대중 문화
③ 진로 탐색
④ 가치 전도

25 ㉠에 들어갈 조언으로 가장 적절한 것은?

① 마주치는 시련과 어려움을 무조건 피해야 해.
② 지금 해야 할 일을 나중으로 미루는 것이 좋아.
③ 주위 사람이 원하는 삶보다는 네가 원하는 삶을 살아.
④ 정신적 가치보다는 육체적 쾌락만을 추구하는 것이 나아.

01 다음 중 도덕이 필요한 이유로 가장 적절한 것은?

① 훌륭한 인격을 갖추기 위해서이다.
② 혼자서만 잘 살아가기 위해서이다.
③ 타인의 행복을 방해하기 위해서이다.
④ 사회적 혼란을 일으키기 위해서이다.

02 다음에서 설명하는 용어로 옳은 것은?

> 어떤 상황을 도덕적 문제로 민감하게 느끼고 도덕적으로 반응할 수 있는 마음 상태.

① 삼단 논법
② 비판적 사고
③ 도덕적 민감성
④ 결과 예측 능력

03 다음 중 법을 지켜야 할 도덕적 이유로 가장 적절한 것은?

① 사회 질서를 유지하기 위해서이다.
② 공익 실현을 저해하기 위해서이다.
③ 폭력의 악순환을 만들기 위해서이다.
④ 차별받는 사회를 만들기 위해서이다.

04 ㉠에 들어갈 말로 옳은 것은?

 정신적 가치에는 어떤 것이 있을까?
 (㉠)과 같은 것이 있어.

① 돈
② 음식
③ 우정
④ 스마트폰

05 이성 친구와 바람직한 관계를 형성하기 위한 자세로 옳은 것을 〈보기〉에서 고른 것은?

> 〈보기〉
> ㄱ. 이성 친구를 외모로만 평가한다.
> ㄴ. 이성 친구의 요구에 무조건 따른다.
> ㄷ. 이성 친구의 공부를 방해하지 않는다.
> ㄹ. 이성 친구를 존중하며 고운 말을 사용한다.

① ㄱ, ㄴ
② ㄱ, ㄷ
③ ㄴ, ㄹ
④ ㄷ, ㄹ

06 다음에 해당하는 가족 간의 도리로 옳은 것은?

> 형은 동생을 사랑하고, 동생은 형을 공경해야 한다. 형제자매 간에 서로를 아끼고 사이를 돈독하게 해야 한다.

① 단절
② 무지
③ 우애
④ 방관

07 다음 중 부패 행위에 해당하지 않는 것은?

① 탈세 행위
② 뇌물 수수
③ 권력 남용
④ 자원 봉사

08 (가)에 들어갈 용어로 적절한 것은?

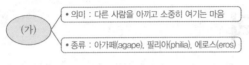

• 의미 : 다른 사람을 아끼고 소중히 여기는 마음

(가)

• 종류 : 아가페(agape), 필리아(philia), 에로스(eros)

① 욕구　　　　　② 사랑
③ 양심　　　　　④ 편견

09 다음 대화에서 공통으로 나타나는 삶의 자세는?

난 이번 방학에 물 공포증을 극복하기 위해 수영 강습을 신청했어.

그렇구나. 난 이번 방학에 어려운 수학 문제를 해결하기 위해 심화 학습을 듣기로 했어.

① 도전하는 삶의 자세
② 생명을 경시하는 삶의 자세
③ 수동적으로 살아가는 삶의 자세
④ 육체적 쾌락을 추구하는 삶의 자세

10 다음과 같은 문제를 해결하기 위해 필요한 도덕적 자세로 가장 적절한 것은?

• 층간 소음으로 인한 갈등
• 이웃 간 주차 문제로 인한 갈등

① 고집　　　　　② 배려
③ 탐욕　　　　　④ 효도

11 다음에서 설명하는 개념은?

1. 의미 : 인간이라면 누구나 가지는 기본적인 권리.
2. 특징 : 태어날 때부터 지니는 권리로 영원히 보장됨.

① 인권　　　　　② 용기
③ 봉사　　　　　④ 절제

12 ㉠에 공통으로 들어갈 말로 가장 적절한 것은?

(㉠)(이)란 오랫동안 반복하는 과정에서 몸에 익은 행동 방식을 의미한다. 올바른 (㉠)을/를 형성하게 되면 자신의 인격을 향상할 수 있다.

① 존중　　　　　② 습관
③ 성찰　　　　　④ 평화

13 다음 중 남북한이 분단국가로서 겪는 문제점이 아닌 것은?

① 분단 비용 지출
② 세계 평화에 기여
③ 이산가족의 고통
④ 남북 주민 간 이질화 심화

14 다음 설명에 해당하는 용어는?

인간의 존엄성을 최고의 가치로 여기고 인종, 민족, 국가, 종교 등의 차이를 초월하여 인류의 안녕과 복지를 꾀하는 것을 이상으로 하는 사상이나 태도.

① 경쟁심　　　　② 타율성
③ 인도주의　　　④ 이기주의

15 다음 중 갈등을 일으키는 원인으로 옳지 않은 것은?

① 이해관계 충돌
② 가치관의 차이
③ 잘못된 의사소통
④ 공감과 경청의 자세

16 ⊙에 공통으로 들어갈 용어로 가장 적절한 것은?

> 갈등을 평화롭게 해결하기 위해서는 (⊙)의 자세가 필요하다. (⊙)(이)란 입장 바꿔 상대방의 처지에서 생각해 보는 것을 의미한다.

① 억압
② 복지
③ 역지사지
④ 해악 금지

17 다음 설명에 해당하는 문화를 바라보는 태도는?

> 자기가 속한 사회의 문화만이 가장 우수하다고 생각하면서 다른 사회의 문화를 부정적으로 평가하는 태도.

① 개인주의
② 문화 상대주의
③ 생태 중심주의
④ 자문화 중심주의

18 다음 대화에서 여학생이 사용하고 있는 도덕 원리 검사 방법은?

너무 바빠서 무단 횡단을 했어.

모든 사람이 바쁘다고 무단 횡단을 하면 사회가 어떻게 되겠니?

남학생   여학생

① 사실 판단 검사
② 편견과 오류 검사
③ 보편화 결과 검사
④ 정보의 원천 검사

19 다음 사례에 해당하는 폭력의 유형으로 가장 적절한 것은?

> 친구가 듣기 싫어하는 별명을 부르거나 외모를 비하하는 말로 친구를 괴롭힌다.

① 금품 갈취
② 언어 폭력
③ 신체 폭행
④ 강제 심부름

20 다음에서 설명하는 것은?

> 정의롭지 못한 법이나 제도를 폐지하거나 바꾸기 위해 공개적이고 평화적인 방법으로 법을 위반하는 행위.

① 준법
② 관용
③ 세금 납부
④ 시민 불복종

21 다음 중 마음의 평화를 얻는 방법에 대한 조언으로 옳지 <u>않은</u> 것은?

① 평정심을 가지렴.
② 욕심과 집착을 버리렴.
③ 자신을 부정적으로만 바라보렴.
④ 다른 사람과 좋은 관계를 맺으렴.

22 과학 기술 발달에 따른 부작용으로 옳은 것을 〈보기〉에서 고른 것은?

> ┌ 보기 ┐
> ㄱ. 풍요롭고 편리한 삶
> ㄴ. 건강 증진과 생명 연장
> ㄷ. 환경 오염과 생태계 파괴
> ㄹ. 과학 기술에 대한 지나친 의존

① ㄱ, ㄴ   ② ㄱ, ㄷ
③ ㄴ, ㄹ   ④ ㄷ, ㄹ

24 다음 중 교사의 질문에 적절한 대답을 한 학생은?

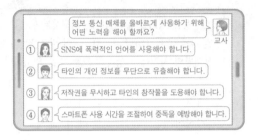

정보 통신 매체를 올바르게 사용하기 위해 어떤 노력을 해야 할까요? — 교사
① SNS에 폭력적인 언어를 사용해야 합니다.
② 타인의 개인 정보를 무단으로 유출해야 합니다.
③ 저작권을 무시하고 타인의 창작물을 도용해야 합니다.
④ 스마트폰 사용 시간을 조절하여 중독을 예방해야 합니다.

23 ㉠에 들어갈 대답으로 적절하지 않은 것은?

사회적 약자를 배려하려면 어떤 노력을 기울여야 할까요? ㉠

① 사회적 약자의 고통을 외면해야 합니다.
② 사회적 약자를 제도적으로 지원해야 합니다.
③ 사회적 약자의 입장에서 생각해 보아야 합니다.
④ 사회적 약자에 대한 잘못된 편견을 버려야 합니다.

25 다음 중 환경 친화적 소비에 해당하는 것은?
① 자연과의 조화를 추구하는 소비
② 자신의 욕구를 과도하게 충족하는 소비
③ 미래 세대의 소비 기반을 훼손하는 소비
④ 물질적 만족을 최고의 가치로 여기는 소비

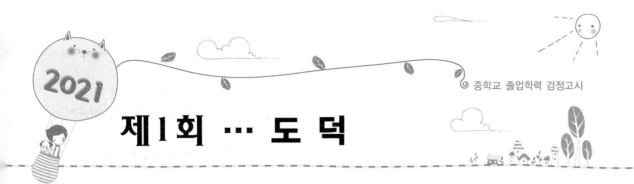

제1회 … 도덕

01 다음에서 설명하는 인간 본성에 대한 관점은?

> 모든 사람은 태어날 때부터 다른 사람을 불쌍히 여기고 자신의 잘못을 부끄러워하는 마음을 가지고 태어난다.

① 인간의 본성은 본래 선하다.
② 인간의 본성은 본래 악하다.
③ 인간의 본성은 본래 선하지도 악하지도 않다.
④ 인간의 본성은 환경에 의해 결정되는 것이다.

02 다음에서 설명하는 것은?

> 도덕적 추론의 과정에서 어떤 사실이나 주장의 타당성, 정확성 등을 합리적으로 검토하는 사고

① 독단적 사고
② 수동적 사고
③ 배타적 사고
④ 비판적 사고

03 ㉠에 들어갈 단어로 적절하지 않은 것은?

> 정신적 가치 : 사랑, 지혜, (㉠) 등

① 돈
② 봉사
③ 행복
④ 우정

04 다음에서 설명하는 용어는?

> 자신의 목표, 역할, 가치관 등을 통합적으로 이해하여 내가 누구인가를 일관되게 인식하는 것

① 가치 전도
② 자아 정체성
③ 도덕적 민감성
④ 도덕적 상상력

05 다음과 같은 갈등 해결 방법은?

> 얘들아, 계속 서로 말도 안 하고 지낼 거야?
> 내가 자리 마련할 테니까 함께 이야기해 보는 게 어때?

학생1   제3자   학생2

① 경쟁
② 조정
③ 강요
④ 비방

06 도덕 공부의 올바른 목적을 〈보기〉에서 고른 것은?

> **보기**
> ㄱ. 타율적인 사람이 되기 위함
> ㄴ. 올바른 인격을 형성하기 위함
> ㄷ. 경제적 이익만을 추구하기 위함
> ㄹ. 바람직한 삶의 목적을 설정하기 위함

① ㄱ, ㄴ
② ㄱ, ㄷ
③ ㄴ, ㄹ
④ ㄷ, ㄹ

07 다음에서 소개하는 사상가는?

◈ 도덕 인물 카드 ◈
- 고대 그리스 철학자
- 우리가 궁극적으로 추구하는 것은 행복이라고 함
- 행복은 도덕적 행동을 습관화할 때 얻을 수 있음을 강조함

① 니체
② 홉스
③ 만델라
④ 아리스토텔레스

08 세대 간의 올바른 소통 방법을 〈보기〉에서 고른 것은?

〈보기〉
ㄱ. 경청
ㄴ. 명령
ㄷ. 배려
ㄹ. 무시

① ㄱ, ㄴ
② ㄱ, ㄷ
③ ㄴ, ㄹ
④ ㄷ, ㄹ

09 사회적 약자를 지원하기 위한 방안으로 적절하지 않은 것은?

① 장애인 차별을 금지하는 법률을 제정한다.
② 저소득층을 위한 장학금 제도를 폐지한다.
③ 이주 노동자들에게 한국어 강좌를 주기적으로 제공한다.
④ 경제적으로 어려운 소외 계층을 위해 생계비를 지원한다.

10 다음은 어느 학생의 서술형 평가 내용이다. 밑줄 친 ㉠~㉣ 중 적절하지 않은 것은?

문제 : 다문화를 바라보는 올바른 자세를 서술하시오.

〈학생 답안〉
㉠문화가 다르다는 이유로 차별하지 말아야 하며, ㉡다른 문화에 대한 편견과 고정관념을 가져야 한다. 그리고 ㉢문화 상대주의적 태도를 가지며 ㉣다른 문화를 배려하고 존중하는 자세를 지녀야 한다.

① ㉠
② ㉡
③ ㉢
④ ㉣

11 다음에서 설명하는 인권의 특징은?

인간이라면 누구나 태어날 때부터 지니는 하늘로부터 부여받은 인간의 권리이다.

① 익명성
② 특수성
③ 천부성
④ 획일성

12 진정한 사랑을 실천하는 방법으로 적절한 것은?

① 자신의 욕망만을 채운다.
② 서로에게 지나치게 집착한다.
③ 서로의 부족한 면을 채워준다.
④ 상대방의 성공을 위해 무조건 희생한다.

13 과학 기술의 바람직한 활용 방향으로 적절한 것을 〈보기〉에서 고른 것은?

〈보기〉
ㄱ. 물질 만능주의를 조장한다.
ㄴ. 미래 세대에 미칠 영향을 고려한다.
ㄷ. 환경 오염과 생태계 파괴를 방치한다.
ㄹ. 인간 존중을 실천하는 방향으로 개발한다.

① ㄱ, ㄴ   ② ㄱ, ㄷ
③ ㄴ, ㄹ   ④ ㄷ, ㄹ

14 ㉠에 들어갈 대답으로 적절하지 <u>않은</u> 것은?

세계화 시대에 우리는 어떤 자세를 지녀야 할까요?
㉠

① 다른 문화를 무조건 수용해야 합니다.
② 외국인에 대해 개방적인 태도를 취해야 합니다.
③ 세계 시민으로서 보편적 가치를 추구해야 합니다.
④ 지구촌 문제에 적극적으로 관심을 가져야 합니다.

15 정의로운 국가가 추구하는 가치가 <u>아닌</u> 것은?

① 공정   ② 차별
③ 평등   ④ 복지

16 다음 사례에 해당하는 정보화 시대의 도덕적 문제는?

○○와 그의 친구들은 나를 단체 대화방으로 초대해 욕을 하며 괴롭히기 시작했다. 내가 대화방에서 퇴장하면 ○○는 바로 다시 나를 초대해 대화방에 가둔 채 끊임없이 조롱하고 욕설을 퍼부었다.

① 사이버 폭력   ② 저작권 침해
③ 바이러스 유포   ④ 인터넷 게임 중독

17 다음에서 설명하는 것은?

1. 의미 : 성품과 행실이 깨끗하고 맑으며 탐욕이 없는 것
2. 실천 방법
   – 맡은 일을 공정하게 처리하기
   – 청탁 금지법을 준수하기

① 참여   ② 분배
③ 청렴   ④ 부패

18 ㉠에 들어갈 용어는?

(㉠)은 주로 삶의 시련이나 고난을 겪더라도 곧 이겨 내고 본래 자리로 돌아오는 긍정적인 마음의 힘을 뜻한다.

① 황금률   ② 고정관념
③ 갈등 비용   ④ 회복 탄력성

19 다음에서 자연을 바라보는 관점은?

> • 인간은 자연의 일부라고 여김
> • 자연의 본래적 가치를 중시함

① 생태 중심주의   ② 개발 중심주의
③ 물질 중심주의   ④ 인간 중심주의

20 ㉠에 공통으로 들어갈 용어는?

> 평화 감수성을 기르기 위해서는 폭력에 대한 민감성과 (㉠) 능력을 갖추어야 한다. 여기서 (㉠)(이)란 다른 사람의 감정을 함께 느끼고 이해하는 것이다.

① 공감   ② 혐오
③ 방관   ④ 억압

21 바람직한 시민의 자세로 가장 적절한 것은?

① 공직자의 잘못을 항상 용서한다.
② 시민 각자가 주인 의식을 가져야 한다.
③ 국가 구성원의 책임과 의무를 소홀히 한다.
④ 자신의 권리를 추구하기 위해 공익을 침해한다.

22 다음 내용에 해당하는 용어는?

> • 폭력이나 전쟁이 없는 상태
> • 고통과 갈등이 없는 안정된 마음의 상태

① 욕구   ② 당위
③ 불안   ④ 평화

23 북한 이탈 주민을 대하는 올바른 자세를 〈보기〉에서 고른 것은?

> **보기**
> ㄱ. 관계 맺기를 회피한다.
> ㄴ. 필요한 도움을 주기 위해 노력한다.
> ㄷ. 남한에 대한 부정적인 인식을 심어 준다.
> ㄹ. 편견을 갖거나 차별하는 일이 없어야 한다.

① ㄱ, ㄴ   ② ㄱ, ㄷ
③ ㄴ, ㄹ   ④ ㄷ, ㄹ

24 교사의 질문에 대한 대답으로 적절하지 <u>않은</u> 것은?

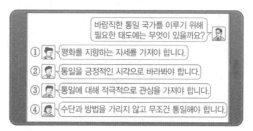

> 바람직한 통일 국가를 이루기 위해 필요한 태도에는 무엇이 있을까요?
> ① 평화를 지향하는 자세를 가져야 합니다.
> ② 통일을 긍정적인 시각으로 바라봐야 합니다.
> ③ 통일에 대해 적극적으로 관심을 가져야 합니다.
> ④ 수단과 방법을 가리지 않고 무조건 통일해야 합니다.

25 삶을 의미 있게 살아가기 위한 노력이 <u>아닌</u> 것은?

① 명확한 목표 설정하기
② 현재의 삶에 충실하기
③ 보람된 삶을 추구하기
④ 사회적 관계 단절하기

정답 및 해설

중학교 졸업학력 검정고시 대비 기출문제

정답 및 해설

2025년 1회 ▶국 어◀

01	②	06	①	11	①	16	①	21	④
02	②	07	①	12	①	17	④	22	②
03	③	08	①	13	②	18	④	23	①
04	④	09	③	14	③	19	②	24	④
05	③	10	④	15	④	20	②	25	③

01 정답_②

②는 미술 시간에 낮은 점수를 받아 우울한 '남학생'의 감정에 관심을 가지며 수용해주는 공감적 대화이다.

> ★ 공감하며 반응하는 방법 ★
> – 감정을 함께 나누기
>   예 마음의 상태나 감정에 대한 관심
> – 상대방을 배려하는 말
>   예 대화 예절 지키기, 상대를 위하는 말하기
> – 수용적으로 말하기
>   예 의견이 다르더라도 수용해주기
> – 적극적으로 반응하기
>   예 맞장구 치기

02 정답_②

'사회자'는 토의의 주제와 순서를 안내하고 있다.

03 정답_③

① 감기 어서 빨리 나아. (○)
  '낫다' → 병이나 상처가 회복되다
  '낳다' → 생명을 출산하다
② 떡볶이를 같이 만들어 먹자. (○)
④ 나는 매콤한 김치찌개를 먹고 싶어. (○)

04 정답_④

④ 다른 말과의 문법적 관계를 나타낸다. → 조사

① 사람이나 사물의 이름을 나타낸다. → 명사
② 놀람, 느낌, 부름, 대답을 나타낸다. → 감탄사
③ 사람이나 사물의 움직임을 나타낸다. → 동사

05 정답_③

③ 우리는 (주어) 과자를 (목적어) 먹었다 (서술어).
① 아기가 (주어) 하품을 (목적어) 했다 (서술어).
② 영수가 (주어) 신발을 (목적어) 샀다 (서술어).
④ 민주가 (주어) 반장이 (보어) 되었다 (서술어).

06 정답_①

① 창조성 → 무수히 많은 단어나 문장을 만들 수 있다.
② 자의성 → 언어의 내용과 형식 사이에는 필연적인 관계가 없다.
③ 사회성 → 언어는 사회적 약속으로 개인이 마음대로 바꿀 수 없다.
④ 분절성 → 언어는 연속적으로 이루어져 있는 세계를 불연속적으로 끊어서 표현한다 (예 무지개 7색깔)

07 정답_①

> ■ 표준 발음법 ■
> 【제13항】홑받침이나 쌍받침이 모음으로 시작된 조사나 어미, 접미사와 결합되는 경우에는, 제 음가대로 뒤 음절 첫소리로 옮겨 발음한다.

① 꽃을[꼬츨]   ② 낮이[나지]
③ 밖에[바께]   ④ 옷을[오슬]

08 정답_①

① 마당에 꽃이 피었다.
→ 주어, 서술어의 관계가 한 번인 홑문장이다.

09 　　　　　　　　　　　　　　　　정답_③

ⓒ '바른 언어 습관은 원만한 인간관계 형성에 도움이 된다'는 글의 주제인 '카페인 섭취를 줄여야 한다'에 부합하지 않는 내용으로 글의 통일성에 어긋난다.

10 　　　　　　　　　　　　　　　　정답_④

이 글은 머리카락의 순기능에 대해 서술하고 있다.
ⓔ 앞뒤 맥락을 고려할 때, '그리고'로 고치는 것이 적절하다.

11~13 김소월, 진달래꽃

갈래 자유시, 서정시
주제 승화된 이별의 정한
특징 ① 이별의 상황을 가정
　　　 ② 1연과 4연의 수미상관
　　　 ③ 전통적 민요조의 3음보 율격

11 　　　　　　　　　　　　　　　　정답_①

'나 보기가 역겨워 가실 때에는'의 표현이 반복되어 운율을 형성한다.

12 　　　　　　　　　　　　　　　　정답_①

'나 보기가 역겨워 가실 때에는' → 이별의 상황을 가정

13 　　　　　　　　　　　　　　　　정답_②

② 말 없이 / 고이 보내 / 드리우리다 //

14~16 주요섭, 사랑손님과 어머니

갈래 현대 소설, 단편 소설
주제 어머니의 애틋한 사랑과 이별 / 사랑과 봉건적 윤리관 사이의 갈등
특징 ① 어린 아이를 화자로 설정함
　　　 ② 경어체, 구어체의 사용으로 친밀감을 드러냄

14 　　　　　　　　　　　　　　　　정답_③

'봉투 속으로 들어갔던 어머니의 파들파들 떨리는 손가락이 지전을 몇 장 끌고 나왔습니다.', '~거기에는 지전 몇 장 외에 네모로 접은 하얀 종이가 한 장 잡혀 있는 것이었습니다.'
→ 봉투를 열어 본 어머니가 봉투에서 지전과 하얀 종이를 발견했음을 알 수 있다.

15 　　　　　　　　　　　　　　　　정답_④

편지를 읽으며 얼굴빛이 바뀌고 손을 바들바들 떠는 어머니의 행동을 통해 내적으로 갈등하는 어머니의 심리를 추측할 수 있다.

16 　　　　　　　　　　　　　　　　정답_①

㉠ '하루는 밤에 아저씨 방에서 놀다가 졸려서 안방으로 들어오려고 일어서니까' → 서술자인 '나'(옥희)의 상황을 서술
ⓛ, ⓒ, ⓔ → 서술자인 '나'(옥희)가 주인공인 어머니의 상황을 관찰하여 서술

17~19 작자 미상, 춘향전

갈래 판소리계 소설, 고전 소설
주제 신분을 초월한 남녀 간의 사랑 (표면적)
특징 ① 해학과 풍자가 드러남
　　　 ② 서술자의 편집자적 논평
　　　 ③ 판소리의 영향으로 운문체와 산문체가 혼합

17 　　　　　　　　　　　　　　　　정답_④

윗글은 '3인칭 전지적 시점'의 서술자에 의해 이야기를 전달한다.

18 　　　　　　　　　　　　　　　　정답_④

'춘향이가 죽을 줄만 알고 울며불며 따라왔던 월매는 울다 웃다 덩실덩실 어깨춤을 추었다.' → 월매의 행동을 통해 사위가 어사가 되어 딸이 살아날 수 있게 된 것을 매우 기뻐하고 있음을 알 수 있다.

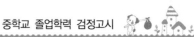

19 정답_②

'옥반지'는 춘향이가 이몽룡에게 준 사랑의 증표이므로 '옥반지'를 통해 어사또의 정체가 춘향이 기다리던 '이몽룡'임을 알 수 있다.

■ 20~22 김용섭, 왜 속도를 고민해야 하는가?

갈래 주장하는 글

주제 속도를 너무 중요하게 여기지 않았는지 반성하고, 작은 불편은 수용하는 소비자가 되자.

특징 ① 귀납과 연역 사용
② 의문문의 제목으로 독자의 호기심 유발
③ 주장의 타당성을 뒷받침하는 통계 자료 활용

---

20 정답_②

2, 3단락에서 택배 기사들의 평균 노동시간이나 수입 등에 대해 구체적 수치를 제시하고 있다.

21 정답_④

3단락 → 산업의 규모가 커지면 해당 업종에 종사하는 사람들의 수입이 느는 게 일반적이지만, 택배 기사들은 그렇지 못하다. 택배 시장이 과열되면서 더 저렴한 가격을 내세운 가격 경쟁이 심해졌기 때문이다.

22 정답_②

ⓒ 과속 → 자동차 등의 주행 속도를 빠르게 함.
저속 → 느린 속도

■ 23~25 남종영, 사라져 가는 북극곰

– 북극곰이 지구 온난화로 멸종 위기종에 등록되었다.
– 지구 온난화 문제를 해결하기 위해서는 국제적 차원에서 대책을 마련해야 한다.

---

23 정답_①

1단락에서 지구 온난화로 북극의 바다 얼음이 줄어들어 북극곰의 서식지가 파괴되고 있는 현상을 언급하고 있다.

24 정답_④

㉠ '멸종'의 의미(뜻)를 밝히기 위한 '정의'의 설명 방법이 사용됨
④ 삼각형은 세 개의 선분으로 둘러싸인 평면 도형이다. → 정의
① 동물은 척추동물과 무척추동물로 나뉜다. → 분류
② 발효 음식의 예로 김치, 간장, 된장이 있다. → 예시
③ 오늘 아침에 늦잠을 자서 학교에 지각을 했다. → 인과

25 정답_③

마지막 단락 → '2009년 유엔기후변화회의'를 시작으로 각국에 온실가스 감축량을 할당하는 논의가 진행되었다. (ⓒ) 강제적이고 실효성 있는 대책을 마련하는 데는 아직 어려움을 겪고 있다.
→ (ⓒ) 앞뒤 내용은 내용상 접속어 '하지만(그러나)'이 적절하다.

▶2024년 2회◀

01	②	06	②	11	④	16	①	21	①
02	④	07	②	12	③	17	③	22	②
03	③	08	①	13	③	18	④	23	④
04	④	09	④	14	④	19	③	24	①
05	④	10	①	15	②	20	④	25	②

01   정답_②

축구 경기에 첫 출전해서 팀에 방해가 될까 봐 걱정하는 '지후'에게 민재는 ㉠의 격려를 하고 있다.

02   정답_④

일기에는 평소 말하기에 자신 있었던 '나'의 실력만 믿고 별다른 준비를 하지 않았는데, 토론에서 상대방의 주장에 반박할 타당한 근거를 제시하지 못해 당황스러웠음이 나타난다.

따라서 '나'는 상대방의 주장에 반박할 타당한 근거를 미리 마련하는 자세가 필요하다.

03   정답_③

③ 언어는 같은 언어를 사용하는 사람들 사이의 약속이다
    → 언어의 사회성
① 언어는 시간의 흐름에 따라 끊임없이 변화한다.
    → 언어의 역사성
② 언어의 의미와 말소리 사이에는 필연적인 관계가 없다
    → 언어의 자의성
④ 언어를 사용하여 새로운 단어나 문장을 끊임없이 만들어낼 수 있다 → 언어의 창조성

04   정답_④

④ 남은 짐들은 모두 집으로 <u>부쳤어</u>(O)
    ★ 부치다 : 편지, 짐 등을 상대에게로 보내다
① <u>된장찌게</u>(×) 가격이 너무 올랐어 → 된장찌개(O)
② 이따 수업 <u>맞히고</u>(×) 도서관에 가자 → 마치고(O)
    ★ 맞히다 : 문제에 대한 정답을 틀리지 않게 하다.
    ★ 마치다 : 일, 절차, 과정 등이 끝나다.
③ 오늘은 <u>웬지</u>(×) 그림을 그리고 싶어→ 왠지(O)
    ★ 웬 : 어찌된, 어떠한의 의미로 '웬' 단독으로 사용

★ 왠지 : 왜인지의 줄임말로 '왠' 단독으로 사용하지 않음

05   정답_④

조음방법＼조음위치			입술소리 양순음	잇몸소리, 혀끝소리 치조음	센입천장 소리 경구개음	여린입천 장소리 연구개음	목청소리 후음
안울림소리	파열음	예사소리	ㅂ	ㄷ		ㄱ	
		된소리	ㅃ	ㄸ		ㄲ	
		거센소리	ㅍ	ㅌ		ㅋ	
	파찰음	예사소리			ㅈ		
		된소리			ㅉ		
		거센소리			ㅊ		
	마찰음	예사소리		ㅅ			ㅎ
		된소리		ㅆ			
울림소리	비음		ㅁ	ㄴ		ㅇ	
	유음			ㄹ			

06   정답_②

② 맑게 [말께](O)

★ 표준 발음법【제11항】
겹받침 'ㄺ, ㄻ, ㄿ'은 어말 또는 자음 앞에서 각각 [ㄱ, ㅁ, ㅂ]으로 발음한다.
다만, 용언의 어간 말음 '<u>ㄺ</u>'은 '<u>ㄱ</u>' 앞에서 [<u>ㄹ</u>]로 발음한다.

07   정답_②

그곳의 경치는 ㉠ <u>아름답다</u> (형용사)
② 새로 산 신발이 나에게 <u>작다</u> (형용사)
① 밥이 정말 <u>맛있다</u> (부사)
③ 사진을 보니 <u>옛</u> 추억이 생각난다 (관형사)
④ 학생들이 <u>운동장</u>에서 축구를 한다 (명사)
★ 형용사 → 사물의 성질이나 상태를 나타내는 품사
★ 부사 → 용언, 부사, 관형사, 문장 전체를 수식하는 품사
★ 관형사 → 체언 앞에 놓여 그 말을 수식하는 품사
★ 명사 → 사물이나 사람의 이름을 나타내는 품사

08   정답_①

① <u>토끼가</u> 들판에서 풀을 <u>뜯는다</u>
    → 홑문장 (주어와 서술어의 관계가 한 번 나타나는 문장)
② 바람이 불고 나무가 흔들린다
    → 대등하게 이어진 문장 (겹문장)
③ 나는 (겨울이 오기)를 기다린다
    → 명사절을 안은 문장 (겹문장)
④ 비가 와서 우리는 소풍을 연기했다

→ 종속적으로 이어진 문장 (겹문장)

09 정답_④
④ 웃음의 사회적 효과
①, ③ 웃음의 신체적 효과
② 웃음의 정신적 효과

10 정답_①
① ㉠ 지금까지 내가 겪은 일 가운데 <u>가장 기억에 남는</u>
<u>일은</u> 축구부 활동을 <u>할 것이다</u>(×)
   → 주어와 서술어, 시제 등의 호응을 고려하여 '했
      던 것이다'로 수정해야 한다.
② ㉡ 발각 → 숨겼던 일이 드러나 알려지다
      발탁 → 여럿 중 쓸만한 사람을 가려서 뽑다
③ ㉢은 '나의 경험담'과 관련이 없는 내용이므로 삭제
   한다
④ ㉣ '왜냐하면'은 이유나 원인을 나타내는 부사어로
   문맥상 적절하지 않으므로 '결국'으로 바꾼다

11~13 수난이대, (하근찬)
- **갈래** 단편 소설, 전후 소설
- **주제** 민족적 수난과 극복 의지
- **시점** 전지적 작가 시점과 작가 관찰자 시점의 혼용
- **특징** ① 현재와 과거가 교차됨
  ② 상징적 소재를 통해 주제 전달
  ③ 향토적, 토속적 언어의 사용으로
     사실감을 부여
  ④ 일제 강점기, 한국 전쟁이라는 민족의
     수난을 다룸

11 정답_④
'진수는 곧장 미안스러운 얼굴을 하며, '나꺼정 이렇게
되다니 아부지도 참 복도 더럽게 없지. 차라리 내가 죽
어 버렸더라면 나았을낀데……'를 통해 만도에 대한
증오심이 아닌 미안함을 느끼고 있음을 알 수 있다.

12 정답_③
'진수는 지팡이와 고등어를 각각 한 손에 쥐고, 아버지
의 등허리에 슬그머니 업혔다.'를 통해 지팡이를 손에

쥐고 있음을 알 수 있다.

13 정답_③
㉠은 화합과 협동을 통한 수난 극복의 가능성을 시사한
다.

14~16 먼 후일, (김소월)
- **갈래** 현대시, 자유시
- **성격** 애상적, 민요적, 서정적
- **주제** 님에 대한 그리움
- **특징** ① 미래 상황을 가정
  ② 3음보, 시구의 반복과 변주
  ③ 반어적 표현을 통한 그리움의 강조

14 정답_②
'먼 훗날 당신이 찾으시면~', '당신이 나무라면~',
→ 미래 재회의 상황을 가정함

15 정답_②
② 각 연을 동일한 글자로 시작하고 있지 않음
① 3음보의 율격
③ '당신이', '잊었노라'의 반복
④ '~면 ~노라'의 유사 문장 구조가 여러 번 드러남

16 정답_①
이 시는 3음보의 율격과 반어적 표현을 통해 '님에 대
한 그리움'을 드러내고 있다.

17~19 호질, (박지원)
- **갈래** 우화 소설, 풍자 소설
- **성격** 풍자적, 우화적, 비판적
- **주제** 양반층의 허위의식과 부도덕성 비판
- **특징** ① 우의적 수법을 사용함
  ② 작가를 대변하는 범을 의인화함
  ③ 인물의 행위를 희화화하여 풍자함

17 정답_③
"가까이 오지도 마라. ~ 누가 네 말을 곧이듣겠느냐?"

→ '범'은 북곽 선생의 말을 곧이곧대로 받아들이지 않고 오히려 위선적이고 이중적인 '북곽 선생'을 꾸짖고 있다.

18 정답_①

[A]는 범이 사라진 것을 알고 농부 앞에서 자신의 부끄러운 모습을 합리화하는 북곽 선생의 허세를 드러내고 있다.

19 정답_③

ⓒ → 범 / ㉠, ⓛ, ㉣ → 북곽 선생

■ 20~22 플라스틱은 전혀 분해되지 않았다. (박경화)

갈래 논설문

성격 설득적, 논리적, 비판적

주제 플라스틱 사용을 줄이자

특징 구체적인 사례를 통해 글쓴이의 주장을 뒷받침함

---

20 정답_④

'손이 닿는 곳이면 어디에나 있는 플라스틱을 전혀 사용하지 않고 생활하기는 어렵겠지만, 줄일 수 있다면 줄여 보자. 특히 짧은 시간 사용하고 버리는 일회용 플라스틱 제품은 더더욱 선택하지 말자.'

→ 플라스틱 사용을 줄이자는 글쓴이의 핵심 주장이 드러난다

21 정답_①

'사람들이 만들어낸 플라스틱 쓰레기는 수백 년 동안 썩지 않고 이 지구 어디엔가 존재하고 있다'는 본문의 내용을 참고할 때, ① 쉽게 분해되어 토양을 오염시킨다는 내용은 적절하지 않다.

22 정답_②

[A]는 플라스틱 쓰레기로 인한 다양한 문제점을 나열하고 있다. 유사 내용을 나열할 때 접속어로 ② '또한'이 적절하다.

■ 23~25 그림에서 들려오는 소리. (이명옥)

갈래 설명문

성격 설명적, 분석적

주제 그림을 활용한 공감각에 대한 이해

특징 ① 정의, 예시, 분석 등 다양한 설명 방법을 사용

② 독자에게 직접 말을 거는 듯한 구어체를 사용

---

23 정답_④

마지막 문단의 '~ 수영장의 수평선, 다이빙 보드의 대각선이 야자수 줄기의 수직선과 대비를 이루네요.'에서 ④의 내용을 확인할 수 있다.

24 정답_①

'먼저 (㉠)을 살펴 볼까요?' 뒷 문장에 파란색, 노란색, 색채 등의 색채어가 드러난다. 따라서 ㉠에 들어갈 단어로 ① '색채'가 적절하다.

25 정답_②

② 물에 세제를 풀자 거품이 <u>일어났다</u>

→ 위로 솟거나 부풀어 오르다

① 나는 오늘 아침 일찍 <u>일어났다</u>

→ 잠을 깨다

③ 민수가 외출하기 위해 자리에서 <u>일어났다</u>

→ 앉았다 서다

④ 그는 감기에 걸렸지만 금방 털고 <u>일어났다</u>

→ 병을 앓다가 낫다

▶2024년 1회◀

01	②	06	①	11	③	16	④	21	③
02	④	07	③	12	②	17	②	22	①
03	④	08	③	13	①	18	①	23	①
04	③	09	④	14	①	19	④	24	②
05	③	10	①	15	①	20	②	25	④

01 정답_②
민재는 노래 실력이 늘지 않아 걱정하는 상대방의 감정에 공감하며 위로하는 말하기를 하고 있다.

02 정답_④
면담의 목적은 '커피 전문가'라는 직업에 대한 정보를 얻기 위한 것이다. ④의 '커피 전문가가 어떤 운동을 가장 좋아하나요'라는 질문은 면담 목적에 어울리지 않는다.

03 정답_④
④ 흙은 [흘근]
★ 표준 발음법【제14항】 → 연음 법칙
겹받침이 모음으로 시작된 조사나 어미, 접미사와 결합되는 경우에는 뒤엣것만을 뒤 음절 첫소리로 옮겨 발음한다.
(이 경우, 'ㅅ'은 된소리로 발음함.)
① 값이 [갑시 → 갑씨]
② 넓은 [널븐]
③ 읊어 [을퍼]

04 정답_③
★ 단모음 → 소리를 낼 때 혀의 위치나 입술의 모양이 처음부터 끝까지 바뀌지 않는 모음.
'ㅏ, ㅐ, ㅓ, ㅔ, ㅗ, ㅚ, ㅜ, ㅟ, ㅡ, ㅣ'
★ 이중 모음 → 소리를 낼 때 입술의 모양이나 혀의 위치가 달라지는 모음
'ㅑ', 'ㅒ', 'ㅕ', 'ㅖ', 'ㅘ', 'ㅙ', 'ㅛ', 'ㅝ', 'ㅞ', 'ㅠ', 'ㅢ'

05 정답_③
③ 사람이나 사물의 이름을 나타낸다. → 명사

① 수량이나 순서를 나타낸다. → 수사
② 대상의 동작이나 작용을 나타낸다. → 동사
④ 대상의 성질이나 상태를 나타낸다. → 형용사

06 정답_①
① 담장에 작은 참새가 앉았다. → 작(어간) + 다
② 여기에 서니 독도가 보인다. → 서(어간) + 다
③ 도서관에는 많은 책이 있다. → 많(어간) + 다
④ 여름에 먹는 냉면은 맛있다. → 먹(어간) + 다

07 정답_③
내(관형어) 동생은(주어) ㉠ 연구원이(보어) 되었다(서술어).
③ 민서는 연예인이 아니다. → 보어
① 바람이 세차게 분다. → 서술어
② 봄꽃이 활짝 피었다. → 부사어
④ 아기가 아장아장 걷는다. → 주어

08 정답_③
③ 이번 학교 축제에는 반드시 참여할 거야. (O)
① 부치지 → 붙이지
② 낳아서 → 나아서
④ 마쳤다 → 맞혔다

09 정답_④
제목 '동물이 행복한 동물원은 없다'는 동물원의 부정적 기능을 의미한다. 그러나 ㉣ '동물원은 야생 동물을 보호하는 기능을 함'은 동물원의 긍정적 기능을 의미하므로 글의 통일성에서 어긋난다.

10 정답_①
① 문맥상 '습지를'이 적합하다.
② '만일' ~ 한다면 (만일 ~사라진다면)이 적합하다
  '결코'는 '~ 하지 않는다'와 같은 부정 표현과 호응한다.
③ 이 글은 습지가 사라지면서 발생하는 '부정적 결과'들에 대해 설명하는 글이다. ㉢은 습지의 '긍정적 역할'에 대해 설명하고 있다. 삭제하는 것이 적절하다.
④ '영원히'가 적합하다.

11~13 하늘은 맑건만, (현덕)

갈래 현대 소설, 성장 소설

주제 정직하게 사는 삶의 중요성

시점 전지적 작가 시점

특징 ① 역순행적 구성

② 인물의 심리를 구체적으로 묘사

③ 갈등 요인과 해결 과정을 통해 주제 의식 전달

11
정답_③

③ 이 글은 '전지적 작가' 시점으로 서술자가 사건과 등장인물의 심리를 직접적으로 설명하고 있다.

12
정답_②

'문기'는 잘못을 저지르고 반성하며 성장해 나가는 인물이다. 문기의 행동을 통해 '정직하고 떳떳하게 사는 태도의 중요성'이라는 주제 의식을 전달하고 있다.

13
정답_②

'아랫집 심부름하는 아이 점순이의 음성이었다'를 통해 점순이가 아랫집에서 심부름을 하며 살았음을 알 수 있다.

14~16 사향 (김상옥)

갈래 현대 시조, (연시조)

성격 회상적, 향토적, 애상적

주제 고향에 대한 그리움

특징 ① 토속적 시어의 사용

② 다양한 감각적 이미지의 사용

③ '현재-과거-현재'의 역순행적 구성

14
정답_①

② '~ 진달래', ③ '~ 꽃지짐', ④ '~ 사람들'의 모습은 드러나지만 ① '~항구'의 모습은 드러나지 않는다.

15
정답_①

윗글은 고향에 대한 그리움을 노래한 시이다.

16
정답_④

㉠ 굽이 잦은 풀밭 길 → 시각적 심상

④ 노랗게 물든 황금 들판 → 시각적 심상

① 구수한 청국장 냄새 → 후각적 심상

② 하늘에 울리는 종소리 → 청각적 심상

③ 달콤한 사랑의 추억 → 미각적 심상

17~19 흥부전, (작자 미상)

갈래 판소리계 소설

성격 풍자적, 해학적, 교훈적

주제 형제간의 우애와 권선징악 (표면적)

빈부 간의 갈등 (이면적)

특징 ① 판소리계 고전 소설

② 해학적, 풍자적 표현을 통해 재미와 감동을 줌

③ 변화되어 가는 조선 후기 사회의 사회상을 반영함

17
정답_②

'놀부'는 탐욕적이고 인색한 인물이다. ②의 인물 유형과 일치한다.

18
정답_①

'흥부'는 가족의 생계를 걱정하며 놀부를 찾아가 도움을 청하거나 읍내에 나가 식량을 꾸어오려고 한다. 따라서 가족의 생계에 전혀 관심이 없다는 것은 적절하지 않다.

19
정답_④

식량을 꾸기 위해 읍내에 나가려고 초라한 의복을 갖춰 입은 흥부의 모습을 과장해서 해학적으로 표현하고 있다.

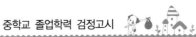

20~22 중학생인 나도 세금을 내고 있다고?, (조준현)

갈래 설명문

성격 객관적, 해설적

주제 직접세와 간접세의 특성

특징 ① 정의, 인과, 예시, 대조 등의 다양한 설명
방법 사용
② 세금을 직접세와 간접세로 구분하여
체계적으로 설명

20 정답_②

2문단 → '직접세'를 걷는 입장에서는 모든 사람의 소득이나 재산을 일일이 조사하여 그에 따라 세금을 거두어야 한다는 번거로움 (어려움)이 있다.

21 정답_③

㉠ 세금은 그것을 납부하는 방식에 따라 직접세와 간접세로 나눌 수 있다. → '구분'

③ 소설은 길이에 따라 단편, 중편, 장편 소설로 나눈다. → 구분

① 김 교수는 "백색 소음이 집중력을 높인다."라고 말했다. → 인용

② 원통형 기둥은 위아래 지름이 일정한 기둥을 뜻한다. → 정의

④ 젖산은 약한 산성이어서 유해균 증식을 억제할 수 있다. → 인과

22 정답_①

(㉡) 앞부분은 직접세의 '장점', 뒷부분은 직접세의 '단점'이 대조되고 있다. 따라서 대조를 나타내는 ① '그러나'가 가장 적절하다.

23 정답_①

이 글은 '건강을 위해 소금 섭취를 줄여야 한다'는 주장을 드러낸 논설문이다. 논설문은 '주장과 근거'를 파악하며 읽어야 한다.

24 정답_②

글쓴이는 과다한 소금 섭취의 문제점을 근거로 '건강을 위해 소금 섭취를 줄여야 한다'고 주장하고 있다.

25 정답_④

㉣ 부추기다

1. 남을 이리저리 들쑤셔서 어떤 일을 하게 만들다.

예 조합은 등짐꾼들을 부추겨 임금 인상을 요구하게 했다.

2. 감정이나 상황 따위가 더 심해지도록 영향을 미치다.

예 경쟁심을 부추기다.

▶2023년 2회◀

01	③	06	④	11	②	16	④	21	①
02	④	07	①	12	②	17	③	22	③
03	③	08	④	13	①	18	②	23	③
04	①	09	③	14	④	19	④	24	④
05	②	10	②	15	③	20	①	25	①

01
정답_③

그림은 자기 소개를 앞두고 제대로 말을 못할까 불안해하는 친구에게 긴장과 불안을 해소하는 방법을 알려주는 상황이다.
③은 대화 맥락에 적합하지 않다.

02
정답_④

면담 요청자가 사전에 목적에 맞는 질문을 준비해야 효율적인 면담이 전개될 수 있다.

03
정답_③

③ 입[입]은 표기와 발음이 일치한다.
① 꽃[꼳] ② 밖[박] ④ 팥[팓]

04
정답_①

품사 → 문장을 이루는 여러 단어들을 그 성질이 같은 것끼리 묶은 것.
① 너(대명사) → 사람이나 사물의 이름을 대신 나타내는 말
② 나무(명사) → 사람이나 사물의 이름을 나타내는 말
③ 예쁘다(형용사) → 성질이나 상태를 나타내는 말
④ 어머나(감탄사) → 부름, 느낌, 대답 등을 나타내는 데 쓰이면서 독립성을 가지는 말

05
정답_②

㉠ '방긋방긋' → 부사어
① 얼음이(보어) → 문장에서 주어의 내용을 보충하는 말. '되다/아니다' 앞에 옴
② 빨리(부사어) → 문장에서 용언, 관형어, 부사, 문장을 수식하거나, 문장이나 단어를 이어주는 말
③ 새(관형어) → 체언으로 실현되는 주어, 목적어, 서술어를 꾸미는 말
④ 별이(주어) → 서술어가 나타내는 동작이나 상태, 성질의 주체가 되는 말

06
정답_④

㉠ 않 → 안
㉡ 다쳤데 → 다쳤대
'-대'는 직접 경험한 사실이 아니라 남이 말한 내용을 간접적으로 전달할 때 쓰이고, '-데'는 화자가 직접 경험한 사실을 나중에 보고하듯이 말할 때 쓰이는 말로 '-더라'와 같은 의미를 전달하는 데 쓰임
㉢ 잘되서 → 잘돼서

07
정답_①

우리말에 본디부터 있던 말 또는 그것에 기초하여 새로 만들어진 말 → 고유어
① 구름(고유어)
② 육지(한자어)
③ 체온계(한자어)
④ 바이올린(외래어)

08
정답_④

훈민정음의 자음 17자
• 기본자(상형의 원리) → ㄱ, ㄴ, ㅁ, ㅅ, ㅇ
• 가획자(가획의 원리) → ㅋ, ㄷ, ㅌ, ㅂ, ㅍ, ㅈ, ㅊ, ㆆ, ㅎ
• 이체자 → ㆁ(옛이응), ㄹ(반설음), ㅿ(반치음)

09
정답_③

두피 온도를 유지할 수 있게 도움을 주는 것은 '머리카락의 기능'에 해당한다.

10
정답_②

'옛 사람들'이 재료를 다듬는 주체이므로 '다듬지'로 표현하는 것이 적절하다.

11~13 김유정, 「동백꽃」

- **갈래** 현대 소설, 농촌 소설
- **성격** 해학적, 토속적
- **시점** 1인칭 주인공 시점
- **주제** 시골 소년과 소녀의 순박하고 풋풋한 사랑
- **특징** ① 현재-과거-현재의 역순행적 구성
  ② 대조적 성격의 인물을 통해 해학성이 드러남

11
정답_②

이 글은 주인공 '나'가 직접 자신의 경험을 이야기하는 '1인칭 주인공 시점'이다.

12
정답_②

㉮는 자신의 행동을 거절한 '나'의 행동에 화가 나서 분노하는 점순의 모습이다.

13
정답_①

㉠ '감자'는 '나'에 대한 '점순'의 애정과 관심 / '나'와 '점순'의 갈등의 계기가 되는 소재이다.

14~16 이육사, 「청포도」

- **갈래** 현대시
- **성격** 서정적, 감각적, 상징적
- **주제** 풍요롭고 평화로운 현실에의 갈망
  조국 광복에의 기다림
- **특징** ① 청색-백색의 선명한 색채 대비
  ② 전통적 소재를 이용하여 정감어린 고향의 분위기를 표현

14
정답_④

청색(청포도, 하늘, 청포, 푸른 바다), 백색(은쟁반, 모시 수건)의 선명한 색채 대비

15
정답_③

시대적 상황을 고려할 때, ㉢ '내가 바라는 손님'은 조국의 광복을 상징한다.

16
정답_④

[A]는 조국 광복을 소망하며 티없이 맑고 정성스럽게 광복을 기다리는 모습을 의미한다.

17~19 허균, 「홍길동전」

- **갈래** 국문 수필, 영웅 소설
- **성격** 전기적, 영웅적, 현실 비판적
- **주제** 모순된 사회제도의 개혁과 이상국의 건설
- **특징** ① 영웅 일대기 구조
  ② 사회제도의 불합리성 비판

17
정답_③

함경감사(탐관오리)의 폭정으로 고통받는 백성들의 힘겨운 삶이 드러난다.

18
정답_②

길동의 '둔갑법'과 '축지법'은 현실 세계에서 일어날 수 없는, 신비롭고 기이한 일들이다. → 전기적, 비현실적

19
정답_④

감영 곳곳에서 길동을 잡으려고 하자 길동은 둔갑술로 가짜 길동을 만들어 자신을 찾지 못하도록 대비책을 세운다.

20
정답_①

보기의 '동생'은 생소한 단어가 많아 글의 내용 이해가 어려운 것이다. 사실과 의견을 구분하며 읽는 것은 생소한 단어를 이해하는 데 도움이 되지 않는다.

21 정답_①

1문단을 참고할 때, 기계적 소화란 물리적인 운동을 통해 음식물을 잘게 부수는 과정이다. 2문단은 사과를 먹는 일련의 작용을 통해 기계적 소화를 구체적으로 설명하고 있다.

22 정답_③

ⓒ은 '화학적 소화'의 뜻을 '정의'의 방법으로 설명하고 있다.
① 인과 ② 분류 ③ 정의 ④ 대조

23 정답_③

1문단에서 야간 경관 조명을 시의 정책으로 적극적으로 추진하여 성공한 대표적 사례로 프랑스 리옹을 언급하고 있다.

24 정답_④

2문단 마지막 문장 '우리나라 도시도 야간 조명을 이용하여 도시 전체를 하나의 예술 작품으로 만들어 나가는 노력이 필요하다'를 통해 ④'조명을 이용하여 도시를 가꾸는 노력이 필요하다'는 글쓴이의 주장을 알 수 있다.

25 정답_①

㉠ 공약 → 정부, 정당, 입후보자 등이 어떤 일에 대하여 국민에게 실행할 것을 약속하는 것

▶2023년 1회◀

01	②	06	③	11	③	16	①	21	②
02	②	07	④	12	③	17	②	22	③
03	④	08	④	13	④	18	②	23	③
04	④	09	④	14	④	19	③	24	②
05	①	10	④	15	①	20	②	25	①

01 정답_②

㉠은 바자회 참여에 대해 부정적으로 생각하는 '강현'을 설득하기 위한 말하기이다.

02 정답_②

②는 시험 성적이 떨어져 걱정하는 상대방에게 공감하며 위로하기에 적절한 대화법이다.

03 정답_④

④ 언어의 자의성 → 언어의 형식(소리)과 의미(뜻)는 필연적인 관계가 아니다.
①, ②, ③ 언어의 역사성 → 언어는 시간의 흐름에 따라 새로 생기거나, 소리의 뜻이 변하거나, 예전에 사용하던 말이 사라지기도 한다.

04 정답_④

①, ②, ③ → 단모음
소리를 낼 때 혀의 위치나 입술의 모양이 변화 없이 동일한 소리를 유지하는 모음
'ㅏ, ㅐ, ㅓ, ㅔ, ㅗ, ㅚ, ㅜ, ㅟ, ㅡ, ㅣ'
④ → 이중모음
소리를 낼 때 혀의 위치나 입술의 모양이 움직여서 소리의 처음과 끝이 다른 모음
'ㅑ, ㅕ, ㅛ, ㅠ, ㅒ, ㅖ, ㅘ, ㅙ, ㅝ, ㅞ, ㅢ'

05 정답_①

① 넓다 [널따]

06
정답_③

③ 대상의 상태나 성질을 나타낸다.(형용사)
① 사물의 이름을 나타낸다.(명사)
② 대상의 움직임을 나타낸다.(동사)
③ 놀람, 느낌, 부름, 대답을 나타낸다.(감탄사)

07
정답_④

㉠ '하얀'과 ④ '독서의'는 체언을 수식하는 '관형어'
이다.
① '활짝'은 용언을 수식하는 부사어이다.
② '우유를'은 서술의 대상인 목적어이다.
③ '어른이'는 '보어'이다.

08
정답_④

① 오십시오 → 오십시오(○)
② 깨끗이 → 깨끗이(○)
③ 몇일 → 며칠(○)

09
정답_②

② 효과음 → 영상을 제작할 때 장면의 실감을 더하기
위하여 넣는 소리

10
정답_④

'절대', '결코'는 ~ 아니다(않다) 등의 부정 서술어와
호응한다.
절대 → 결국

11~13 김애란, 「두근두근 내 인생」

갈래 장편 소설, 성장 소설
시점 1인칭 주인공 시점
성격 자기 고백적, 성찰적
주제 죽음을 앞둔 소년이 겪는 삶의 희로애락과
가족의 사랑
특징 ① 한 소년이 자신이 살아온 날을 기록하
는 형식
② 태아~생을 마감하는 순간까지 과정을
시간 순으로 전개

11
정답_③

이 작품은 '1인칭 주인공' 시점의 서술자인 '나'가 자신
의 생각을 직접 이야기하고 있다.

12
정답_③

'아, 나는 저거보단 훨씬 괜찮게 생겼는데……'를 통해
'아름'이 영상 속 자신의 모습에 만족하지 못하고 있음
을 알 수 있다.

13
정답_④

퀴즈 프로그램에 출연한 적이 있는 자신의 경험을 바
탕으로 작품 속 인물에게 동감하고 있다.

14~16 정호승, 「봄 길」

갈래 자유시, 서정시
성격 희망적, 미래지향적, 역설적, 의지적
주제 시련과 역경을 이겨내고 희망을 가지고 나
아가는 삶
특징 ① 공간(시건)에 따른 시상 전개
② 설의, 대구, 직유, 의인 등 여러 가지
표현 기법 사용

14
정답_①

이 시에서 색채 대비는 드러나지 않는다.

15
정답_①

㉠ → 시련을 극복하는 희망적 의지
㉡, ㉢, ㉣ → 절망적 현실

16
정답_①

① 이것은 소리 없는 아우성 → 역설법
② 돌담에 속삭이는 햇발같이 → 직유법
③ 나는 나룻배 / 당신은 행인 → 은유법, 대구법
④ 젖지 않고 가는 삶이 어디 있으랴? → 설의법

17~19 박지원, 「허생전」

갈래 한문 수필, 풍자 소설
성격 풍자적, 비판적, 현실 개혁적
주제 무능한 집권층에 대한 비판과 각성 촉구

17
정답_②

"당신은 평생 과거도 보지 않으면서~."라는 아내의 말을 참고할 때, 허생은 과거를 본 적이 없음을 알 수 있다.

18
정답_②

'허생의 아내'는 가장이라면 수단과 방법을 가리지 않고 돈을 벌어 가족의 생계를 책임져야 한다고 생각한다.

19
정답_③

㉠을 통해 '조선 경제 구조의 취약성'을 한탄하는 허생의 심리를 엿볼 수 있다.

20
정답_②

② 이 글은 '발효 음식의 우수성'에 대해 설명하고 있다.

21
정답_②

㉠은 '대조'의 방법을 사용해 '발효'와 '부패'의 차이에 대해 설명하고 있다.

22
정답_③

앞 단락과의 내용 연계성을 고려할 때, '그렇다면'이 가장 적절하다.

23
정답_③

마지막 단락의 '지금부터라도 ~ 준비해야할 것이다' 통해 작가의 주장이 드러나는 논설문적 성격의 글임을 알 수 있다. 이러한 글은 주장과 근거를 중심으로 내용을 파악해야 한다.

24
정답_②

2단락은 에너지 사용량 증가의 심각성을 제시하고 있다.

25
정답_①

마지막 단락의 내용을 참고할 때, ①은 적절하지 않다.

▶2022년 2회◀

01	②	06	②	11	③	16	④	21	④
02	③	07	①	12	②	17	①	22	④
03	③	08	②	13	④	18	③	23	④
04	①	09	③	14	③	19	①	24	①
05	④	10	②	15	②	20	①	25	②

01 　　　　　　　　　　　　　정답_②

민지는 수철에게 의문의 형식을 활용해 창문을 열어줄
것을 완곡하게 요청하고 있다.

02 　　　　　　　　　　　　　정답_③

③ → '나' 전달법 (~나는 속상해.)
①, ②, ④ → '너' 전달법

03 　　　　　　　　　　　　　정답_③

㉠, ㉡ 모두 목적어를 필요로 한다.
㉠ 먹다 → 주어, 목적어를 필요로 하는 2자리 서술어
㉡ 드리다 → 주어, 필수부사어, 목적어를 필요로 하는
　　3자리 서술어

04 　　　　　　　　　　　　　정답_①

① 꽃[꼳] → 어법에 맞게 표기
② 밤[밤]
③ 나무[나무]
④ 하늘[하늘] → 소리대로 표기

05 　　　　　　　　　　　　　정답_④

④ 사람이나 사물의 움직임을 나타낸다. → 동사
① 다른 말을 꾸며 준다. → 관형사, 부사
② 문장에서 주로 주어로 쓰인다. → 체언
③ 부름, 응답, 놀람 등을 나타낸다. → 감탄사

06 　　　　　　　　　　　　　정답_②

제시문은 시간의 흐름에 따라 언어가 생성, 소멸, 변화
의 과정을 겪는
② 역사성을 설명한 것이다.
① 사회성 → 언어는 그 언어를 사용하는 사람들 사이의
　　약속이기 때문에 개인이 임의로 바꿀 수 없다.

③ 자의성 → 언어의 내용과 형식 사이에는 필연적인
　　관계가 없어 임의성을 가진다.
④ 창조성 → 한정된 말소리로 무수히 많은 단어를 만
　　들 수 있고, 단어의 나열을 통해 아주 많은 문장을
　　새로 만들 수 있다.

07 　　　　　　　　　　　　　정답_①

① 두 입술 사이에서 나는 입술소리
　　→ ㅁ, ㅂ, ㅃ, ㅍ
② 입안이나 코안이 울리면서 나는 울림소리
　　→ ㄴ, ㄹ, ㅇ, ㅁ
③ 혀끝이 윗니의 잇몸에 닿으면서 나는 잇몸소리
　　→ ㄷ, ㄸ, ㅌ, ㅅ, ㅆ, ㄴ, ㄹ
④ 성대 근육을 긴장시켜 숨이 거세게 나는 거센소리
　　→ ㅋ, ㅌ, ㅍ, ㅊ

08 　　　　　　　　　　　　　정답_②

훈민정음 초성(자음)의 기본 글자 → ㄱ, ㄴ, ㅁ, ㅅ, ㅇ

09 　　　　　　　　　　　　　정답_③

보고서 작성 시 활용되는 자료는 사실에 근거한 정확
성을 지녀야 한다.

10 　　　　　　　　　　　　　정답_②

㉡ '공유 자전거 이용 활성화'는 '자전거를 탈 때 안전
　　모를 쓰자'는 주제와의 관련성이 없어 글의 통일성
　　을 해치고 있다.

> **11~13 기억 속의 들꽃 (윤흥길)**
> **갈래** 단편 소설, 전후 소설
> **성격** 회상적, 비극적
> **주제** 전쟁으로 인한 인간성 상실의 비극
> **특징** ① 과거 회상의 형식을 취함
> 　　② 상징적 제목을 통해 주인공 명선의 비
> 　　　극적 삶을 나타냄
> 　　③ 어린 아이의 시선을 통해 전쟁의 비극
> 　　　성과 인간성 상실을 드러냄

11 정답_③

이 작품은 '1인칭 관찰자 시점'으로 작품 속 인물이 경험한 이야기를 서술하고 있다.

12 정답_②

명선이는 숙부에게 버림받은 게 아니라 스스로 도망쳤다.

13 정답_④

〈'쥐바라숭꽃(들꽃)'의 상징적 의미〉

전쟁 중에 홀로 남은 명선 / 꽃을 좋아하는 명선의 순수한 모습 / 척박한 환경에서도 살아 남는 강인한 생명력 / 다리 아래로 떨어져 죽은 명선

14~16 새로운 길 (윤동주)

갈래 자유시, 서정시

성격 상징적, 고백적, 의지적

주제 새로운 길을 가고자 하는 의지

특징 ① 수미상관의 기법 사용
② 대비되는 시어들을 통해 화자의 의지를 표현
③ 3연을 중심으로 1·5연과 2·4연이 의미상 대칭을 이룸

---

14 정답_③

동일한 시어(길, 내, 숲, 고개, 마을 등)를 반복하여 운율을 형성하고 있다.

15 정답_②

내, 고개(인생이란 길을 걸어가며 만날 수 있는 고난과 시련)

16 정답_④

'내, 고개'를 건너 '숲, 마을'로의 공간 이동은 어려움을 이겨내고 화자가 지향하는 평화로운 곳으로 가고자 하는 마음을 드러낸다.

17~19 심청전 (작자 미상)

갈래 고전 소설, 판소리계 소설

성격 교훈적, 비현실적, 우연적

주제 부모에 대한 지극한 효성

특징 ① 판소리 〈심청가〉가 소설로 정착된 판소리계 소설
② '수궁'이라는 비현실적 공간과 '옥황상제' 등의 초월적 존재의 등장 → 환상적 분위기

---

17 정답_①

'심청전'의 주제는 부모에 대한 전통적 효 사상이다.

18 정답_③

㉠에는 인당수로 떠나는 당일, 어서 떠나자고 재촉하는 뱃사람들의 이야기를 들은 심청의 아버지에 대한 걱정, 긴장, 불안 등의 심리가 드러난다. '분노'의 감정은 적절하지 않다.

19 정답_①

아버지를 남겨 두고 인당수로 떠나야 하는 심청의 절박한 마음과는 달리 상황을 인지하지 못하고 있는 심봉사의 모습이 안타까움을 준다.

20~22 모두를 위한 디자인 (김신)

갈래 설명적

성격 정보 전달적, 객관적, 논리적

주제 모두를 위한 디자인의 성격과 가치

특징 ① 다양한 시각 자료의 활용
② 모두를 위한 디자인의 사례 제시

---

20 정답_①

〈'모두를 위한 디자인'이 적용된 예〉

옆으로 긴 막대 모양의 문손잡이 / 휠체어를 자유롭게 이용할 수 있는 지하철의 엘리베이터 / 횡단보도에서 파란불이 켜질 때 나오는 소리 / 공공장소나 대중교통에서 나오는 다국어 음성 안내

21 정답_④

㉠은 어떤 말이나 사물의 뜻을 밝혀 풀이하는 '정의'의 설명 방법이다.

④ 정삼각형은 변의 길이와 내각의 크기가 모두 같은 삼각형이다.(정의)

① 동물은 척추동물과 무척추동물로 나뉜다.(분류)

② 발효 음식의 예로 김치와 간장, 된장이 있다.(예시)

③ 지구촌 곳곳의 폭염과 화재의 원인은 기후 변화이다.(인과)

22 정답_④

'모두를 위한 디자인'은 사회적 약자를 비롯해 '모든 사람을 위한 디자인'이라는 의미로 통용되고 있다.

④ '잘못 다루었을 때 원래 상태로 되돌리기 어려워야 한다'는 '모두를 위한 디자인'의 원칙에 어긋난다.

> ### 23~25 생명을 불어넣는 마법사의 물 (남창훈)
> **갈래** 수필(과학 에세이)
> **성격** 과학적, 논리적, 귀납적
> **주제** 당연하다고 믿는 사실을 의심하는 것에서 시작하는 탐구
> **특징** 파스퇴르, 갈릴레이, 코페르니쿠스의 구체적 사례를 제시하여 주장을 이끌어 내는 귀납 논증이 사용됨

23 정답_④

갈릴레이는 여러 번의 실험으로 모든 물체는 그 무게와 관계없이 똑같은 속도로 자유 낙하한다는 사실을 증명해 냈다.

24 정답_①

'미생물이 저절로 발생한다고 주장하는 기존 학자들의 권위에 따르지 않고 파스퇴르는 실험을 통해 반론을 폈다'는 내용을 고려할 때 '그러나'가 적절하다.

25 정답_②

㉡ '아리스토텔레스'의 주장은 모든 사람들이 옳다고 믿는 상식

⇕

㉠, ㉢, ㉣은 모두가 옳다고 주장하는 이야기라도 틀릴 수 있다는 사실을 잊지 말아야 한다는 ㉫의 내용을 뒷받침하는 사례

▶2022년 1회◀

01	②	06	②	11	③	16	②	21	④
02	②	07	③	12	②	17	①	22	④
03	③	08	①	13	④	18	①	23	①
04	②	09	①	14	①	19	④	24	②
05	①	10	③	15	④	20	④	25	③

01
정답_②

• 문제 상황 → 학교 화단이 허전하다.
• 해결 → 꽃을 심자/꽃 이름을 알려주는 팻말을 함께 붙이자.

02
정답_②

〈그림〉은 혼자서 책을 다 옮길 수 없는 민수가 재희에게 도움을 요청하고 있는 담화 상황이다.

03
정답_③

① 무늬[무니], ③ 희망[히망], ④ 띄어쓰기[띠어쓰기]의 'ㅢ'는 자음을 첫소리로 가지기 때문에 [ㅣ]로 발음한다.

04
정답_②

①, ②, ③, ④의 '반드시'는 모두 '틀림없이 꼭'의 의미를 지닌다.

오답풀이

①, ③, ④의 '반듯이'는 문맥상 모두 '반드시'로 써야 한다.
① 겨울이 가면 <u>반드시</u> 봄이 온다.
③ 비가 오는 날이면 <u>반드시</u> 허리가 쑤신다.
④ 큰 지진 뒤에는 <u>반드시</u> 피해가 일어난다.

05
정답_①

①의 '눈이 작다'는 사전적 의미이다.

오답풀이

② 귀가 얇다. → 남의 말을 쉽게 받아들인다.
③ 배꼽 빠지다. → 몹시 우습다.
④ 발이 넓다. → 사귀어 아는 사람이 많아 활동하는 범위가 넓다.

06
정답_②

구 분	전설모음		후설모음	
	평순	원순	평순	원순
고모음	ㅣ	ㅟ	ㅡ	ㅜ
중모음	ㅔ	ㅚ	ㅓ	ㅗ
저모음	ㅐ		ㅏ	

07
정답_③

③ 새 → 체언을 수식하는 관형사

오답풀이

① 매우, ② 빨리, ④ 살며시 → 용언을 수식하는 '부사'

	의미	예
동사	달리다, 먹다, 자다, 공부하다	달리다, 먹다, 자다, 공부하다
형용사	성질이나 상태를 나타냄	예쁘다, 빠르다, 검다
명사	구체적인 대상의 이름	책, 사람, 전화기, 개
대명사	어떤 대상의 이름을 대신하여 가리킴	나, 너, 그, 우리, 그것
수사	사물의 수량이나 순서를 가리킴	하나, 둘, 일, 이, 삼
관형사	체언 앞에 놓여 체언을 수식함	한, 두, 옛, 오랜, 새
부사	용언이나 문장 전체를 수식함	빨리, 매우, 살며시, 활짝
조사	주로 체언 뒤에 놓여 다양한 문법적 관계를 나타내거나 의미를 더함	이/가, 은/는, 을/를, 에게, 에서, 만, 도
감탄사	부름, 대답, 느낌 등을 나타냄	꺅, 윽, 야, 어이

08
정답_①

① 국화가(주어) + 활짝(부사어) + 피었다(서술어)
   → 주어와 서술어의 관계가 한 번만 나타나는 '홑문장'

오답풀이

② 부사절을 안은 겹문장
③ 대등하게 이어진 겹문장
④ 종속적으로 이어진 겹문장

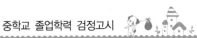

09
정답_①

근거1과 근거2는 '즉석식품의 과도한 섭취는 건강에 해롭다'는 주장을 뒷받침하기에 타당하다.

10
정답_③

보기의 글쓰기 계획은 ③ 우리 지역 축제의 문제점과 발전 방안을 찾기 위한 목적과 일치한다.

11~13 「오정희, 「소음공해」」

갈래 현대 소설

성격 교훈적, 비판적

주제 이웃에 대해 무관심한 현대인에 대한 비판과 반성

특징 ① 주인공의 심리 묘사가 두드러짐
(1인칭 주인공 시점)
② 이웃 간의 단절과 무관심을 비판함
③ 결말의 극적 반전으로 주제가 부각됨

11
정답_③

위층 여자에게 슬리퍼를 전해주며 소리를 죽이라는 메시지를 전하려 했던 '나'는 휠체어에 앉아 있는 여자를 보고 미안함과 부끄러움을 느낀다.

12
정답_②

'나'는 위층 여자에게 소리를 죽이라는 메시지와 함께 고통받는 나의 심정을 전하기 위한 선물로 '슬리퍼'를 준비했다.

13
정답_④

④는 위층 여자의 "누구세요?"라고 묻는 소리

오답풀이

①, ②, ③의 소리는 위층 여자의 휠체어 소리

14~16 기형도, 「엄마 걱정」

갈래 자유시, 서정시

성격 회상적, 감각적, 애상적

주제 시장에 간 어머니를 기다리던 외롭고 슬픈 어린 시절

특징 ① 상황 제시를 통한 섬세한 심리 묘사
② 유사한 문장의 반복과 변조를 통한 리듬감 형성과 의미 강조('안 오시네', '엄마 안 오시네', '안 들리네')
③ 감각적 이미지의 사용으로 '엄마의 고된 삶'과 '나의 정서'를 생생하게 표현

14
정답_①

어른이 된 화자는 시장에 간 엄마를 기다리던 외롭고 슬픈 어린 시절을 회상하고 있다.

15
정답_④

[A]는 빈방에서 시장에 간 엄마를 홀로 기다리던 어린 시절의 외로움, 무서움, 쓸쓸함의 정서를 느끼게 한다.

16
정답_②

'찬밥'은 일하러 간 엄마를 기다리는 '나'의 모습을 비유한 것이다.

17~19 규중의 어느 부인, 「규중 일곱 벗」

갈래 고전 수필, 내간체 수필

성격 풍자적, 우의적, 교훈적

주제 역할과 직분에 따른 성실한 삶 추구

특징 ① 사물을 의인화하여 세태를 풍자
② 3인칭 시점을 통한 객관적 관찰

17
정답_①

㉠ 척부인 – 긴 허리 – (자)

㉡ 교두 각시 – 두 다리를 빠르게 놀림 – (가위)

㉢ 청홍흑백 각시 – 얼굴이 붉으락푸르락 – (실)

㉣ 감투 할미 – 두꺼운 낯 – (골무)

18
정답_①

규중칠우(자, 가위, 바늘, 실, 다리미, 인두, 골무)는 옷 만드는 데 필요한 도구들을 의인화한 것이다.

19 정답_④

'청홍흑백 각시(실)가 세요(바늘)의 뒤를 따라다니는 것'은 바늘귀에 꿰여 달려 있는 실의 모습을 의미한다.

20~22 박경화, 「도시의 밤은 너무 눈부시다」

갈래 논설문

성격 설득적, 비판적

주제 생물체의 건강한 삶을 위해 야간의 인공 불빛을 줄이자.

특징 ① 야간의 인공 불빛으로 인한 문제점 제시
② 믿을 만한 자료를 인용하여 글의 신뢰성을 높임

---

20 정답_④

㉠ 뒷 문장의 내용('밤새 가로수에 매달려 우는 매미 때문에 창문을 열어 놓을 수가 없다.')을 고려할 때, ④가 적절하다.

21 정답_④

이 글은 글쓴이의 의견을 뒷받침하는 자료의 출처(과학 잡지)를 밝혀 글의 신뢰성을 높이고 있다.

22 정답_④

㉡은 ④의 '시간이 걸리다'와 같은 의미이다.

23 정답_①

남극이 북극보다 훨씬 춥다.

24 정답_②

윗 글은 남극과 북극의 기후적 특징을 대비하여 설명하고 있다.

25 정답_③

'남극에는 연구를 목적으로 거주하는 사람들 외에 원주민이 없다.' (㉠) '남극의 추위를 견뎌 내기가 그만큼 어렵기 때문이다.'
→ 두 문장은 원인과 결과로 이어진 문장이므로 ㉠은 '왜냐하면'이 적절하다.

▶2021년 2회◀

01	④	06	②	11	①	16	②	21	④
02	①	07	②	12	③	17	②	22	②
03	③	08	①	13	①	18	③	23	②
04	④	09	①	14	①	19	①	24	③
05	③	10	②	15	④	20	④	25	①

01 정답_④

주어진 상황은 기타 연주회를 앞두고 연주가 잘 안 돼서 걱정하는 상대방에게 공감하며 말하는 태도가 요구된다. 상대방의 입장에서 문제를 바라보고 처지와 감정을 존중하는 태도로 ④가 가장 적절하다.

02 정답_①

학교 내 복도에 무인 방범 카메라가 설치되어, 학생들의 일거수일투족이 빠짐없이 촬영되는 것은 사생활 침해의 우려와 관련이 있다.

03 정답_③

표준 발음법 9항

받침 'ㄲ, ㅋ, ㅅ, ㅆ, ㅈ, ㅊ, ㅌ, ㅍ'은 어말 또는 자음 앞에서 각각 대표음 [ㄱ, ㄷ, ㅂ]으로 발음한다.

③ 옷 → [옫]

04 정답_④

'단어'는 낱말이 가진 공통된 의미를 기준으로 9품사로 나뉜다.

④ 매우 → 용언 '흥미로웠다'를 수식하는 '부사'

오답풀이

① 어느 → 체언 '집'을 수식하는 '관형사'
② 모든 → 체언 '학생'을 수식하는 '관형사'
③ 첫 → 체언 '마음'을 수식하는 '관형사'

구분	의미	예
동사	움직임이나 작용을 나타냄	달리다, 먹다, 자다, 공부하다
형용사	성질이나 상태를 나타냄	예쁘다, 빠르다, 검다
명사	구체적인 대상의 이름	책, 사람, 전화기, 개

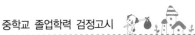

구분	의미	예
대명사	어떤 대상의 이름을 대신하여 가리킴	나, 너, 그, 우리, 그것
수사	사물의 수량이나 순서를 가리킴	하나, 둘, 일, 이, 삼
관형사	체언 앞에 놓여 체언을 수식함	한, 두, 옛, 오랜, 새
부사	용언이나 문장 전체를 수식함	정말, 매우, 참, 아주, 꽤
조사	주로 체언 뒤에 놓여 다양한 문법적 관계를 나타내거나 의미를 더함	이/가, 은/는, 을/를, 에게, 에서, 만, 도
감탄사	부름, 대답, 느낌 등을 나타냄	꺅, 윽, 야, 어이

05
정답_③

전문 직업인인 요리사들 사이에서는 '쥘리엔'이라는 단어를 사용해 소통의 효율성을 높이고 있다.

전문어

- 특정 분야에 종사하는 사람들 사이에서 개념이나 현상을 가리키는 전문적인 어휘
- 전문어에는 한자어나 외래어가 많음 → 다양한 의미로 해석될 수 있는 고유어보다 한자어가 개념이나 의미를 더 정확하게 표현할 수 있고, 외국의 학문을 수용하는 과정에서 외래어가 그대로 전문으로 굳어져 사용되기 때문임

06
정답_②

② 반장이 → 서술어 '되다' 앞에 위치에 내용을 보충하는 '보어'

오답풀이

① 까치가 → 서술어의 주체인 '주어'
③ 강가에서 → 용언을 수식하는 '부사어'
④ 수박을 → 서술어의 동작 대상이 되는 '목적어'

주성분	(1) 주어 : 그 문장의 주체를 나타내는 말 예 산이 높이 솟아 있다. (2) 서술어 : 주어를 서술하는 말 예 아기가 운다. (3) 목적어 : 타동사가 서술어로 쓰인 문장에서 그 동작의 대상이 되는 말 예 언니는 과일을 잘 먹고, 동생은 과자를 잘 먹는다.

주성분	(4) 보어 : 서술어가 되는 용언 중에 '되다'와 '아니다'의 앞에는 '무엇이' 되다, '무엇이' 아니다와 같이 보충해 주는 말이 필요하다. 이 때의 '무엇이'에 해당하는 말 예 물이 얼음이 되었다.
부속성분	(1) 관형어 : 체언으로 실현되는 주어, 목적어 앞에서 이들을 꾸미는 말 예 그는 옛 친구를 만났다. (2) 부사어 : 주로 서술어를 꾸미는 말 예 오늘은 날씨가 아주 맑다.
독립성분	(1) 독립어 : 문장의 성분과도 직접적인 관련이 없는 독립된 성분 예 아, 세월이 잘도 가는구나.

07
정답_②

자음을 아울러 쓰는 것은 병서의 원리라 한다. (기본자에 포함되지 않음)

- 각자병서는 'ㄲ, ㄸ, ㅃ, ㅉ, ㅆ' 등
- 합용병서에는 'ㅺ, ㅼ, ㅽ/ㅳ, ㅄ, ㅴ/ㅵ, ㅶ' 등

기본자	가획자	이체자
ㄱ	ㅋ	ㆁ
ㄴ	ㄷ, ㅌ	ㄹ
ㅁ	ㅂ, ㅍ	—
ㅅ	ㅈ, ㅊ	ㅿ
ㅇ	ㆆ, ㅎ	—

08
정답_①

지진 피해 실태를 언급하는 부분에 지진과 태풍의 원인을 비교하는 것은 글의 통일성을 저해한다.

09
정답_①

속담 '울며 겨자 먹기'는 매워 울면서도 겨자를 먹는다는 뜻으로, 싫은 일을 좋은 체하고 마지 못하여 할 때 쓰는 말이다. ㉠의 상황에 적절한 표현이다.

10
정답_③

글의 내용을 고려할 때, ㉢ '드러내고'로 사용하는 것이 적절하다.

11~13 최일남, 「노새 두 마리」

갈래 현대 소설

성격 비극적

주제 급변하는 도시 사회에 적응하지 못하는 사람들의 소외되고 힘겨운 삶

특징 ① 서술자인 어린아이가 아버지의 불행을 객관화하여 전달함(1인칭 관찰자 시점)
② 과거를 회상하는 방식으로 서술함
③ '노새 두 마리'는 현대사회에 적응하지 못하고 힘들고 고단하게 살아가는 소외된 존재를 상징함

11
정답_①

서술자인 '나'가 1인칭 관찰자의 위치에서 아버지의 불행을 객관화하여 전달한다.

12
정답_③

아버지와 내가 노새를 찾으러 나간 사이 도망간 노새가 여기저기에 피해를 주자 순경이 집으로 찾아왔고, ㉠은 집으로 돌아오는 우리를 본 어머니가 허둥지둥 달려 나와 상황을 설명하는 장면이다.

13
정답_④

노새가 상징하는 것
• 무거운 삶의 무게를 안고 고단하게 살아가는 변두리의 사람들
• 산업화, 도시화에 적응하지 못하고 힘겹고 고단하게 살아가는 아버지

14~16 한용운, 「나룻배와 행인」

갈래 자유시, 서정시

성격 여성적, 명상적, 상징적

주제 희생과 인내를 통한 참된 사랑의 실천

특징 ① 수미상관
② 나를 '나룻배', 당신을 '행인'에 빗대어 표현함
③ 경어체의 여성적 어조로 희생, 인내, 기다림의 태도를 드러냄

14
정답_①

①의 문답법은 사용되지 않음

오답풀이

② 나를 '나룻배', 당신을 '행인'에 빗대어 표현
③ 수미상관 사용
④ '-ㅂ니다-' 경어체 반복으로 운율 형성

15
정답_④

'당신'은 사랑하는 님, 조국, 광복, 절대자, 진리 등의 다양한 의미를 갖는다. 일제 강점기의 현실을 반영할 때, '당신'은 꼭 오리라고 믿는 조국의 독립이라 볼 수 있다.

16
정답_②

'나(나룻배)'는 '당신(행인)'의 무관심과 무정함에도 불구하고 희생, 헌신, 인내, 사랑의 태도를 보이고 있다.

17~19 작자 미상, 「춘향전」

갈래 고전 소설, 판소리계 소설

성격 해학적, 풍자적

주제 신분을 초월한 남녀 간의 사랑, 불의한 지배 계층에 대한 항거

특징 ① 판소리의 영향으로 운문체, 산문체가 혼용
② 한시를 삽입에 극적 긴장감을 유발하고 주제를 드러냄

17
정답_②

몽룡의 한시를 들은 후 '아뿔싸! 일 났다!'라고 생각하는 장면에서 시의 의미를 파악했음을 알 수 있다.

18
정답_③

㉠, ㉡, ㉢ → 어사또(이몽룡) / ㉢ 변 사또

19
정답_①

'본질적 나(참된 자아)'를 잃어버리지 않도록 잘 지켜야 한다는 것이 글쓴이의 의견이며 주된 관점이다.

20~22 김정훈, 「정전기가 겨울로 간 까닭은?」

갈래 설명문

성격 설명적, 예시적

주제 정전기의 특성과 예방법

특징 ① 정의, 인과, 예시 등의 다양한 설명 방법
사용

② 정전기를 경험하는 여러 상황을 제시하
여 독자의 이해를 도움

20 정답_④

3문단 → 털가죽 종류는 마찰이 일어나면 전자를 쉽게
잃는다.

오답풀이

① 2문단 → 정전기는 건조할 때 잘 생긴다.

② 3문단 → 정전기는 마찰에 의해 생긴다.

③ 4문단 → 랩이 그릇에 잘 붙는 것도 정전기 때문
이다.

21 정답_④

㉠은 '정전기', ④는 '마술'의 개념(뜻)을 설명하는 '정의'
의 방법을 사용함

오답풀이

① 분석, ② 예시, ③ 인과

22 정답_②

㉡ 정전기는 건조할 때 잘 생긴다. / ② 비가 와서 무지
개가 생겼다. → 없던 것이 새로 있게 되다. (발생하다)

23~25 이광표, 「조상의 슬기가 낳은 석빙고의 비밀」

갈래 설명문

성격 설명적

주제 석빙고의 얼음 저장 원리

특징 ① 석빙고의 얼음 저장 과정을 두 단계로
나누어 설명

② 얼음 저장 과정에 담긴 과학적 원리를
구체적으로 설명

23 정답_②

이 글은 중심 화제인 '석빙고의 얼음 저장 원리'를 두
단계로 나누어 설명하고 있다.

24 정답_③

3문단 → 겨울에 부는 찬 바람은 '날개벽'에 부딪히면
서 소용돌이로 변한다.

25 정답_①

㉠ 유지 → 어떤 상태나 상황을 그대로 보존하거나 변
함없이 계속하여 지탱함

▶2021년 1회◀

01	②	06	②	11	③	16	③	21	④
02	①	07	②	12	③	17	③	22	①
03	③	08	④	13	①	18	④	23	②
04	④	09	②	14	①	19	①	24	④
05	①	10	①	15	①	20	④	25	③

01
정답_②

'물감 좀 빌려줄래?'
→ 수연이가 민재에게 '부탁'하는 말하기

02
정답_①

면담의 목적은 '수의사라는 직업에 대한 정보를 얻기 위한 것'이다. ① '수의사의 가족 관계'는 면담의 목적으로 적절하지 않다.

03
정답_③

• 즐겁다, 깨끗하다, 푸르다 (형용사)
　→ 사물의 성질이나 상태를 나타내는 품사로 용언에 속함
• 달린다 (동사)
　→ 사물의 동작이나 작용을 나타내는 품사로 용언에 속함

04
정답_④

④ 좋아하는 사진을 벽에 붙이자. (○)

오답풀이

① 그 일은 내가 먼저 할게. (×) → 할게(○)
② 이 설겆이(×)는 누가 할래? → 설거지(○)
③ 감기가 어서 낳기(×)를 바라. → 낫기(○)

05
정답_①

표준 발음법 제12항 받침 'ㅎ'의 발음은 다음과 같다.
① 놓는[논는]
　→ 'ㅎ' 뒤에 'ㄴ'이 결합되는 경우에는, [ㄴ]으로 발음한다.
② 입학[이팍] / ③ 각하[가카]
　→ 받침 'ㄱ(ㄺ), ㄷ, ㅂ(ㄼ), ㅈ(ㄵ)'이 뒤 음절 첫소리 'ㅎ'과 결합되는 경우에도, 역시 두 소리를 합쳐서 [ㅋ, ㅌ, ㅍ, ㅊ]으로 발음한다.

④ 쌓으니 → [싸으니]
　→ 'ㅎ(ㄶ, ㅀ)' 뒤에 모음으로 시작된 어미나 접미사가 결합되는 경우에는, 'ㅎ'을 발음하지 않는다.

06
정답_②

자음 체계

조음방법		조음위치	입술소리	허끝소리	센입천장소리	여린입천장소리	목청소리
안울림소리	파열음	예사소리	ㅂ	ㄷ		ㄱ	
		된소리	ㅃ	ㄸ		ㄲ	
		거센소리	ㅍ	ㅌ		ㅋ	
	파찰음	예사소리			ㅈ		
		된소리			ㅉ		
		거센소리			ㅊ		
	마찰음	예사소리		ㅅ			ㅎ
		된소리		ㅆ			
울림소리	비음		ㅁ	ㄴ		ㅇ	
	유음			ㄹ			

07
정답_②

② 겨울에는 연을 날렸다. (목적어)

주성분	(1) 주어 : 그 문장의 주체를 나타내는 말 예 산이 높이 솟아 있다.
	(2) 서술어 : 주어를 서술하는 말 예 아기가 운다.
	(3) 목적어 : 타동사가 서술어로 쓰인 문장에서 그 동작의 대상이 되는 말 예 언니는 과일을 잘 먹고, 동생은 과자를 잘 먹는다.
	(4) 보어 : 서술어가 되는 용언 중에 '되다'와 '아니다'의 앞에는 '무엇이' 되다, '무엇이' 아니다와 같이 보충해 주는 말이 필요하다. 이 때의 '무엇이'에 해당하는 말 예 물이 얼음이 되었다.
부속성분	(1) 관형어 : 체언으로 실현되는 주어, 목적어 앞에서 이들을 꾸미는 말 예 그는 옛 친구를 만났다.
	(2) 부사어 : 주로 서술어를 꾸미는 말 예 오늘은 날씨가 아주 맑다.

| 독립성분 | (1) 독립어 : 문장의 성분과도 직접적인 관련이 없는 독립된 성분
예 <u>아</u>, 세월이 잘도 가는구나. |

08
정답_④

'건강을 위해서 탄산음료 섭취를 줄이자.'라는 주제에 ② '탄산음료 판매로 얻는 경제적 효과로 자선활동 비용을 충당할 수 있다.'는 내용은 글의 통일성을 해친다.

09
정답_②

먹이에게 (×) → 먹이가 (○)

10
정답_③

글쓰기에 필요한 자료는 출처가 명확하고 정확한 것이 중요하다. 재미를 위해 자료를 과장하는 것은 바람직하지 않은 태도이다.

11~13 박완서, 「자전거 도둑」

갈래 현대 소설, 단편 소설, 성장 소설

성격 교훈적, 비판적

주제 물질적 이익만을 추구하는 도시 사람들에 대한 비판

특징 ① 순진한 소년의 눈으로 어른들의 부도덕함을 고발함
② 전지적 작가 시점으로 인물의 심리를 구체적으로 드러냄

11
정답_③

형의 '도둑질'로 인해 집안 형편이 더 어려워졌으며, 수남이가 아버지에게 '서울 가서 돈 벌어 오겠다'고 집을 나섰을 때, 몸져 누운 아버지는 수남이를 말리지 않았다.

12
정답_③

(가)에서 형이 도둑질을 한 후 자신의 행적이 밝혀질까 두려워하며 예민하고 날카로운 모습을 보이고 있음을 알 수 있다.

13
정답_①

도둑질은 부도덕하고 비양심적인 일이다. 수남은 과거 도둑질을 한 후 두려움에 떨고 있는 형의 모습을 '누런 똥빛'으로 표현하며 부정적으로 인식하고 있다.

14~16 안도현, 「우리가 눈발이라면」

갈래 자유시, 서정시

성격 상징적, 의지적

주제 이웃과 더불어 따뜻한 삶을 살고 싶은 소망

특징 ① 시인이 지향하는 삶의 태도를 상징을 활용하여 표현함
② 긍정적 시어와 부정적 시어가 대립을 이룸

14
정답_①

'~ 되지 말자, ~ 내리자, ~ 되자'의 청유형 문장을 사용해 불우한 이웃에게 위로와 희망을 주는 존재로 살아가고자 하는 소망을 노래하고 있다.

15
정답_①

	㉠진눈깨비	㉡함박눈, ㉢편지, ㉣새살
특성	허공에서 쭈빗쭈빗 흩날림	사람이 사는 마을 가장 낮은 곳으로 내려와 따뜻함을 전함
상징적 의미	어려운 이웃을 외면하거나 더욱 힘들게 만드는 존재	어려운 이웃을 위로하면서 희망을 주는 존재

16
정답_③

㉮ 붉은 상처 (시각적 심상) / ③ 활짝 핀 노란 개나리 (시각적 심상)

오답풀이

① 향기로운 꽃 냄새 (후각적 심상)
② 짭조름한 소금 맛 (미각적 심상)
④ 개구리 소리 개굴개굴 (청각적 심상)

17~19 작자미상, 「박씨전」

갈래 군담 소설, 역사 소설, 영웅 소설

성격 비현실적, 영웅적, 전기적(傳奇的)

주제 박씨 부인의 영웅적 기상과 재주, 전쟁 패배의 굴욕감 극복과 민족적 자존감의 회복

특징 ① 변신 모티브
② 여성을 주인공으로 한 영영웅 소설

17　　　　　　　　정답_③

이 글은 병자호란을 배경으로 한 군담 소설로, 3인칭 전지적 작가 시점에서 이야기를 서술하고 있다. 변신 모티브나 박씨의 신이한 능력 발휘 등에서 신비롭고 기이한 전기적 상황들이 펼쳐진다.

18　　　　　　　　정답_④

용골대는 박씨의 명대로 왕비는 모셔 가지 않을 것이니 부디 길을 열어 달라고 애원하고 있다.

19　　　　　　　　정답_①

용골대의 항복을 받은 '박씨'는 당당한 태도를 취한다.

20　　　　　　　　정답_④

2단락 '고추의 고향은 어디일까?'라는 질문에 대해 중남미라고 답하는 형식으로 상세 내용을 서술하고 있다.

21　　　　　　　　정답_④

ㄹ 발효
→ 효모나 세균 따위의 미생물이 유기 화합물을 분해하여 알코올류, 유기산류, 이산화탄소 따위를 생기게 하는 작용. 술, 된장, 간장, 치즈 따위를 만드는 데에 쓴다.
• 유효 : 보람이나 효과가 있음

22　　　　　　　　정답_①

2단락 '고추의 고향(원산지)은 어디일까?'에 대해 우리나라가 아닌 중남미라고 답하고 있다.

23　　　　　　　　정답_②

이 글은 작가의 주장과 근거를 파악하며 읽는 논설문이다.

24　　　　　　　　정답_④

㉠ 우리의 노력
→ 우리는 종교, 직업, 성별, 연령에 관계없이 인권을 소중히 여기고 지키기 위해 노력해야 한다. 따라서 인권보다 경제적 이익을 중시한다는 내용은 적절하지 못하다.

25　　　　　　　　정답_③

③과 ㉡의 '맺으며'
→ 관계나 인연 따위를 이루거나 만들다.

오답풀이
① 물방울이나 땀방울 따위가 생겨나 매달리다.
② 열매나 꽃망울 따위가 생겨나거나 그것을 이루다.
④ 하던 일을 끝내다.

정답 및 해설

2025년 1회 ▶수 학◀

01	③	06	②	11	①	16	①
02	②	07	②	12	①	17	④
03	③	08	④	13	④	18	③
04	②	09	③	14	①	19	①
05	①	10	②	15	③	20	④

01
정답_③

$$3\,)\,\underline{45}$$
$$3\,)\,\underline{15}$$
$$5$$

$$45 = 3^2 \times 5$$

02
정답_②

$(+6) + (-4)$
$= +(6-4)$
$= +2$

03
정답_③

가격 = 단가 × 개수
  $= 2000 \times a$
  $= 2000a$(원)

04
정답_②

$2x - 3 = 5$
$2x = 5 + 3$
$2x = 8$
$x = \dfrac{8}{2}$
$x = 4$

05
정답_①

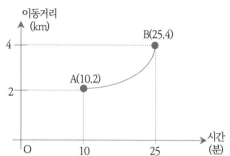

점 A(10,2)의 해석은 $x=10$(분) 일 때 $y=2$(km)에 있다
점 B(25,4)의 해석은 $x=25$(분) 일 때 $y=4$(km)에 있다로
해석하므로 10분부터 25분 까지 이동한 거리는
$4 - 2 = 2$(km)이다

06
정답_②

한 원에서 두 부채꼴의
중심각의 크기와 호의 길이와 넓이는 비례하므로
부채꼴 OAB와 부채꼴 OCD에서
$60° : \angle COD = 3\text{cm}^2 : 5\text{cm}^2$
$3\angle COD = 5 \times 60°$
 $\angle COD = 100°$

07
정답_②

계급이 $10^{이상} \sim 20^{미만}$의 도수 12이고 총도수는 20이므
로 상대도수 $= \dfrac{12}{20} = \dfrac{6}{10} = 0.6$이다

08
정답_④

① 공식 $0.\dot{a} = \dfrac{a}{9}$ 이용

$$0.\dot{8} = \dfrac{8}{9}$$

② $x = 0.888\cdots$ 이라 하면

$$10x = 8.888\cdots$$
$$x = 0.888\cdots$$
$$9x = 8$$
$$x = \frac{8}{9}$$

09 정답_③

$$a^2 \times a^7 \div a^3 = \frac{a^2 \times a^7}{a^3} = \frac{a^9}{a^3} = a^6$$

Tip

$$a^m \times a^n = a^{m+n}$$
$$a^m + a^n = a^{m-n}$$

이때 $a^0 = 1$, $a^{-k} = \dfrac{1}{a^k}$ (역수)

10 정답_②

$$\begin{cases} x - y = 1 \\ 2x - y = 3 \end{cases}$$

㉠ $-$ ㉡ y 문자 소거

$$(x - y) - (2x - y) = 1 - 3$$
$$x - 2x = -2$$
$$-x = -2$$
$$x = 2$$

㉠에 $x = 2$ 대입

$$2 - y = 1$$
$$-y = 1 - 2$$
$$-y = -1$$
$$y = 1$$

해는

$$x = 2, \ y = 1$$

11 정답_①

① 기울기

기울기 $= \dfrac{4}{2} = 2$

② 점 A(-2, 0) 점 B(0, 4)

기울기 $\dfrac{4 - 0}{0 - (-2)} = \dfrac{4}{2} = 2$

③ $y = ax + 4$가 점 A(-2, 0)을 지나므로

$$0 = a \times (-2) + 4 \quad 2a = 4 \quad a = 2$$

12 정답_①

이등변 삼각형에서 두 밑각의
크기가 같으므로

$$\angle ABC = \angle ACB$$
$$80° + 2\angle ACB = 180°$$
$$2\angle ACB = 180° - 80°$$
$$\angle ACB = \frac{100°}{2} = 50°$$

외각의 크기 $x = 180° - 50° = 130°$

13 정답_④

△ADE와 △ABC는 닮음이므로

$$\overline{AD} : \overline{AB} = \overline{AE} : \overline{AC}$$

$$6 : 9 = 8 : (8+x)$$

$$2 : 3 = 8 : (8+x)$$

$$2 \times (8+x) = 3 \times 8$$

$$8+x = 3 \times 4$$

$$x = 12 - 8 \qquad x = 4$$

14
정답_①

모든 경우의 수는 10가지이고

5의 배수가 나오는 경우의 수는 5와 10 두가지 이므로

확률 $P = \dfrac{2}{10} = \dfrac{1}{5}$

15
정답_③

$$2\sqrt{5} = \sqrt{a}$$

$$\sqrt{2^2 \times 5} = \sqrt{a}$$

$$\sqrt{20} = \sqrt{a} \qquad \therefore a = 20$$

16
정답_④

$$x^2 - 3x + 2 = 0$$

① 인수분해 이용

$$x^2 - 3x + 2 = 0$$

$$x \quad \diagdown \quad -1$$
$$x \quad \diagup \quad -2$$

$$(x-1)(x-2) = 0 에서$$

$$x = 1 \text{ 또는 } 2 \text{ 이므로} \qquad 다른한근 2$$

② 근과 계수 관계 이용

$$x^2 - 3x + 2 = 0 \quad 근 1과 \alpha 라 하면$$

$$1 + \alpha = -\dfrac{-3}{1}$$

$$1 + \alpha = 3$$

$$\alpha = 2 \qquad 다른 한근 2$$

17
정답_④

$$y = x^2 + 2$$

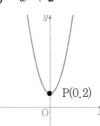

① 위로 볼록하다 → 아래로 볼록하다

② 점 $(1, 4)$를 지난다 → $x = 1$일 때 $f(1) = 1^2 + 2 = 3$이다

③ 직선 $y = 1$을 축으로 한다 → $x = 0(y축)$을 축으로 한다

④ 꼭짓점의 좌표는 $(0, 2)$이다 (참)

18
정답_③

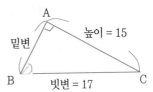

$$\sin B = \dfrac{\overline{AC}}{\overline{BC}} = \dfrac{15}{17}$$

19
정답_①

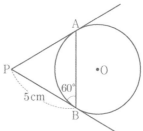

△PAB는 $\overline{PA} = \overline{PB}$인 이동변 삼각형이므로

$$\angle PBA = \angle PAB = 60^\circ = \angle P$$

△PAB는 정삼각형이다 $\overline{AB} = 5cm$

Tip △PAO ≡ △PBO (RHS 합동)

∠A = ∠B = 90°

$\overline{PO}$ 공통

$\overline{OA} = \overline{OB}$ 반지름

20
정답_③

표준편차는 평균으로부터 흩어진 정도를 수치로 나타낸 값이므로

보기 ④번의 경우

평균 $= \dfrac{2+4+2+4+2+4}{6} = \dfrac{18}{6} = 3$

편차 = 변량 − 평균

변량	2	4	2	4	2	4	합
편차	−1	+1	−1	+1	−1	+1	0

분산 $= \dfrac{(-1)^2+(1)^2+(-1)^2+(1)^2+(-1)^2+(1)^2}{6}$

$= \dfrac{6}{6} = 1$

표준편차 $= \sqrt{1} = 1$

참고 ② 1, 2, 1, 2, 1, 2 의 평균

$\dfrac{1+2+1+2+1+2}{6} = \dfrac{9}{6} = \dfrac{3}{2}$

분산 = 제곱의 평균 − 평균의 제곱 이용

$= \dfrac{1^2+2^2+1^2+2^2+1^2+2^2}{6} - \left(\dfrac{3}{2}\right)^2$

$= \dfrac{15}{6} - \dfrac{9}{4} = \dfrac{5}{2} - \dfrac{9}{4} = \dfrac{10-9}{4} = \dfrac{1}{4}$

표준편차 $= \sqrt{\dfrac{1}{4}} = \dfrac{1}{2}$ 이다

▶2024년 2회◀

01	③	06	③	11	④	16	②
02	②	07	①	12	③	17	③
03	②	08	④	13	①	18	④
04	④	09	④	14	③	19	①
05	③	10	②	15	①	20	②

01
정답_③

∴ $84 = 2 \times 2 \times 3 \times 7 = 2^2 \times 3 \times 7$

02
정답_②

양수는 음수보다 크므로 $-\dfrac{1}{2} < \dfrac{5}{2}$ 의 대소 관계는 옳다.

① 음수끼리는 절댓값이 큰 수가 더 작다. → $-4 < -3$

③ $(-3)^2 = 9$로, 양수는 0보다 크다. → $0 < (-3)^2$

④ 양수끼리는 절댓값이 큰 수가 더 크다. → $5 > 4$

03
정답_②

(삼각형의 넓이)=(밑변)×(높이)×$\dfrac{1}{2}$ 이므로 밑변의 길이가 $6\,cm$, 높이가 $a\,cm$인 직각삼각형의 넓이는 $\dfrac{(6 \times a)}{2}\,cm^2$ 이다.

04
정답_④

일차방정식에서 미지수 x를 포함한 항은 좌변으로, 상수항은 우변으로 이항하여 해를 구한다.

$3x - 5 = 3 + x$

$\rightarrow 3x - x = 3 - (-5)$

$\rightarrow 2x = 8$

$\therefore x = 4$

05 정답_③

그래프에서 x축은 이동 시간을 나타내고, y축은 이동 거리를 나타내므로 학생이 집에서 출발하여 10분 동안 이동한 거리는 3km이다.

06 정답_③

$$n \quad l \quad m$$

$$a$$

$$35°$$

$$x$$

두 직선 l과 m이 평행하므로 $\angle a$와 $\angle x$는 동위각이다. 따라서 $\angle a = \angle x$이므로 $\angle x + 35° = 180°$

$\rightarrow \angle x = 180° - 35°$

$\therefore \angle x = 145°$

07 정답_①

30분 미만의 계급은 0 이상~10 미만, 10 이상~20 미만, 20 이상~30 미만의 세 계급이므로 30분 미만인 학생 수는 $2 + 6 + 10 = 18$(명)이다.

08 정답_④

유한소수는 소수점 아래 0이 아닌 수가 유한 개만 나오는 수로, 유한소수로 나타낼 수 있는 분수는 기약분수로 만들었을 때 분모의 소인수가 2 또는 5 외에는 없는 분수이다.
따라서 분모의 소인수가 2만 있도록 하기 위해서는 7이 약분되어야 하므로 x는 7이다.

09 정답_④

$(2x^3)^2$

$= 2^2 \times (x^3)^2$

$= 4 \times x^{(3 \times 2)}$

$= 4x^6$

10 정답_②

$(5a - 2b) + (2a + 3b)$

$= 5a - 2b + 2a + 3b$

$= 5a + 2a + 3b - 2b$

$= (5 + 2)a + (3 - 2)b$

$= 7a + b$

11 정답_④

$5x - 20 \geq 0$

$\rightarrow 5x \geq 20$

$\therefore x \geq 4$

$\geq$는 이상($\bullet$)을 나타내므로 $x \geq 4$를 수직선 위에 나타낸 것은 ④이다.

12 정답_③

연립방정식 $\begin{cases} x + y = 3 & \cdots ㉠ \\ 3x - y = 1 & \cdots ㉡ \end{cases}$ 에서 ㉠과 ㉡을 변끼리

더하면 $4x = 4 \rightarrow x = 1$

$x = 1$을 ㉠에 대입하면, $1 + y = 3 \rightarrow y = 2$

따라서 연립방정식의 해는 $x = 1$, $y = 2$이고, 이는 두 직선의 교점의 좌표인 $(1, 2)$와 일치한다.

13 정답_①

$\triangle$ABC에서 변 AB, AC 위에 각각 점 D, E가 있을 때, $\overline{BC} /\!/ \overline{DE}$이면 $\overline{AB} : \overline{AD} = \overline{AC} : \overline{AE}$

$(x + 4) : 4 = 15 : 6$

$4 \times 15 = 6(x + 4)$

$\rightarrow 6x + 24 = 60$

$\rightarrow 6x = 60 - 24$

$\rightarrow 6x = 36$

$\therefore x = 6$

14 정답_③

• 4의 배수가 나오는 경우의 수 : 4, 8 → 2가지
• 6의 배수가 나오는 경우의 수 : 6 → 1가지
따라서 4의 배수 또는 6의 배수가 나오는 경우의 수는 $2 + 1 = 3$가지이다.

15 정답_①

m, n이 유리수이고 $\sqrt{a}$ 가 무리수일 때,

$m\sqrt{a} - n\sqrt{a} = (m-n)\sqrt{a}$ 이므로

$7\sqrt{5} - 4\sqrt{5}$

$= (7-4)\sqrt{5}$

$= 3\sqrt{5}$

16 정답_②

이차방정식 $(x-a)(x-b) = 0$의 해는 $x = a$ 또는

$x = b$이므로 $(x-2)(x+5) = 0$의 해는 $x = 2$ 또는

$x = -5$이다.　　　　　　　$24 = 2^3 \times 3$

17 정답_③

이차함수 $y = (x-2)^2$의 그래프는 $y = x^2$의 그래프

를 x축의 방향으로 2만큼 평행 이동한 것으로, 꼭짓

점의 좌표는 $(2, 0)$이다.

① 아래로 볼록하다.

② $(4, 0)$을 식에 대입하면 $(4-2)^2 \neq 0$이므로 점

　$(4, 0)$을 지나지 않는다.

④ 직선 $x = 2$를 축으로 한다.

18 정답_④

$\angle B$에 대한 $\tan$(탄젠트) 값은 $\tan B = \dfrac{\overline{AC}}{\overline{BC}} = \dfrac{8}{6}$

$= \dfrac{4}{3}$이다.

19 정답_①

한 원에서 한 호에 대한 원주각의 크기는 모두 같으므로

호 AB에 대한 원주각 $\angle ADB$의 크기는 $\angle ACB$의

크기와 같으므로 $40°$이다.

20 정답_②

평균$= \dfrac{\text{시간의 총합}}{\text{학생 수}}$이므로 $\dfrac{4+5+7+8}{4} = 6$(시간)

이다.

▶**2024년 1회**◀

01	③	06	①	11	③	16	④
02	③	07	④	12	②	17	②
03	④	08	②	13	③	18	③
04	②	09	④	14	①	19	①
05	①	10	②	15	①	20	③

01 정답_③

$$\begin{array}{r} 2\,)\,\underline{24} \\ 2\,)\,\underline{12} \\ 2\,)\,\underline{6} \\ 3 \end{array}$$

02 정답_③

부호가 다른 수의 대소 비교

㉠ 음수 $< 0 <$ 양수

㉡ 양수는 절댓값이 클수록 크다

　음수는 절댓값이 작을수록 크다

　양수 4, 3, 11　　$\Rightarrow 3 < 4 < 11$

　음수 $-\dfrac{2}{3}$, -5　$\Rightarrow -5 < -\dfrac{2}{3}$

$-5 < -\dfrac{2}{3} < ③ < 4 < 11$

03 정답_④

직사각형 넓이 $=$ 가로 $\times$ 세로 $= 4 \times a \, (\text{cm}^2)$

04 정답_②

$2a + 3 = 2 \times (5) + 3 = 10 + 3 = 13$

05 정답_①

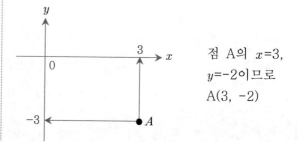

점 A의 $x=3$,

$y=-2$이므로

$A(3, -2)$

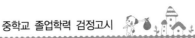

06

정답_①

평행선에서 엇각, 동위각의 크기가 각각 같으므로

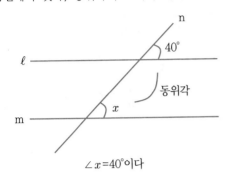

∠x=40°이다

07

정답_④

6시간 미만의 계급을

$4^{이상}$~$5^{미만}$: 5

$5^{이상}$~$6^{미만}$: 3

의 두 계급이므로 $5 + 3 = 8$

08

정답_②

다른풀이 ① 공식 이용 $0.\dot{a} = \dfrac{a}{9}$

$0.\dot{2} = \dfrac{2}{9}$

다른풀이 ② $x = 0.222 ...$ 이라 하면

$\begin{aligned} 10x &= 2.222 ... \\ x &= 0.222 ... \\ \hline 9x &= 2 \\ x &= \dfrac{2}{9} \end{aligned}$

09

정답_④

$2a \times 3a^2$

숫자는 문자 앞으로 문자는 거듭제곱을 이용한 알파벳 순서로 정리한다

$= 2 \times 3 \times a \times a^2$

$= 6a^3$

10

정답_②

$20x \geq 40$ 양변을 20로 나눈다

$x \geq \dfrac{40}{20}$

$x \geq 2$

Tip 음수로 곱하거나 나눌 때 부등호 대소가 바뀐다

11

정답_③

$y = -\dfrac{3}{2}x + 3$

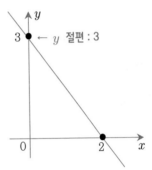

y절편($x = 0$일 때 y값)

$x = 0$ 대입

$y = -\dfrac{3}{2} \times 0 + 3$

$y = 3$

y 절편 : 3

12

정답_②

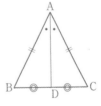

$\triangle ABD$ 와 $\triangle ACD$는 $\overline{AB} = \overline{AC}$, $\angle BAD = \angle CAD$, $\overline{AD}$ 공통이므로 SAS 합동이다.

따라서 $\overline{BD} = \overline{CD} = 4$cm이다.

$\overline{BC} = 4 + 4 = 8$(cm)

13 정답_③

$\triangle ABC \backsim \triangle DEF$에서

$\overline{AB} : \overline{DE} = \overline{BC} : \overline{FF}$ 이므로

$8 : \overline{DE} = 5 : 10$

$5 \times \overline{DE} = 8 \times 10$

$\overline{DE} = 16 (\text{cm})$

14 정답_①

흰공이 나올 확률은

$\dfrac{\text{흰 공 3가지}}{\text{총 8가지}} = \dfrac{3}{8}$ 이다.

15 정답_①

$2\sqrt{5} + 3\sqrt{5} = (2+3) \times \sqrt{5} = 5\sqrt{5}$

16 정답_④

$(x-7)^2 = 0$에서

$(x-7) \times (x-7) = 0$

$x = 7 \ or \ x = 7$ 즉 $x = 7$(중근)

17 정답_②

$y = \dfrac{1}{4}x^2$

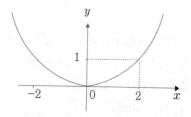

① 위로 볼록하다(×)

　(아래로 볼록)

② y축을 축으로 한다(○)

③ 점 $(-1, \ 2)$를 지난다(×)

$$f(-1) = \dfrac{1}{4} \times (-1)^2 = \dfrac{1}{4}$$

④ 꼭짓점의 좌표는 $(\dfrac{1}{4}, \ 0)$이다(×)

꼭짓점 $(0, \ 0)$이다

18 정답_③

$$\cos B = \dfrac{\text{밑변의 길이}}{\text{빗변의 길이}} = \dfrac{12}{13}$$

```
        A
빗변13  ╱│
      ╱  │ 5 높이
    ╱    │
  B──────C
   밑변12
```

19 정답_①

두 현 $\overline{AB} = \overline{CD}$ 이므로 $\overline{OM} = \overline{ON} = 5 (\text{cm})$

20 정답_③

중앙값 : 크기순으로 나열했을 때 중앙에 있는 값

| 75 | 80 | ⑧⑤ | 90 | 95 |

중앙값

▶2023년 2회◀

01	②	06	①	11	①	16	①
02	①	07	②	12	③	17	④
03	①	08	③	13	③	18	②
04	③	09	④	14	②	19	③
05	④	10	④	15	③	20	②

01
정답_②

$$2 \underline{)\ 28}$$
$$2 \underline{)\ 14}$$
$$\quad\ \ 7$$

$28 = 2^2 \times 7$

02
정답_①

$(-2) \times (+3) = -(2 \times 3) = -6$

03
정답_①

$a = -3$을 식에 대입
$4 + a = 4 + (-3) = 4 - 3 = 1$

04
정답_③

x항은 좌변 그리고 나머지 항은 우변으로 정리하여
푼다.
$$1 - 2x = -5$$
$$-2x = -5 - 1$$
$$-2x = -(5+1) - 2x = -6$$
$$x = \frac{-6}{-2}$$
$$x = +3$$

05
정답_④

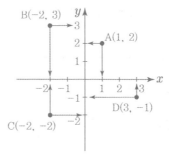

각각의 점에서 x축, y축으로 수선을 내려서 값을 표현
한다.
옳게 나타낸 것은
④ $D(3, -1)$이다.

06
정답_①

한 원에서 중심각, 호의 길이 부채꼴의 넓이는 비례하
므로, 부채꼴 OAB와 부채꼴 OCD에서
$\angle x : 80° = 6cm : 12cm$
$\angle x \times 12 = 6 \times 80°$
$$\angle x = \frac{6 \times 80°}{12}$$
$$\angle x = 40°$$

07
정답_②

10g당 나트륨 함량이 70mg 이상은

70 이상 ~ 90 미만	3
90이상 ~ 100 미만	1

의 두 계급이 속하므로
$3 + 1 = 4$

08 정답_③

어떤 기약분수의 분모가 2나 5로 나타낼 때 유한소수가 된다.

$\dfrac{x}{2^2 \times 3 \times 5}$에서 분놈의 소인수 3을 약분시킬 수 있는 가장 작은 자연수는 3이다.

$$\dfrac{3}{2^2 \times 3 \times 5} = \dfrac{1}{2^2 \times 5} = \dfrac{1 \times 5}{2^2 \times 5 \times 5}$$

$$= \dfrac{5}{2^2 \times 5^2} = \dfrac{5}{4 \times 25}$$

$$= \dfrac{5}{100} = 0.05$$

의 유한소수가 된다.

09 정답_④

$$(2a)^3 = (2a) \times (2a) \times (2a)$$
$$= 2 \times 2 \times 2 \times a \times a \times a$$
$$= 8a^3$$

공식 적용

$$(2 \times a)^3 = 2^3 \times a^3$$
$$= 8a^3$$

10 정답_④

$$\begin{cases} x + y = 6 & \cdots \ ㉠ \\ x = 2y & \cdots \ ㉡ \end{cases}$$

㉡식을 ㉠의 식에 대입하여
x문자를 소거한다.

$$(2y) + y = 6$$
$$3y = 6$$
$$y = 2 를 ㉡식에 대입$$
$$x = 2 \times 2 = 4$$
$$x = 4, \ y = 2 이다.$$

11 정답_①

y절편은 -3이다.

참고 좌표는 $(0, -3)$으로 $x = 0$일 때 y값의 성질을 갖고 있다.

12 정답_③

삼각형 ABC에서 내각의 합이 $180°$이므로

$$100° + 40° + \angle C = 180°$$
$$\angle C = 180° - 140° = 40°$$

$\angle B = \angle C$이면 $\overline{AB} = \overline{AC}$인
이등변 삼각형이므로

$$\overline{AB} = \overline{AC} = 7$$

13 정답_③

$\overline{DE} /\!/ \overline{BC}$이므로 동위각의 크기가 같다.

$\angle ADE = \angle ABC$, $\angle AED = \angle ACB$
$\triangle ADE \backsim \triangle ABC$(AA닮음)

$$\overline{AE} : \overline{AC} = \overline{DE} : \overline{BC}$$
$$8 : 24 = x : 30$$
$$1 : 3 = x : 30$$
$$3x = 30$$
$$x = 10$$

14 정답_②

두 주사위의 합이 4가 되는 경우는

$\left. \begin{array}{l} 1 + 3 \\ 2 + 2 \\ 3 + 1 \end{array} \right\}$ 3가지이다.

15　　　　　　　　　　　　　　　　　정답_③

$$\sqrt{(-5)^2} = \sqrt{25} = \sqrt{5^2} = 5$$

참고 $\sqrt{a^2} = |a|$ 이용

$$\sqrt{(-5)^2} = |-5| = 5$$

16　　　　　　　　　　　　　　　　　정답_①

$(x-1) \times (x+4) = 0$의 근은

$x - 1 = 0$ 또는 $x + 4 = 0$

$x = 1$ 또는 $x = -4$

다른 한 근은 1이다.

17　　　　　　　　　　　　　　　　　정답_④

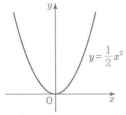

① 위로 볼록이다.(거짓)

　　→ 아래로 볼록

② 점 $(1, 1)$을 지난다.(거짓)

　　→ $x = 1$ 대입 $f(x) = \dfrac{1}{2} \times 1^2 = \dfrac{1}{2}$이다.

③ 직선 $x = 1$을 축으로 한다.(거짓)

　　→ $x = 0 (y축)$을 축으로 한다.

18　　　　　　　　　　　　　　　　　정답_②

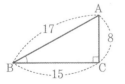

$$\sin B = \frac{높이}{빗변의\ 길이} = \frac{8}{17}$$

19　　　　　　　　　　　　　　　　　정답_③

원 밖의 한 점 P에서의 두 접선에서

$\overline{PA} = \overline{PB}$인 성질을 만족하므로

△PAB는 $\overline{PA} = \overline{PB}$인 이등변 삼각형이고,

∠PAB = ∠PBA = 65°이다.

20　　　　　　　　　　　　　　　　　정답_②

주어진 자료를 크기 순으로 나타내면

230, 230, 250, 250, 250, 265, 265, 270

으로, 250mm가 세 번으로 가장 많다.

최빈수는 250mm

▶2023년 1회◀

01	③	06	④	11	③	16	①
02	③	07	④	12	②	17	④
03	③	08	③	13	①	18	②
04	②	09	①	14	④	19	②
05	④	10	①	15	②	20	③

01
정답_③

$54 = 2 \times 27$
$\quad = 2 \times 3 \times 9$
$\quad = 2 \times 3 \times 3 \times 3$(모두 소수)
$\quad = 2 \times 3^3$

02
정답_③

대소 비교는 음수 < 0 < 양수이고
같은 부호일 때는

$\begin{cases} 양수 : 절댓값이 클수록 크다. \\ 음수 : 절댓값이 작을수록 크다. \end{cases}$

$3, -7, \dfrac{1}{2}, -1, 1$에서

양수 : $3, \dfrac{1}{2}, 1$은

$\qquad \dfrac{1}{2} < 1 < 3$

음수 : $-7, -1$은

$\qquad -7 < -1$

$-7 < -1 < \dfrac{1}{2} < 1 < 3$

작은 수부터 차례로 네 번째 수는 1이다.

03
정답_③

$a = 2$이므로
$3a + 1 = 3 \times (2) + 1 = 6 + 1 = 7$

04
정답_②

$4x - 4 = x + 2$

$\begin{cases} 문자항은 좌변으로 \\ 상수항은 우변으로 \ 이항한다. \end{cases}$

$4x - x = 2 + 4$
$\quad 3x = 6$
$\quad\ x = 2$

05
정답_④

순서쌍 $(2, -3)$을 좌표평면에 나타내면
$x = 2, \ y = -3$

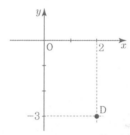

점 D에 해당된다.

06
정답_④

∠ABC는 맞꼭지각의
크기 60°와 같다.

∠x와 ∠ABC는 동위각의 위치에 있고 평행선에서의
동위각의 크기는 같다.
∠x = ∠ABC = 60°

07　정답_④

(1 | 2는 12회)

줄기	잎
⋮	⋮
4	5　　7　　9　　9
	(45)　(47)　(49)　(49)
5	3　　6　　9
	(53)　(56)　(59)

40회 이상은 총 7명이다.

08　정답_③

$x = 0.555\cdots$
의 양변에 10을 곱하면

$\quad 10x = 5.555\cdots$
$\ominus \quad x = 0.555\cdots$
$\quad\overline{}$
$\quad\quad 9x = 5 \quad \therefore x = \dfrac{5}{9}$

공식 이용 $0.\dot{a} = \dfrac{a}{9}$

$\quad\quad\quad\quad 0.\dot{5} = \dfrac{5}{9}$

09　정답_①

$a^2 \times a^2 \times a^3 = (a \times a) \times (a \times a) \times (a \times a \times a)$
$\quad\quad\quad\quad\quad = a \times a \times a \times a \times a \times a \times a$
$\quad\quad\quad\quad\quad = a^7$

또는 $a^2 \times a^2 \times a^3 = a^{2+2+3} = a^7$

10　정답_①

㉠ 700원 × 1권 = 700원
　　700원 × 2권 = 1400원
　　700원 × 3권 = 2100원
　　　　　⋮
　　700원 × x권 = $700 \times x$원
㉡ A는 B 이상이다. ⇒ A ≥ B
　　700원인 공책 x권의 가격은 3500원이다.
　　$700 \times x \geq 3500$이다.

11　정답_③

$y = 2x + k$에서 k는 y절편이므로 $k = 4$이다.

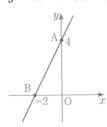

또는 점 A(0, 4)을 지나므로 $x = 0$, $y = 4$
대입하면
$4 = 2 \times 0 + k$
$4 = k$이다.

12　정답_②

이등변 삼각형에서 꼭지각의 이등분선은 밑변을 수직
이등분한다.

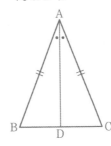

△ADB와 △ADC에서
$\overline{AB} = \overline{AC}$
∠BAD = ∠CAD
$\overline{AD}$는 공통이므로
두 삼각형은 합동이다.

$\overline{BD} = \overline{CD} = \dfrac{10}{2} = 5\text{cm}$

∠ADB = ∠ADC = 90°이다.

13　정답_①

원기둥 A와 B의 밑면의 반지름의 길이의 비가 2 : 3이
므로 높이의 비도 2 : 3이다.
원기둥 B의 높이를 $x$cm라 하면
2 : 3 = 4 : x
　$2x = 12$
　$x = 6$

14　정답_③

짝수가 적힌 공이 나올 확률

$= \dfrac{\text{짝수가 적힌 공이 나올 경우의 수} \cdots \text{㉡}}{\text{공 한 개를 꺼낼 경우의 수} \cdots \text{㉠}}$

㉠의 경우 1, 2, 3, …, 9, 10으로 10가지
㉡의 경우 2, 4, 6, 8, 10으로 5가지

확률 $= \dfrac{5}{10} = \dfrac{1}{2}$

15

정답_②

$$\sqrt{8} = \sqrt{2^3} = \sqrt{2^2 \times 2}$$
$$= \sqrt{2^2} \times \sqrt{2}$$
$$= 2\sqrt{2}$$

16

정답_①

$x^2 - 5x + 6 = 0$

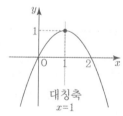

$(x-2)(x-3) = 0$

$x = 2 \text{ or } 3$으로

다른 한 근은 3이다.

다른풀이

다른 한 근을 α라 하면

근과 계수의 관계 이용

$$\alpha + 2 = -\frac{-5}{1}$$

$\alpha + 2 = 5$, $\alpha = 3$이다.

17

정답_④

① 위로 볼록하다.

② $x = 0$일 때
$$y = -(0-1)^2 + 1$$
$$= -1 + 1 = 0$$으로
$(0, 0)$을 지난다.

③ $x = 1$에 대하여 대칭이다.

④ 참

18

정답_②

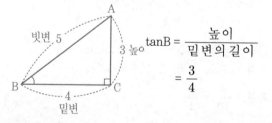

$\tan B = \dfrac{높이}{밑변의 길이}$
$$= \frac{3}{4}$$

19

정답_②

원주각의 크기 = 중심각의 크기 $\times \dfrac{1}{2}$

$$\angle APB = \angle AOB \times \frac{1}{2}$$
$$= 80° \times \frac{1}{2}$$
$$= 40°$$

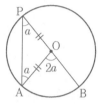

$\triangle OAP$는
$\overline{OA} = \overline{OP}$
반지름인
이등변 삼각형이다.

이등변 삼각형은 밑변 $\overline{PA}$의 양 끝각의 크기가 같고, $\triangle OAP$의 외각인 $\angle AOB$는 이웃하지 않는 두 내각의 크기의 합과 같으므로

$$\angle AOB = \angle OAP + \angle OPA$$
$$= 2 \times \angle OPA$$이다.

20

정답_③

주어진 자료를 크기 순으로 나열하면

$0, 1, 2, 3, 3$

이고, 이때 5개 자료의 중앙값은 $\dfrac{5+1}{2} = 3$번째인 2 이다.

▶2022년 2회◀

01	④	06	④	11	①	16	①
02	①	07	②	12	③	17	③
03	③	08	②	13	④	18	②
04	①	09	①	14	③	19	④
05	②	10	③	15	④	20	②

01　　　　　　　　　　　정답_④

$$36 = 4 \times 9 = (2 \times 2) \times (3 \times 3)$$
$$= 2^2 \times 3^2$$

02　　　　　　　　　　　정답_①

$$(-3) + (+5) = (+5) + (-3) = 5 - 3 = 2$$

03　　　　　　　　　　　정답_③

사탕 가격 = 한 개의 가격 × 사탕 개수
$$= (500 \times a) 원$$

04　　　　　　　　　　　정답_①

등식의 성질을 이용하여 푼다.
$$4x - 3 = 6 + x$$
$$4x - x = 6 + 3$$
$$3x = 9$$
$$x = \frac{9}{3}$$
$$\therefore x = 3$$

05　　　　　　　　　　　정답_②

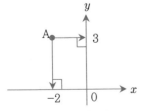

점 A의 좌표는 $(x$좌표, y좌표$) = (-2, 3)$

06　　　　　　　　　　　정답_④

한 원에서 두 부채꼴의 중심각과 넓이는 비례한다.
부채꼴 AOB와 부채꼴 COD에서
$$30° : 150° = 5\,cm^2 : S\,cm^2$$
$$1 : 5 = 5 : S$$
$$1 \times S = 5 \times 5$$
$$\therefore S = 25$$

07　　　　　　　　　　　정답_②

통화 시간이 40분 이상인 계급은 40분 이상 50분 미만이 3명, 50분 이상 60분 미만이 2명으로 총
$$3 + 2 = 5(명)이다.$$

08　　　　　　　　　　　정답_②

② $\dfrac{1}{5} = \dfrac{1 \times 2}{5 \times 2} = \dfrac{2}{10} = 0.2$

① $\dfrac{1}{3} = 0.333 \cdots = 0.\dot{3}$

③ $\dfrac{1}{7} = 0.142857142857 \cdots = 0.\dot{1}4285\dot{7}$

④ $\dfrac{1}{9} = 0.111 \cdots = 0.\dot{1}$

09　　　　　　　　　　　정답_①

$$-2x^2 \times 3x^5$$
$$= -2 \times 3 \times x^2 \times x^5$$
$$= -6 \times x^{2+5}$$
$$= -6x^7$$

10　　　　　　　　　　　정답_③

$$2x \leq 6 \rightarrow x \leq 3$$
$x \leq 3$을 수직선에 나타내면

11　　　　　　　　　　　정답_①

일차함수 $y = ax + 2$가 $(1, 0)$을 지나므로
$x = 1$, $y = 0$을 대입하면
$$0 = a + 2$$
$$\therefore a = -2$$

12 정답_③

이등변삼각형이므로 $\angle B = \angle C = 45°$이고,
삼각형 ABC의 내각의 합은 $180°$이므로

$\angle x + 45° + 45° = 180°$

$\angle x = 180° - 90°$

$\therefore \angle x = 90°$

13 정답_④

닮음비는 대응변의 길이의 비이므로
□ABCD ∽ □EFGH의 대응변

$\overline{BC} : \overline{FG} = 5 : 3$

$\overline{FG}$의 길이를 x라 하면

$10 : x = 5 : 3$

$5x = 30$

$\therefore x = 6\,\text{cm}$

14 정답_③

항아리 속 공 9개 중 3의 배수가 적힌 공은 3, 6, 9
로 3개이다.

15 정답_④

$5\sqrt{3} - 3\sqrt{3}$

$= (5-3) \times \sqrt{3}$

$= 2\sqrt{3}$

16 정답_①

$x^2 + 5x + 6 = x^2 + (a+b)x + ab$

두 수의 곱이 $+6$이고, 합이 $+5$가 되는 두 수는
$+2$와 $+3$이다.

$x^2 + 5x + 6$

$\begin{matrix} x & +2 \\ x & +3 \end{matrix}$

$= (x+2)(x+3)$

17 정답_③

③ $x = 0(y$축$)$이 대칭축이다.
① 아래로 볼록하다.
② $x = 1$, $y = 1$을 대입하면 $1 \neq 1^2 + 1$이므로 점
$(1, 1)$을 지나지 않는다.
④ 꼭짓점의 좌표는 $(0, 1)$이다.

18 정답_②

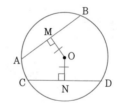

직각삼각형 OAB에서

$\sin 42° = \dfrac{\overline{AB}}{\overline{OA}}$

$= \dfrac{0.67}{1}$

$= 0.67$

19 정답_④

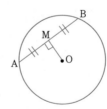

한 원의 중심에서 같은 거리
에 있는 두 현의 길이는 같으
므로 $\overline{AB} = \overline{CD} = 16\,\text{cm}$이다.

원의 중심에서 현 AB에 내
린 수선은 $\overline{AB}$를 이등분하므
로 $\overline{AM} = \overline{BM} = 8\,\text{cm}$이다.

20 정답_②

주어진 자료를 정리하면 8점이 세 번으로 가장 많이
나타나므로 최빈값은 8점이다.

▶2022년 1회◀

01	②	06	②	11	①	16	①
02	①	07	③	12	②	17	①
03	④	08	④	13	③	18	③
04	②	09	④	14	④	19	③
05	②	10	③	15	④	20	①

01
정답_②

$56 = 2^3 \times 7$

02
정답_①

①
$-2 < 0$

오답풀이

② (수직선) $-2 < -1$

③ (수직선) $-1 < 3$

④ (수직선) $4 < 7$

03
정답_④

$x = 3$, $y = -1$을 식에 대입하면

$2x + y = 2 \times (3) + (-1)$

$= 6 + (-1)$

$= 5$

04
정답_②

직사각형의 둘레 = 2(가로 + 세로)

$24 = 2(7 + x)$

$12 = 7 + x$

$x = 12 - 7$

$x = 5$

05
정답_②

평행할 때 동위각의 크기가 같으므로

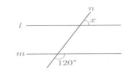

$\angle x = \angle y$이고

$\angle y + 120° = 180°$이므로

$\angle y = 180° - 120° = 60°$

따라서 $\angle x = 60°$

06
정답_②

한 원에서 중심각과 호의 길이와 부채꼴의 넓이는 비례하므로 부채꼴 AOB와 부채꼴 COD에서

$30° : 90° = x\,\text{cm} : 12\,\text{cm}$

$1 : 3 = x : 12$

$3x = 12$

$x = 4$

07
정답_③

스마트폰 사용시간이 3시간 이상인 계급은

3시간 이상 4시간 미만 12명

4시간 이상 5시간 미만 8명으로

$12 + 8 = 20$명

08
정답_④

$\dfrac{4}{9}$를 소수로 나타내면

$$9\,)\,\overline{40} \quad 0.44\cdots$$

$\dfrac{4}{9} = 0.44\cdots = 0.\dot{4}$

09
정답_④

$a \times a^2 \times a^3 = a^{1+2+3} = a^6$

오답풀이

$a^2 = a \times a$, $a^3 = a \times a \times a$이므로

$a \times a^2 \times a^3 = a \times (a \times a) \times (a \times a \times a) = a^6$

10
정답_③

$$\begin{cases} x + y = 1 & \cdots ㉠ \\ 2x - y = 2 & \cdots ㉡ \end{cases}$$

㉠ + ㉡ y를 소거하면

$$\begin{array}{r} x + y = 1 \\ +\ \underline{2x - y = 2} \\ x + 2x = 1+2 \\ 3x = 3 \\ x = 1 \end{array}$$

$x = 1$을 ㉠식에 대입하면

$1 + y = 1$

$\quad y = 1 - 1$

$\quad y = 0$

$x = 1,\ y = 0$이다.

11
정답_①

$y = ax$와 $y = -2x + 2$는 서로 평행하므로 기울기가 서로 같다.

$a = -2$

12
정답_②

평행사변형은

㉠ 두 쌍의 대변의 길이가 각각 같으므로

$\overline{AB} = \overline{CD},\qquad 5 = x$

㉡ 두 쌍의 대각의 크기가 각각 같으므로

$\angle B = \angle D,\qquad y° = 120°$

따라서 $x = 5,\ y = 120$이다.

13
정답_③

$\triangle ABC \backsim \triangle DEF$이므로

닮음비 $\overline{AB} : \overline{DE} = \overline{BC} : \overline{EF} = \overline{AC} : \overline{DF}$이다.

$\overline{AB} : \overline{DE} = 4 : 6$

$\qquad\qquad = 2 : 3$이므로

$\qquad\qquad$ 닮음비는 $2 : 3$

14
정답_④

주사위 한 개를 던지면 모두 6가지의 경우의 수가 발생하고, 주사위 눈의 수가 3 이상인 경우는 3, 4, 5, 6일 때이므로 총 4가지이다.

구하는 확률 $P = \dfrac{4}{6} = \dfrac{2}{3}$

15
정답_④

$$3\sqrt{2} + \sqrt{2} = (3+1) \times \sqrt{2}$$
$$= 4\sqrt{2}$$

16
정답_①

$(x-1)(x-3) = 0$은

$x - 1 = 0$ 또는 $x - 3 = 0$

17
정답_①

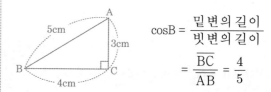

① 위로 볼록하다. (참)

오답풀이

② x축에 대칭이다. (거짓)

$\quad y$축에 대칭이다.

③ 점 $(1, 2)$를 지난다. (거짓)

$\quad x = 1$을 대입하면

$\quad y = -2 \times 1^2$

$\quad y = -2$

④ 꼭짓점의 좌표는 $(0, -2)$이다. (거짓)

$\quad$꼭짓점의 좌표는 $(0, 0)$이다.

18
정답_③

$\cos B = \dfrac{\text{밑변의 길이}}{\text{빗변의 길이}}$

$\qquad = \dfrac{\overline{BC}}{\overline{AB}} = \dfrac{4}{5}$

19

정답_③

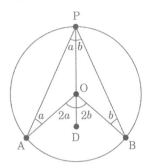

△OPA, △OPB는 이등변삼각형이므로
∠OAP = ∠OPA이고 ∠AOD = 2∠OPA
∠OBP = ∠OPB이고 ∠BOD = 2∠OPB
∠AOB = ∠AOD + ∠BOD
    = 2∠OPA + 2∠OPB
    = 2(∠OPA + ∠OPB)
    = 2∠APB
    = 2 × 35° = 70°
※ 참고 : ∠AOB = 2∠APB이다.
    ∠AOB = 2 × 35° = 70°

20

정답_①

음의 상관관계는 x변량이 증가함에 따라 y변량이 대체로 감소한다.

오답풀이

② 양의 상관관계는 x변량이 증가하면 y변량도 증가한다.

▶2021년 2회◀

01	③	06	③	11	①	16	③
02	④	07	①	12	③	17	④
03	①	08	②	13	②	18	④
04	①	09	④	14	④	19	①
05	②	10	①	15	②	20	③

01

정답_③

$40 = 2^a \times 5$

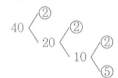

$40 = 2^3 \times 5$
$\therefore a = 3$

02

정답_④

$a = 2$이므로
$5a - 1 = 5 \times (2) - 1 = 10 - 1 = 9$

03

정답_①

$3x - 2 = 4$
$3x = 4 + 2$
$3x = 6$
$x = \dfrac{6}{3}$
$x = 2$

04

정답_①

y가 x에 정비례하므로
$y = ax$로 하면
$x = 1$일 때 $y = 4$이므로 $4 = a \times 1$ $\therefore a = 4$
$y = 4x$의 관계식이다.
$x = 4$일 때 y값인 ㉠을 k라 하면
k $= 4 \times 4 = 16$
㉠에 알맞은 수는 16이다.

05 정답_②

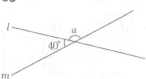

$40° + \angle a = 180°$(평각)이다.

$\angle a = 180° - 40°$

$\quad = 140°$

$\therefore \angle a = 140°$

06 정답_③

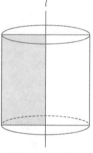

겨냥도를 그려보면 원기둥의 입체도형이 나타난다.

07 정답_①

시청시간이 6시간 미만인 계급은

$0^{이상} \sim 3^{미만}$ 1명

$3^{이상} \sim 6^{미만}$ 4명

두 계급은 $1 + 4 = 5$이므로 총 다섯 명이다.

08 정답_②

$\frac{1}{3} = 0.\dot{3}$이므로 순환마디는 3이다.

$$
\begin{array}{r}
0.333\cdots \\
3\ \overline{)\ 10} \\
9 \\
\overline{\ \ 10} \\
9 \\
\overline{\ \ 10} \\
9 \\
\overline{\ \ \ 1} \\
\vdots
\end{array}
$$

09 정답_④

$x^4 \times x^3 \div x^2 = \dfrac{x^4 \times x^3}{x^2} = x^4 \times x = x^5$

다른풀이

$x^4 \times x^3 \div x^2 = x^{4+3-2} = x^5$

10 정답_①

$2x - 2 \leq 4$

$2x \leq 4 + 2$

$2x \leq 6$

$x \leq 3$

11 정답_①

$f(x) = 3x$에서

$f(-2) = 3 \times (-2)$

$\quad = -6$

12 정답_③

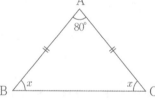

이등변삼각형의 두 밑각의 크기가 같으므로

$\angle B = \angle C$

$\angle x + \angle x + 80° = 180°$

$2\angle x = 180° - 80°$

$2\angle x = 100° \qquad \angle x = 50°$

13 정답_②

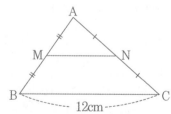

$\triangle AMN \backsim \triangle ABC$ (SAS 닮음)

$\overline{AM} : \overline{AB} = \overline{MN} : \overline{BC}$

$1 : 2 = \overline{MN} : 12$

$2\overline{MN} = 12$

$\overline{MN} = 6(cm)$

다른풀이

삼각형의 중점 연결 정리 적용

$\overline{MN} \,/\!/ \, \overline{BC}$ 이고 $\overline{MN} = \dfrac{1}{2}\overline{BC}$ 이다.

14　　　　　　　　　　　　　　정답_④

집에서 학교까지 가는 길을 'a, b, c'라 하고
학교에서 집까지 가는 길을 '가, 나, 다, 라'라고 하면

$$a \!\!\nwarrow\!\!\!\!\begin{array}{l}\text{가}\\\text{나}\\\text{다}\end{array} \qquad b \!\!\nwarrow\!\!\!\!\begin{array}{l}\text{가}\\\text{나}\\\text{다}\end{array} \qquad c \!\!\nwarrow\!\!\!\!\begin{array}{l}\text{가}\\\text{나}\\\text{다}\end{array}$$

총 9가지

15　　　　　　　　　　　　　　정답_②

$3\sqrt{2} = \sqrt{3^2 \times 2} = \sqrt{18}$ 이고

$\sqrt{18} = \sqrt{a}$ 이므로 $a = 18$

16　　　　　　　　　　　　　　정답_③

$x^2 + 2x + 1 = (x+1)^2$

$$\begin{array}{cc}x & 1\\ & \times \\ x & 1\end{array}$$

17　　　　　　　　　　　　　　정답_④

$(x-2)(x+3) = 0$의 근은

$x = 2$ 또는 $x = -3$이다.

한 근이 -3이므로 다른 한 근은 2이다.

18　　　　　　　　　　　　　　정답_④

오답풀이

① 위로 볼록하다. → 아래로 볼록하다.

② 점 $(1, 0)$을 지난다. → $f(1) = 2 \times 1^2 = 2$

　　　　　　　　　　　　$(1, 2)$를 지난다.

③ 직선 $x = 1$을 축으로 한다. → $x = 0(y$축)을 축으로 한다.

19　　　　　　　　　　　　　　정답_①

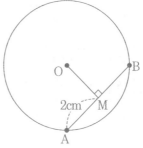

중심 O에서 현AB에 수선을 내리면 현의 길이를 이등분한다.

$\overline{AM} = \overline{BM}$

$\therefore \overline{AB} = 2 \times 2 = 4(cm)$

20　　　　　　　　　　　　　　정답_③

변량의 개수가 5개이므로

중앙값은 $\dfrac{5+1}{2} = 3$번째 자료이다.

자료를 크기 순서로 나타내면

1, 2, 3, 4, 6이고

중앙값은 3이다.

▶2021년 1회◀

01	①	06	②	11	④	16	④
02	①	07	②	12	③	17	④
03	③	08	③	13	②	18	①
04	④	09	③	14	①	19	③
05	②	10	④	15	④	20	①

01 　　　　　　　　　정답_①

$24 = 2^3 \times 3$
$\underline{90 = 2 \times 3^2 \times 5}$
최대공약수 $= \bigcirc \times 3$
2^3과 2^1에서 지수가 작은 수 2^1을 택한다.
$\bigcirc = 2$

02 　　　　　　　　　정답_①

① $|-5| = 5$
② $|-2| = 2$
③ $|1| = 1$
④ $|4| = 4$
절댓값이 가장 큰 수는 -5이다.

03 　　　　　　　　　정답_③

$a = 3$이므로
$2a + 1 = 2 \times (3) + 1 = 6 + 1 = 7$

04 　　　　　　　　　정답_④

$5x - 2 = 3x + 8$
$5x - 3x = 8 + 2$
$2x = 10$
$x = 5$

05 　　　　　　　　　정답_②

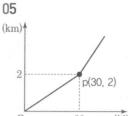

점 $p(30, 2)$인 $x = 30$, $y = 2$는
30분 동안 2km를 걸은 것을 나타낸 점이다.

06 　　　　　　　　　정답_②

정육면체는 정사각형 6개로 둘러싸여 있으며, 한 꼭짓점에 모이는 면의 수가 3개인 입체도형이다.

07 　　　　　　　　　정답_②

독서시간이 6시간 이상인 계급은
$6^{이상} \sim 8^{미만}$인 경우 4명
$8^{이상} \sim 10^{미만}$인 경우 1명
$4 + 1 = 5$명이다.

08 　　　　　　　　　정답_③

$x = 0.777 \cdots\cdots \bigcirc$에서
양변에 10을 곱하면
$10x = 7.777 \cdots\cdots \bigcirc$
$\bigcirc - \bigcirc$ 하면
$$\begin{array}{r} 10x = 7.777\cdots \\ - \quad x = 0.777\cdots \\ \hline 9x = 7 \\ x = \dfrac{7}{9} \end{array}$$

09 　　　　　　　　　정답_③

$2x \times x^2 = 2 \times x^{1+2}$
$\qquad\qquad = 2 \times x^3$
$\qquad\qquad = 2x^3$

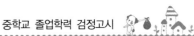

10 정답_④

$$\begin{cases} y = 2x & \cdots \text{㉠} \\ x + y = 9 & \cdots \text{㉡} \end{cases}$$

㉠식을 ㉡식에 대입해서 문자 y를 소거한다.

$x + (2x) = 9$

$3x = 9$

$x = 3$

$x = 3$을 ㉠식에 대입하면

$y = 2 \times 3 = 6$

따라서 $x = 3$, $y = 6$이다.

11 정답_④

$y = x$의 그래프를 y축의 방향으로 a만큼 평행이동한 식은 $y = x + a$이므로 $y = x + 2$와 같다.

$\therefore a = 2$

12 정답_③

$\angle \mathrm{B} = \angle \mathrm{C}$이므로 $\overline{\mathrm{AB}} = \overline{\mathrm{AC}}$이다.

$\overline{\mathrm{AC}} = x = 5$

13 정답_②

직각삼각형이므로 피타고라스의 정리를 적용하면

$x^2 = 6^2 + 8^2$

$x^2 = 36 + 64$

$x^2 = 100$

$x = 10 \, (x > 0)$

14 정답_①

전체사탕의 수 = 10개

포도맛 사탕의 수 = 3개 이므로

포도맛 사탕이 나올 확률 P는

$P = \dfrac{3}{10}$이다.

15 정답_④

$6\sqrt{3} - 2\sqrt{3} = (6 - 2)\sqrt{3}$

$\qquad\qquad\quad = 4\sqrt{3}$

16 정답_④

$(x + 1)(x + 3)$

$= x^2 + 3x + x + 3$

$= x^2 + 4x + 3$

17 정답_④

$y = 2x^2 - 2$의 그래프는

④ 꼭짓점의 좌표는 $(0, \, -2)$이다. → 참

오답풀이

① 위로 볼록하다. → 아래로 볼록하다.

② 점 $(1, \, 1)$을 지난다.

　　→ $x = 1$ 대입하면 $y = 2 \times 1^2 - 2 = 0$이므로 $(1, \, 0)$을 지난다.

③ 직선 $x = 1$을 축으로 한다.

　　→ $x = 0 \, (y$축$)$을 축으로 한다.

18 정답_①

$\sin B = \dfrac{\text{높이}}{\text{빗변의 길이}} = \dfrac{\overline{\mathrm{AC}}}{\overline{\mathrm{BA}}} = \dfrac{5}{13}$

19 정답_③

점 P에서 두 접점 A, B 까지의 거리는

$\overline{\mathrm{PA}} = \overline{\mathrm{PB}}$이므로 $\overline{\mathrm{PA}} + \overline{\mathrm{PB}} = 12$

$\overline{\mathrm{PA}} + \overline{\mathrm{PA}} = 12$

$\overline{\mathrm{PA}} = 6 \, (\mathrm{cm})$

20 정답_①

양의 상관관계는 x가 증가할수록 y도 증가하는 기울기가 양수인 형태이므로 ①이 답이 된다.

정답 및 해설

2025년 1회 ▶영 어◀

01	④	06	④	11	①	16	④	21	③
02	③	07	①	12	①	17	③	22	②
03	①	08	②	13	④	18	②	23	②
04	④	09	④	14	④	19	③	24	①
05	②	10	③	15	①	20	③	25	④

01
정답_④

해석 우리 부모님은 나를 정말 자랑스러워한다.

해설 'be proud of'는 '~을 자랑스러워하다'라는 의미이다. 따라서 밑줄 친 단어의 뜻으로 가장 적절한 것은 ④ '자랑스러운'이다.

어휘 really : 정말

02
정답_③

해석 이 문제는 어렵습니다. 제발 나에게 쉬운 문제를 주세요.
 ① 넓은 - 좁은
 ② 현명한 - 어리석은
 ③ 건강한 - 다채로운
 ④ 값이 싼 - 비싼

해설 'difficult(어려운)'과 'easy(쉬운)'는 반의어 관계이다. ①, ②, ④는 반의어 관계이다.

어휘 please : (정중하게 부탁/요청할 때) 제발, 부디
 give : 주다

03
정답_①

해석 에릭과 나는 좋은 친구이다.

해설 주어(Eric and I)가 복수이므로 빈칸에는 be동사 'are'가 들어가야 한다.

어휘 good : 좋은

04
정답_④

해석 그는 점심을 먹은 후에 이를 닦았습니다.

해설 빈칸에는 문장과 문장을 연결하는 접속사가 들어가야 한다. 'after'는 '~한 후에'라는 뜻의 시간을 나타내는 접속사이다.

어휘 brush one's teeth : 이를 닦다
 have lunch : 점심을 먹다

05
정답_②

해석 A : 당신은 얼마나 많은 티켓이 필요하나요?
 B : 나는 세 장의 티켓이 필요해요.

해설 '많은'이란 의미를 지니고 있는 'many, much'는 수량형용사이다. many는 셀 수 있는 명사(복수형) 앞에 쓰이고, much는 셀 수 없는 명사(단수형) 앞에 쓰인다. 제시된 대화에서 개수(수량)를 물어보고 있다. '티켓'은 셀 수 있는 명사이므로, 빈칸에 들어갈 말로 적절한 것은 'many'이다.

어휘 how many : 얼마나 많은
 need : 필요하다

06
정답_④

해석 A : 너는 오늘 오후에 무엇을 할 거야?
 B : 나는 나의 형과 컴퓨터 게임을 할 거야.
 A : 재미있겠네.
 ① 아니, 나는 하지 않았어.
 ② 천만에.
 ③ 물론 아니야.

해설 A가 오후에 무엇을 할 것인지 계획을 물어보자, B는 형과 함께 컴퓨터 게임을 할 것이라고 대답하였다. 빈칸에는 B의 계획에 긍정적으로 반응하는 표현이 적절하다. 따라서 빈칸에 들어갈 말로 가장 적절한 것은 계획이 재미있게 들린다는 표현의 ④ 'That sounds fun'이다.

07 정답 ①

• 당신은 어떤 종류의 음악을 좋아하나요?
• 그녀는 나를 많이 도와줬다. 나는 그녀가 매우 친절하다고 생각한다.
② fat : 지방(명사), 뚱뚱한(형용사)
③ well : 우물(명사), 건강한(형용사)
④ light : 빛(명사), 가벼운(형용사)

'kind'는 명사로 사용될 때는 '종류', 형용사로 사용될 때는 '친절한'을 의미한다.

what kind of : 어떤 종류의

08 정답 ②

오전 8시	오전 10시	오후 3시	오후 5시
호텔에서 아침 먹기	전통 시장 방문하기	공원에서 간식 먹기	극장에 가기

마이크의 여행 일정표를 보면, 오전 10시에 할 일은 ② '전통 시장 방문하기'이다.

have breakfast : 아침을 먹다
visit : 방문하다
traditional : 전통적인
theater : 극장

09 정답 ③

A : 그 소년은 무엇을 하고 있나요?
B : 그는 물을 마시고 있습니다.

그림에서 소년은 물을 마시고 있다. 현재진행형(be동사 + ~ing : ~하고 있다)으로 물어봤기 때문에 대답도 현재진행형이어야 한다.

watching TV : TV를 보고 있는 중
driving a car : 차를 운전하고 있는 중
drinking water : 물을 마시고 있는 중
playing the guitar : 기타를 치고 있는 중

10 정답 ③

A : 오, 이런! 내가 스마트폰을 잃어버렸어.

B : 정말? 그것을 어디에 두었는지 기억할 수 있겠어?
A : 잘 모르겠어. 먼저 분실물 센터를 확인해 봐야겠어.
B : 좋은 생각이야. 같이 가자.

스마트폰을 잃어버린 A가 분실물 센터를 확인해 봐야겠다고 하니까 B가 함께 가자고 제안하고 있다. 따라서 대화가 끝난 후 두 사람이 함께 할 일은 ③ '분실물 센터 가기'이다.

lost : 잃어버렸다(lose의 과거형)
not sure : 확실하지 않다
should : ~해야 한다
check : 확인하다
Lost and Found center : 분실물 센터
first : 먼저

11 정답 ①

A : 이 가방 어떻게 생각해?
B : 예뻐 보여. 너 그거 샀어?
A : 아니, 내 여동생이 선물로 줬어.
① 그것은 예뻐 보여.
② 나도 그렇게 생각해.
③ 나는 의사가 되고 싶어.
④ 나에게 전화하는 것을 잊지 마.

'What do you think of~?(~에 대해 어떻게 생각하나요?)'는 상대방의 의견을 물어볼 때 쓰는 표현이다. 따라서 대화의 빈칸에 들어갈 말로 가장 적절한 것은 ① 'It looks pretty'이다.

buy : 사다
gave : 주었다(give의 과거형)

12 정답 ①

A : 케빈, 너는 무엇에 관심이 있니?
B : 나는 로봇을 만드는 것에 관심이 있어. 너는 어때?
A : 나는 배드민턴 치는 것을 좋아해.

대화에서 A는 배드민턴 치는 것을 좋아하고, B는 로봇을 만든 것에 관심이 있다고 하였다. 따라서 대화의 주제로 가장 적절한 것은 ① '관심 분야'이다.

be interested in : ~에 관심이(흥미가) 있다

13
정답_④

해석

> **학교 체육 대회**
> - 일시 : 2025년 5월 9일 오전 9시~11시
> - 장소 : 미래중학교
> - 무엇을 할지 : 야구, 농구, 배구
>   *재미있게 보내세요! 경기를 즐기세요!*

해설 제시된 홍보문에는 ④ '신청 방법' 내용은 제시되어 있지 않다.

어휘 what to do : 해야 할 일, 무엇을 해야 할지
have fun : 즐거운 시간을 보내다, 재미있게 놀다
enjoy : 즐기다

14
정답_④

해석 안녕하세요, 학생 여러분. 공지가 있습니다. 학교 에어컨에 문제가 있습니다. 우리는 이것을 고치려고 노력하고 있지만 2시간이 걸릴 것입니다. 이해해 주셔서 감사합니다.

해설 학교 에어컨이 고장 나서 고치는 중인데, 2시간이 걸린다고 알리고 있다. 따라서 이 방송의 목적으로 가장 적절한 것은 ④ '에어컨 고장 안내'이다.

어휘 announcement : 공지, 안내
fix : 고치다, 수리하다
understanding : 이해

15
정답_①

해석 A : 왜 늦었니, 에이미?
B : 버스를 놓쳤어요. 늦어서 죄송합니다.
A : 음, 제시간에 오도록 노력해. 우리 수업을 시작하자.

해설 대화에서 B가 수업에 늦은 이유는 ① '버스를 놓쳐서'이다.

어휘 late : 늦은
miss : 놓치다, 그리워하다
on time : 정각에, 제시간에
try : 노력하다, 시도하다
begin : 시작하다

16
정답_④

해석 미스터 파파라고 불리는 노인에 대한 이야기가 있습니다. 그는 금으로 만든 모자를 씁니다. 그는 6월 5일에 용을 타고 날아다닙니다. 그는 착한 어린이들에게 장난감과 사탕을 줍니다. 하지만 나쁜 어린이들에게는 마늘과 양파를 줍니다.

해설 나쁜 어린이들에게는 마늘과 양파를 준다고 하였다. 따라서 설명과 일치하지 않는 것은 ④이다.

어휘 called : 불리는
made of : ~로 만든
flies : 날다(fly의 3인칭 단수)
garlic : 마늘
onion : 양파

17
정답_③

해석 줄리아 스미스는 40대에 그녀의 진정한 재능을 발견했다. 46세에 그녀는 남편과 함께 로마로 이사했다. 그녀는 그곳에서 요리 학교에 갔다. 그녀가 공부하고 있을 동안 그녀는 '줄리아의 트라토리아'라는 이탈리아 식당을 운영했고, 그곳은 파스타로 유명해졌다.

해설 제시된 글에는 남편의 직업은 언급되어 있지 않다.

어휘 found : 발견했다(find의 과거형)
talent : 재능
at the age of : ~의 나이에
moved : 이사했다(move의 과거형)
ran : 운영했다(run의 과거형)
become famous for : ~로 유명해지다

18
정답_②

해석 내일은 우리 엄마의 생신입니다. 나는 엄마에게 무엇을 줄지를 생각하고 있었습니다. 그래서 나는 알렉스에게 조언을 요청했습니다. 그는 내가 글쓰기를 잘하기 때문에 엄마에게 편지를 쓰라고 제안했습니다.

해설 알렉스는 글쓴이가 글쓰기를 잘하기 때문에 엄마에게 편지 쓰는 것을 제안하였다.

어휘 advice : 조언, 충고

suggest : 제안하다

be good at : ~을 잘하다

19 정답_③

해석

바다 중학교 학생들이 가장 좋아하는 과목		
국어 : 10%	기타 : 15%	과학 : 16%
영어 : 19%	체육 : 40%	

바다 중학교 학생들은 <u>체육을</u> 가장 좋아한다.

해설 제시된 그래프를 보면, 체육(P.E.)이 40%로 가장 높다. 빈칸에 들어갈 말로 가장 적절한 것은 ③ 체육(P.E.)이다.

어휘 favorite : 가장 좋아하는

subject : 과목

P.E.(Physical Education) : 체육

20 정답_③

해석 홍수 동안 기억해야 할 몇 가지 것들이 있습니다. ① 우선, 모든 전기를 꺼야 합니다. ② 두 번째, 흐르는 물을 피해야 합니다. ③ <u>식물에 정기적으로 물을 주어야 합니다.</u> ④ 안전을 위해 더 높은 곳으로 이동해야 합니다. 마지막으로, 뉴스 보도를 계속 들으세요.

해설 제시된 글은 홍수가 발생했을 때 기억해야 할 내용에 대해 나열하고 있다. ③ '식물에 정기적으로 물을 주어야 한다.'는 홍수와 관련이 없는 내용이다.

어휘 flood : 홍수

first of all : 우선, 무엇보다도

turn off : 끄다

electricity : 전기

stay out of : ~을 피하다

regularly : 규칙적으로, 정기적으로

safety : 안전

finally : 마지막으로

21 정답_③

해석 지호는 오래된 것으로 새로운 것들을 만드는 것을

좋아합니다. 어제, 그는 헌 옷으로 만든 필통을 학교에 가져왔습니다. 그는 그것들(필통)을 그의 반 친구들에게 주었습니다. <u>반 친구들은</u> 그의 선물을 받고 놀랐고, 그가 그것들(필통)을 어떻게 만들었는지 알기를 원했습니다.

해설 대명사는 대부분 앞에 나온 대상을 지칭한다. 밑줄 친 'They'의 앞 문장을 살펴보면, 지호가 반 친구들에게 필통을 줬다고 하였다. 'They'는 지호가 만든 필통을 받은 사람들을 지칭한다. 따라서 'They'가 가리키는 것은 'classmates(반 친구들)'이다.

① 컵 ② 선생님들 ③ 반 친구들 ④ 필통

어휘 make A from B : B로 A를 만들다

brought : 가져왔다(bring의 과거형)

used clothes : 헌 옷, 중고 옷

be surprised to~ : ~하고 놀라다

22 정답_②

해석

현대 미술관 규칙
• 뛰지 마시오.
• 음식을 먹지 마시오.
• 사진을 찍지 마시오.

해설 미술관에서 지켜야 할 사항으로 언급되지 않은 것은 ② '낙서하지 않기'이다.

어휘 art museum : 미술관

don't : ~하지 마라

take pictures : 사진을 찍다

23 정답_②

해석 여러분은 하늘에서 높게 날고 있는 독수리를 본 적 있나요? 그들은 저기 위에서 심지어 작은 개미까지 볼 수 있습니다. 그들은 강력한 눈(시력) 때문에 훌륭한 사냥꾼들입니다. 그들은 2.8킬로미터 떨어진 곳의 아주 작은 동물들도 볼 수 있습니다. 놀랍지 않나요?

해설 독수리는 높은 하늘에서 작은 개미도 볼 수 있고, 2.8킬로미터 떨어진 곳에 있는 아주 작은 동물도

볼 수 있다고 하였다. 따라서 이 글의 주제로 가장 적절한 것은 ② '독수리의 시력'이다.

어휘 Have you ever + 과거분사 : ~한 적 있나요?

from up there : 저기 위에서

hunter : 사냥꾼

powerful : 강력한

tiny : 아주 작은, 조그마한

away : 떨어져, 멀리

amazing : 놀라운

24
정답_①

해석 나는 판매할 재킷이 있습니다. 그 재킷은 흰색이고 주머니가 많이 있습니다. 나는 그 재킷을 작년에 구매했지만 거의 새것과 같습니다. 나는 80달러를 지불했습니다. 나는 그 재킷을 단 20달러에 판매하고 있습니다!

해설 판매할 재킷의 색상, 상태, 구매한 시기와 가격, 판매 가격에 대해 설명하고 있다. 따라서 이 글을 쓴 목적으로 가장 적절한 것은 ① '판매하려고'이다.

어휘 sale : 판매

paid : 지불했다(pay의 과거형)

selling : 판매하고 있는 중

25
정답_④

해석 안녕하세요! 내 이름은 브라이언입니다. 나는 캐나다 사람이고 나는 한국에서 2년 동안 살고 있습니다. 당신은 캐나다에 가 본 적이 있나요? 오늘 나는 캐나다 방문을 위한 몇 가지 조언들을 주겠습니다. 캐나다를 방문하기에 좋은 시기부터 시작해 봅시다!

해설 캐나다 사람인 브라이언이 캐나다 방문을 위한 조언을 준다면서 캐나다를 방문하기에 좋은 시기부터 말하고자 한다. 따라서 이 글의 바로 뒤에 이어질 내용으로 가장 적절한 것은 ④ '캐나다를 방문하기에 좋은 시기'이다.

어휘 have been ~ing : ~해 오고 있다

have been living : 계속 살고 있다

Have you ever been to ~ : ~에 가 본 적이 있나요?

start with~ : ~부터 시작하다

▶2024년 2회◀

01	④	06	①	11	③	16	③	21	②
02	②	07	②	12	①	17	②	22	②
03	①	08	④	13	③	18	④	23	④
04	①	09	③	14	①	19	①	24	③
05	③	10	④	15	①	20	④	25	④

01
정답_④

해석 나는 사람들 앞에서 말할 때 부끄러운 감정을 느낀다.

해설 문맥상 밑줄 친 단어의 뜻으로 적절한 것은 '부끄러운'이다.

어휘 shy : 부끄러운

in front of : ~앞에서

02
정답_②

해석 우리의 조용한 장소에서 시끄러운 소음을 내지 마세요.

해설 'loud(시끄러운)'와 'quiet(조용한)'는 반의어 관계이다. ①, ③, ④는 반의어 관계이고, ②는 유의어 관계이다.

① rich(부유한) - poor(가난한)

② kind(친절한) - nice(친절한, 멋진)

③ clean(깨끗한) - dirty(더러운)

④ full(가득한) - empty(비어 있는)

03
정답_①

해석 한국에는 아주 멋진 장소들이 많이 있다.

해설 'There is(are) + 단수명사(복수명사) + 장소를 나타내는 말~'은 "~에 ~이(들이) 있다"로 해석된다. 뒤에 오는 명사 'places'에 s가 붙어 있으므로 빈칸에 들어갈 말로 적절한 것은 'are'이다.

04
정답_①

해석 나는 어제 그에게 전화했지만, 그는 응답하지 않았다.

해설 앞뒤 문장을 살펴보면 내용이 반대이다. 따라서 빈칸에 들어갈 말로 적절한 것은 'but'이다.

어휘 call : 전화하다, 부르다

answer : 응답하다, 대답하다

05 정답_③

^{해석} A : 노란색과 파란색 중 어느 색깔을 더 좋아해?

B : 나는 노란색보다 파란색을 더 좋아해.

^{해설} 'which(어느 것)'는 정해진 여러 개 중에서 (하나를) 선택할 때 쓰는 의문사이다. B는 노란색보다 파란색을 좋아한다고 하였다. 따라서 빈칸에는 둘 중에서 하나를 선택하는 'which'가 들어가야 한다.

^{어휘} prefer A to B : B보다 A를 더 좋아하다

06 정답_①

^{해석} A : 왜 그래, 존? 괜찮아?

B : 어제 상자를 들어 올리다 등을 다쳤어.

A : 그것 참 안됐구나.

② 미안하지만 안 될 것 같아.

③ 나는 기대하고 있어.

④ 물을 꺼라.

^{해설} 대화에서 A는 다친 B를 걱정하고 있다. 빈칸에 들어갈 말은 유감이나 위로의 표현으로 사용되는 'That's too bad.'가 적절하다.

^{어휘} What's the matter? : 무슨 일이야? 왜 그래?

lift : 들어 올리다

07 정답_②

^{해석} • 이 사진 좀 봐주세요.

• 내가 없는 동안 그는 내 개를 돌봐줄 것이다.

^{해설} 'take a look at'은 "~을 (한번) 보다", 'look after'는 "~을 돌보다"는 의미이다. 빈칸에 공통으로 들어갈 말로 적절한 것은 'look'이다.

^{어휘} away : 벗어나 있는, 없는

08 정답_④

^{해석}

오전 8시	오후 12시	오후 4시	오후 8시
체육관에서 운동하기	Mike와 점심 먹기	Mary와 쇼핑하기	영어 숙제 하기

^{해설} 내일 오후 8시에 할 일은 '영어 숙제 하기'이다.

09 정답_③

^{해석} A : 소녀는 무엇을 하고 있나요?

B : 그녀는 공을 던지고 있습니다.

^{해설} 제시된 그림에서 소녀가 공을 던지고 있다. 따라서 빈칸에 들어갈 말로 적절한 것은 'throwing(던지는 것)'이다. 현재진행형(be동사 + ~ing : ~하고 있는 중이다)으로 물어봤기 때문에 대답도 현재진행형이어야 한다.

• buy : 사다

• kick : 차다

• wash : 씻다

10 정답_④

^{해석} A : 오늘 오후에 시간 있어?

B : 응, 왜?

A : 도서관에 가서 함께 공부하는 것은 어떨까 생각했어.

B : 좋아. 좋은 계획 같아.

^{해설} 대화에서 A가 도서관에 가서 공부하자고 제안하자 B가 좋다고 하면서 승낙하고 있다. 따라서 대화가 끝난 후 오후에 두 사람이 할 일은 '도서관에서 공부하기'이다.

11 정답_③

^{해석} A : 제인의 생일에 우리는 무엇을 해야 할까?

B : 그녀가 가장 좋아하는 식당에서 저녁을 먹자.

A : 좋은 생각이야.

① 그는 피곤함에 틀림없어.

② 만나서 반가워.

④ 너의 잘못이 아니야.

^{해설} 제인의 생일에 B가 식당에 가서 밥을 먹자고 제안하고 있다. 'That's a good idea(그것은 좋은 생각이다)'는 상대방의 제안이나 의견에 동의할 때 사용하는 표현이다.

^{어휘} have dinner : 저녁을 먹다

let's~ : ~하자(제안)

12
정답_①

해석 A : 샘, 너는 여가 시간에 무엇을 해?
B : 나는 영화 보는 것을 좋아해. 너는 어때?
A : 나는 기타 연주하는 것을 즐겨.

해설 여가 시간에 A는 기타 연주하는 것을 즐기고, B는 영화 보는 것을 좋아한다고 하였다. 따라서 대화의 주제는 '여가 활동'이 적절하다.

어휘 free time : 여가 시간, 자유시간
enjoy : 즐기다

13
정답_③

해석

여름 과학 캠프

• 장소 : 국립과학박물관
• 날짜 : 2024년 8월 10일-11일
• 신청하기 위해, www.sciencecamp.org를 방문하세요.

진짜 과학자들을 만나서 배우세요!

해설 홍보문을 보고 알 수 없는 것은 '참가 인원'이다.

어휘 sign up : ~에 등록(신청)하다, 가입하다

14
정답_①

해석 신사 숙녀 여러분, 안녕하세요. 뮤지컬이 곧 시작됩니다. 여러분의 휴대 전화를 꺼주세요. 또한, 공연 중에는 사진 찍는 것을 피해 주세요. 우리는 당신이 아주 멋진 시간을 보내기를 바랍니다.

해설 뮤지컬이 곧 시작되니, 휴대 전화를 꺼주고 사진 찍는 것을 피해 주라고 했다. 따라서 이 방송의 목적으로 가장 적절한 것은 '관람 예절 안내'이다.

어휘 be going to : (가까운 미래에) ~할 예정이다
please : 부디(제발) ~해주세요(정중한 요청)
turn off : 끄다
take photo : 사진을 찍다

15
정답_①

해석 A : 저는 오늘 우리 동아리 모임에 못 갈 것 같아요.
B : 오, 이런, 유감이네요. 왜 안 되나요?
A : 제가 감기가 심하게 걸렸어요.

해설 대화의 내용상 A가 동아리 활동에 참여하지 못하는 이유는 '감기에 걸려서'이다.

어휘 won't(=will not) : ~하지 않을 것이다
be able to(=can) : ~할 수 있다
make it : 참석하다, 시간 맞춰 가다
I'm sorry to hear that : 유감이다, 안타깝다
have a cold : 감기에 걸리다

16
정답_③

해석 태국의 아주 큰 축제인 송크란은 4월에 열립니다. 이 축제는 전통적인 태국의 새해를 기념합니다. 여러분은 축제에서 큰 물싸움을 즐길 수 있습니다. 또한 여러분은 전통적인 태국 음식도 먹어 볼 수 있습니다.

해설 축제에서 물싸움을 즐길 수 있다고 하였다. 설명과 일치하지 않는 것은 ③이다.

어휘 be held in : ~에서 열리다, 개최되다
celebrate : 기념하다, 축하하다
traditional : 전통적인

17
정답_②

해석 시베리안 호랑이는 세계에서 가장 큰 고양잇과 동물이다. 러시아 동부의 추운 지역에서 서식한다. 검정 줄무늬가 있는 주황색 털을 가지고 있다. 이것은 사슴과 같은 큰 동물을 먹는 것을 좋아한다. 배고픈 호랑이는 하룻밤에 거의 30킬로그램을 먹을 수 있다.

해설 시베리안 호랑이는 러시아 동부의 추운 지역에서 서식하고, 검정 줄무늬가 있는 주황색 털을 가지고 있고, 사슴과 같은 큰 동물을 먹는 것을 좋아한다고 하였다. 제시된 글에 언급되지 않은 것은 '수명'이다.

어휘 eastern : 동부의, 동쪽에 위치한
stripe : 줄무늬
hungry : 배고픈, 굶주린

18
정답_④

해석 요즘에 나는 내가 해야 할 일을 자주 잊어버립니다. 예를 들어, 나는 오늘 축구 유니폼을 가져오는 것을 잊어버렸습니다. 나는 유미에게 조언을 구했

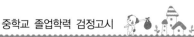

습니다. 그녀는 할 일의 목록을 작성하는 것을 제안했습니다. 이것은 도움이 될지도 모릅니다.

해설 제시된 글에서 유미가 제안한 것은 '할 일 목록 작성하기'이다.

어휘 these days : 요즘에는
bring : 가져오다
ask advice : 충고(조언)를 구하다
suggest : 제안하다

19   정답_①

해석

학생들이 가장 좋아하는 스마트폰 활동
• 친구들과 문자하기(11%)
• 게임하기(23%)
• 영상 보기(25%)
• 소셜 미디어 사용하기(41%)

우리 학교의 더 많은 학생은 스마트폰으로 영상을 보는 것보다 소셜 미디어를 사용하는 것을 더 좋아한다.

해설 그래프를 보면 '영상 보기(25%)'보다 이상인 것은 41%인 '소셜 미디어 사용하기'이다. 따라서 빈칸에 들어갈 말로 적절한 것은 ①이다.

20   정답_④

해석 내가 가장 좋아하는 계절은 여름이다. ① 나는 해변에 가고 모래에서 노는 것을 좋아한다. ② 바다에서 수영하는 것은 기분이 좋다. ③ 나는 또한 열을 식히기 위해 아이스크림을 먹는 것을 즐긴다. ④ 지구의 빙하가 빠르게 녹고 있다. 여름은 즐거운 시간을 보내기에 가장 좋은 시기이다.

해설 제시된 글은 내가 여름을 좋아하는 이유에 대한 내용이다. 글의 흐름으로 보아 어울리지 않는 문장은 ④이다.

어휘 cool down : 식히다
melt : 녹다
have fun : 즐거운 시간을 보내다

21   정답_②

해석 여러분이 10층에 있다고 상상해 보세요. 여러분은

거리에서 개미를 볼 수 있나요? 물론 볼 수 없습니다. 하지만 독수리는 볼 수 있습니다. 그들은 강력한 시력 때문에 훌륭한 사냥꾼입니다. 그들은 3.2km 떨어진 곳의 토끼까지 볼 수 있습니다.

해설 전후 맥락을 고려하여 밑줄 친 대명사가 무엇을 가리키는지 파악한다. 대명사는 대부분 앞에 나온 대상을 가리킨다. 밑줄 친 'They'의 앞 문장을 살펴보면, They가 가리키는 것이 'eagles(독수리)'임을 알 수 있다.

어휘 imagine : 상상하다
because of : ~때문에
powerful : 강렬한, 강력한
up to : ~까지

22   정답_②

해석

동물원 안전 수칙
• 동물에게 먹이를 주지 마세요.
• 어떤 우리에도 들어가지 마세요.
• 목소리를 낮춰 말하세요.

해설 동물원 안전 수칙으로 언급되지 않은 것은 '사진 찍지 않기'이다.

어휘 feed : 먹이를 주다
enter : 들어가다
keep down : 억제하다, 낮추다

23   정답_④

해석 내가 스트레스를 줄이는 방법에 대한 몇 가지 조언을 공유하겠습니다. 첫째, 나는 산책을 하러 밖에 나갑니다. 신선한 공기를 마시면, 기분이 좋아집니다. 나는 또한 가장 좋아하는 음악도 듣습니다. 이것은 내가 휴식을 취하는 데 도움이 됩니다. 나는 이 조언들이 여러분이 스트레스를 덜 받는 데 도움이 되기를 바랍니다.

해설 글의 핵심 내용은 대부분 글의 처음이나 끝에 위치한다. 이 글의 주제로 가장 적절한 것은 '스트레스를 줄이는 방법'이다.

어휘 share : 공유하다
reduce : 줄이다, 낮추다
go for a walk : 산책하러 가다

24
정답_③

해석 나는 7월 3일에 당신의 웹사이트에서 검은색 모자를 주문했습니다. 하지만 내가 받은 모자는 검은색이 아니라 갈색입니다. 나는 잘못 보내준 모자를 다시 보내드립니다. 갈색 모자를 받으면 내 돈을 돌려주세요.

해설 검은색 모자를 주문했는데 갈색 모자가 와서 다시 보내니, 돈을 돌려달라는 내용이다. 글을 쓴 목적으로 가장 적절한 것은 '환불을 요청하려고'이다.

어휘 order : 주문하다
return : 돌려주다, 반납하다
receive : 받다

25
정답_④

해석 우리는 독서를 함으로써 많은 유용한 것들을 배울 수 있습니다. 좋은 책을 읽는 것은 사고능력을 기르고 다른 사람들의 감정을 이해하는 데 도움이 됩니다. 그렇다면, 우리는 어떤 종류의 책을 읽어야 할까요? 여기에 올바른 책을 고르는 방법이 있습니다.

해설 바로 뒤에 이어질 내용은 마지막 문장을 살펴보면 알 수 있다. 마지막 문장에서 "여기에 올바른 책을 고르는 방법이 있습니다."라고 하였다. 따라서 제시된 글의 바로 뒤에 이어질 내용으로 적절한 것은 '적절한 책을 고르는 방법'이다.

어휘 useful : 유용한, 쓸모 있는
build : 기르다, 쌓다
how to : ~하는 방법

▶2024년 1회◀

01	③	06	①	11	④	16	③	21	④
02	④	07	③	12	①	17	③	22	④
03	④	08	⑤	13	④	18	①	23	④
04	①	09	②	14	④	19	①	24	②
05	③	10	①	15	②	20	②	25	②

01
정답_③

해석 모든 사람들은 아이스크림이 맛있다고 생각한다.

어휘 everyone : 모든 사람, 모두
delicious : 맛있는

02
정답_④

해석 ① big(큰) – small(작은)
② dry(마른) – wet(젖은)
③ old(늙은) – young(젊은)
④ tall(높은, 키가 큰) – high(높은)

해설 ①, ②, ③은 반의어이고, ④는 유의어이다.

03
정답_④

해석 많은 학생들이 줄을 서 있었다.

해설 주어(a lot of students)가 복수 형태이므로 'are/were'가 들어가야 한다.

어휘 a lot of : 많은
stand in line : 줄을 서다

04
정답_①

해석 기차역까지 가는 데 얼마나 걸리나요?

해설 'how + 형용사/부사'는 '얼마나 ~한/~하게'라는 뜻이고, take는 '(시간이) 걸리다'는 뜻이 있다. 기차역까지 가는 데 얼마나 걸리는지 시간을 물어보고 있다. 따라서 'how long(얼마나 오래)'이 적절하다.

어휘 how long does it take to : ~하는 데 시간이 얼마나 걸리나요?

05
정답_③

해석 A : 너는 보통 언제 일어나니?
B : 나는 보통 7시에 일어나.

해석 A의 질문에 B가 시간을 말하고 있다. 따라서 빈칸에는 시간을 물어볼 때 쓰는 의문사 'when(언제)'이 들어가야 한다.

어휘 usually : 보통, 일반적으로

　　get up : 일어나다

06
정답_①

해석 A : 너 자전거를 탈 수 있어?

　　B : 응, 나는 탈 수 있어.

해설 조동사 can 의문문은 'can/can't'로 대답한다.

어휘 ride a bike : 자전거를 타다

07
정답_③

해석 ・ 나는 여가시간에 피아노를 연주한다.

　　・ 당신은 이 사탕을 공짜로 먹을 수 있다.

해설 빈칸에 공통으로 들어갈 말은 'free'이다.

　　・ free time : 여가시간

　　・ for free : 무료로, 공짜로

어휘 busy : 바쁜

　　close : 가까운

　　free : 자유로운, 무료의, 공짜의

　　hard : 단단한, 어려운

08
정답_③

해석

아버지	어머니	탐	에마
식물에 물 주기	창문 닦기	빨래하기	쿠키 굽기

해설 주말에 탐이 할 일은 '빨래하기'이다.

어휘 water : 물을 주다

　　laundry : 세탁

　　bake : 굽다

09
정답_②

해석 A : 그 소녀는 무엇을 하고 있나요?

　　B : 그녀는 그림을 그리고 있습니다.

해설 현재진행형(be동사+~ing)으로 물어봤기 때문에 대답도 현재진행형이어야 한다. 제시된 그림에서 소녀는 그림을 그리고 있다.

어휘 read a book : 책을 읽다

　　draw a picture : 그림을 그리다

　　listen to music : 음악을 듣다

　　play basketball : 농구를 하다

10
정답_①

해석 A : 내 다리가 걱정돼. 나는 쉽게 걸을 수가 없어.

　　B : 진찰을 받아보는 게 어때?

　　A : 그래야 할 것 같아. 지금 나랑 같이 가 줄 수 있어?

　　B : 물론이지.

해설 'Why don't you~?'는 "~하는 게 어때?"라는 뜻으로, 제안하는 표현이다. B가 A에게 진찰을 받는 게 어떠냐고 제안하고 있다.

어휘 worry : 걱정하다

　　easily : 쉽게

　　see a doctor : 진찰을 받다

11
정답_④

해석 A : 바깥 날씨는 어때?

　　B : 비가 오고 있어. 우산을 가지고 있어?

　　A : 아니, 없어. 나는 하나 사야 해.

　　① 지금 몇 시야?

　　② 그동안 어떻게 지냈니?

　　③ 어디서 그것을 얻었니?

해설 A가 "No, I don't."라고 대답하고 있다. 따라서 B의 질문에는 의문사가 없어야 한다.

어휘 weather : 날씨

　　outside : 밖의, 외부의

　　have to : ~해야 한다

12
정답_①

해석 A : 우리는 회의 시간을 바꿀 필요가 있어요. 너무 일러요.

　　B : 동의해요. 오전 10시는 어때요?

　　A : 훨씬 좋네요.

어휘 change : 바꾸다

　　early : 일찍, 이른

　　agree : 동의하다

13

정답_④

해석

> ### 세계 음식 축제
>
> 날짜 : 4월 13일~14일
> 시간 : 오전 11시~오후 4시
> 장소 : Seaside Park
>
> 오셔서 즐기세요!
> 세계 각국의 음식을 먹어보세요!

해설 제시된 홍보문에는 행사 참가비에 대한 내용은 나와 있지 않다.

어휘 festival : 축제
enjoy : 즐기다
try : 해보다, 시도하다

14

정답_④

해석 안녕하세요, 여러분. 내일 점심 메뉴에 대해 알려드릴 것이 있습니다. 원래 메뉴는 스파게티, 케이크, 오렌지 주스였습니다. 하지만 오렌지 주스 대신 우유를 제공합니다. 변경해서 죄송합니다.

해설 오렌지 주스 대신에 우유를 제공한다고 하였다. 즉, 점심 메뉴가 변경된 것을 알려주고 있다.

어휘 original : 원래의
serve : 제공하다
instead of : 대신에

15

정답_②

해석 A : 스티브와 나는 이번 주 토요일에 수영장에 갈 거야. 우리와 같이 갈래?
B : 미안한데, 이번 주말에 가족과 함께 여행을 갈 거야.
A : 알겠어. 다음에 가자.

해설 B는 가족 여행을 가야 해서 수영장에 가지 못한다.

어휘 swimming pool : 수영장
take a trip : 여행을 가다
next time : 다음에

16

정답_③

해석 모아이에 대해 들어본 적이 있나요? 그것들은 이스터 섬에 있습니다. 그것들은 키가 크고 사람 모양의 돌입니다. 그것들 중의 대부분은 높이가 약 4미터이고 가장 높은 것은 약 20미터입니다. 그것들은 주로 마을 쪽을 향하고 있고 일부는 바다를 바라보고 있습니다.

해설 ③ 대부분 높이가 약 4미터이고, 가장 높은 것이 약 20미터이다.

어휘 shaped : ~의 모양(형태)의
mainly : 주로, 대부분은
face : ~향하다, 마주하다
toward : ~쪽으로
look out : 밖을 보다, ~을 바라보다

17

정답_③

해석 시티 벼룩시장은 많은 쇼핑객들에게 좋은 장소입니다. 매주 토요일마다 열립니다. 역사 박물관 앞에 있습니다. 여러분은 이 시장에서 옷, 신발, 책, 장난감을 저렴한 가격으로 살 수 있습니다.

해설 주차 정보에 대한 내용은 언급되어 있지 않다.

어휘 flea market : 벼룩시장
shopper : 구매자, 쇼핑객
in front of : 앞에
prices : 가격

18

정답_①

해석 학교에서 나의 가장 큰 문제는 시험에서 성적이 좋지 않다는 것이다. 나는 결코 시험에서 잘하지 않는다. 그래서 나는 지민이에게 조언을 요청했다. 지민이는 스터디 그룹을 만드는 것을 제안했다. 그는 친구들과 함께 공부하는 것은 내가 시험에서 더 잘할 수 있도록 도울 수 있다고 말했다.

해설 지민이는 친구들과 함께 공부하면 시험을 잘 볼 수 있다면서 스터디 그룹을 만드는 것을 제안했다.

어휘 grade : 성적, 학점
advice : 조언
suggest : 제안하다
do better : 더 잘하다

19
정답_①

해석

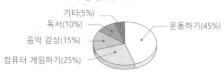

우리 반 친구들의 관심사

기타(5%)
독서(10%)
음악 감상(15%)
컴퓨터 게임하기(25%)
운동하기(45%)

> 우리 학급에서 40% 이상의 학생들이 <u>운동하는 것</u>에 관심이 있다.

해설 제시된 그래프를 보면, 40% 이상이 관심이 있는 것은 '운동하기'이다.

어휘 classmate : 반 친구, 동급생
interest : 흥미
more than : ~이상
be interested in : ~에 흥미가 있다, ~에 관심이 있다

20
정답_②

해석 작년에 나는 산에 갔다. ① 나는 케이블카를 타고 산 중턱까지 갔다. ② 아버지가 새 차를 샀다. ③ 그런 다음, 나는 정상까지 올라갔다. ④ 정상에서 나는 나무들이 빨갛고 노란 것을 발견했다. 아름다운 단풍을 보는 것은 놀랍고 흥미로웠다.

해설 글의 흐름상 어울리지 않는 문장은 ②이다.

어휘 hike : 도보 여행하다, 하이킹하다
amazing : 놀라운, 멋진
exciting : 흥미진진한
autumn leaves : 단풍

21
정답_④

해석 당신은 걷는 것을 좋아합니까? 당신은 하루에 몇 걸음을 걸으십니까? 걷기는 모든 연령대의 사람들에게 많은 건강상의 이점을 제공할 수 있습니다. <u>그것은(걷기는)</u> 특정한 질병을 예방하는 것을 도울 수 있어서 당신은 장수할 수 있습니다. 또한 어떤 특별한 장비가 필요하지 않으며 어디에서든지 할 수 있습니다.

해설 밑줄 친 'It'의 앞 문장을 살펴보면, 걷기는 모든 사람들에게 건강상의 이점을 제공한다고 하였다. 따라서 'It'이 가리키는 것은 'Walking(걷기)'이다.

어휘 walking : 걷기, 산책
offer : 제공하다
benefit : 혜택, 이점
prevent : 예방하다, 막다
require : 필요하다
equipment : 장비, 기기

22
정답_④

해설

> 도서관 규칙 :
> • 제시간에 책을 반납하세요.
> • 큰 소리를 내지 마세요.
> • 음식을 먹지 마세요.

해설 도서관 이용 시 주의해야 할 사항으로 '책에 낙서하지 않기'는 나와 있지 않다.

어휘 rule : 규칙, 규정
return : 반납하다, 돌려주다
on time : 정각에, 제때에
make loud noise : 큰 소리를 내다

23
정답_③

해석 여러분은 불이 났을 때 무엇을 해야 하는지 알고 있나요? 여러분은 "불이야!" 하고 외쳐야 합니다. 여러분은 젖은 수건으로 얼굴을 덮어야 합니다. 낮은 자세를 유지하고 나가야 합니다. 엘리베이터가 아닌 계단을 이용해야 하는 것을 기억하세요. 또한 가능한 한 빨리 119에 전화해야 합니다.

해설 화재가 발생했을 때 무엇을 해야 하는지를 알려주고 있다. 따라서 글의 주제로 적절한 것은 '화재 발생 시 행동 요령'이다.

어휘 what to do : 무엇을 해야 하는지
shout : 외치다, 소리 지르다
get out : 나가다
stair : 계단
as soon as possible : 되도록 빨리

24

정답_②

[해석] 내 이름은 존 브라운입니다. 나는 메인 스트리트의 문제를 신고하고 싶습니다. 오늘 아침에 나는 신호등이 고장 난 것을 봤습니다. 사고를 발생시킬까 봐 걱정됩니다. 지금 바로 와서 점검해 주세요.

[해설] 글쓴이는 고장 난 신호등 때문에 사고가 발생할까 봐 걱정되어 점검해 달라고 신고하고 있다.

[어휘] would like to : ~하고 싶다
report : 보고하다, 신고하다
traffic light : 신호등
cause : 야기하다
check : 확인하다, 점검하다

25

정답_②

[해석] 요가는 힘과 균형을 키울 수 있는 심신의 수련이다. 또한 통증을 관리하고 스트레스를 줄이는 데 도움이 될 수 있다. 요가에는 많은 유형이 있다. 요가의 다양한 유형에 대해서 살펴보자.

[해설] 바로 뒤에 이어질 내용은 마지막 문장을 살펴보면 알 수 있다. 마지막 문장에서 "요가의 다양한 유형에 대해서 살펴보자."라고 하였다. 따라서 제시된 글의 바로 뒤에 이어질 내용으로 적절한 것은 '다양한 요가의 유형'이다.

[어휘] mind and body : 심신
practice : 수련, 훈련, 연습
strength : 힘
balance : 균형
manage : 관리하다
reduce : 줄이다
various : 다양한

▶2023년 2회◀

01	③	06	④	11	③	16	④	21	②
02	②	07	①	12	②	17	④	22	④
03	②	08	③	13	③	18	①	23	④
04	④	09	①	14	②	19	②	24	③
05	②	10	①	15	①	20	④	25	③

01

정답_③

[해석] 나는 나의 친구를 사랑한다. 그들은 나에게 매우 특별하다.

02

정답_②

[해석] ① fast - slow 빠른 - 느린
② large - big 큰 - 큰
② late - early 늦은 - 이른
④ long - short 긴 - 짧은

03

정답_②

[해석] 나의 집 앞에 큰 나무 한 그루가 있다.

[어휘] in front of : ~앞에

04

정답_④

[해석] 그녀는 후식을 먹지 않았다. 왜냐하면 매우 배불렀기 때문이다.

[어휘] dessert : 후식
full : 배부른

05

정답_②

[해석] A : 너는 내 새 치마에 대해 어떻게 생각해?
B : 너에게 잘 어울려.
① Who 누가
② What 무엇을
③ Where 언제
④ Which 어느 것

06

정답_④

[해석] A : 난 걸을 수 없어. 나 어제 다리가 부러졌어.
B : _____.
① 네, 그렇습니다

② 만나서 반갑습니다

③ 천만에요

④ 안됐군요

〔어휘〕 broke(break의 과거형) : 부러졌다

07 정답_①

〔해석〕 바깥은 춥다. 너는 외투를 입어야만 한다.

그는 그가 목감기에 걸렸다고 말했다. 그는 감기에 걸렸나?

① cold 추운, 감기

② soft 부드러운

③ tall 키 큰

④ well 잘

〔해석〕 outside : 바깥

sore throat : 목감기

catch a cold : 감기에 걸리다

08 정답_③

〔해석〕 A : 실례합니다, 제가 시청으로 가려면 어떻게 가야 하나요?

B : 한 블록 쭉 가고, 오른쪽으로 가세요. 너는 너의 왼쪽에 그것을 발견 할 수 있습니다.

A : 감사합니다.

〔어휘〕 straight : 직진

right : 오른쪽

left : 왼쪽

09 정답_①

〔해석〕 A : 그 소년은 무엇을 하고 있나요?

B : 그는 자전거를 타고 있습니다.

① riding (탈 것에) 타고 있다

② eating 먹고 있다

③ singing 노래부르고 있다

④ cooking 요리하고 있다

10 정답_①

〔해석〕 A : 민수야, 너 어디 가?

B : 저는 농구를 하러 학교 체육관에 갈 거예요.

A : 그래요? 나도 너랑 같이 가도 될까요?

B : 물론이죠. 같이 갑시다.

① 체육관

② 보건실

③ 미술관

④ 도서관

〔어휘〕 gym : 체육관

basketball : 농구

11 정답_③

〔해석〕 A : 너는 오늘 엄청 행복해보여. 무슨 일 있니?

B : _____.

A : 오, 너는 어디서 너의 개를 찾았어?

B : 그는 우리 집 근처 공원에 있었어.

① 나는 시험에 떨어졌어

② 나는 캐나다인이야

③ 잃어버린 개를 찾았어

④ 나는 야채를 좋아하지 않아

〔어휘〕 near : 근처

failed(fail의 과거형) : 떨어졌다

Canadian : 캐나다인

miss : 잃어버리다

vegetable : 야채

12 정답_②

〔해석〕 A : 보람아, 이번 방학에 너의 계획은 어떻니?

B : 기타 레슨을 받을 예정이야. 너는 어때?

A : 나는 제주도에 있는 조부모님 댁에 갈 예정입니다.

〔어휘〕 plan : 계획

vacation : 방학

13 정답_③

〔해석〕 로봇 만들기 수업

날짜 : 2023년 8월 25일

장소 : 과학실

활동 : 너는 로봇을 만들고 로봇을 제어하는 방법을 배우게 될 것이다.

〔어휘〕 science : 과학

activity : 활동

control : 제어하다

14 정답_②

해석 안녕하세요, 학생들. 내일은 운동회입니다. 편안한 옷과 신발을 착용하는 것을 기억하세요. 안전하고 공정하게 경기할 수 있도록 규칙들을 지키세요. 경기 동안 반 친구들과 함께 지내세요. 재미있게 보내세요!

어휘 remember : 기억하다

comfortable : 편안한

rule : 규칙

safely : 안전하게

fairly : 공정하게

classmate : 급우

during : ~동안

15 정답_①

해석 A : 저는 언젠가 네팔로 여행을 가고 싶습니다.

B : 너는 무엇 때문에 그곳에 가고 싶으십니까?

A : 저는 멋진 산을 오르고 싶어요.

어휘 travel : 여행하다

someday : 언젠가

climb : 오르다

16 정답_④

해석 흰 겨울 축제는 1월 마지막 주에 시작하여 5일 동안 계속됩니다. 사람들은 얼음 낚시를 즐길 수 있습니다. 또한 눈사람 만들기 대회도 있습니다. 음악가들은 밤에 라이브 음악을 연주합니다.

어휘 festival : 축제

January : 1월

fishing : 낚시

musician : 음악가

17 정답_④

해석 저는 프랑스에서 온 엘레나입니다. 저는 언젠가 패션 디자이너가 되고 싶습니다. 저는 2020년에 한국을 방문했을 때 한복을 입어 보았습니다. 저는 한복의 스타일을 매우 좋아했습니다. 저의 꿈은 미래에 이렇게 아름다운 옷을 만드는 것입니다.

어휘 visit : 방문하다

try on : 입어보다

future : 미래

18 정답_①

해석 수잔과 나는 어제 함께 집으로 걸어갔습니다. 우리는 학교 주변의 벽이 못생겨 보이는 것을 보았습니다. 우리는 그것들을 예쁘고 다채롭게 만들고 싶었습니다. 수잔은 우리가 벽에 그림을 그릴 것을 제안했습니다.

어휘 wall : 벽

around : 주변에

ugly : 못생긴

pretty : 예쁜

colorful : 다채로운

suggest : 제안하다

19 정답_②

해석 Han-guk 학교 학생들은 _____ 영화를 가장 좋아합니다.

어휘 movie : 영화

the most : 가장

20 정답_④

해석 지호의 아버지는 작은 식당을 운영합니다. ① 그는 놀라운 스파게티를 만듭니다. ② 지호는 그것을 요리하는 방법을 배우고 싶어합니다. ③ 그래서, 그는 이번 주에 아버지와 함께 스파게티 요리를 연습할 것입니다. ④ 햄버거는 그가 가장 좋아하는 음식입니다. 그는 그의 아버지처럼 맛있는 스파게티를 만들기를 희망합니다.

어휘 run : 운영하다

restaurant : 식당

practice : 연습하다

favorite : 가장 좋아하는

hope : 희망하다

delicious : 맛있는

21 정답_②

해석 나는 새로 디자인된 버스에 대한 뉴스를 읽었습니다. 그것은 사람들이 이 버스들을 더 쉽게 탈 수 있다고 말합니다. 그 버스들은 계단이 없고 바닥이 매우 낮습니다. 휠체어를 탄 사람도 어떤 도움

없이 <u>그것들</u>을 사용할 수 있습니다.

① books 책들

② buses 버스들

③ people 사람들

④ windows 창문들

[어휘] newly : 새롭게

get on : 타다

easily : 쉽게

steps : 계단

floor : 바닥

without : ~없이

help : 도움

22　　　　　　　　　　정답_④

[해석] • 강 바로 옆에 텐트를 치지 마세요.

• 야생 동물에게 먹이를 주지 마세요.

• 쓰레기를 버리지 마세요.

[어휘] right : 바로

next to : ~옆에

feed : 먹이를 주다

wild : 야생의

23　　　　　　　　　　정답_④

[해석] 당신은 기분이 안 좋으세요? 여기에 여러분의 기분이 나아지도록 도와줄 몇 가지 팁이 있습니다. 먼저, 야외로 나가세요. 햇빛을 많이 받는 것은 여러분을 행복하게 만듭니다. 여러분이 할 수 있는 또 다른 것은 운동입니다. 여러분은 운동을 하는 동안 걱정을 잊을 수 있습니다.

[어휘] feel down : 마음이 울적하다

feel better : 기분이 좋아지다

outdoor : 야외

sunlight : 햇빛

exercise : 운동

forget : 잊다

worry : 걱정

while : ~동안

work out : 운동하다

24　　　　　　　　　　정답_③

[해석] 안녕하세요. 브라운 선생님. 학교 콘서트가 다가오고 있습니다. 음악 동아리 회원들이 콘서트를 준비하고 있습니다. 우리는 함께 연습할 장소가 필요합니다. 이번 주에 당신의 교실을 이용할 수 있을까요?

[어휘] prepare : 준비하다

25　　　　　　　　　　정답_③

[해석] 사람들을 만나고, 역사를 배우고, 현지 음식을 맛볼 수 있습니다. 저는 세계의 유명한 시장들을 소개하려고 합니다.

[어휘] visit : 방문하다

market : 시장

culture : 문화

country : 나라

meet : 만나다

history : 역사

taste : 맛보다

local : 지역의

introduce : 소개하다

famous : 유명한

▶2023년 1회◀

01	④	06	①	11	③	16	②	21	②
02	③	07	③	12	①	17	③	22	①
03	③	08	②	13	①	18	④	23	②
04	③	09	①	14	③	19	③	24	①
05	①	10	④	15	④	20	②	25	④

01
정답_④

해석 나의 여동생은 진짜 재미있다. 그녀는 나를 많이 웃게 만든다.

해설 ① 슬픈 – sad   ② 게으른 – lazy
③ 수줍은 – shy   ④ 재미있는 – funny

어휘 sister : 여자형제, 여자자매
really : 진짜의
laugh : 웃다

02
정답_③

해석 pass 통과하다 – fail 떨어지다
sit 앉다 – stand 서있다
say 말하다 – tell 말하다
begin 시작하다 – end 끝내다

해설 두 단어의 의미 관계가 나머지 셋과 다른 것을 고르는 것이므로 정답은 ③이다. 나머지는 다 반의어이며 ③은 동의어이다.

03
정답_③

해석 김 선생님은 작년의 나의 한국어 선생님이셨다.

해설 작년을 나타내는 last year 시간부사구가 있으므로 정답은 과거를 나타내는 단수표현 was ③이다.

어휘 teacher : 선생님
last year : 작년에

04
정답_③

해석 비가 내리고 있는 중이라서 그래서 나는 나의 우산을 챙겼다.

어휘 ake : 가지고 가다
rain : 비가 내리다

05
정답_①

해석 A : 왜 학교에 늦었니?
    B : 왜냐하면 나는 버스를 놓쳤어.

해설 B의 대답이 왜냐하면으로 시작하는 내용으로 이유를 물어보는 why(왜)가 정답이다.

어휘 late : 늦은   took : 가져가다
umbrella : 우산   miss : 놓치다

06
정답_①

해석 A : 나 몸이 안 좋아. 나 감기에 걸린 것 같아.
    B : 그거 참 안됐다.

해설 감기에 걸렸다고 말하는 A에게 대답하는 내용으로 정답은 ①이다.

어휘 have a cold : 감기에 걸리다
would love to동사원형 : ~ 하고 싶다
welcome : 환영의

07
정답_③

해석 몇몇 상점들은 일요일에 문을 닫는다.
나의 학교는 우체국과 가까이에 있다.

해설 close는 2가지의 뜻을 가지고 있다.
1) 문을 닫다 2) 가까이의
정답은 ③이다.

해석 shop : 상점   Sunday : 일요일
school : 학교의   post office : 우체국

08
정답_②

해석 A : 실례합니다, 도서관에 어떻게 하면 갈 수 있을까요?
    B : 2블록을 직진하시고 오른쪽으로 도세요. 그럼 왼쪽에 있을 겁니다.
    A : 감사합니다.

어휘 get to : 도착하다
library : 도서관
go straight : 직진하다
turn right : 오른쪽으로 돌다
left : 왼쪽

09 정답_②

해석 A : 저 소년은 무엇을 하고 있는 중인가요?
B : 그는 사진을 찍는 중입니다.
① driving 운전하는 중
② playing 연주하는 중
③ reading 읽는 중
④ walking 걷는 중

해설 사진에 나와 있듯이 소년은 사진을 찍는 중임으로 정답은 ② taking이다.

어휘 buy : 사다
take : 가져가다
take a picture : 사진을 찍다
sit : 앉다
play : 놀다

10 정답_④

해석 A : 스포츠데이에 무엇을 할거니?
B : 나는 축구를 할 예정이야.
A : 나도야. 나는 너무 기대가 된다.
B : 행운을 빌게. 최선을 다 해보자.

해설 soccer는 축구 이므로 정답은 ④이다.

어휘 sport : 스포츠, 운동
play soccer : 축구를 하다
look forward to it : 기대하다, 고대하다
do one&s best : 최선을 다하다

11 정답_③

해석 A : 너는 학교 유니폼 맘에 드니 제인아?
B : 아니, 나는 마음에 들지 않아.
A : 왜 맘에 안 들어?
B : 저는 색깔이 마음에 안 들어.

해설 마음에 안 드는 부분이 어떤 내용인지를 말하는 B의 대답을 보면 정답은 ③임을 알 수 있다.

어휘 school : 학교의   uniform : 유니폼
bring : 가져오다   lunch : 점심의

12 정답_①

해석 A : 나의 아버지의 생일이 다가오고 있어. 아버지를 위해 무엇을 사야 할까?
B : 나는 여름이 좋아. 왜냐하면 해변을 갈 수 있으니까.
A : 좋은 것 같아. 나도 아버지가 (넥타이)하나가 필요로 한다고 생각해.

해설 다음 대화의 주제는 생일 선물을 어떤 것을 사면 좋을지 고민하는 대화로 정답은 ①이다.

어휘 birthday : 생일
get : 얻다
how about : ~는 어때?
need : 필요하다

13 정답_①

해석 **시립 도서관 책 캠프**
날짜: 2023년 5월 6일 토요일
시간: 오전 9시 − 11시
장소: 시립 도서관
활동: −책에 관해 이야기나누기 / −작가 만나기

해설 참가 인원은 홍보문에 나와 있지 않기 때문에 ①이 정답이다.

어휘 may : 5월
author : 작가

14 정답_④

해석 좋은 아침입니다 여러분. 저는 여러분들에게 화재 사건에 관한 안전 조언들을 주려고 합니다. 젖은 천으로 여러분의 입을 막는 것을 확실하게 하세요. 또한 엘리베이터 사용 대신에 계단을 사용하세요.

해설 화재 안전 수칙에 대해 조언을 주려고 하는 내용이므로 정답은 ④이다.

어휘 would like to : ~ 하고 싶다
mouth : 입
wet : 젖은
cloth : 천
in stead of : ~ 대신에
stairs : 계단

15

정답_④

해석 A : 내일 회의 시간을 바꿀 필요가 있어. 너무 이른 것 같아.

B : 나도 동의해. 오전 10시 어때?

A : 훨씬 나은 것 같아.

해설 회의 시간이 너무 이르기 때문에 회의 시간을 바꾸자는 내용이므로 정답은 ④이다.

어휘 change : 바꾸다, 변화시키다

meeting : 회의

agree : 동의하다

16

정답_②

해석 여기에는 친환경적인 아이템이 있습니다. 이것은 쿠키 컵입니다. 이것은 컵 모양으로 만들어진 쿠키입니다. 컵을 사용한 후에 당신은 그것을 버리는 대신에 먹을 수 있습니다. 이렇게 함으로써 우리는 쓰레기를 덜 만들 수 있습니다.

해설 일치하지 않는 것은 유리로 만들어진 것이 아니므로 정답은 ②이다.

어휘 eco-friendly : 친환경적인

item : 아이템

shape : 모양

throw away : 버리다

less : 덜

trash : 쓰레기다

17

정답_③

해석 나는 교내 노래대회에서 이기고 싶습니다. ⓐ 나는 노래하는 것을 좋아합니다. ⓑ 그리고 나는 좋은 목소리를 가지고 있다고 생각합니다. ⓒ 저는 정말 실력이 없는 테니스 선수입니다. ⓓ 그러나 저는 많은 사람들 앞에서 노래 부르는 것이 부끄럽습니다. 어떻게 하면 무대에서 더 편안하게 느끼며 노래를 부를 수 있을까요?

해설 어울리지 않는 문장은 테니스 선수에 관한 내용은 없으므로 정답은 ③이다.

어휘 contest : 대회

voice : 목소리

poor : 가난한, 실력이 없는

however : 그러나

shy : 부끄러운

in front of : ~앞에서

comfortable : 편안한

18

정답_④

해석 지나와 나는 학교 가는 길에 작은 강아지를 봤다. 그 강아지는 다리가 부러진 것 같아 보였고 우리는 그 강아지에 대해서 걱정했다. 지나는 우리가 그 강아지를 동물 병원에 데려가자고 제안했다.

해설 지나가 제안한 것은 강아지가 다쳤기 때문에 수의사에게 데려가자고 했으므로 정답은 ④이다.

어휘 little : 작은

on one&s way : 가는 길에

seem : ~처럼 보이다

worried : 걱정하는

suggest : 제안하다

take A to B : A를 B로 데려가다

19

정답_③

해석

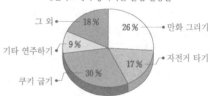

대한학교에서 좋아하는 클럽 활동들

그 외 18% 26% 만화 그리기

기타 연주하기 9% 자전거 타기 17%

쿠키 굽기 30%

대한학교에서 학생들 사이에서 가장 인기 있는 클럽 활동은 쿠키 굽기이다.

해설 가장 좋아하는 것을 물어봤기 때문에 퍼센테이지가 가장 높은 쿠키 굽기 ③이 정답이다.

어휘 favorite : 좋아하는

activity : 활동

drawing : 그림그리기

cartoons : 만화

others : 그 외

20

정답_②

🔲해석 내 이름은 데이비드입니다. 저는 그림 그리는 것을 잘합니다. 저는 빈센트 반 고흐처럼 유명한 예술가가 되고 싶습니다. 제가 가장 좋아하는 그림은 The Starry Night입니다. 제 블로그에 들어오셔서 제 작품을 확인해 주세요.

🔲해설 언급된 내용이 아닌 것을 고르는 것이므로 정답은 ② 출신 학교이다.

🔲어휘 be good at -ing : -ing를 잘하다
famous : 유명한
check out : 확인하다

21

정답_②

🔲해석 벌들은 인간에게 아주 도움이 된다. 첫째로, 벌들은 우리에게 꿀을 준다. 꿀은 진정으로 훌륭한 음식이다. 꿀은 우리의 건강에 좋고 맛 또한 좋다. 두 번째로, 벌들은 사과와 복숭아처럼 많은 과일들을 생산하는 데 도움을 준다.

🔲해설 건강에 좋고 맛도 좋다고 했으므로 정답은 앞에서 나온 꿀 honey가 되겠다.

🔲어휘 bees : 벌들
helpful : 도움이 되는
humans : 인간들
give : 주다
truly : 진정으로
wonderful : 훌륭한
health : 건강
taste : ~한 맛이 나는
produce : 생산하다
fruits : 과일들

22

정답_①

🔲해석 학급의 규칙
　－ 서로 도와라.
　－ 수업 시간에 필기를 해라.
　－ 너의 교과서를 가져와라.

🔲해설 수업의 규칙으로 언급되지 않은 것을 물어봤기 때문에 ① '활동 시간 지키기'가 정답이다.

🔲어휘 rule : 규칙
each other : 서로
take note : 필기하다
textbook : 교과서

23

정답_②

🔲해석 오늘, 저는 무엇이 좋은 리더를 만드는지에 대해 말할 것입니다. 먼저, 좋은 리더는 친절하고 대화하기 쉽습니다. 두 번째, 좋은 리더는 사람들에게 조언을 합니다. 마지막으로, 좋은 리더는 다른 사람의 말을 주의 깊게 듣는다.

🔲해설 좋은 리더의 자질에 대해 말하고 있으므로 정답은 ② 좋은 리더의 특징이다.

🔲어휘 leader : 리더
friendly : 친절한
advice : 충고
carefully : 주의 깊게

24

정답_①

🔲해석 지난 금요일에 너의 집에 나를 초대해 줘서 고마워. 나는 좋은 시간을 가졌고 음식도 훌륭했어. 불고기는 아주 맛있었어. 또한 떡볶이를 어떻게 만드는지 보여줘서 고마워.

🔲해설 편지의 목적을 물어보는 문제이므로 정답은 ① 감사이다.

🔲어휘 invite : 초대하다
great : 훌륭한
delicious : 맛있는
show : 보여주다
how to 동사원형 : 동사원형 하는 방법

25

정답_④

🔲해석 스마트폰은 건강 문제를 야기할 수 있다. 한 가지 문제는 우리가 스마트폰을 사용할 때 눈을 자주 깜빡이지 않기 때문에 건조한 눈이 문제다. 또 다른 문제는 목 통증이다. 스마트폰을 아래로 바라보는 것은 목 통증을 유발할 수 있다. 여기에 이러한 문제들을 해결할 수 있는 약간의 조언들이 있다.

해설 마지막 문장에서 이 세계의 다양한 춤을 보자고 말했으므로 정답은 ②이다.

어휘 health problem : 건강문제
dry : 건조한
blink : 깜빡거리다
look down : 아래로 내려 보다
neck pain : 목통증
solve : 해결하다

▶2022년 2회◀

01	②	06	④	11	②	16	④	21	①
02	④	07	②	12	①	17	③	22	③
03	③	08	③	13	①	18	③	23	①
04	②	09	④	14	④	19	①	24	①
05	③	10	①	15	②	20	④	25	④

01
정답_②

해석 그는 아주 유명한 가수이며 많은 팬을 보유하고 있다.

단어 very 아주   famous 유명한
a lot of 많은

02
정답_④

해설 ④는 동의어로 end와 finish 둘다 '끝내다'라는 뜻을 가지고 있다.

단어 rise 오르다   fall 떨어지다
win 이기다   lose 지다
open 열다   close 닫다

03
정답_③

해석 케이트는 스케이트를 잘 타지만 스키는 잘 타지 못한다.

해설 be good at ~ing : '~을 잘 하다'라는 뜻으로 good이 형용사이므로 앞에는 be 동사가 온다.

단어 skate 스케이트 타다   ski 스키 타다

04
정답_②

해석 A : 농구를 얼마나 자주 하니?
B : 일주일에 세 번해.

해설 B가 일주일에 세 번이라고 답하는 것을 보니 '자주'라는 뜻을 가진 often이 답이다.

단어 basketball 농구   a week 일주일에 한 번
pretty 예쁜, 꽤

05
정답_③

해석 A : 톰, 뭐하고 있니?
B : 엄마, 저 수학 교과서를 찾고 있어요. 저는 그것을 찾을 수가 없어요.
A : 침대 아래를 확인해 보는 건 어때?

해설 look for는 '~을 찾다'라는 뜻을 가지고 있는 숙어이다.

look ~처럼 보이다 / look at ~을 보다

단어 math 수학　　　　textbook 교과서
check 확인하다　　　under 아래의

06　　　　　　　　　　　정답_④

해석 A : 제시카, 오늘 꽃 축제에 가는 게 어때?
　　　B : 좋아요, 아빠. 몇 시에 가기를 원하세요?
　　　A : 2시에 집에서 나가자.

해설 몇 시에 가기를 원하는지 물어보는 문장에 정답은 ④이다.

단어 how about ~에 관해서 어때?
flower 꽃　　　　　festival 축제
cap 모자　　　　　take a taxi 택시를 타다

07　　　　　　　　　　　정답_②

해석 • 그는 우리 아빠처럼 생겼어(우리 아빠와 닮았어.).
　　　• 휴가 동안에 무엇을 하기를 원하니?

해설 like는 전치사로 '~와 같은, ~처럼'이라는 뜻을 가지고 있으며 또한 '~을 좋아하다'라는 동사의 뜻도 가지고 있다.

단어 look like ~와 같이 생기다
father 아빠　　　　during 동안에

08　　　　　　　　　　　정답_③

해석 A : 실례합니다. 우체국에 가려면 어떻게 가야 하죠?
　　　B : 한 블록 직진하시고 왼쪽으로 도세요. 그럼 당신의 오른쪽에 있습니다.
　　　A : 감사합니다.

단어 get to ~에 도착하다, 도달하다
post office 우체국　　go straight 직진하다
right 오른쪽의　　　left 왼쪽의

09　　　　　　　　　　　정답_④

해석 A : 소년이 무엇을 하고 있습니까?
　　　B : 그는 수영장에서 수영하고 있어요.

해설 그림에서 보여지듯이 소년은 수영을 하고 있는 중

이므로 정답은 ④이다.

단어 flying 날고 있는　　　writing 글을 쓰는
drawing 그림을 그리는　swimming 수영하는

10　　　　　　　　　　　정답_①

해석 A : 저녁 식사로 무엇을 드시겠습니까?
　　　B : 햄버거 어때요?
　　　A : 음, 그거 점심으로 먹었어요. 피자를 시키는 건 어때요?
　　　B : 좋아요.

해설 마지막 대화에서 보면 피자를 시키는 게 어떠냐고 물어봤고 좋다고 대답했으므로 정답은 ①이다.

단어 would like to 부정사 ~하기를 원하다
for dinner 저녁 식사로　for lunch 점심 식사로
order 주문하다

11　　　　　　　　　　　정답_②

해석 A : 스미스 씨, 오늘 일찍 집에 가도 될까요?
　　　B : 오, 안 좋아 보이시네요. 어디 아프세요?
　　　A : 고열이 있어요.
　　① 천만에요.
　　③ 그 말을 들으니 기쁩니다.
　　④ 당신은 운동을 더 해야 합니다.

해설 B가 어디 아프냐고 물어봤으니 대답은 고열이 있다는 ②가 정답이다.

단어 early 이른, 일찍　　　fever 열
exercise 운동

12　　　　　　　　　　　정답_①

해석 A : 너는 여가 시간에 무엇을 하니?
　　　B : 나는 쿠키 굽는 것을 좋아해. 너는 어때?
　　　A : 나는 주로 영화를 봐.

해설 쉬는 날에 무엇을 하는지 물어보는 문제로 정답은 ① 여가 활동이다.

단어 free time 여가 시간　bake (빵, 쿠키 등을) 굽다
watch 보다　　　　　movie 영화

13

정답_②

^{해석}스타 댄스 클럽
- 우리는 매주 금요일에 케이팝(한국 가요) 춤을 연습합니다.
- 5명의 새로운 구성원이 필요합니다.
★신청은 동아리 회장에게
dance@school.kr로 이메일을 보내주세요.

^{해설}활동 장소에 대한 이야기는 없으므로 정답은 ② 이다.

^{단어}practice 연습하다　　dance 춤
email 이메일　　club 동아리
president 회장, 대통령

14

정답_④

^{해석}좋은 아침입니다, 여러분 공원에서 자전거를 탈 때의 몇 가지 안전 수칙을 알려 드리겠습니다. 첫째, 당신의 머리를 보호하기 위해 헬멧을 착용하세요. 둘째, 밤에 사람들이 당신을 쉽게 볼 수 있도록 밝은 색상의 옷을 착용하세요.

^{해설}위 내용은 공원에서 자전거 운행 시 안전 수칙에 관한 2가지의 내용을 알려주는 글이므로 정답은 ④이다.

^{단어}safety 안전　　rule 규칙
ride 타다　　put on 쓰다
protect 보호하다　　helmet 헬멧
bright 밝은　　at night 밤에

15

정답_②

^{해석}A : 늦었네요. 무슨 일이 있었나요?
B : 정말 죄송합니다. 지하철을 잘못 탔어요.
A : 그것참 안됐네요. 경기 시작 전에 와주셔서 기쁘요.

^{해설}대화에서 보듯 B가 늦은 이유는 지하철을 잘못 탔기 때문이므로 정답은 ②이다.

^{단어}late 지각한, 늦은　　happen 발생하다
take 타다　　wrong 잘못된
subway 지하철　　terrible 안 좋은, 끔찍한
glad 기쁜　　before 전에

16

정답_④

^{해석}오션 호텔은 해변 옆에 있습니다. 모든 방에서 바다가 보입니다. 손님들은 호텔 식당에서 신선한 해산물을 드실 수 있습니다. 모든 손님을 위한 무료 보트 투어도 있습니다.

^{해설}무료 버스 관광을 제공한다는 이야기는 없으므로 정답은 ④이다.

^{단어}beach 해변　　view 경관, 관점, 시점
guest 손님　　seafood 해산물
tour 여행

17

정답_③

^{해석}새로운 오케스트라 단원인 소피를 소개합니다.
ⓐ 그녀는 바이올린을 연주합니다.
ⓑ 그녀는 오케스트라에서 연주를 한 경험이 많습니다.
ⓒ 바이올린은 기타보다 작습니다.
ⓓ 그녀는 많은 바이올린 대회에서 우승을 했습니다. 자 이제 다 같이 소피를 환영합시다.

^{해설}각 문장의 내용은 신입 구성원인 소피에 관한 이야기이다. 그러나 ⓒ의 내용은 바이올린의 크기에 관한 이야기이므로 정답은 ③이다.

^{단어}would like to ~하고 싶다
introduce 소개하다　　orchestra 오케스트라
violin 바이올린　　experience 경험
guitar 기타　　contest 대회
welcome 환영하다

18

정답_③

^{해석}마이크는 과학 프로젝트(수행평가)를 위해 몇 권의 책을 읽어야 했다. 그래서 그는 어제 도서관에 갔다. 그는 그곳에서 책을 찾았다. 그러나 그는 도서관 카드를 집에 두고 왔기 때문에 책을 빌릴 수 없었다.

^{해설}마이크가 책을 빌리지 못한 이유는 도서관 카드를 집에 두고 왔기 때문이므로 정답은 ③이다.

^{단어}have to ~해야만 한다　　science 과학
library 도서관　　borrow 빌리다
leave(과거형 left) 두고 오다

19

정답_①

해석 학생들은 어떤 종류의 음악을 가장 좋아합니까?

클래식 (5%)	록 (7%)
팝 (21%)	힙합 (57%)
기타 (10%)	

학생의 절반 이상이 힙합을 가장 좋아합니다.

해설 학생들이 가장 좋아하는 음악에 대한 질문에서 학생의 절반 이상이 힙합을 가장 좋아하는 것으로 나왔으므로, 정답은 ①이다.

단어 More than 이상으로, 더   half 절반

20

정답_④

해석 제 이름은 데이비드입니다. 이것은 저의 가족 사진입니다. 여기 제 여동생 크리스틴입니다. 그녀는 3학년입니다. 그녀 옆 의자에 앉아 계신 분들이 저희 부모님이십니다. 제 아버지는 선생님이시고 어머니는 의사이십니다. 우리는 행복한 가족입니다.

해설 위 내용에서 언급되지 않은 내용은 어머니의 나이이므로 정답은 ④이다.

단어 family photo 가족사진   third 세 번째의
next to ~옆에   parent 부모

21

정답_①

해석 눈이 피곤함을 느낄 때 눈을 쉬게 하는 방법은 다음과 같다. 눈을 감고 손가락으로 부드럽게 눈을 눌러라. 당신이 누르는 것을 다 끝냈을 때, 따뜻한 수건으로 눈을 덮어라. 이것은 당신의 눈을 더 편안하게 느낄 수 있도록 만들 것이다.

해설 it과 them은 앞에 나와 있는 명사를 대신 받는 대명사의 역할을 한다. 여기서 말하는 them은 your eyes를 나타내기 때문에 정답은 ①이다.

단어 relax 편안하게 하다, 쉬다
tired 피곤함을 느끼는
press 누르다   gently 부드럽게
finger 손가락   finish 끝내다
towel 타월, 수건

22

정답_③

해석 • 큰 소리로 떠들지 마세요.
• 핸드폰을 사용하지 마세요.
• 바닥에 쓰레기를 버리지 마세요.

해설 '앞좌석 발로 차지 않기'에 대한 이야기는 없으므로 정답은 ③이다.

단어 talk 말하다   loudly 크게
cell phone 핸드폰, 휴대폰
throw 던지다, 버리다 trash 쓰레기
floor 바닥

23

정답_①

해석 오늘날 로봇은 다양한 역할을 한다. 몇몇 로봇은 식당에서 주문을 받는다. 다른 로봇은 카페에서 커피를 만든다. 그들은 또한 공항에서 안내인의 역할로 일을 한다. 그들은 심지어 사람들과 친구처럼 이야기를 나눈다.

해설 이 글의 주제는 로봇이 식당에서도 주문을 받으며, 커피를 만들고 공항에서도 근무하며 사람들과 친구처럼 대화까지 한다는 내용으로 로봇의 다양한 역할에 대해서 이야기하고 있다.

단어 these days 요즘, 오늘날
different 다른   role 역할
order 주문하다, 주문
restaurant 식당   coffee 커피
cafe 카페   as ~로서
guide 안내하다, 안내   airport 공항
even 심지어
talk to ~와 이야기 나누다

24

정답_①

해석 안녕, 샘. 나야, 크리스. 오늘 우리가 축구를 하기로 했다는 것을 알아. 그러나 지금 비가 오는 중이고, 오늘 밤까지 비가 그치지 않는다고 들었어. 그래서 우리 계획을 변경하는 게 어떨까?

해설 이 글을 쓴 목적은 마지막 문장에도 나와 있듯이 계획 변경을 제안하기 위해 쓴 글이다.

단어 be going to 동사원형 ~할 예정이다
soccer 축구
heard 들었다(hear의 과거형)
stop 멈추다   until ~까지
tonight 오늘 밤
why don't we ~하는 게 어때?(제안할 때)
change 변경하다   plan 계획

25
정답_④

해석 치즈를 좋아하시나요? 집에서 치즈를 만드는 것은 쉽고 재미있습니다. 오로지 30분밖에 걸리지 않습니다. 그리고 약간의 우유, 레몬주스, 소금이 필요합니다. 이제 이 세 가지를 가지고 치즈를 만들기 위한 과정을 살펴봅시다.

해설 마지막 문장에서 언급하듯 3가지 재료를 가지고 치즈를 만드는 방법을 살펴보자고 했으므로 정답은 ④이다.

단어 cheese 치즈   take 시간이 걸리다
just 단지   need 필요로 하다
salt 소금   take a look at 살펴보다
step 단계   thing 물건

▶2022년 1회◀

01	①	06	①	11	②	16	③	21	①
02	②	07	③	12	②	17	②	22	④
03	②	08	③	13	②	18	④	23	③
04	④	09	②	14	④	19	④	24	①
05	④	10	③	15	④	20	①	25	②

01
정답_①

해석 나는 이 영화가 지루하다고 들었다. 그래서 나는 그것을 보고 싶지 않다.

어휘 boring : 지루한
happy : 즐거운
scary : 무서운
surprising : 놀라운
heard : 들었다(hear의 과거)
movie : 영화
boring : 지루한
watch : 보다

02
정답_②

해석 ① 사다 – 팔다
② 말하다 – 말하다
③ 밀다 – 당기다
④ 시작하다 – 끝내다

해설 ①·③·④는 반의어이며, ②는 둘 다 '말하다'의 의미를 지닌 동의어이다.

03
정답_②

해석 이것은 내가 가장 좋아하는 노래들 중에 하나이다.

해설 This는 지시대명사로 단수를 뜻하므로, 뒤에 오는 동사는 단수 동사여야 한다.
(This : 이것, These : 이것들,
That : 저것, Those : 저것들)

어휘 favorite : 좋아하는
songs : 노래들

04
정답_④

해석 A : 실례합니다, 이 책은 얼마인가요?
B : 이것은 단지 5불입니다.
① far 거리가 먼

② tall 키가 큰

③ long 긴

④ much 많은

해석 답변으로 5불이라는 가격을 말했으므로 가격을 물어보는 질문이 알맞다.

어휘 only : 오로지

dollars : 달러(미국 화폐 단위)

how much : 얼마의(가격을 물어볼 때 쓰는)

05 정답_④

해석 A : 설거지해 줄 수 있어?

B : 미안하지만 시간이 없어. 나중에 내가 할게.

① go 가다

② call 부르다, 전화하다

③ hear 듣다

④ wash 씻다

해설 wash the dishes는 '설거지 하다'라는 뜻이다 (=do the dishes).

어휘 wash : 씻다   dishes : 음식, 접시

time : 시간   later : 나중에

06 정답_①

해석 A : 나는 네 재킷이 아주 마음에 들어.

B : 이게 왜 좋아?

A : 그 색깔이 좋아서.

① 나는 그 색깔이 좋아.

② 그들은 아주 피곤해 보인다.

③ 그것에 대해서 걱정하지 마.

④ 나는 잡지를 읽고 있는 중이야.

해설 B가 재킷이 왜 좋은지 이유를 물어봤으므로 이유를 대답하는 내용인 ①이 나와야 한다.

어휘 jacket : 재킷

look : ~처럼 보이다(look at ~을 보다)

tired : 피곤함을 느끼는

worry : 걱정하다

magazine : 잡지

07 정답_③

해석 • 너는 여기에 너의 차를 주차해서는 안 된다.

• 소풍을 위해 공원에 가자.

① fly 날다, 파리

② cook 요리하다, 요리사

③ park 주차하다, 공원

④ watch 보다, 시계

해설 park는 동사로 '주차하다', 명사로는 '공원'이라는 2가지의 뜻을 가지고 있다.

해석 here : 여기에

picnic : 피크닉, 소풍

08 정답_③

해석 화요일 : 자전거 타기 / 수요일 : 수영 가기 /

목요일 : 피자 만들기 / 금요일 : 축구하기

해설 Thursday는 목요일을 의미한다. 목요일에 피자 만들기를 하기로 하였으니 정답은 ③이다.

어휘 ride : 타다

make : 만들다

soccer : 축구

Tuesday : 화요일

Wednesday : 수요일

Thursday : 목요일

Friday : 금요일

09 정답_②

해석 A : 남자는 무엇을 하고 있는 중입니까?

B : 그는 바이올린을 연주하는 중입니다.

① driving 운전하는 중

② playing 연주하는 중

③ reading 읽는 중

④ walking 걷는 중

해설 바이올린과 같은 악기를 연주하고 있는 중인 사진이므로 음악이나 악기를 연주할 때 쓰는 playing이 정답이 된다.

10 정답_③

해석 A : 오늘 우리 배드민턴 치는 것이 어때?

B : 좋아. 어디서 만날까?

A : 학교 운동장 어때?

B : 알겠어. 3시에 거기서 만나자.

[해설] 운동장에서 배드민턴을 치기로 약속했으므로 정답은 '③ 운동장'이다.

[어휘] badminton : 배드민턴

How about ~? : ~어때?

there : 그곳에서

police office : 경찰서

library : 도서관

playground : 운동장(놀이터)

parking lot : 주차장

11
정답_②

[해석] A : 엄마, 제가 영화 보러 가도 될까요?

B : 누구랑 갈 예정이니?

A : 소라와 같이 갈 예정입니다.

① 3시입니다.

② 소라와 같이 갈 예정입니다.

③ The Planet이라는 영화를 보러 갈 예정입니다.

④ 영화관 앞에서 우리는 만날 예정입니다.

[해설] 엄마가 누구랑 같이 갈 예정인지 물었으므로 '소라와 함께 갈 예정입니다.'의 의미를 가진 ②번 문장이 정답이 된다.

[어휘] go to the movies : 영화를 보러 가다.

with : ~와 함께

12
정답_②

[해석] A : 어떤 계절을 가장 좋아해?

B : 나는 여름이 좋아. 왜냐하면 해변을 갈 수 있으니까.

A : 나는 스키를 좋아해. 그래서 겨울이 좋아.

[해설] 각자 좋아하는 계절과 이유를 말하고 있으므로 정답은 ②이다.

[어휘] season : 계절   summer : 여름

beach : 해변   skiing : 스키

winter : 겨울

13
정답_③

[해석] 〈예술가들로부터의 배움〉

• 장소 : 현대예술박물관

• 날짜 : 2022년 5월 7일

• 활동 : 예술가들과 함께 그림 그리기

[해설] 홍보문에는 참가비에 대한 언급이 없으므로 정답은 ③이다.

[어휘] learn : 배우다

artists : 예술가들

modern : 현대의

May : 5월

Activity : 활동

drawing : 그리는

pictures : 그림들

14
정답_④

[해석] 좋은 오후입니다. 시내 도서관에 오신 것을 환영합니다. 우리는 오늘 특별한 행사들이 있습니다. Julia Smith는 2시 중앙홀에서 그녀의 새로운 책인 Harry Botter에 대해서 이야기를 나눌 예정입니다. 당신이 그녀의 팬이라면, 이벤트를 놓치지 마세요!

[해설] 도서관에서 특별행사를 하고 있다는 것을 안내하는 안내문이므로 정답은 ④이다.

[어휘] Welcome : 반갑습니다, 환영합니다

downtown : 시내의, 도시의

library : 도서관

special : 특별한

event : 이벤트, 행사

talk about : ~에 관해 이야기 나누다

main hall : 중앙홀

miss : 놓치다

15
정답_④

[해석] A : 안녕 Judy야. 너 걱정이 있어 보인다. 무슨 일 있어?

B : 나는 영어로 말하기 연설을 해야 해. 나는 너무 떨려.

A : 걱정하지 마. 너는 잘 해낼 거야.

ᴴᵉˡᵖ B가 자신이 긴장한 이유는 영어로 연설을 해야
하기 때문이라고 말했으므로 정답은 ④이다.

ᴬ어휘 worried : 걱정 있어 보이는

have to : ~해야만 하다

give a speech : 연설하다

nervous : 떨린

16
정답_③

ᴴ해석 해마는 많은 면에 있어서 흥미롭습니다. 이것은 물
고기의 한 종류이지만 마치 말처럼 생겼습니다. 이
것은 서서 수영을 합니다. 이것은 물속에서 천천히
움직입니다. 이것이 위험에 처했을 때 이것의 색깔
을 바꿀 수 있습니다.

ᴴ해설 물속에서는 천천히 움직인다고 말했으므로 빠르게
이동한다는 것은 답이 될 수 없다.

ᴬ어휘 seahorse : 해마

interesting : 흥미로운

ways : 방법들

fish : 물고기

look like : ~처럼 생기다

standing up : 서있다

slowly : 느리게

in the water : 물속에서

in danger : 위험에 처하다

change : 변화하다

17
정답_②

ᴴ해석 세호, 어디에 가는 중이니?

(A) 도서관이요. 저는 이 책들을 반납해야 해요.

(C) 책들이 무거워 보인다. 도움이 필요하니?

(B) 네, 감사합니다!

ᴴ해설 첫 질문은 어디로 가는지를 물어보는 내용이므로
장소가 나오는 (A)가 먼저 나와야 한다. 그 후 (C)
에서 도움이 필요한지 물어봤기 때문에 대답을 하
는 (B)가 나와야 한다.

ᴬ어휘 return : 반납하다

heavy : 무거운

help : 도움

18
정답_④

ᴴ해석 어제, 민수는 버스에 탔다. 그는 요금을 지불하기
위해 그의 카드를 카드 리더기에 두었다. 그러나
그 기계가 말하길 그의 카드에 충분한 돈이 없다
고 했다. 그래서 그는 버스에서 내렸다. 그는 당황
스러웠다.

ᴴ해설 민수가 버스에서 내린 이유는 버스 카드 잔액이
부족해서이므로 정답은 ④이다.

ᴬ어휘 yesterday : 어제

get on : 타다

put on : ~에 두다

reader : 리더기

pay : 지불하다

fare : 요금

machine : 기계

enough money : 충분한 돈

had to : 해야만 하다

get off : 내리다

embarrassed : 당황스러운

19
정답_④

ᴴ해석 〈학생들의 스트레스의 주요 원인〉

가족 – 9% / 친구 – 13% / 미래 – 12% /

학업 – 56% / 기타 – 10%

학생들의 50% 이상이 그들의 스트레스의 주요원
인으로서 학업을 선택했다.

① 가족   ② 친구   ③ 미래   ④ 학업

ᴴ해설 그래프상 50% 이상은 학업이므로 정답은 ④이다.

ᴬ어휘 more than : ~ 이상의

students : 학생들

main : 주요한

cause : 이유

20
정답_①

ᴴ해석 Franz Liszt에 대해 들어봤나요? 그는 1811년 헝
가리에서 태어났습니다. 그의 아버지는 첼로를 연
주했고, 그래서 Liszt는 음악에 관심을 갖게 되었
습니다. Liszt는 7살 때 처음으로 피아노를 치기
시작했습니다. 그는 나중에 유명한 피아니스트,
작곡가 그리고 선생님이 되었습니다.

해설 Franz Liszt에 대해 언급되지 않은 내용은 '③ 피아노를 치기 시작한 나이'이다.

어휘 Have you heard of~? : ~에 대해 들어봤나요?
cello : 첼로
became interested in : ~에 관심이 생겼다
later : 나중에
pianist : 피아니스트
composer : 작곡가
teacher : 선생님

21
정답_①

해석 사하라 사막은 아주 뜨거운 장소입니다. 동물들이 그곳에서 생존하는 것은 어렵습니다. 그러나 개미는 이러한 환경에서도 살 수 있습니다. 그들은 어떻게 그럴 수 있을까요? 왜냐하면 그들의 다리는 태양으로부터 열을 반사하기 때문입니다.

해설 전체 지문에서 나온 특정 동물은 개미뿐이며 개미가 사막에서 어떻게 살아남을 수 있는지를 설명하고 있으므로 정답은 ①이다.

어휘 place : 장소, 지역
survive : 생존하다, 살아남다
environment : 환경
reflect : 반사하다
heat : 열

22
정답_④

해석 • 뛰지 마세요.
• 음식을 먹지 마세요.
• 수영장 안으로 다이빙을 하지 마세요.

해설 사진 촬영에 대한 언급은 없으므로 정답은 ④이다.

어휘 run : 뛰다
dive : 다이빙하다
into : ~안으로
the pool : 수영장(욕조)

23
정답_③

해석 스마트폰을 사용하는 것에 관해서 많은 좋은 것들이 있다. 첫째, 나는 어디에서든 내 친구들과 연락을 할 수 있다. 또한 내가 필요한 정보를 쉽게 얻을 수 있다. 내가 숙제가 많을 때 이것은 유용하다.

해설 전체 지문의 내용이 스마트폰 사용의 이점에 대해서 설명하는 내용이므로 정답은 ③이다.

어휘 get in touch with : ~와 연락하다
easily : 쉽게
information : 정보
anywhere : 어디에서든
useful : 유용한

24
정답_①

해석 안녕하세요, Brown 의사선생님. 저는 문제가 하나 있습니다. 저는 제가 필요하지 않은 것들을 계속 구입합니다. 그래서 저는 불필요한 것들을 많이 가지고 있습니다. 저는 이 나쁜 습관을 정말 깨고 싶습니다. 어떻게 해야 할까요?

해설 글쓴이는 불필요한 것들을 구매하는 습관을 고치기 위해 의사선생님께 조언을 구하고자 글을 썼으므로 정답은 ①이다.

어휘 things : 물건들
unnecessary : 불필요한
habit : 습관

25
정답_②

해석 사람들은 왜 춤을 출까요? 그들은 그들의 감정을 표현하기 위해서, 다른 사람들에게 행복을 주기 위해서 또는 그들 스스로 즐기기 위해서 춤을 춥니다. 이제 이 세계의 다양한 종류의 춤을 보도록 합시다.

해설 마지막 문장에서 이 세계의 다양한 춤을 보자고 말했으므로 정답은 ②이다.

어휘 express : 표현하다
happiness : 기쁨
take a look at : 살펴보다
kinds : 종류
around the world : 세계의

▶2021년 2회◀

01	③	06	①	11	①	16	③	21	④
02	②	07	④	12	②	17	②	22	③
03	①	08	②	13	④	18	③	23	③
04	③	09	④	14	②	19	①	24	④
05	②	10	④	15	①	20	①	25	③

01
정답_③

해석 Tom은 <u>인기 있는</u> 한국 드라마를 TV로 보고 있는 중이다.

어휘 polite : 예의바른　　brave : 용기 있는
popular : 인기 있는　traditional : 전통적인

02
정답_②

해석 나는 누가 <u>이기</u>거나 <u>질지</u> 모르겠다.
① ask 묻다 – answer 질문하다 (반의어)
② begin 시작하다 – start 시작하다 (동의어)
③ open 열다 – close 닫다 (반의어)
④ forget 잊다 – remember 기억하다 (반의어)

해설 지문에서 밑줄 친 win(이기다)과 lose(지다)는 의미가 상반되는 반의어이며 ①, ③, ④ 역시 모두 반의어이다. ②는 의미가 같은 동의어이다.

03
정답_①

해석 그는 내일 있을 인터뷰를 위해 이곳에 올 것이다.

해설 will이라는 조동사 뒤에는 동사원형을 써야 하기 때문에 be동사 원형 그대로 쓴다.

04
정답_③

해석 A : 이 소금은 프랑스로부터 온 것이니?
B : ＿＿＿＿＿＿＿＿＿. 이것은 한국에서 온 것이야.

해설 문맥의 내용을 보아 프랑스에서 온 것이 아니라 한국에서 온 것이라고 이야기하고 있으니 정답은 No가 들어가야 하며, Is라는 be동사로 질문했기 때문에 be동사로 대답해야 한다.

05
정답_②

해석 A : 안경을 쓴 저 남자는 누구니?
B : 저분은 우리의 새로운 선생님이야. 가서 선생님께 안녕하세요라고 말을 걸어보자.
① come 오다　　　② say 말하다
③ take 가져가다　④ walk 걷다.

해설 선생님께 가서 말을 걸자고 이야기하는 것이므로 정답은 ② say이다.

06
정답_①

해석 A : 너 슬퍼 보인다. ＿＿＿＿＿＿＿?
B : 나는 내가 가장 좋아하는 시계를 부러뜨렸어.
① 무슨 일 있어?
② 오늘 날씨가 어때?
③ 누구랑 같이 갔어?
④ 어디서 머무는 중이야?

해설 A는 슬퍼 보이는 상대방을 발견하고 무슨 일이냐고 묻고 있다. 상대방이 무슨 일 때문에 슬퍼하는지 대답한 것으로 보아 정답은 ①이다.

어휘 happen : 발생하다　　weather : 날씨
stay : 머물다

07
정답_④

해석 • 너의 자전거를 타고 가는 건 어때?
• 내가 일 끝나고 데려다 줄게.

해설 ride가 동사로는 '타다'라는 뜻을 가지고 있으며 명사로는 '태워다주기, 타고가기'라는 뜻을 가지고 있다.

어휘 cost : 비용이 들다
fall : 떨어지다, 가을
live : 살다

08
정답_②

해석
목요일	금요일	토요일	일요일
설거지 하기	쿠키를 만들기	방 청소하기	쓰레기 버리기

어휘 dishes : 접시, 음식
throw out : 버리다
garbage : 쓰레기

09 정답_④

해석 그 소녀는 나무를 <u>심고</u> 있다.
① crying 울다　　② drawing 그림을 그리다
③ eating 먹다　　④ planting (나무를) 심다.

해설 그림으로 보아 소녀가 하는 행동은 나무심기이므로 정답은 ④ planting이다.

10 정답_④

해석 A : John, 너의 핸드폰을 찾았니?
B : 응, Jane이 나를 위해 찾아줬어.
A : _____.
① 별로　　　　　② 너무 좋지 않다.
③ 환영해.　　　　④ 다행이다.

해설 Glad to hear that은 직역하자면 '듣기 좋은 소리이다.'라는 뜻을 가지고 있지만 문맥상 자연스럽게 '다행이다'라고 해석이 가능하다.

11 정답_①

해석 A : 너 *The Higher*이라는 영화 봤니?
B : 아니, 못 봤어. 무엇에 관한 이야기야?
A : 그것은 비행기가 나는 것에 대한 이야기야.

12 정답_②

해석
　　　　　　여름 락 콘서트
언제?　　　　　　　　8월15일
어디서?　　　　　　　그랜드공원
얼마?　　　　　　　　티켓당 30불
당신이 좋아하는 가수가 생생하게 공연하는 모습을 보러 오세요!

해설 가수의 이름이 나와 있지 않으므로 정답은 ②이다.

어휘 August : 8월　　　　watch : 보다
favorite : 좋아하는　　perform : 공연하다

13 정답_④

해석 환영합니다. 방문객님들! 여러분이 산위에 올라갈 때, 이것들을 잘 기억해주세요. 첫째, 야생동물을 조심하세요. 둘째, 어두워지기 전에 내려오세요. 마지막으로, 쓰레기는 가지고 오세요. 재미있게 등산하세요!

해설 등산 시 3가지의 유의사항에 대해 안내하고 있는 내용이므로 정답은 ④이다.

어휘 keep in mind : 마음에 새기다, 기억하다
watch out : 조심하다　　come down : 내려오다
lastly : 마지막으로　　　trash : 쓰레기

14 정답_②

해석 A : Bora, 이번 주에 파티가자!
B : 미안해, 가지 못할 것 같아. 나는 가족 여행을 갈 예정이야.

해설 가족여행을 가야 해서 파티에 가지 못한다고 말하고 있기 때문에 정답은 ②이다.

15 정답_①

해석 자연박물관 옆에서 여러분은 스타플리마켓을 찾을 수 있습니다. 스타플리마켓은 매주 토요일 오전 9시부터 오후 6시에 열립니다. 여러분은 옷, 신발 그리고 장난감들을 낮은 가격에 구매할 수 있습니다. 여러분은 웹사이트에서 더 많은 정보를 얻으실 수 있습니다.

해설 스타플리마켓은 박물관 옆에 위치하고 있다고 했으므로 정답은 ①이다.

어휘 next to : 옆에　　　　open : 열다
get : 얻다　　　　　information : 정보
from A to B : A부터 B까지

16 정답_③

해석 케이크 좀 먹어볼래요?
C : 괜찮습니다. 살을 빼려고 노력중이에요.
A : 그렇다면, 마실 것 좀 가져다 드릴까요?
B : 커피 한 잔 부탁해요.

해설 질문을 맞춰보면 C-A-B의 순서가 알맞다.

어휘 Would you like~? : 권유할 때 쓰는 문장
예 Would you like some cake?
　　케이크를 먹어보는 게 어때요?
try to 동사원형 : 노력하다
lose weight : 살을 빼다

17 정답_②

해석 우리는 새로운 멤버를 찾고 있는 중입니다!
　　　　　　영어북클럽
• 우리는 영어책을 읽고 수요일마다 방과후에 책

들에 대해서 이야기를 나눕니다.

• 신청을 하기 위해서, 영어교실로 와주세요.

해설 신청기간에 대해서는 언급하고 있지 않으므로 정답은 ②이다.

어휘 look for : 찾다　　　 after school : 방과후
sign up : 신청하다
talk about : ~에 대해서 이야기를 나누다

18
정답_③

해석 문어들은 아주 똑똑합니다. 문어들은 보호를 위해 코코넛 껍질을 사용합니다. 그들이 숨기에 좋은 장소를 찾지 못했을 때, 그들은 코코넛 껍질 아래에 숨습니다. 많은 사람들은 바다에서 수영하는 것을 좋아합니다. 몇몇 문어들은 심지어 코코넛 껍질을 나중을 위해 저장해두기도 합니다. 문어들이 정말 똑똑하지 않은가요?

해설 다음 글은 문어들이 자신들을 보호하기 위해 코코넛 껍질을 어떻게 활용하는지에 대한 이야기인데 ⓒ는 사람들이 수영하는 것을 좋아한다는 내용이므로 주제와는 상관이 없다.

어휘 Octopus : 문어　　　 smart : 똑똑한
use : 사용하다　　　 protection : 보호
hiding place : 숨을 장소
ocean : 바다　　　 even : 심지어
save : 저장하다

19
정답_①

해석 haka에 대해서 들어본 적이 있나요? 이것은 뉴질랜드의 유명한 춤입니다. 이 춤은 원래 싸움이 있기 전 Maori족에 의해서 행해졌습니다. 그들은 적들에게 그들의 힘을 보여주기 위해 이 춤을 사용했습니다.

해설 적들에게 자신들의 힘을 보여주기 위해 haka춤을 추었다고 나와 있으므로 정답은 ①이다.

어휘 Have you heard of~? : ~에 대해서 들어본 적이 있나요?
famous : 유명한　　　 originally : 원래
fight : 싸움　　　　 show : 보여주다
strength : 힘　　　　 enemy : 적
perform : 공연하다, 행하다

20
정답_①

해석 Hankuk 학교 학생들이 좋아하는 스포츠
배드민턴 55%, 축구 25%, 농구 12%, 야구 8%

Hankuk 학교 학생들은 _____을 가장 좋아한다.

① 배드민턴　　　　② 야구
③ 농구　　　　　　④ 축구

해설 전체 비중을 보아 배드민턴이 55%로 가장 높기 때문에 정답은 ①이다.

21
정답_④

해석 중앙도서관은 시청 맞은편에 위치하고 있습니다. 이 도서관은 대략 40만 권의 책의 소장품을 가지고 있습니다. 이 도서관은 2013년에 문을 열었습니다. 그때 이후로부터 많은 사람들이 이 도서관을 방문하고 있습니다.

해설 일일 방문객 수에 대해서는 언급되지 않았으므로 정답은 ④이다.

어휘 be located : ~에 위치되어 있다
about : 대략　　　 collection : 소장품, 더미
visit : 방문하다　　　 since then : 그때 이후로

22
정답_③

해석 야채와 과일들을 먹는 것은 당신의 건강에 좋습니다. 만약 당신이 건강한 피부를 가지고 싶다면 약간의 레몬들을 먹어보세요. 그것들은 많은 비타민 C를 함유하고 있습니다. 만약 당신이 건강한 심장을 갖기를 원한다면 토마토를 더 먹어보세요.

해설 밑줄 친 They 바로 앞 문장에서 레몬을 먹어보라고 말했으므로 정답은 ③이다.

어휘 vegetables : 야채　　　 fruits : 과일
health : 건강　　　　 healty : 건강한
contain : 포함하다　　　 heart : 심장
skin : 가죽, 껍질, 피부

23
정답_③

해석 〈온라인 예절〉

• 나쁜 말 사용하지 않기
• 무례한 댓글 남기지 않기
• 잘못된 정보를 올리지 말기

해설 개인정보 유출에 대한 이야기는 없으므로 정답은 ③이다.

어휘 manners : 예절   language : 언어
leave : 남기다   rude : 무례한
comments : 댓글   false : 잘못된
information : 정보

24
정답_④

해석 베트남 사람들은 그들의 전통모자인 non las를 사랑한다. 왜냐하면 이것은 다양하게 사용할 수 있기 때문이다. 여름에, 이것은 태양으로부터 피부를 보호해준다. 비가 올 때, 사람들은 이것을 우산으로써 사용한다. 또한 이것은 바구니로도 사용할 수 있다.

해설 베트남 전통모자인 non las를 다양하게 사용할 수 있다는 내용의 글이므로 정답은 ④이다.

어휘 traditional : 전통적인   various : 다양한
protect : 보호하다   rain : 비가 내리다
uses : 사용, 용도   umbrella : 우산
as : ~로써   basket : 바구니

25
정답_③

해석 스마트폰 없이 사는 것은 요즘 어렵다. 그러나 스마트폰을 너무 많이 사용하는 것은 몇몇 문제를 불러일으킬 수 있다. 이것에 대해서 더 자세하게 이야기를 나눠보자.

해설 스마트폰을 너무 많이 사용하는 것에 대한 문제점을 더 자세하게 이야기 나눠보자고 했으므로 정답은 ③이다.

어휘 living : 사는 것   without : ~없이
difficult : 어려운   these days : 요즘
however : 그러나   smartphone : 스마트폰
too much : 지나치게   several : 몇몇의
detail : 자세한
cause : 유발하다, 불러일으키다

▶2021년 1회◀

01	①	06	②	11	②	16	④	21	③
02	①	07	④	12	④	17	④	22	①
03	③	08	③	13	①	18	③	23	④
04	③	09	①	14	③	19	④	24	②
05	②	10	①	15	④	20	①	25	③

01
정답_①

해석 너는 반드시 다른 사람들에게 예의 있게 행동해야 한다.

어휘 polite : 공손한 (↔ rude : 예의 없는)
cheerful : 명랑한   diligent : 성실한
honest : 정직한

02
정답_①

해석 사자는 크고 고양이는 작다.

해설 big : 큰 ↔ small : 작은 (두 단어는 반의어 관계)
① fast : 빠른 - quick : 빠른 (두 단어는 같은 의미를 가짐)
② high 높은 ↔ low 낮은 (반의어)
③ light 가벼운 ↔ heavy 무거운 (반의어)
④ same 같은 ↔ different 다른 (반의어)

03
정답_③

해석 이 신발은 정말 비싸다.

해설 These shoes는 복수형 명사로 복수형 be동사인 are을 써야 한다.
* 단수형 be동사는 is를 쓴다.

04
정답_③

해석 A : 너 노래 잘해?
B : _____, 그러나 나는 춤을 잘 춰.

해설 B의 대답을 보면 '그러나'라는 역접의 접속사가 나오면서 노래가 아닌 춤을 잘 춘다고 말을 했으니 그 앞에는 No라는 대답이 나와야 한다. 또한 Can으로 질문을 했을 때는 can이라는 조동사를 이용해서 대답을 해야 하기 때문에 답은 ③ No, I can't가 된다.

05 정답_②

〔해석〕 A : 실례합니다. 은행이 어디에 있죠?

B : 2블럭 직진하시고 그리고 왼쪽으로 도세요. 그럼 당신의 오른쪽에 있을 겁니다.

〔해설〕 방향을 돌 때는 turn이라는 동사를 사용한다.

〔예〕 turn left(왼쪽), turn right(오른 쪽)

06 정답_②

〔해석〕 A : Alice가 잘하는 것은 뭐야?

B : _____.

① 그녀는 저녁 먹는 중이야.

② 그녀는 그림을 잘 그려.

③ 그녀는 음악을 좋아하지 않아.

④ 그녀는 여동생이 있어.

〔해설〕 잘 하는 것이 무엇인지를 물었으니 어떤 것을 잘 하는지 대답해야 한다.

07 정답_④

〔해석〕 A : 이 식물들은 건조해보여. 너는 반드시 물을 줘야 해.

B : 맞아. 식물들은 많은 물을 필요로 해.

〔해설〕 Water은 동사로 '물을 주다.'라는 뜻이며 명사로는 '물'이라는 뜻을 가진다.

08 정답_③

목요일	금요일	토요일	일요일
해변에 가기	길거리 음식 먹기	박물관 방문하기	보트 타기

〔해설〕 토요일에 할 일은 박물관 방문하기이다.

〔어휘〕 visit : 방문하다   museum : 박물관

ride : 타다   boat : 보트

street : 길거리

09 정답_①

〔해석〕 A : 소년은 무엇을 하고 있나요?

B : 그는 _____.

① 자동차를 닦다   ② 산책하다

③ 책상을 옮기다   ④ 드럼을 연주하다

〔해설〕 그림에서 보듯이 소년은 자동차를 닦고 있는 중이다.

〔어휘〕 Wash : 닦다

10 정답_①

〔해석〕 A : 아빠, 학교로 저를 태워다 줄 수 있으신가요?

B : 미안해, David! 오늘 회사 미팅을 가야만 해.

A : 괜찮아요. 저는 버스를 타고 갈게요.

〔해설〕 by + 운송수단으로 무엇을 타고 갈지 표현할 수 있다.

〔예〕 by bus(버스로), by car(자동차로), by train(기차로)

＊ by + 운송수단으로 쓰일 때는 the나 a와 같은 관사를 붙이지 않는다.

〔어휘〕 give someone a ride : 누군가를 태워 주다

have to : ~해야만 한다

11 정답_②

〔해석〕 A : 어떤 것을 더 선호하니, 산 또는 바다 중에서?

B : 나는 바다를 더 선호해. 왜냐하면 수영하는 것을 좋아하거든.

〔해설〕 수영하는 것을 좋아한다고 대답했으니 물과 관련된 바다를 골라야 한다.

〔어휘〕 fresh air : 신선한 공기

go hiking : 등산하다

beautiful : 아름다운

12 정답_④

〔해석〕 A : 미래에 무엇이 되고 싶니?

B : 나는 작가가 되고 싶어, 너는?

A : 나는 사진찍는 것에 관심이 있어. 그래서 나는 사진작가가 되고 싶어.

B : 훌륭해. 너한테 딱 맞는 직업인 것 같아.

〔해설〕 미래에 무엇이 되고 싶은지, 관심이 있는 것이 무엇인지에 관한 대화를 나누고 있기 때문에 ④ 장래희망이 답이 된다.

13 정답_③

〔해석〕 집중하세요, 학생들. 새로운 과학 교실이 오늘부터 문을 엽니다. 제가 여러분들에게 여러분들이 따라야 하는 안전 규칙에 대해서 설명하겠습니다. 첫째, 안전을 위한 안경을 꼭 쓰세요. 둘째, 교실 안에서 뛰어다니면 안 됩니다. 안전하게 행동하시면서 재밌는 시간을 보내세요.

어휘 attetion : 집중하다   safety : 안전
rules : 규칙   follow : 따르다
glasses : 안경   run : 뛰다
around : 주위에
make sure : 확실하게 하다
have fun : 재미있는 시간을 보내다

14
정답_③

해석 A : 너 지난 주에 부산에 갔지, 그렇지 않니?
B : 맞아. 나는 나의 삼촌의 결혼식에 참여하기 위해 거기에 갔었어.

어휘 go to 장소(went to 장소) : ~에 가다
there : 그곳에   attend : 참석하다
uncle : 삼촌   wedding : 결혼식(장)

15
정답_④

해석 A : 나는 어제 음식축제에 다녀왔어.
B : 좋았겠다! 어떤 음식을 시도했어?
A : _____.
① 그것은 아주 편안했어.
② 나는 항상 친구들을 위해서 요리해.
③ 그는 항상 걸어서 그곳에 가.
④ 나는 아이스크림 샌드위치를 먹어봤어.

해설 어떤 음식을 시도했냐고 물어봤으니 새로운 음식을 먹어봤다는 대답이 알맞다.

16
정답_④

해석 A : 잠시만요, 제가 이 티켓 기계를 어떻게 이용할 수 있을까요?
B : 먼저, 당신이 가기를 원하는 역을 고르세요. 그 다음, 티켓의 수를 고르세요. 그리고 나서 카드를 기계 안으로 넣으세요.

해설 순서를 나타낼 때는 처음은 First, 그 다음은 Next 또는 Second, 마지막을 나타낼 때는 보통 '그리고 나서'라는 단어인 Then 또는 Finally와 같은 단어를 사용해서 순서를 표시할 수 있다.

17
정답_④

해석 연극 초대장
제목 : 나무 장난감
날짜 : 6월 16일 오후 3시

장소 : 학교 체육관
오셔서 연극을 즐겨주세요.

해설 초대장에는 주연배우에 대한 내용은 언급되지 않았으므로 답은 ④이다.

18
정답_②

해석 요즘, 우리는 우리 도시에 많은 방문객을 얻지 않는다. 왜냐하면 인터넷에 우리 도시에 관한 충분한 정보가 없기 때문이다. 그래서 우리는 도시 홈페이지를 만들려고 계획 중에 있다. 우리는 또한 우리 도시를 소개하는 비디오를 만들 예정이다.

해설 인터넷상에 마을에 대한 충분한 정보가 없기 때문에 사람들이 많이 방문하지 않는다고 언급하였다. 따라서 답은 ②이다.

어휘 these days : 요즘   visitors : 방문객
enough : 충분한   information : 정보
create : 계획하다   introduce : 소개하다

19
정답_④

해석 자신의 발로 땅을 차는 코끼리를 본적이 있습니까? 코끼리는 다른 코끼리들과 의사소통을 나누기 위해 이렇게 행동합니다. 코끼리들은 그들의 발로 진동을 느끼기 때문에 그들은 다른 먼 곳으로부터 메시지를 얻을 수 있습니다.

해설 코끼리는 다른 코끼리들과 소통을 하기 위해 발로 땅을 차서 땅을 흔들리게 만든다고 하였으므로 답은 ④이다.

어휘 elephant : 코끼리   hit : 치다
the ground : 땅   feet : 발
communicate with : ~와 의사소통하다
other : 다른   shake : 떨리다
message : 메시지   far away : 멀리

20
정답_①

해석 십대들의 반 이상이 그들이 친구들과 대화를 나눌 때 행복을 느낀다.

해설 도표를 보면 반 이상이 넘은 것은 'talking with friends(친구와 대화하기)'이므로 답은 ①이 된다.

어휘 talk with : ~와 대화를 나누다.
play games : 게임을 하다
travel : 여행하다   parents : 부모님

21
정답_③

해석 오늘, 나는 *Move to Mars*라는 영화를 봤다. 이것은 화성에 살기 위해 노력하는 한 남자에 관한 영화였다. 이것은 내가 가장 좋아하는 감독인 Seho Lee에 의해서 만들어진 공상과학 영화이다. 나는 이 영화가 재미있다고 생각한다.

해설 지문에서 영화관의 위치는 언급되지 않았으므로 답은 ③이다.

어휘 about : 대략, ~에 관한
try to : ~하려고 노력하다, 애쓰다
Mars : 화성
science fiction : 공상과학소설(영화)
made by : ~에 의해서 만들어지다
interesting : 흥미로운

22
정답_①

해석 나는 이번년도에 2가지의 목표가 있다. 첫 번째는 나의 새로운 반친구들과 잘 어울리는 것이다. 나는 그들이 친절하기를 바란다. 두 번째는 많은 책들을 읽고 싶다. 나는 가능한 한 자주 <u>그것들을</u> 읽고 싶다.

해설 them은 대명사로서 바로 앞에 나와있는 명사를 대신 받을 수 있다. 대명사가 it이 아닌 them이므로 앞에 있는 명사가 복수라는 것을 알 수 있고 많은 책을 읽고 싶다고 바로 앞에 언급했으니 them은 books를 가리키는 것임을 알 수 있다.

23
정답_④

해석 안녕, 나는 Steve야, 그리고 나는 "불행한 강아지 없기"라는 프로젝트에 가입하기를 원해. 나는 강아지를 사랑해. 그리고 나는 강아지들을 위해 많은 것들을 하기를 좋아해. 내가 너의 프로젝트에 큰 도움이 될 수 있다는 것을 확신해.

해설 글쓴이는 프로젝트에 자기가 도움이 될 것을 확신하며 프로젝트에 참가하고 싶다고 말하고 있다.

어휘 would like to : ~하고 싶다
join : 가입하다
I am sure : 나는 확신하다
a big help : 큰 도움

24
정답_②

해석 특별한 라면을 만들고 싶으신가요? 여기에 저의 조리법이 있습니다. 첫째, 물을 끓이고 라면과 소스를 넣습니다. 그리고 당근과 김치를 더합니다. 그리고 약간의 우유와 치즈를 넣습니다. 이제 맘껏 즐기세요!

해설 첫 번째 문장에서 특별한 라면에 대해서 언급을 하면서 자신의 조리법을 소개했다. 라면을 만드는 방법을 설명했으므로 답은 ②가 된다.

어휘 special : 특별한　　　recipe : 레시피, 조리법
boil : 끓이다　　　　carrots : 당근
add : 더하다　　　　put : 넣다
enjoy : 즐기다

25
정답_③

해석 지구는 쓰레기 때문에 죽어가고 있습니다. 당신이 매일 내다 버린 모든 플라스틱 가방과 종이 박스들을 생각해보세요. 우리는 이것에 관해 무언가를 해야할 필요가 있습니다. 우리의 일상생활 속에서 우리가 쓰레기를 줄일 수 있는 방법에 대해 제가 이야기해 드리겠습니다.

해설 보기에 나와있는 ① 지구온난화, ② 미세먼지, ④ 우주에 관한 이야기가 지문에 전혀 언급되지 않았다. 글쓴이가 마지막에 쓰레기를 줄일 수 있는 방법에 대해서 이야기를 해준다고 했으므로 답은 ③이다.

어휘 earth : 지구
die : 죽다
because of : ~ 때문에
trash : 쓰레기
think about : ~에 관해서 생각하다
throw away : 버리다
each day : 매일
do something : 무언가를 하다
reduce : 줄이다
daily lives : 일상

정답 및 해설

2025년 1회 ▶사 회◀

01	④	06	④	11	④	16	②	21	③
02	②	07	②	12	③	17	③	22	①
03	④	08	④	13	③	18	③	23	①
04	④	09	①	14	④	19	④	24	④
05	②	10	③	15	②	20	④	25	①

01
정답_④

지리 정보 시스템(GIS)

• 컴퓨터를 이용하여 수치화된 다양한 지리 정보를 분석·처리하는 시스템
• 여러 장의 지도를 중첩해 보면 조건에 맞는 최적의 장소를 찾을 수 있음

02
정답_②

위도

• 위도 : 적도와 평행하게 그린 가로줄인 위선으로 표현되는 각도 → 위도에 따른 기온 차이(저위도에서 고위도로 갈수록 기온이 낮아짐), 남반구와 북반구의 계절 반대, 위도에 따른 계절 차이(지구 자전축이 23.5° 기울어진 상태로 공전하기 때문)
• 경도 : 본초 자오선을 기준으로 북극과 남극을 연결하는 세로줄인 경선으로 표현되는 각도 → 시차 발생 (우리나라가 영국보다 9시간 빠름)

03
정답_④

이동식 화전 농업

열대 기후는 얇고 간편한 옷차림이나 헐렁한 옷을 입고, 음식이 쉽게 상하기 때문에 기름에 볶거나 튀기고, 향신료를 많이 사용한다. 통풍이 잘 되도록 큰 창문이 특징인 개방적 가옥 구조가 나타나고, 강수량이 많기 때문에 지붕의 경사가 급하고, 열기와 해충을 피하기

위해 고상 가옥을 짓는다. 토양이 척박하여 주기적으로 이동하며 불을 질러 밭을 만든 후 작물을 재배하는 이동식 경작과 선진국의 자본과 현지 원주민의 노동력, 토지를 결합하여 대규모로 재배하는 상업적 농업 방식인 플랜테이션 농업이 이루어지고 있다.

04
정답_④

서안 해양성 기후

서안 해양성 기후는 대륙 서안에서 나타나는 온대 기후 중 하나로, 여름은 비교적 선선하고 겨울은 비교적 따뜻하며, 연교차가 작고, 대체로 습윤하여 연중 강우량은 크게 차이가 나지 않는다. 농작물 재배와 가축 사육을 동시에 하는 혼합 농업이 발달하였다.

05
정답_②

해안 침식 지형

해안 침식 지형(암석 해안)은 해안선이 바다 쪽으로 돌출된 곳(해안 돌출부)에서 파랑의 침식 작용에 의해 발달한다. 해안 절벽, 해식 동굴, 시 스택, 시 아치 등이 대표적이다.

06
정답_④

인구 공동화

도심의 땅값이 높아지면서 주거 기능이 외곽 지역으로 빠져나가게 되는데, 이로 인해 도심의 경우 낮에는 사람이 증가하지만, 밤에는 도시 외곽 지역에 위치한 주거 지역으로 이동하면서 텅비게 되는 현상으로, 도넛 형태와 유사하여 도넛 현상이라고도 한다.

07
정답_②

공간적 분업

• 의미 : 관리, 연구, 생산 등 각 기능들이 서로 다른

지역에 입지하여 업무를 분담하는 현상
- 배경 : 기업의 규모가 커지면서 생산 비용 절감을 위해 각 기능에 따라 유리한 곳에 입지함
- 다국적 기업의 기능별 입지 특성 : 선진국(본사, 연구소), 개발 도상국(생산 공장)

08　　　　　　　　　　　　　　　　정답_④
배타적 경제 수역
- 영해 기선으로부터 200해리까지의 범위 중 영해를 제외한 수역
- 바다에 대한 경제적 권리 주장 가능 : 연안국의 어업 활동, 자원 탐사 · 개발 · 보존 등
- 국가의 영역에 포함되지 않기 때문에 다른 국가의 선박 · 항공기의 자유로운 통행 가능
- 국가의 영역 : 국가의 주권이 미치는 범위 → 영토(한반도와 부속 도서), 영해(최저 조위선에서 12해리), 영공(영토와 영해의 상공)

09　　　　　　　　　　　　　　　　정답_①
사회 집단(외집단)
- 소속감 유무에 따른 분류 : 내집단(우리 집단), 외집단(그들 집단)
- 접촉 방식에 따른 분류 : 1차 집단, 2차 집단
- 결합 의지에 따른 분류 : 공동 사회, 이익 사회

10　　　　　　　　　　　　　　　　정답_③
문화의 속성(학습성)
- 학습성 : 문화는 자신이 속한 사회에서 성장하면서 후천적으로 습득됨
- 축적성 : 문화가 다음 세대로 전해지면서 새로운 내용이 추가되고 쌓이는 것
- 변동성 : 문화는 고정된 것이 아니라 시간이 흐르면서 끊임없이 변화함
- 공유성 : 한 사회의 구성원은 공통의 문화를 공유함
- 전체성 : 문화의 각 영역은 다른 영역과 밀접하게 연결되어 있음

11　　　　　　　　　　　　　　　　정답_④
민주주의의 원리(권력 분립의 원리)
- 국민 주권의 원리 : 나라를 다스리는 주권이 국민에게 있다는 원리
- 국민 자치의 원리 : 주권을 가진 국민 스스로 나라를 다스려야 한다는 원리
- 입헌주의의 원리 : 국민의 기본권을 보장하는 헌법을 만들고, 그 헌법에 따라 나라가 다스려지고 국민의 자유와 권리가 보장되어야 한다는 원리
- 권력 분립의 원리 : 나라를 다스리는 권한을 입법부, 행정부, 사법부로 나누어 서로 견제하고 균형을 이루어야 한다는 원리

12　　　　　　　　　　　　　　　　정답_③
국민의 기본권(참정권)
- 평등권 : 법 앞에 차별을 받지 않을 권리 (다른 기본권 보장의 전제 조건)
- 자유권 : 국가의 간섭을 받지 않고, 자신의 의사에 따라 행동할 수 있는 권리, 가장 오래된 권리, 소극적 권리 (예 : 신체의 자유, 언론 · 출판 · 집회 · 결사의 자유 등)
- 참정권 : 주권자인 국민이 정치에 능동적으로 참여할 수 있는 권리, 적극적 권리 (예 : 선거권, 공무 담임권, 국민 투표권 등)
- 사회권 : 인간다운 생활을 국가에 요구할 수 있는 적극적 권리, 오늘날 복지 국가에서 중요 (예 : 근로권, 환경권, 교육권 등)
- 청구권 : 국민이 국가에 대하여 일정한 청구를 할 수 있는 권리, 다른 기본권 보장을 위한 수단적 권리 (예 : 청원권, 재판 청구권, 국가 배상 청구권, 형사 보상 청구권 등)

13　　　　　　　　　　　　　　　　정답_③
선거의 4원칙(비밀 선거)
- 보통 선거 : 일정한 연령에 달하면 어떤 조건에 따른 제한 없이 선거권을 주는 제도
- 평등 선거 : 투표의 가치에 차등을 두지 않고 모든 사람에게 동등한 한 표를 주는 제도

- 직접 선거 : 선거권자가 대리인을 거치지 않고 자신이 직접 가서 투표하는 제도
- 비밀 선거 : 선거권자가 누구에게 투표했는지 알 수 없게 하는 제도

14 정답_②

국회

입법부(국회)는 현대 대의 민주주의의 핵심으로, 국민이 선출한 대표로 구성되었다. 법률 제정과 개정, 헌법 개정안 의결, 국정 감사 및 조사, 예산안 심의·의결, 행정 각 부의 국정 감사 등을 하는 국민의 대표 기관이다.

15 정답_②

수요 법칙

가격이 상승하면 수요량은 감소하고, 가격이 하락하면 수요량은 증가한다. 그래프에서 우하향 곡선의 모습니다.

16 정답_②

환율 변동의 영향

- 환율 상승 : 자국 화폐 가치 하락, 수출 증가, 수입 감소, 외화 보유고 증가, 통화량 증가, 외채 상환 부담 증가, 해외 여행 불리
- 환율 하락 : 자국 화폐 가치 상승, 수출 감소, 수입 증가, 외화 보유고 감소, 통화량 감소, 외채 상환 부담 감소, 해외 여행 유리

17 정답_③

고조선

고조선은 환웅과 웅녀 사이에 낳은 단군왕검이 건국한 우리나라 최초의 국가이다. 농경 중심의 청동기 문화를 바탕으로 개인의 생명과 재산을 중시하고 사회 질서를 유지하기 위해 8조법 제정하였으며, 지배 계급과 피지배 계급이 분화된 계급 사회였다.

18 정답_③

신라의 진흥왕(6세기)

대대적인 정복 활동을 통해 백제 성왕과 연합해 고구려를 물리치고 한강 유역까지 영토를 넓히고, 영토 확장을 기념하기 위해 단양 적성비와 4개의 순수비를 건립하였다. 화랑도를 국가적 조직으로 개편하고, 내부적으로는 정치적 안정을 꾀하여 신라가 삼국을 통일할 수 있는 기반을 마련하며 신라의 전성기를 이끌었다.

19 정답_④

통일 신라(석굴암)

- 다보탑과 석가탑(불국사 3층 석탑) : 통일 신라 때 세워진 불국사 내에 있는 화강암 석탑으로, 대웅전을 향해 서서 보면 왼쪽(서쪽)에 석가탑이, 오른쪽(동쪽)에 다보탑이 있다. 석가탑은 전형적인 통일신라시대(남북국시대)의 석탑 양식을 갖추고 있으며, 다보탑은 이와 달리 독특한 형식을 보인다.
- 불국사 : 경상북도 경주시 토함산 기슭에 있는 절로 1996년에 유네스코 세계 문화 유산으로 지정되었다.
- 석굴암 : 경상북도 경주시 토함산 동쪽에 있는 우리나라의 대표적인 석굴 사원으로 1996년에 유네스코 세계 문화 유산으로 지정되었다.

20 정답_④

위화도 회군

고려 말 요동 정벌을 위해 출정했던 이성계가 압록강의 위화도에서 군대를 돌려 권력을 잡은 사건으로 이후 이성계는 조선을 건국하고, 스스로 임금이 되었다.

21 정답_③

물산 장려 운동

1920년 조만식 등이 평양에서 평양 물산 장려회를 창립하고 서울에서 조선 물산 장려회를 조직하여 전국으로 확산시킨 경제적 자립 운동이다. 민족 자본과 민족 산업의 육성을 목적으로 일본 상품 배척, 국산품 애용 등을 주장하였다.

22 정답_①

갑오개혁

1894년 7월부터 1896년 2월 사이에 추진되었던 개혁 운동으로, 개화당이 정권을 잡아 3차에 이르는 개혁을 통하여, 재래의 문물 제도를 근대식으로 고치는 등 정치·경제·사회 전반에 걸쳐 혁신을 단행하였다. 이때 법적으로 신분제가 폐지되었다.

23 정답_①

사림

조선 중기에 성리학을 중심으로 사회와 정치를 주도한 지배 세력이다. 조선 초기에 권력을 잡았던 훈구파와 대립했으며, 조선 중기 이후에는 사림파의 여러 세력들이 갈라져 붕당을 이루었다.

24 정답_④

조선 성종(경국대전)

조선의 기본 법전인 경국대전은 세조 때 편찬을 시작해서 성종 때 완성하였다. 유교 법치 국가의 기틀로서 국가 행정 질서 체제를 하였다. 왕의 자문기구인 홍문관을 개설하고, 경연을 다시 열었다.

25 정답_①

3·1 운동

1919년 3월 1일 일본의 식민지 지배에 항거하여 거족적으로 일어난 민족 해방 운동이다. 우리 민족의 독립 결의와 자주 정신을 보여주어 이후 중국과 인도 등 아시아 각국의 대규모 민족 운동에 영향을 주었으며, 대한민국 임시 정부가 수립하게 되었다.

▶2024년 2회◀

01	①	06	①	11	③	16	④	21	③
02	④	07	③	12	②	17	④	22	①
03	②	08	③	13	①	18	②	23	①
04	④	09	①	14	③	19	②	24	④
05	④	10	③	15	②	20	②	25	②

01 정답_①

경도

- 경도 : 본초 자오선을 기준으로 북극과 남극을 연결하는 세로줄인 경선으로 표현되는 각도 → 시차 발생 (우리나라가 영국보다 9시간 빠름)
- 위도 : 적도와 평행하게 그린 가로줄인 위선으로 표현되는 각도 → 위도에 따른 기온 차이(저위도에서 고위도로 갈수록 기온이 낮아짐), 남반구와 북반구의 계절 반대, 위도에 따른 계절 차이(지구 자전축이 23.5° 기울어진 상태로 공전하기 때문)

02 정답_④

열대 우림 기후

- 특징 : 최한월 평균 기온이 18°C 이상으로 연중 강수량이 많은 기후
- 의생활 : 얇고 간편한 옷차림이나 헐렁한 옷을 입음
- 식생활 : 음식이 쉽게 상하기 때문에 기름에 볶거나 튀기고, 향신료를 많이 사용함
- 주생활 : 개방적 가옥 구조(통풍이 잘 되도록 큰 창문), 고상 가옥(열기와 해충을 피하기 위해), 지붕의 경사가 급함(강수량이 많기 때문)
- 농업 : 플랜테이션(커피, 카카오, 바나나, 사탕수수 등), 이동식 경작(카사바, 얌 등)

03 정답_②

제주도

- 한라산, 화구호(백록담), 기생 화산(오름), 용암 동굴(만장굴), 주상절리, 성산 일출봉 등 화산 지형 발달
- 해안에서 샘물이 솟아오름(용천대) → 해안가에 취락 발달

- 서귀포 일대를 중심으로 한 최대의 감귤 생산지
- 따뜻한 해양성 기후로 난대성 식물 분포
- 일부 지역은 유네스코 세계 자연 유산, 세계 지질 공원, 생물권 보전 지역으로 지정

04 　　　　　　정답_④
물 자원
- 건조 기후 : 연 강수량이 500mm 이하인 지역으로, 강수량보다 증발량이 큰 기후
- 국제 하천 : 하나의 강이 한 나라에만 국한되지 않고 여러 나라에 걸쳐 흐르는 강 → 국제 하천 주변의 일부 국가들은 용수 확보 위해 물을 둘러싼 갈등 발생

05 　　　　　　정답_④
다국적 기업
- 의미 : 단순히 해외에 지점 또는 자회사를 두고 있는 것이 아니라, 현지 국적을 취득한 현지 법인으로서의 제조 공장 또는 판매 회사를 가지고 있으며, 현지의 실정에 따라 움직이는 국제적인 기업 조직
- 공간적 분업 : 주로 연구소와 판매 법인은 선진국에 위치, 생산 공장(생산 법인)은 임금이 저렴한 개발 도상국에 위치함

06 　　　　　　정답_①
도시의 내부 구조(도심)
- 도심 : 도시의 중심부에 위치한 중심 업무 지구, 관청·은행·백화점·회사 등 밀집, 낮에는 인구와 자동차가 많으나, 밤이 되면 감소하는 인구 공동화 현상 발생, 교통이 편리하고, 땅 값이 비싸다.
- 부도심 : 도심의 기능 분담, 도심과 주변을 연결하는 교통 요지에 형성
- 개발 제한 구역(그린벨트) : 도시의 무분별한 팽창을 방지하기 위해 농업·임업 목적 이외의 토지 이용 제한
- 위성 도시 : 대도시에 과다하게 집중된 행정·주거·군사 등의 기능을 분담한 도시

07 　　　　　　정답_③
지구 온난화
- 의미 : 대기 중에 축적된 온실가스의 농도가 증가하여 지구의 평균 온도가 상승하는 현상
- 원인 : 화석연료 사용 증가 → 이산화탄소 양 증가 (온실효과)
- 피해 : 해수면 상승, 저지대 침수, 난류성 어족 증가, 생태계 변화, 기상 이변 등
- 대비 : 화석연료 사용 줄이기, 삼림 녹화, 국제 협력 (기후 변화 협약, 교토 의정서)

08 　　　　　　정답_③
지리적 표시제
- 의미 : 상품의 품질, 명성, 특성 등이 근본적으로 해당 지역에서 비롯되는 경우 지역의 생산품임을 증명하고 표시하는 제도
- 기능 : 소비자는 제품에 대한 정확한 정보를 알 수 있어 품질을 신뢰할 수 있고, 상품은 홍보를 통해 경제적인 효과를 거둘 수 있음
- 예 : 미국 플로리다 오렌지, 인도 다즐링 홍차, 프랑스 카망베르 치즈, 우리나라의 보성 녹차, 순창 고추장, 횡성 한우, 이천 쌀, 의성 마늘 등

09 　　　　　　정답_①
재사회화
- 사회화 : 인간이 자라면서 자신이 속한 사회의 삶의 방식을 배우는 과정으로, 평생에 걸쳐 이루어짐
- 재사회화 : 빠른 사회 변화에 적응하기 위하여 새로운 지식, 행동 양식, 규범을 학습하는 과정 (예) 노인들이 스마트폰 사용법을 배우는 경우, 직장인의 외국어 공부, 이민자의 한글 교육 등

10 　　　　　　정답_③
문화의 속성
- 학습성 : 문화는 자신이 속한 사회에서 성장하면서 후천적으로 습득됨
- 축적성 : 문화가 다음 세대로 전해지면서 새로운 내용이 추가되고 쌓이는 것

- 변동성 : 문화는 고정된 것이 아니라 시간이 흐르면서 끊임없이 변화함
- 공유성 : 한 사회의 구성원은 공통의 문화를 공유함
- 전체성 : 문화의 각 영역은 다른 영역과 밀접하게 연결되어 있음

11 정답_③

국회

입법부(국회)는 현대 대의 민주주의의 핵심으로, 국민이 선출한 대표로 구성되었다. 법률 제정과 개정, 헌법 개정안 의결, 국정 감사 및 조사, 예산안 심의·의결, 행정 각 부의 국정 감사 등을 하는 국민의 대표 기관이다.

12 정답_②

선거의 4원칙

- 보통 선거 : 일정한 연령에 달하면 어떤 조건에 따른 제한 없이 선거권을 주는 제도
- 평등 선거 : 투표의 가치에 차등을 두지 않고 모든 사람에게 동등한 한 표를 주는 제도
- 직접 선거 : 선거권자가 대리인을 거치지 않고 자신이 직접 가서 투표하는 제도
- 비밀 선거 : 선거권자가 누구에게 투표했는지 알 수 없게 하는 제도

13 정답_①

공정한 재판을 위한 제도(심급 제도)

- 사법부 독립 : 공정한 재판을 위해 사법권을 행사하는 법관의 재판상의 독립, 법원의 독립, 법관의 독립
- 심급 제도 : 법관이 잘못된 판결을 내릴 가능성을 최소화하고, 공정한 재판을 통해 국민의 기본권을 보장하기 위해 하나의 사건을 급을 달리하는 법원에서 여러 번 재판을 받을 수 있도록 하는 제도 → 우리나라는 3심제 원칙
- 공개 재판주의 : 재판의 과정을 일반인이 방청할 수 있도록 공개해야 한다는 원칙
- 증거 재판주의 : 재판에서의 판결은 반드시 증거를 바탕으로 해야 한다는 원칙

14 정답_③

시장의 균형 가격

시장 가격(균형 가격)은 수요량과 공급량이 일치하는 곳에서 결정된다. 따라서 수요량과 공급량이 150개(균형 거래량)로 일치하는 3,000원에서 균형 가격이 결정된다.

15 정답_②

실업

실업은 만 15세 이상의 인구 중에서 일할 능력과 의사가 있음에도 불구하고 취업의 기회를 갖지 못하고 있는 상태를 말한다.

- 개인적 측면 : 소득 상실로 인한 생계유지 곤란, 자아실현의 기회 박탈로 무력감과 좌절감을 느낌, 가족들에게까지 고통을 주어 안정적인 가정생활을 어렵게 함
- 사회적 측면 : 인적 자원 낭비로 경제 성장 저해, 가족 해체, 빈곤 확산, 생계형 범죄 증가 등 사회 불안 초래, 실업률 증가는 사회 보장비 지출 증가로 이어져 정부의 재정 부담 증가

16 정답_④

근로 3권(단체 행동권)

- 단결권 : 근로자가 근로 조건 개선을 위하여 노동조합을 결성하고 가입하여 활동할 수 있는 권리
- 단체 교섭권 : 근로자가 사용자와 노동조합을 통해 자주적으로 근로 조건에 관하여 협의할 수 있는 권리
- 단체 행동권 : 협정이 원만하게 이루어지지 않아 일정한 절차를 거쳐 파업이나 합법 시위를 할 수 있는 권리

17 정답_④

구석기 시대(주먹도끼)

구석기 시대는 주먹도끼, 찍개 등 뗀석기를 도구로 이용하여 사냥, 채집, 수렵, 어로 생활 등을 하면서, 동굴이나 강가의 막집에서 살며 이동 생활을 하였다.
④ 철기 시대에 대한 설명이다.

18 정답_②

세도 정치

- 의미 : 왕실과 혼인 관계를 맺은 몇몇 가문이 권력을 독점하는 정치 형태
- 기간 : 순조, 헌종, 철종 3대에 걸쳐 60여 년 동안
- 세도 가문 : 대체로 노론 출신(안동 김씨, 풍양 조씨), 높은 관직 독점, 국가 정책 좌우
- 세도 정치의 영향 : 왕권 약화, 정치 기강 문란

19 정답_②

백제

- 고이왕 : 주변의 마한 소국을 병합하고, 율령을 확립하고 관제를 제정하여 중앙 집권 체제 기틀을 마련하였다.
- 무령왕 : 지방에 22담로를 설치하고 왕족을 파견하여 지방에 대한 통제를 강화함으로써 중흥의 발판을 마련하였다.
- 성왕 : 백제의 중흥을 꾀하며 수도를 사비로 천도하고, 국호를 남부여로 바꾸고, 신라 진흥왕과 연합해 한강 하류 지역을 일시적으로 되찾았다.

20 정답_②

대조영

고구려 계승 의식을 바탕으로 한 발해는 698년 고구려 장군 출신 대조영이 고구려 유민과 말갈인을 모아 건국하였다. 9세기 선왕 때에는 발해의 전성기로 중국에서 '해동성국'이라고 불렸고, 926년 거란족에 의해 멸망당했다.

21 정답_③

삼국사기

유교적 합리주의 사관에 따라 고려 전기 김부식이 왕명을 받아 신라, 고구려, 백제 세 나라의 역사를 편찬한 현존하는 가장 오래된 역사서이다.

22 정답_①

세종의 업적

- 집현전 설치, 학문 장려, 훈민정음 창제

- 칠정산(우리 실정에 맞는 역법), 측우기(강수량 측정) 등 과학 기구 제작
- 여진족이 조선의 북쪽 지방을 약탈하자, 여진족을 정벌하고 4군 6진 설치 → 현재 국경선 형성

23 정답_①

독도

독도는 울릉도에 딸린 섬으로, 지증왕 때(6C) 신라에 복속되었다. 조선 숙종 때는 안용복이 이 곳을 왕래하는 일본 어부들을 쫓아내고 일본에 가서 우리 영토임을 확인하였다. 대한 제국 칙령 제41호를 공포하여 울릉도를 울도군으로 개칭하고, 독도를 관할하였다. 1877년 일본 메이지 정부는 태정관 지령에서 독도가 일본과 관계가 없다고 하였다. 러·일 전쟁 중에 일본이 일방적으로 자신들의 영토로 편입시켰으나, 광복과 함께 되찾은 우리의 영토이다.

24 정답_④

이순신

임진왜란은 조선 선조 때 1592~1598년까지 2차에 걸쳐서 우리나라를 침입한 일본과의 싸움이다. 초반에는 조선이 열세였으나, 이순신이 이끄는 수군과 의병의 활약으로 조선의 승리로 끝이 났다. 이순신 장군은 학익진 전법과 같은 뛰어난 전략으로 한산도 대첩, 명량 대첩, 노량해전 등에서 큰 승리를 거두었다.

25 정답_②

4·19 혁명

- 배경 : 이승만 정부의 장기 독재 체제, 자유당 독재, 이승만 정부의 부정부패
- 발단 : 3·15 부정 선거(이기붕의 부통령 당선을 목표로 부정 선거 자행) → 학생과 시민들의 대규모 시위 전개
- 결과 : 이승만 대통령이 하야하고, 자유당 정권이 막을 내린 사건
- 의의 : 우리나라 최초의 민주화 운동, 독재 타도를 위한 학생과 시민 중심의 민주 혁명

▶2024년 1회◀

01	③	06	④	11	②	16	③	21	①
02	②	07	②	12	④	17	③	22	①
03	①	08	①	13	③	18	①	23	③
04	②	09	①	14	③	19	②	24	④
05	①	10	①	15	④	20	②	25	④

01　　　　　　　　　　　　　　　　　정답_③

광물 자원(희토류)
- 철광석 : 산업의 기초가 된 제철 공업의 원료
- 구리 : 전선과 전기 제품의 원료
- 텅스텐 : 필라멘트, 무기 등의 원료로 강도와 경도가 매우 높은 금속
- 희토류 : 첨단 산업의 필수 희귀 원소로 열을 잘 전달하는 성질을 가짐, 배터리, 특수 합금, 액정 디스플레이 등에서 사용
- 보크사이트 : 알루미늄의 원료, 열대 기후 지역에서 생산

02　　　　　　　　　　　　　　　　　정답_②

랜드마크
- 의미 : 어떤 지역을 대표하는 건물이나 역사적 상징물, 조형물 등의 시설물
- 사례 : 프랑스 파리의 에펠탑, 미국 뉴욕의 자유의 여신상, 영국 런던의 빅벤, 오스트레일리아의 오페라 하우스, 중국 베이징의 만리장성, 대한민국 서울의 N서울타워 등

03　　　　　　　　　　　　　　　　　정답_①

건조 문화 지역
북부 아프리카와 서남아시아 일대의 건조 기후 지역으로, 사막과 초원이 나타나고, 유목 및 관개 농업, 오아시스 농업이 발달하였으며, 주민 대부분이 아랍어를 사용하고 이슬람교를 믿으며, 석유 개발에 따른 국제 분쟁이 심화되고 있다.

04

고산 기후
- 분포 : 적도 부근의 해발 고도가 높은 지역
- 특징 : 일 년 내내 봄과 같이 온화한 기후

05　　　　　　　　　　　　　　　　　정답_①

독도
- 위치 : 경상북도 울릉군 울릉읍 독도안용복길 3(우리나라의 최동단)
- 자연환경 : 지형(화산섬), 기후(해양성 기후, 연중 고른 강수)
- 독도의 가치 : 동해 한가운데 위치(군사적 요충지, 해상 및 항공 교통의 요지), 조경 수역(한류와 난류가 교차하는 좋은 어장), 지하자원 풍부(고체 천연가스인 메탄하이드레이트 매장 발견), 생태계의 보고(천연기념물이자 천연 보호 구역)

06　　　　　　　　　　　　　　　　　정답_④

플랜테이션 농업
플랜테이션 농업은 선진국의 자본과 기술과 저개발국의 저렴한 노동력을 이용하여 대규모 상품 작물을 재배하는 방식으로, 열대 기후 지역을 중심으로 카카오, 커피, 고무, 차, 사탕수수 등이 주로 재배된다.

07　　　　　　　　　　　　　　　　　정답_②

지진
지각판의 경계 지역에서 지구 내부 에너지의 작용에 의해 발생한다. 건물과 도로 등 각종 시설의 파괴, 화재·해일·산사태 등의 피해가 발생하기 때문에 정확한 예보 체계를 구축하고, 내진 설계를 의무화하고, 대피 훈련과 복구 체계를 마련하여 대비하여야 한다.

08　　　　　　　　　　　　　　　　　정답_①

갯벌
갯벌은 조류에 의해 운반되어 온 퇴적 물질이 해안에 오랫동안 쌓여 이루어지는 평탄한 지형으로, 밀물 때 바닷물에 잠기고 썰물 때 수면 위로 드러나는 지형을 말한다. 주로 수심이 얕고 평평한 지형, 큰 조석간만의

차, 많은 하천 유입 물질이 있는 곳에 발달하는데 우리 나라의 서·남해안에 널리 분포되어 있다.

09
정답_①

환율

환율은 자국 화폐와 외국 화폐의 교환 비율로, 외국 화폐 1단위와 교환되는 자국 화폐의 가격으로 표시한다. 환율은 외환 시장에서 외화의 수요와 공급에 의해 결정된다. 국가마다 통화 제도가 다르기 때문에 국제 거래의 원활한 결제를 위해 필요하다.

10
정답_①

문화의 속성(변동성)

• 학습성 : 문화는 자신이 속한 사회에서 성장하면서 후천적으로 습득됨
• 축적성 : 문화가 다음 세대로 전해지면서 새로운 내용이 추가되고 쌓이는 것
• 변동성 : 문화는 고정된 것이 아니라 시간이 흐르면서 끊임없이 변화함
• 공유성 : 한 사회의 구성원은 공통의 문화를 공유함
• 전체성 : 문화의 각 영역은 다른 영역과 밀접하게 연결되어 있음

11
정답_②

부당 해고

• 의미 : 사용자가 근로자를 정당한 이유 없이 해고하는 것 → 노동권 침해
• 구제 방법 : 노동 위원회에 구제 신청 또는 법원에 소송 제기

12
정답_④

공정한 선거를 위한 제도(선거구 법정주의)

• 선거 공영제 : 국가나 지방 자치 단체가 선거 운동을 관리하여 선거 비용의 일부 또는 전부를 부담하는 제도
• 선거구 법정주의 : 선거구를 법률에 의해 미리 확정하는 제도로, 후보자나 정당에 유리한 선거구가 만들어지는 행위인 게리맨더링을 방지
• 선거 관리 위원회 : 선거와 국민 투표의 공정한 관리

를 위해 설치된 독립적인 국가 기관

13
정답_③

국가 기관의 역할(행정부)

• 입법부 : 국민의 대표 기관으로 법률의 제정 및 개정으로 갈등을 중재하며, 예산안의 심의·의결에 관한 일을 담당함 → 국회의원
• 행정부 : 정책의 수립 및 집행으로 갈등을 중재 → 대통령, 국무총리, 행정 각부 장관
• 사법부 : 법적 해석과 적용을 통하여 문제를 해결 → 대법원장, 대법관, 법관

14
정답_③

헌법 재판소

• 헌법의 해석과 관련된 정치적 사건을 사법적 절차에 따라 심판하는 헌법 재판 기관
• 권한 : 위헌 법률 심판, 탄핵 심판, 정당 해산 심판, 헌법 소원 심판, 기관 쟁의 심판

15
정답_④

자산(부동산)

• 금융 자산 : 현금, 예금, 주식, 채권, 보험, 펀드 등 눈에 보이지 않는 자산
• 실물 자산 : 움직여 옮길 수 없는 주택이나 토지와 같은 부동산, 움직여 옮길 수 있는 귀금속이나 골동품과 같은 동산 등 눈에 보이는 자산

16
정답_③

시장의 균형 가격

시장 가격(균형 가격)은 수요량과 공급량이 일치하는 곳에서 결정된다. 따라서 수요량과 공급량이 200개로 일치하는 2,000원에서 균형 가격이 결정된다.

17
정답_③

고인돌

청동기 시대의 대표적인 무덤으로, 대규모의 노동력이 동원된 것과 발견된 청동검을 통해 당시 정치적 영향력이 있는 지배자(족장, 군장)의 무덤이라고 추측된다.

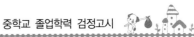

18
정답_③

실학

조선 후기에 실생활에 유익을 복표로 한 새로운 학풍으로 실용적·실증적인 학문이자 현실 문제를 해결하려는 개혁적 학문이다.

- 농업 중심 개혁론(중농학파) : 토지 제도 개혁 주장 → 대표 인물 : 유형원, 이익, 정약용
- 상공업 중심 개혁론(북학파) : 상공업 진흥, 기술 개발, 청의 문물 수용 주장 → 대표 인물 : 유수원, 홍대용, 박지원, 박제가

19
정답_②

탕평책

탕평책은 어느 한 곳에 치우치지 않고 여러 붕당에서 인재를 고루 등용하는 정책으로, 붕당의 대립을 줄이고, 노론의 전제화를 막아 왕권을 강화하고자 조선 시대의 영조와 정조가 실시하였다.

20
정답_②

신문왕

삼국 통일 직후 강력한 왕권을 확립해 나간 신라의 왕이다. 진골 귀족의 경제 기반을 약화시켰고, 지방과 군사 등 나라를 운영하는 여러 제도를 정비하였다.

- 교육 제도 : 국학 설치
- 지방 제도 : 9주 5소경 설치
- 토지 제도 : 관료전 지급, 녹읍 폐지

21
정답_①

북벌 운동

- 배경 : 두 차례의 호란 이후 청에 대한 복수심 확대 → 청을 정벌하여 청에 대한 치욕을 씻고자 함
- 주도 : 효종, 송시열 등의 서인 세력
- 내용 : 성곽과 무기 정비, 군대 양성
- 결과 : 청의 세력 확장으로 사실상 불가능, 효종의 죽음으로 계획 실패

22
정답_①

신라의 삼국 통일

- 신라와 당의 동맹 : 김춘추의 활약으로 나·당 동맹 체결(648)
- 백제의 멸망 : 김유신의 나·당 연합군이 백제 공격 → 계백의 결사대가 황산벌 전투에서 패배 → 사비성 함락, 백제 멸망(660)
- 고구려의 멸망 : 나·당 연합군이 평양성 공격 → 평양성 함락, 고구려 멸망(668))
- 나·당 전쟁 : 신라와 당의 전쟁(매소성 전투, 기벌포 전투)에서 신라 승리 → 삼국 통일 완성(676)

23
정답_③

고려

- 강화도 천도 : 몽골의 침략에 대항하기 위해 최우가 수도를 개경에서 강화도로 옮긴 일
- 삼별초의 항쟁 : 무신 최씨 정권 몰락 후 몽골과 강화를 체결하려 하자 배중손의 지휘로 삼별초는 강화도, 진도, 제주도로 이동하며 대몽 항쟁을 펼쳐 고려인의 자주정신을 보여줌
- 팔만대장경 완성 : 고려의 뛰어난 목판 인쇄술을 보여주는 팔만대장경은 몽골 침입 때 부처의 힘으로 위기를 극복하고자 조판, 현재 경남 합천 해안사 장경판전에 보관되어 있으며, 세계 기록 문화 유산에 등재되어 있음

24
정답_④

박정희 정부

- 한·일 국교 정상화 : 경제 성장에 필요한 자본 마련 목표 → 일본과의 국교 정상화 추진 → 학생과 시민들의 반대 시위 → 한·일 협정 체결
- 베트남 파병 : 미국과의 동맹 강화 및 많은 외화·차관 확보, 한국 청년들의 큰 희생과 고엽제 피해 등이 있었음
- 새마을 운동(1970) : 박정희 정부 때 생활 환경 개선과 소득 증대를 위해 실시한 운동으로, 근면·자조·자립 정신을 강조함

• 유신 헌법 선포(1972) : 대통령의 권한을 크게 늘려 사실상 대통령의 영구 집권을 가능하게 헌법을 고쳐 1972년 공포한 헌법

25
정답_④

국가 총동원법

• 국가 총동원법(1938) : 일제가 인적·물적 자원의 총동원을 위해 제정·공포한 전시 통제의 기본법
• 물적 수탈 : 군량미 확보를 위한 미곡 공출, 무기 제조를 위한 금속 공출 등
• 인적 수탈 : 학도 지원병제, 징병제, 국민 징용령, 여자 정신 근로령, 일분군 '위안부'로 여성들 강제로 끌려감

▶2023년 2회◀

01	③	06	④	11	④	16	④	21	①
02	③	07	②	12	①	17	①	22	①
03	③	08	②	13	②	18	④	23	④
04	①	09	③	14	②	19	①	24	②
05	②	10	①	15	④	20	③	25	②

01
정답_③

지중해성 기후

• 기후 특성 : 여름에는 기온이 높고 강수량 적음(고온 건조), 겨울에는 따뜻하고 강수량 많음(온난습윤)
• 분포 : 남부 유럽의 지중해 일대(그리스, 이탈리아, 에스파냐 등), 미국 캘리포니아 태평양 연안, 아프리카 남부
• 경관 : 여름철의 맑고 쾌청한 날씨와 풍부한 일사량으로 일광욕 즐김, 수목 농업 발달(포도, 올리브, 오렌지, 코르크 등)
• 관광 : 여름 휴양지, 풍부한 문화 유적 탐방, 포도 농장·와인 체험
① 고산 기후 : 고도가 높아질수록 기온이 내려가고 강수량이 증가하는 기후
② 스텝 기후 : 연 강수량이 250mm 이상~500mm 미만인 건조 기후 지역으로, 유목과 관개 시설을 확보하여 기업적 목축업이 이루어짐
④ 열대 우림 기후 : 가장 추운 달의 평균 기온이 18℃ 이상으로 일 년 내내 기온이 높으며, 연중 강수량이 많고 매우 습함

02
정답_③

북극 문화 지역

북극 문화 지역은 북극해 연안 지역으로 한대 기후 지역이다. 사모예드족, 라프족, 이누이트족 등이 순록 유목, 수렵, 어로 활동을 하며 생활하고 있다.
① 건조 문화 지역 : 북부 아프리카와 서남아시아 일대의 건조 기후 지역으로, 사막과 초원이 나타나고, 유목 및 오아시스 농업이 발달하였으며, 주민 대부분이 아랍어를 사용하고 이슬람교를 믿으며, 석유 개발에 따른 국제 분쟁이 심화되고 있다.

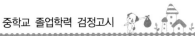

② 인도 문화 지역 : 힌두교와 불교의 발상지로, 종교 및 언어와 민족이 다양하고 복잡하다. 주로 힌두교 문화권으로 선행과 고행을 통한 수련을 중시하고, 소를 숭배하며, 다신교의 특징을 갖고 있으며 카스트 제도의 영향이 아직 남아 있기도 하다.

④ 아프리카 문화 지역 : 사하라 사막 이남 아프리카 지역에 해당하며, 부족 단위의 공동체 문화와 토속 신앙이 발달하였고, 다양한 언어와 부족이 분포한다.

03
정답_③

제주도, 독도

• 제주도 : 우리나라에서 가장 큰 섬이자 화산섬, 뛰어난 자연 경관으로 관광 산업 발달, 한라산, 화구호(백록담), 기생 화산(오름), 용암 동굴(만장굴), 주상 절리, 성산 일출봉 등 독특한 화산 지형이 나타나며, 일부 지역은 유네스코 세계 자연 유산, 세계 지질 공원, 생물권 보전 지역으로 지정되어 있다.

• 독도 : 우리나라의 가장 동쪽의 섬(경상북도 울릉군 울릉읍 독도리에 위치), 풍부한 수산 자원과 풍부한 자원이 매장되어 경제적 가치가 높다. 한류와 난류가 만나는 조경 수역에 위치하여 플랑크톤과 어족 자원이 풍부하고, 메탄하이드레이트와 해양 심층수가 매장되어 있다.

04
정답_①

신 · 재생 에너지(풍력, 조력)

• 태양 에너지 : 일사량이 풍부하고 건조한 지역에서 태양열과 태양광 이용
• 풍력 에너지 : 바람이 강한 산지나 해안 지역에서 활용
• 조력 에너지 : 밀물과 썰물 때의 바다 높이 차이(조수 간만의 차이)를 이용
• 조류 에너지 : 바닷물의 유속이 빠른 지역에서 활용
• 지열 에너지 : 화산 지역의 지하의 고온 증기 이용
• 바이오 에너지 : 동물의 배설물이나 옥수수 등의 식물을 분해해서 얻는 에너지

05
정답_②

장소 마케팅

지역화 전략 중 장소 마케팅은 특정 장소 혹은 도시 공간을 상품으로 인식하고 개발하여 장소의 경제적 가치를 상승시키는 홍보 전략이다. 중국 베이징의 만리장성이나 미국 뉴욕의 자유의 여신상이 대표적인 예이다.

• 지역화 : 어떤 지역이 그 지역만이 가지고 있는 독특한 사회적 · 전통적 · 문화적 특성을 살려 세계적인 경쟁력을 갖추게 되는 현상
• 지역화 전략 : 지리적 표시제(보성 녹차, 이천 쌀), 지역 브랜드(I♥NY(뉴욕), I · SEOUL · U(서울)), 장소 마케팅(중국 베이징의 만리장성, 미국 뉴욕의 자유의 여신상), 지역 축제(보령 머드 축제, 함평 나비 축제)

06
정답_④

피오르

피오르 해안은 '내륙 깊이 들어온 만'이란 뜻을 지닌 노르웨이어로, 빙하의 침식으로 만들어진 골짜기(U자곡)에 바닷물이 들어오면서 형성된 좁고 긴 만이다. 노르웨이의 피오르 해안은 스칸디나비아 반도의 서쪽 해안을 경치가 아름다워 관광지로 이용되고 있다. 북극 지방에 가까운 곳은 밤에도 해 뜨는 무렵처럼 밝은 현상인 백야 현상이 나타나기도 한다.

① 고원 : 해발 고도 높은 곳에 위치한 600미터 이상에 있는 넓고 평평한 지형
② 사막 : 강수량이 적어서 식생이 보이지 않거나 적고, 인간의 활동도 제약되는 지역
③ 산호초 : 열대 기후 지역의 얕은 바다에 사는 산호가 자려 형성되어 다양한 바다 생물의 서식지 역할을 함

07
정답_②

공간적 분업

• 의미 : 관리, 연구, 생산 등 각 기능들이 서로 다른 지역에 입지하여 업무를 분담하는 현상
• 배경 : 기업의 규모가 커지면서 생산 비용 절감을 위해 각 기능에 따라 유리한 곳에 입지함

• 다국적 기업의 기능별 입지 특성 : 선진국(본사, 연구소), 개발 도상국(생산 공장)
① 이촌 향도 : 산업화, 도시화에 따라 촌락 지역에 살던 사람들이 도시로 이주하는 현상
③ 인구 공동화 : 도심의 주간 인구가 많으나, 야간 인구가 적어서 발생(=도넛 현상)
④ 지리적 표시제 : 상품의 특성, 품질, 명성 등이 근본적으로 해당 지역에서 시작되는 경우 그 지역을 원산지로 생산·제조·가공된 상품임을 증명하고 표시하는 제도 (예) 보성 녹차, 이천 쌀, 순창 고추장, 프랑스 카망베르 치즈

08
정답_②
미세 먼지
• 의미 : 미세 먼지 : 공기 중에 떠다니는 눈에 보이지 않을 정도의 작은 먼지
• 발생 원인 : 흙먼지, 공장의 매연, 자동차 배기가스, 화력 발전소 등에서 생기는 매연, 건설 현장의 날림 먼지 등
• 영향 : 호흡기 및 뇌, 심혈관 질환 유발, 가시거리 미확보로 인한 항공기 및 여객선 운행에 차질 발생, 반도체 등 정밀 산업의 불량률 증가
① 도시 홍수 : 콘크리트나 아스팔트로 포장된 면적이 확대되면서 빗물을 흡수하지 못해 홍수 발생 위험도가 높아짐, ③ 지진 해일(=쓰나미) → 지질 재해, ④ 열대 저기압(=태풍) → 기상 재해

09
정답_③
사회화 기관(학교)
• 가정 : 가장 기초적인 사회화 기관, 유아기의 사회화에 중요한 역할, 언어, 예절, 의식주 등 기본적인 방법 학습(1차적 사회화 기관)
• 학교 : 사회화를 목적으로 하는 공식적 기관, 청소년기의 지속적이고 체계적인 교육 실시(2차적 사회화 기관)
• 회사 : 성인기의 중요한 사회화 기관, 경제 활동의 기초(2차적 사회화 기관)
• 대중 매체 : 정보 통신의 발달로 현대 사회에서 영향력 증대(2차적 사회화 기관)

10
정답_②
문화 이해의 태도(문화 상대주의)
• 문화 상대주의 : 문화의 상대성을 인정하고 어떤 사회의 문화를 그 사회의 맥락에서 이해하고 평가하려는 태도
• 자문화 중심주의 : 다른 문화를 자기 문화의 관점에서 일방적으로 판단하고 평가하는 태도
• 문화 사대주의 : 타문화를 동경·숭상하여 타문화는 무조건 좋고 자기 문화는 무조건 나쁘다는 식으로 보는 태도

11
정답_④
시민 단체
• 의미 : 사회 전체의 이익(공익)을 위하여 시민들이 자발적으로 만든 단체
• 기능 : 시민의 요구를 모아 정책 결정자에게 전달, 정부 활동 감시 및 여론 형성, 시민의 정치 참여 유도 등

12
정답_①
공정한 선거를 위한 제도
• 선거 공영제 : 국가나 지방 자치 단체가 선거 운동을 관리하여 선거 비용의 일부 또는 전부를 부담하는 제도
• 선거구 법정주의 : 선거구를 법률에 의해 미리 획정하는 제도로, 후보자나 정당에 유리한 선거구가 만들어지는 행위인 게리맨더링을 방지
• 선거 관리 위원회 : 선거와 국민 투표의 공정한 관리를 위해 설치된 독립적인 국가 기관

13
정답_②
대통령
대통령은 행정부의 최고 책임자로 국민의 직접 선거에 의해 선출되며 대통령의 임기는 5년으로 중임 할 수 없다. 국무 회의의 의장으로 행정부의 최종적인 권한과 책임을 가진다. 대통령은 행정부 수반으로서의 권한과 국가 원수로서의 권한을 갖는다.
① 장관 : 국무를 나누어 맡아 처리하는 행정 각 부의 우두머리

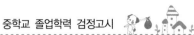

③ 국무총리 : 행정부의 2인자로 대통령을 보좌하며 행정부의 각 부서를 관리함
④ 국회의원 : 선거를 통해 선출된 국민의 대표

14 정답_②

법원의 조직(대법원)

• 대법원 : 사법부의 최고 법원, 고등 법원·특허 법원의 판결에 불복한 상고 사건(3심), 헌법이나 법률에 위반되는지 여부를 최종적으로 심사할 권한을 가짐 → 최종적인 재판 담당
• 고등 법원 : 지방 법원, 가정 법원, 행정 법원의 1심 판결에 불복하여 항소한 사건을 재판(2심)
• 지방 법원 : 주로 민사 또는 형사 재판의 1심 판결을 담당함
• 특수 법원 : 특허 법원, 가정 법원, 행정 법원 등

15 정답_④

시장 가격

시장 가격(균형 가격)은 수요량과 공급량이 일치하는 곳에서 결정된다. 시장 가격은 생산자와 소비자의 활동을 어떻게 조절할지 알려 주는 신호등 역할을 하며, 한 사회에서 필요로 하는 적정한 양의 상품이 생산되어 효율적으로 배분되도록 한다.

16 정답_④

국내 총생산(GDP)

• 의미 : 일정 기간 동안 한 나라 안에서 새로이 생산된 재화와 서비스의 가치를 화폐 단위로 합산한 것(영토 기준) → 한 나라의 경제 규모와 생산 능력을 알려주는 지표
• 계산 : 최종 생산물의 가치=총 생산물의 가치-중간 생산물의 가치=각 생산 단계의 부가 가치의 합계
• 한계 : 시장을 통하지 않은 거래(가사 활동, 봉사 활동, 탈법적 거래 등)는 계산에서 제외, 국민 복지 수준의 정확한 반영이 어려움, 소득 분배 상황에 대한 정확한 정보 제공 어려움

17 정답_①

구석기 시대

• 동굴이나 강가의 막집에서 살며 이동 생활
• 주먹도끼, 찍개 등 뗀석기를 도구로 이용하여 사냥, 채집, 수렵, 어로 생활 등

18 정답_④

광개토 대왕

광개토 대왕 때는 고구려의 전성기로, 요동 지방을 포함한 만주 대부분의 땅과 한강 이북을 차지할 정도로 영토를 넓혔고, 5만의 군사를 신라에 보내어 왜군을 물리치기도 하였다. 광개토 대왕릉비에 그의 업적이 잘 나와 있다. '영락'이라는 연호를 사용하고, 스스로 '태왕'이라 칭하였다.
①, ② 조선의 왕, ③ 신라의 왕

19 정답_①

원효

통일 신라 때의 승려로, 일심 사상, 화쟁 사상(다양한 종파와 이론적 대립을 더 높은 차원에서 통합하려는 불교 사상), 아미타 신앙('나무아미타불'을 열심히 외우면 극락에 갈 수 있다)을 통해 불교의 대중화에 힘썼다.
② 고려 때 최충헌의 사노비, ③ 고려 때 귀주대첩을 승리로 이끎, ④ 조선 때 사림의 지지를 바탕으로 유교적 이상 정치를 구현하려는 다양한 급진적 개혁을 추진하다가 훈구파가 일으킨 기묘사화 때에 죽임을 당함

20 정답_③

고려 광종의 정책

고려 광종은 노비안검법과 과거 제도를 실시하고, 독자적 연호(광덕, 준풍)를 사용하였으며, 호족 세력을 숙청하여 왕권 강화에 기여하였다.
ㄱ. 조선 흥선 대원군, ㄷ. 조선 세종

21 정답_①

사림

조선 중기에 성리학을 중심으로 사회와 정치를 주도한 지배 세력이다. 조선 초기에 권력을 잡았던 훈구파와 대립했으며, 조선 중기 이후에는 사림파의 여러 세력들이 갈라져 붕당을 이루었다.

② 부강한 여러 나라들의 선진 문물을 받아들여야 우리도 부국강병을 이룰 수 있다고 주장, ③ 무신 정변 이후 원나라를 배경으로 한 지배층, ④ 신라 골품제의 한 계급(성골과 함께 왕족)

22 정답_①

병자호란

후금이 청으로 국호를 변경한 후 조선에 군신 관계를 요구하자, 조선이 이를 거절해 청이 조선을 침략한 것이 병자호란(1636)이다. 한양을 점령당하고 인조가 남한산성으로 피란, 45일간 항전을 하였지만 결국 청에 굴복하여 강화를 맺고 군신 관계를 수립하였다. 소현 세자를 비롯한 많은 백성들이 청으로 끌려갔다.

② 신미양요(1871) : 미국 상선 제너럴 셔먼 호가 대동강을 거슬러 와 평양에서 통상을 요구하며 난동을 일으켰다가 평양 관민이 제너럴 셔먼 호를 소각시킨 일을 계기로 미국 함대가 강화도를 침범한 사건

③ 임진왜란(1592~1598) : 조선에 침입한 일본과의 싸움으로 초반에는 조선이 열세였으나, 이순신이 이끄는 수군과 의병의 활약으로 조선이 승리함

④ 살수 대첩(612) : 중국 수나라의 군대를 고구려의 을지문덕 장군이 살수(지금의 청천강)에서 크게 격파한 싸움

23 정답_④

동학 농민 운동

동학 농민 운동은 1894년 전라도 고부 군수 조병갑의 횡포와 착취에 대한 항거에서 발단해 전봉준을 중심으로 고부에서 농민군을 조직해 한때는 관군을 무찌르고 삼남 지방을 휩쓸었으나, 결국 청과 일본의 개입으로 실패로 끝났다. 폐정 개혁안을 제시하고, 집강소를 설치하는 등 사회 개혁을 추구하였으며, 갑오개혁과 청·일 전쟁의 계기가 되었다. 후에 항일 의병 투쟁과 3·1 운

동으로 계승되었다.

① 3·1 운동(1919) : 일본의 식민지 지배에 항거하여 거족적으로 일어난 민족 해방 운동

② 국채 보상 운동(1907) : 일본의 간섭에서 벗어나기 위해 일본에 진 빚을 국민의 힘으로 갚자는 운동

③ 서경 천도 운동(1135) : 문벌 귀족의 정치 독점에 대한 반발과 금과 사대의 예를 맺은 것에 대한 불만, 풍수지리설의 성행으로 묘청을 중심으로 벌인 운동

24 정답_②

정조

• 왕권 강화 : 탕평책 계승, 규장각 설치(문예 부흥과 개혁 정치의 중심), 장용영 설치(왕의 친위 부대), 수원 화성 축조

• 경제 개혁 : 상업 활동의 자유화, 광산 개발 장려

• 서적 편찬 : 『대전통편』, 『동문휘고』, 『탁지지』, 『규장전운』 등

• 사회 개혁 : 서얼과 노비의 차별 완화

① 조선의 왕, ③ 고구려의 왕, ④ 신라의 왕

25 정답_②

6월 민주 항쟁

6월 민주 항쟁(1987)은 우리나라에서 전국적으로 벌어진 민주화 운동이다. 대통령 선거인단이 대통령을 뽑는 간접 선거를 골자로 한 기존 헌법에 대한 전두환 대통령의 호헌 조치, 경찰의 박종철 고문 치사 사건, 시위 도중 이한열이 최루탄에 맞아 사망한 사건 등이 도화선이 되어 6월 10일 이후 전국적인 시위가 발생하였고, 이에 6월 29일 노태우의 수습안 발표로 대통령 직선제로의 개헌이 이루어졌다.

① 북벌론 : 병자호란의 치욕을 씻고자 조선의 군사력을 길러 청을 정벌하자는 주장

③ 애국 계몽 운동 : 일본의 침략에 맞서 우리 민족의 국권을 회복하기 위해 일어났던 운동으로, 교육과 산업을 통한 실력 양성과 국권 회복 추구함

④ 광주 학생 항일 운동(1929) : 광주에서 일어난 학생들의 항일 만세 운동으로, '학생의 날'의 기원이 됨

▶2023년 1회◀

01	②	06	①	11	③	16	④	21	④
02	①	07	④	12	①	17	③	22	①
03	④	08	③	13	③	18	②	23	①
04	②	09	①	14	②	19	④	24	③
05	④	10	②	15	③	20	①	25	④

01 정답_②

위도
- 의미 : 적도와 평행하게 그린 가로줄인 위선으로 표현되는 각도 → 북위 0°~90°, 남위 0°~90°
- 영향 : 위도에 따른 기온 차이(저위도에서 고위도로 갈수록 기온이 낮아짐), 남반구와 북반구의 계절 반대, 위도에 따른 계절 차이(지구 자전축이 23.5° 기울어진 상태로 공전하기 때문)

02 정답_①

사막 기후
건조 기후는 연 강수량을 기준으로 0~250mm인 사막 기후와 250~500mm인 스텝 기후로 구분한다. 사막 기후 지역은 오아시스 농업, 관개 농업이 이루어진다.

03 정답_④

석회 동굴
석회 동굴은 석회암이 지하수에 녹으며 형성된 지형으로, 종유석, 석순, 석주 등이 나타난다. 석회암이 빗물에 녹아 움푹 파여 형성된 웅덩이 모양의 돌리네와 함께 대표적인 카르스트 지형에 해당하며, 주로 관광 자원으로 이용된다.

04 정답_②

자원의 특성(편재성)
- 가변성 : 자원의 가치가 기술 발달, 사회·문화적 배경, 경제적 수준 등에 따라 변화하는 특성
- 유한성 : 자원의 매장량이 한정되어 있어 사용하면 고갈되는 특성
- 편재성 : 자원이 지구상에 고르게 분포하지 않고, 일부 지역에 집중되어 분포하는 특성

05 정답_④

성비
성비는 여성 100명에 대한 남성의 수를 말한다. 일부 국가에서는 남아 선호 사상 등으로 인해 성비 불균형의 문제가 발생하기도 한다. 성의 불평등 등으로 인해 전체 인구나 특정 직종, 계층의 성비에 불균형이 발생한 것이다.

06 정답_①

사회 집단(내집단)
- 소속감 유무에 따른 분류 : 내집단(우리 집단), 외집단(그들 집단)
- 접촉 방식에 따른 분류 : 1차 집단, 2차 집단
- 결합 의지에 따른 분류 : 공동 사회, 이익 사회

07 정답_④

이익 집단
이해관계를 같이 하는 사람들이 자신들의 특수한 이익을 실현하기 위해 로비나 집회 등으로 정치과정에 압력을 행사하는 집단이다. 시민의 다양한 의견을 정치에 반영하고 전문 지식을 정책에 반영하지만, 공익과 충돌하거나 정치권력과 결탁하여 부정부패가 나타나는 역기능이 있기도 하다.

08 정답_③

태풍
열대 해상에서 발생하는 저기압으로 강한 바람과 비를 동반하여 막대한 인명·재산 피해, 홍수·해일을 유발하며 풍수해를 입힌다. 미리 하천과 제방을 점검하고, 배수시설을 정비하며, 일기예보를 확인하고, 발생 시 신속한 대피를 해야 한다.

09 정답_①

국가의 영역
국가의 주권이 미치는 범위로 영토(한반도와 부속 도서), 영해(최저 조위선에서 12해리), 영공(영토와 영해의 수직 상공)이 해당한다.

10 정답_②

사회화

사회화는 한 개인이 자신이 속한 사회의 언어, 규범, 행동 양식, 가치관 등을 배우고 내면화하는 과정을 말한다. 이를 통해 자신만의 독특한 개성과 자아를 형성하고, 한 사회의 문화를 공유하고 다음 세대에 전달하여 사회를 유지하고 발전시킨다.

11 정답_③

도시화와 개발 제한 구역

• 도시화 : 도시의 수가 증가하거나 도시에 거주하는 인구 비율이 높아지는 현상으로, 2·3차 산업 종사자의 비중이 높아지고, 도시적 생활 양식이 확대됨
• 개발 제한 구역(그린벨트) : 도시의 무분별한 팽창을 방지하고 환경을 보전하기 위해 설정, 농업·임업 목적 이외의 토지 이용 제한함

12 정답_①

법원(사법부)

법원은 법을 해석하고 적용하여 분쟁을 해결해 주는 국가 기관으로, 재판을 통해 개인 간의 다툼을 해결하고, 사회 질서를 유지하고, 국민의 권리 보장을 담당한다.

13 정답_③

재판의 종류

• 민사 재판 : 개인 간의 권리·의무에 관한 재판
• 형사 재판 : 검사의 기소에 따라 법원이 범죄의 유무와 형벌의 양을 정하는 재판
• 가사 재판 : 이혼과 같은 가족들 사이의 다툼을 다루는 재판
• 행정 재판 : 행정 기관의 위법·부당한 행위에 대한 재판
• 선거 재판 : 선거가 잘못되었을 때 여는 재판
• 헌법 재판 : 어떤 법률이나 국가 기관의 활동이 헌법의 뜻에 맞는지 판단하는 재판, 기본권 침해 등 헌법에 관한 재판

14 정답_②

공정한 선거를 위한 제도

• 선거 공영제 : 국가나 지방 자치 단체가 선거 운동을 관리하여 선거 비용의 일부 또는 전부를 부담하는 제도
• 선거구 법정주의 : 선거구를 법률에 의해 미리 획정하는 제도로, 후보자나 정당에 유리한 선거구가 만들어지는 행위인 게리맨더링을 방지
• 선거 관리 위원회 : 선거와 국민 투표의 공정한 관리를 위해 설치된 독립적인 국가 기관

15 정답_③

기회비용

경제 활동을 할 때 여러 가지 선택 가능한 것 중에서 하나를 선택함으로써 포기해야 하는 것들 중 가장 가치가 큰 것이다.

16 정답_④

경제 활동의 종류

• 생산 : 사람들이 필요로 하는 재화나 서비스를 만드는 것 (예) 보관, 운송, 교육, 예술 등
• 분배 : 생산 활동에 참여한 대가를 받는 것 (예) 노동을 하고 받는 임금, 돈을 빌려주고 받는 이자, 땅을 빌려주고 받는 지대 등
• 소비 : 자신에게 필요한 재화와 서비스를 구매하거나 사용하는 것 (예) 영화 관람 등

17 정답_③

청동기 시대

청동기 시대에는 벼농사가 시작되었고, 농업의 발달과 함께 빈부 격차가 발생하면서 계층 사회가 성립되었다. 지배 계급의 무기나 장식품으로 청동기를 사용하며, 야산이나 구릉 지대에 직사각형이나 원형의 움집을 짓고 거주하며, 민무늬 토기를 사용한다. 고인돌·돌널 무덤은 청동기 시대의 대표적인 무덤으로 무덤의 규모를 통해 당시 군장의 세력을 짐작해 볼 수 있다.

18

정답_②

고구려의 장수왕(5C)

고구려의 전성기인 장수왕 때 평양으로 천도하고 남진 정책을 추진한 결과 백제와 신라는 나·제 동맹을 체결하였다. 백제를 공격하여 한강 유역을 차지하고, 충주(중원) 고구려비를 세웠다.

19

정답_④

신진 사대부

- 고려 시대 지배층의 변천 : 호족 → 문벌귀족 → 무신 → 권문세족 → 신진 사대부
- 고려 말 유교(성리학)를 바탕으로 과거를 통해 중앙 관리로 진출한 세력이다. 대부분 지방의 향리, 중소 지주 출신으로 불교의 부패와 권문세족을 비판하면서 새로운 사회 건설을 주장하였다.

20

정답_①

발해

고구려 계승 의식을 바탕으로 한 발해는 698년 고구려 장군 출신 대조영이 고구려 유민과 말갈인을 모아 건국하였다. 9세기 선왕 때에는 발해의 전성기로 중국에서 '해동성국'이라고 불렀고, 926년 거란족에 의해 멸망당했다. 이 시기는 신라와 함께 남북국 시대라 불린다.

21

정답_④

조선왕조실록

태조 때부터 철종 때까지 25대 472년 동안의 역사적 사실을 편년체로 쓴 역사서로 1997년에 유네스코 세계 기록 유산으로 지정되었다.

22

정답_①

3·1 운동

1919년 3월 1일 일본의 식민지 지배에 항거하여 거족적으로 일어난 민족 해방 운동이다. 우리 민족의 독립 결의와 자주 정신을 보여주어 이후 중국과 인도 등 아시아 각국의 대규모 민족 운동에 영향을 주었으며, 대한민국 임시 정부가 수립하게 되었다.

23

정답_①

대동법

- 배경 : 특산물(공물) 납부 시 생산, 운반, 보관의 어려움이 있었고, 방납의 폐단으로 농민의 부담 증가
- 내용 : 토산물 대신 토지 1결당 쌀 12두씩(대동미) 납부 (삼베·무명·돈으로도 납부 가능) → 광해군 때 시작
- 영향 : 관청에서 미리 물건 값을 받아 필요한 물건을 사서 납부하는 공인의 등장으로, 조선 후기 상품 화폐 경제의 발달에 기여

24

정답_③

임진왜란

조선 선조 때 1592~1598년까지 2차에 걸쳐서 우리나라를 침입한 일본과의 싸움이다. 초반에는 조선이 열세였으나, 이순신이 이끄는 수군과 의병의 활약으로 조선의 승리로 끝이 났다.

25

정답_④

김대중 정부

분단 이후 최초로 한국의 김대중 대통령과 북한의 김정일 국방위원장이 만난 남북 정상 회담(2000)에서 6·15 남북 공동 선언이 발표되었고, 개성 공단 건설, 경의선 복원, 금강산 관광 사업 등 다양한 교류와 협력을 추진하였다.

▶2022년 2회◀

01	③	06	③	11	③	16	②	21	③
02	④	07	②	12	②	17	③	22	④
03	①	08	①	13	④	18	④	23	③
04	①	09	④	14	③	19	②	24	④
05	①	10	①	15	①	20	②	25	④

01
정답_③

표준 경선과 경도

- 표준시 : 각 나라에서 공통 시간으로 정하여 사용하는 시간
- 표준 경선 : 한 나라의 표준시를 정하는 기준이 되는 선
- 세계 표준시 : 영국의 그리니치 천문대를 지나는 본초 자오선을 기준으로 국가별로 표준시를 정함
- 우리나라의 표준시 : 동경 124°~132°에 위치하지만 동경 135°를 표준 경선으로 한 표준시 사용 → 우리나라는 영국(세계 표준시)보다 9시간 빠름

02
정답_④

열대 우림 기후

- 특징 : 최한월 평균 기온이 18℃ 이상으로 연중 강수량이 많은 기후
- 의생활 : 얇고 간편한 옷차림이나 헐렁한 옷을 입음
- 식생활 : 음식이 쉽게 상하기 때문에 기름에 볶거나 튀기고, 향신료를 많이 사용함
- 주생활 : 개방적 가옥 구조(통풍이 잘 되도록 큰 창문), 고상 가옥(열기와 해충을 피하기 위해), 지붕의 경사가 급함(강수량이 많기 때문)
- 농업 : 플랜테이션(커피, 카카오, 바나나, 사탕수수 등), 이동식 경작(카사바, 얌 등)

03
정답_①

세계의 문화권(인도 문화 지역)

인도(남부 아시아) 문화권은 힌두교와 불교의 발상지로, 종교 및 언어와 민족이 다양하고 복잡하다. 주로 힌두교 문화권으로, 선행과 고행을 통한 수련을 중시하고, 소를 숭배하며, 다신교의 특징을 갖고 있으며 카스트 제도의 영향이 아직 남아 있기도 하다.

04
정답_①

자연재해(가뭄)

가뭄은 강수량이 부족한 기간이 오랫동안 지속되어 농작물의 생산뿐만 아니라 인간 활동에 지장을 주는 자연재해이다. 비교적 진행 속도가 느리고 피해 범위가 넓은 편이다. 물 부족 문제, 기근 문제를 유발하며, 건조 지역의 사막화 현상을 확대시키기도 한다.

05
정답_①

도심

- 도심 : 도시의 중심부에 위치하여 교통이 편리하고, 땅 값이 비쌈, 관청·은행·백화점·회사 등이 밀집하여 중심 업무 지구를 이루며, 낮에는 인구와 자동차가 많으나, 밤이 되면 감소하는 인구 공동화 현상이 발생함
- 부도심 : 도심의 기능 분담, 도심과 주변을 연결하는 교통 요지에 형성
- 개발 제한 구역(그린벨트) : 도시의 무분별한 팽창을 방지하기 위해 농업·임업 목적 이외의 토지 이용 제한
- 위성 도시 : 대도시에 과다하게 집중된 행정·주거·군사 등의 기능을 분담한 도시

06
정답_③

우리나라의 영역(영해)

- 영토 : 한 국가의 주권이 미치는 땅으로 국토 면적과 일치함 → 한반도와 부속 도서
- 영해 : 영토 주변의 바다로 일반적으로 영해 기선으로부터 12해리까지의 바다 → 동해안·제주도·울릉도·독도(통상 기선에서 12해리), 서해안·남해안(직선 기선에서 12해리), 대한 해협(직선 기선에서 3해리)
- 영공 : 영토와 영해의 수직 상공으로 일반적으로 대기권 내로 제한함

07
정답_②

신·재생 에너지(풍력 발전, 지열 발전)

- 풍력 발전 : 바람이 강하며 지속적으로 부는 산지나 해안 지역 예 네덜란드, 덴마크 등
- 지열 발전 : 지하의 고온 증기를 이용하기 때문에 판의 경계에 있어 지각 활동이 활발한 지역 예 뉴질랜

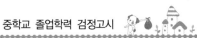

드, 일본, 아이슬란드 등
- 태양광 발전 : 일사량이 풍부하고 건조한 지역 예 에스파냐, 사우디아라비아 등
- 수력 발전 : 유량이 풍부하고 낙차가 큰 하천 지역 예 브라질 등
- 조력 발전 : 조석 간만의 차가 큰 해안 지역 예 우리 나라 등
- 조류 발전 : 바닷물의 유속이 빠른 지역
- 바이오 에너지 : 동물의 배설물이나 옥수수 등의 식물을 분해해서 얻는 에너지로, 원료를 대량 생산할 수 있는 지역 예 독일 등

08 정답_④
히말라야 산맥
중국과 인도 간의 국경 사이에 위치한 히말라야 산맥은 세계 최고봉인 에베레스트 산이 위치한다. 이 산맥과 인접한 국가에서는 등산객들을 대상으로 한 관광 산업이 발달하였다.

09 정답_④
사회적 지위
사회적 지위는 한 개인이 사회 집단 내 차지하고 있는 위치를 말한다.
- 귀속 지위 : 태어나면서 가지는 지위, 선천적 지위 예 남자와 여자, 양반과 상민
- 성취 지위 : 능력과 노력에 의한 지위, 후천적 지위 예 교사, 의사, 아버지

10 정답_①
문화의 속성(축적성)
- 학습성 : 문화는 자신이 속한 사회에서 성장하면서 후천적으로 습득됨
- 축적성 : 문화가 다음 세대로 전해지면서 새로운 내용이 추가되고 쌓이는 것
- 변동성 : 문화는 고정된 것이 아니라 시간이 흐르면서 끊임없이 변화함
- 공유성 : 한 사회의 구성원은 공통의 문화를 공유함
- 전체성 : 문화의 각 영역은 다른 영역과 밀접하게 연

결되어 있음

11 정답_③
선거의 4원칙(보통 선거)
- 보통 선거 : 일정한 연령에 달하면 어떤 조건에 따른 제한 없이 선거권을 주는 제도(↔ 제한 선거)
- 평등 선거 : 투표의 가치에 차등을 두지 않고 모든 사람에게 동등한 한 표를 주는 제도(↔ 차등 선거)
- 직접 선거 : 선거권자가 대리인을 거치지 않고 자신이 직접 가서 투표하는 제도(↔ 대리 선거)
- 비밀 선거 : 선거권자가 누구에게 투표했는지 알 수 없게 하는 제도(↔ 공개 선거)

12 정답_②
시장 가격의 변동
시장 가격(균형 가격)은 수요량과 공급량이 일치하는 곳에서 결정된다. 공급이 증가하면 공급 곡선이 오른쪽으로 이동하여 균형 가격은 하락하고, 균형 거래량은 증가한다.

13 정답_④
지방 자치 제도
지방 자치 제도는 일정 지역의 자치 단체나 주민이 지역의 공공 문제를 자주적으로 해결하기 위한 정치 방식으로 국민 주권의 실현에 기여한다.

14 정답_③
재판의 종류(형사 재판)
- 형사 재판 : 강도, 절도, 폭행 등 범죄가 발생했을 때 검사의 기소에 따라 범죄의 유무와 형벌의 양을 정하는 재판
- 민사 재판 : 개인 간의 권리·의무에 관한 재판
- 가사 재판 : 이혼과 같은 가족들 사이의 다툼을 다루는 재판
- 행정 재판 : 행정 기관의 위법·부당한 행위에 대한 재판
- 선거 재판 : 선거가 잘못되었을 때 여는 재판
- 헌법 재판 : 어떤 법률이나 국가 기관의 활동이 헌법의 뜻에 맞는지 판단하는 재판, 기본권 침해 등 헌법

에 관한 재판

15
정답_①

국회

- 입법부(국회) : 국민의 대표 기관으로, 법률 제정과 개정, 헌법 개정안 의결, 국정 감사 및 조사, 예산안 심의・의결, 행정 각 부의 국정 감사 등을 담당함 → 국회의원
- 행정부(정부) : 정책의 수립 및 집행으로 갈등을 중재 → 대통령, 국무총리, 행정 각부 장관
- 사법부(법원) : 법적 해석과 적용을 통하여 문제를 해결 → 대법원장, 대법관, 법관

16
정답_②

자원의 희소성

인간의 욕구는 무한한 데 비해 그것을 충족시켜 줄 수 있는 자원은 상대적으로 부족한 것을 자원의 희소성이라고 한다. 자원의 양과 인간의 욕구에 따라 달라지는 상대적 개념이고, 자원의 가격을 결정하는 중요한 요인이다.

17
정답_③

신석기 시대

농경과 목축의 시작(신석기 혁명)으로 움집을 만들어 정착 생활을 하였다. 간석기를 도구로 이용하며, 음식 조리와 저장을 위해 빗살무늬 토기 등을 사용하였고, 가락바퀴와 뼈바늘을 통해 의복과 그물을 제작하였다.
③ 철기 시대의 특징이다.

18
정답_④

태조 왕건

고려를 건국(918)하고, 북진 정책(서경 중시), 호족 세력 포섭, 호족 세력 견제(사심관 제도, 기인 제도), 민족 통합 정책, 다양한 사상 수용, 불교 장려, 민생 안정 정책 등을 펼쳤으며, 자손들에게 10가지 유훈인 훈요 10조를 남겼다.

19
정답_②

일연의 『삼국유사』

고려 후기의 승려 일연이 편찬한 역사서로 고구려・백제・신라・가야의 역사와 여러 고대 국가의 흥망성쇠 및 신화・전설・신앙이 수록되어 있으며, 특히 신라와 불교 이야기를 중심으로 기록되었다. 단군 신화를 비롯하여 이두(吏讀)로 쓰인 향가 14수(首)도 담겨 있어 한국 고대어 연구를 하는 데 기여하고 있다.

20
정답_②

신라의 화랑도

원시 사회의 청소년 집단에서 기원하여, 진흥왕 때 국가적인 조직으로 정비되었다. 화랑(진골 귀족 자제)과 낭도(귀족, 평민 포함)로 구성되어 계층 완화 구실을 하였으며, 원광의 세속 5계를 행동 규범으로 따르며, 군사 훈련을 하면서 삼국 통일에 공헌하였다.

21
정답_③

조선의 건국

고려 말인 1388년에 요동 정벌을 위해 출정했던 이성계가 압록강의 위화도에서 군대를 돌려(위화도 회군) 권력을 잡은 이후 이성계는 조선을 건국하고, 스스로 임금이 되었다.

22
정답_④

정조의 업적

- 탕평책 계승 : 어느 한 곳에 치우치지 않고 여러 붕당에서 인재를 고루 등용하는 정책
- 규장각 설치 : 왕실 도서관이자 학술과 정책을 연구하는 기관, 문예 부흥과 개혁 정치의 중심
- 장용영 설치 : 왕의 친위 부대
- 수원 화성 축조 : 수원에 쌓은 성으로 유네스코 세계 문화유산으로 지정됨
  ㄱ은 흥선 대원군, ㄷ은 세종의 업적이다.

23
정답_③

동학 농민 운동

동학 농민 운동은 1894년 전라도 고부 군수 조병갑의 횡포와 착취에 대한 항거에서 발단해 전봉준을 중심으로 고부에서 농민군을 조직해 한때는 관군을 무찌

르고 삼남 지방을 휩쓸었으나, 결국 청과 일본의 개입으로 실패로 끝났다. 폐정 개혁안을 제시하고, 집강소를 설치하는 등 사회 개혁을 추구하였으며, 갑오개혁과 청·일 전쟁의 계기가 되었다. 후에 항일 의병 투쟁과 3·1 운동으로 계승되었다.

24
정답_④

대한민국 임시 정부

1919년 3·1 운동이 일어난 후에 중국 상하이에서 조직·선포된 대한민국 임시 정부는 우리나라 최초의 삼권 분립에 기초한 민주 공화제 정부였고, 독립 운동을 총지휘하는 중추적 역할을 수행했다. 대한민국 임시 정부 직속 군대인 한국 광복군은 1940년 충칭에서 조직되었다.

25
정답_④

4·19 혁명(1960)

학생과 시민들이 3·15 부정 선거, 자유당 정권의 부정부패와 독재 등을 규탄하는 대규모 시위를 전개하여 이승만 대통령이 하야하고, 자유당 정권이 막을 내린 사건이다.

▶2022년 1회◀

01	④	06	②	11	④	16	②	21	①
02	③	07	③	12	④	17	②	22	③
03	④	08	①	13	①	18	④	23	②
04	①	09	③	14	④	19	②	24	①
05	②	10	①	15	③	20	④	25	④

01
정답_④

지리 정보 시스템(GIS)

• 컴퓨터를 이용하여 수치화된 다양한 지리 정보를 분석·처리하는 시스템
• 여러 장의 지도를 중첩해 보면 조건에 맞는 최적의 장소를 찾을 수 있음

02
정답_③

지중해성 기후

• 기후 특성 : 여름에는 기온이 높고 강수량 적음(고온 건조), 겨울에는 따뜻하고 강수량 많음(온난습윤)
• 분포 : 남부 유럽의 지중해 일대(그리스, 이탈리아, 에스파냐 등), 미국 캘리포니아 태평양 연안, 아프리카 남부
• 경관 : 여름철의 맑고 쾌청한 날씨와 풍부한 일사량으로 일광욕 즐김. 수목 농업 발달(포도, 올리브, 오렌지, 코르크 등)
• 관광 : 여름 휴양지, 풍부한 문화 유적 탐방, 포도 농장·와인 체험

03
정답_④

제주도(주상절리)

화산 지형이며, 한라산, 화구호(백록담), 기생 화산(오름), 용암 동굴(만장굴), 주상절리, 성산 일출봉 등 뛰어난 관광 자원을 바탕으로 2006년 제주특별자치도가 출범되었다. 해안에서 샘물이 솟아오르는 용천대를 중심으로 해안가에 취락이 발달하였으며, 서귀포 일대를 중심으로 한 최대의 감귤 생산지이다. 일부 지역이 유네스코 세계 자연 유산, 세계 지질 공원, 생물권 보전 지역으로 지정되었다.

• 주상절리 : 용암이 식는 과정에서 수분이 빠져나가 다각형의 기둥 모양으로 쪼개져서 형성

04
정답_①

자연재해(홍수)

홍수는 특정 지역에 높은 강수 강도로 집중 호우가 발생하여 강이나 개천의 물이 크게 불어나는 것으로, 우리나라는 주로 여름철에 나타나며 장마나 태풍에 의한 집중 호우의 영향으로 발생한다. 최근 도시화로 저지대에 대규모 피해가 발생하기도 한다.

05
정답_②

석유

현재 세계에서 가장 많이 사용되는 자원이다. 주로 화학 공업의 원료, 자동차와 비행기 등의 연료로 이용된다. 지역적 편재성이 큰 자원으로, 주요 생산지와 소비지가 달라서 국제적 이동량이 많은 자원이다. 사우디아라비아, 이란, 이라크, 쿠웨이트, 러시아, 베네수엘라 등이 수요 수출국이다.

06
정답_②

로컬 푸드

• 의미 : 지역에서 생산된 먹거리를 그 지역에서 소비하자는 운동
• 배경 : 식품의 운송 과정에서 과도한 온실가스의 배출과 방부제 사용으로 푸드 마일리지가 높은 글로벌 푸드에 대한 대안으로 등장
• 영향 : 화학 물질 사용을 줄여 먹거리의 안전성 확보, 지역 농민의 안정적 소득 보장 및 지역 경제 활성화

07
정답_③

도시의 내부 구조

• 도심 : 도시의 중심부에 위치한 중심 업무 지구, 관청·은행·백화점·회사 등 밀집, 낮에는 인구와 자동차가 많으나, 밤이 되면 감소하는 인구 공동화 현상 발생, 교통이 편리하고, 땅 값이 비쌈
• 부도심 : 도심의 기능 분담, 도심과 주변을 연결하는 교통 요지에 형성
• 개발 제한 구역(그린벨트) : 도시의 무분별한 팽창을 방지하기 위해 농업·임업 목적 이외의 토지 이용 제한

• 위성 도시 : 대도시에 과다하게 집중된 행정·주거·군사 등의 기능을 분담한 도시

08
정답_①

국가의 영역

국가의 주권이 미치는 범위로, 영토(한반도와 부속 도서), 영해(최저 조위선에서 12해리), 영공(영토와 영해의 상공)으로 이루어졌다.

09
정답_③

역할 갈등

• 의미 : 한 사람이 여러 가지 역할을 동시에 수행하는 과정에서 나타나는 갈등
• 발생 원인 : 사회가 복잡해지고 개인이 다양한 사회적 관계를 맺고 있기 때문임
• 특징 : 현대 사회가 복잡해지면서 역할 갈등도 증가함

10
정답_①

문화의 속성

• 학습성 : 문화는 자신이 속한 사회에서 성장하면서 후천적으로 습득됨
• 축적성 : 문화가 다음 세대로 전해지면서 새로운 내용이 추가되고 쌓이는 것
• 변동성 : 문화는 고정된 것이 아니라 시간이 흐르면서 끊임없이 변화함
• 공유성 : 한 사회의 구성원은 공통의 문화를 공유함
• 전체성 : 문화의 각 영역은 다른 영역과 밀접하게 연결되어 있음

11
정답_④

지방 자치 단체

• 지방 의회(의결 기관) : 자치 법규인 조례의 제정 및 개정, 지역의 현안 논의 및 정책 결정, 집행 기관에 대한 견제 및 감시, 예산 심의 및 의결
  예 서울시 의회, 경기도 의회 등
• 지방 자치 단체장(집행 기관) : 자치 법규인 규칙의 제정 및 개정, 지역의 행정 업무 및 정책 집행, 지역 내에서 자치권 행사, 예산 수립 및 집행
  예 서울시장, 경기도지사 등

12
정답_④
의원 내각제
- 입법부와 행정부의 긴밀한 협조(권력 융합형)
  → 영국, 일본, 독일, 네덜란드 등
- 국민이 선거를 통하여 의회를 구성하면, 다수당 대표가 총리가 되어 내각을 구성
- 의회의 내각 불신임권, 총리의 의회 해산권, 행정부의 법률안 제출권 가능

13
정답_①
기본권
- 자유권 : 국가의 간섭을 받지 않고, 자신의 의사에 따라 행동할 수 있는 권리, 가장 오래된 권리, 소극적 권리
  예 신체의 자유, 언론·출판·집회·결사의 자유 등
- 평등권 : 법 앞에 차별을 받지 않을 권리(다른 기본권 보장의 전제 조건)
- 참정권 : 주권자인 국민이 정치에 능동적으로 참여할 수 있는 권리, 적극적 권리
  예 선거권, 공무 담임권, 국민 투표권 등
- 사회권 : 인간다운 생활을 국가에 요구할 수 있는 적극적 권리, 오늘날 복지 국가에서 중요
  예 근로권, 환경권, 교육권 등
- 청구권 : 국민이 국가에 대하여 일정한 청구를 할 수 있는 권리, 다른 기본권 보장을 위한 수단적 권리
  예 청원권, 재판 청구권, 손해 배상 청구권 등

14
정답_②
선거 관리 위원회
- 의미 : 공정한 선거를 위해 만들어진 헌법상의 독립 기관
- 역할
  - 선거와 국민 투표의 공정한 관리 담당
  - 정당과 정치 자금에 관한 사무 담당
  - 공정 선거와 선거 참여를 위한 각종 홍보 활동 담당

15
정답_③
기회비용
경제 활동을 할 때 여러 가지 선택 가능한 것 중에서 하나를 선택함으로써 포기해야 하는 것들 중 가장 가치가 큰 것이다.

16
정답_②
물가 안정을 위한 노력
- 정부 : 재정 지출 축소와 세금 확대를 통한 총수요 감소 정책 시행, 공공 요금 인상 억제
- 중앙은행 : 통화량 감축 및 이자율 인상을 통해 소비 억제 및 저축 유도
- 기업 : 기술 혁신 등을 통해 생산 비용 절감
- 근로자 : 과도한 임금 인상 요구 자제
- 소비자 : 건전하고 합리적인 소비 생활, 과소비와 충동구매 자제

17
정답_②
신석기 시대
농경과 목축의 시작(신석기 혁명)으로 움집을 만들어 정착 생활을 하였다. 간석기를 도구로 이용하며, 음식 조리와 저장을 위해 빗살무늬 토기 등을 사용하였고, 가락바퀴와 뼈바늘을 통해 의복과 그물을 제작하였다.

18
정답_④
광개토 대왕
광개토 대왕 때는 고구려의 전성기로, 요동 지방을 포함한 만주 대부분의 땅과 한강 이북을 차지할 정도로 영토를 넓혔고, 5만의 군사를 신라에 보내어 왜군을 물리치기도 하였다. 광개토 대왕릉비에 그의 업적이 잘 나와 있다.

19
정답_②
발해
고구려 계승 의식을 바탕으로 한 발해는 698년 고구려 장군 출신 대조영이 고구려 유민과 말갈인을 모아 건국하였다. 9세기 선왕 때에는 발해의 전성기로 중국에서 '해동성국'이라고 불렀고, 926년 거란족에 의해 멸망했다. 이 시기는 신라와 함께 남북국 시대라 불린다.

20 정답_④

공민왕(전민변정도감)

고려 공민왕 때 토지 제도를 개혁하기 위해 설치한 기구로, 1366년 공민왕은 권문 세족에게 억울하게 빼앗긴 백성들의 토지를 돌려주고 노비가 된 자들을 풀어주기 위해 전민변정도감을 설치하고 신돈을 등용시켜 책임을 맡게 하였다. 권문세족의 강력한 반발로 토지 제도 개혁은 실패하였다.

오답풀이

① 신라의 문무왕　　② 조선의 흥선 대원군
③ 조선의 세종

21 정답_①

병자호란(1636)

후금이 청으로 국호를 변경한 후 조선에 군신 관계를 요구하자, 조선이 이를 거절해 청이 조선을 침략한 것이 병자호란이다. 한양을 점령당하고 인조가 남한산성으로 피란, 45일간 항전을 하였지만 결국 청에 굴복하여 강화를 맺고 군신 관계를 수립하였다. 서울 삼전도비는 병자호란 때 청나라 태종이 조선 인조의 항복을 받고 자기의 공덕을 자랑하기 위해 세운 전승비이다.

22 정답_③

조선 후기 서민 문화

조선 후기 상민층의 경제력 향상과 서당 교육의 보급으로 서민 문화가 발달하였다. 한글 소설, 사설시조, 판소리, 탈춤, 민화 등을 통해 서민층의 생활 모습과 감정을 사실적으로 표현하였다.

23 정답_②

갑신정변(1884)

• 중심 인물 : 김옥균, 박영효, 서광범, 홍영식 등 개화당 인사
• 경과 : 우정국 개국 축하연을 이용하여 정변을 일으킴
　→ 개화당 정부 구성, 개혁 정치 추진, 근대 국가 수립 개혁 실시
• 결과 : 청군의 개입으로 실패(3일 천하, 김옥균·박영효 일본에 망명)

24 정답_①

균역법

균역법은 조선 영조 때 백성들의 군역 부담을 덜어 주기 위해 마련한 세금 제도이다. 군대에 직접 가지 않는 대신 내던 군포 2필의 의무를 1필로 줄였다.

25 정답_④

5·18 민주화 운동(1980)

12·12 사태를 계기로 전두환을 중심으로 하는 신군부 세력이 병력을 동원해서 정치적 실권을 장악하자, 학생과 시민들은 민주화를 요구하며 광주를 중심으로 시민군을 조직하여 저항하였고, 이를 진압하는 과정에서 수많은 희생자가 발생한 사건이다.

▶2021년 2회◀

01	④	06	③	11	②	16	③	21	①
02	②	07	①	12	③	17	①	22	③
03	①	08	④	13	④	18	④	23	②
04	④	09	③	14	②	19	④	24	①
05	②	10	③	15	①	20	②	25	③

01 　　　　　　　　　　　　　　　　정답_④

본초 자오선은 경도와 시간대를 결정하는 데 기준이 되는 자오선으로, 1884년 영국의 그리니치 천문대를 지나는 경선을 본초 자오선으로 정하며 공식적인 경선 체계를 확정지었다.

02 　　　　　　　　　　　　　　　　정답_②

스텝 기후
• 특징 : 연 강수량이 250mm 이상 ~ 500mm 미만인 건조 기후 지역으로 짧은 우기가 있음
• 농업 : 유목(염소나 양 등 가축을 데리고 물과 풀을 찾아 이동하는 방식), 관개 시설을 확보하여 기업적으로 목축업이 이루어짐
• 주민 생활 : 가축의 가죽이나 털로 만든 옷을 입음, 나무와 가축의 가죽을 이용하여 만든 이동식 가옥에서 거주함 예 몽골의 게르

03 　　　　　　　　　　　　　　　　정답_①

제주도의 화산 지형(오름)
• 한라산 : 유동성이 큰 현무암질 용암으로 형성되어 전체적으로 완만함, 백록담(화구호)
• 오름 : 화산 중턱에 형성된 소규모의 기생 화산
• 용암 동굴 : 용암이 흘러내리면서 표면의 용암이 먼저 굳어지고 내부의 용암은 계속 흘러가며 형성된 동굴 예 만장굴
• 주상 절리 : 용암이 냉각되는 과정에서 수축되면서 다각형의 기둥 모양으로 쪼개져 형성됨
• 성산 일출봉 : 얕은 바다에서의 용암 분출과 화산재 퇴적으로 형성됨

04 　　　　　　　　　　　　　　　　정답_④

문화 변용
• 문화 공존 : 기존 문화와 외부 문화가 함께 존재하는 것 예 우리나라에 있는 이슬람 사원, 차이나타운
• 문화 융합 : 기존 문화와 외부 문화가 만나 이전의 두 문화와는 다른 제3의 문화가 나타나는 현상 예 우리나라 사찰에서 보이는 칠성각, 과달루페의 성모, 돌침대, 퓨전 음식(불고기 피자, 김치 스파게티)
• 문화 동화 : 기존 문화가 외부 문화에 의해 완전히 흡수되거나 대체되는 현상 예 백인 문화에 흡수된 아메리카 원주민 문화, 가로쓰기 형식의 도입으로 세로쓰기 형식이 사라진 경우 등

05 　　　　　　　　　　　　　　　　정답_②

인구 고령화
• 고령화 : 고령자의 수가 증가하여 전체 인구에서 차지하는 고령자 비율이 높아지는 것
• 최근 우리나라는 출산율이 급격히 낮아지고, 평균 수명이 늘어나면서 인구의 고령화에 따른 노동력 부족, 젊은층의 노인 인구 부양 부담 증가 등의 선진국형 인구 문제들이 나타나고 있음

06 　　　　　　　　　　　　　　　　정답_③

역도시화는 도시화의 반대 현상이다. 도시에서 주변의 촌락이나 중소 도시로 인구가 이동하는 도시의 쇠퇴 현상으로, 유턴(U-turn) 현상이라고도 한다.

07 　　　　　　　　　　　　　　　　정답_①

식량 자원(쌀)
• 쌀 : 고온 다습한 기후에서 재배, 아시아 계절풍 기후 지역에서 주로 생산(중국, 베트남, 타이, 인도 등), 생산지와 소비자가 거의 일치해 국제적 이동량이 적음
• 밀 : 기온이 낮고 건조한 기후에서 재배, 주로 신대륙에서 재배(미국, 캐나다, 아르헨티나, 우크라이나, 오스트레일리아, 캐나다 등), 생산지와 소비자가 일치하지 않아 국제적 이동량이 많음

08 　　　　　　　　　　　　　　　　정답_④

공간적 분업
• 의미 : 관리, 연구, 생산 등 각 기능들이 서로 다른 지역에 입지하여 업무를 분담하는 현상
• 배경 : 기업의 규모가 커지면서 생산 비용 절감을 위해 각 기능에 따라 유리한 곳에 입지함
• 다국적 기업의 기능별 입지 특성 : 선진국(본사, 연구

소), 개발 도상국(생산 공장)

09
정답_③

주권은 국민·영토와 함께 국가를 구성하는 3요소의 하나로, 국가 의사를 최종적으로 결정하는 최고성, 독립성, 절대의 권력을 가리킨다.

10
정답_③

문화를 이해하는 태도(문화 상대주의)

• 자문화 중심주의 : 자기 문화의 우수성을 내세워 다른 문화를 무시하는 태도 예 중국의 중화사상, 나치의 인종주의, 19세기 서구 열강들의 백인 우월주의

• 문화 사대주의 : 자기 문화를 낮게 평가하고 다른 사회의 문화만을 우수하다고 믿는 태도 예 조선 사대부의 중국 숭배 사상, 무분별한 영어 표현 사용 등

• 문화 상대주의 : 한 사회의 문화를 그 사회의 사회적·역사적 맥락에서 이해하려는 태도 → 문화를 평가의 대상으로 여기지 않음

11
정답_②

정당은 정권 획득을 목적으로 정치적 견해를 같이하는 사람들이 모인 집단을 말한다. 국민의 지지를 얻기 위하여 국민의 뜻을 파악하여 정당의 정책에 반영한다. 국민은 선거를 통해 정당에서 추천한 후보자에게 투표하고, 이를 통해 선출된 대표는 국민을 위하여 정치 활동을 한다.

12
정답_③

기본권의 종류(참정권)

• 평등권 : 법 앞에 차별을 받지 않을 권리(다른 기본권 보장의 전제 조건)

• 자유권 : 국가의 간섭을 받지 않고, 자신의 의사에 따라 행동할 수 있는 권리, 가장 오래된 권리, 소극적 권리 예 신체의 자유, 언론·출판·집회·결사의 자유 등

• 참정권 : 주권자인 국민이 정치에 능동적으로 참여할 수 있는 권리, 적극적 권리 예 선거권, 공무담임권, 투표권 등

• 사회권 : 인간다운 생활을 국가에 요구할 수 있는 적극적 권리, 오늘날 복지 국가에서 중요 예 근로권, 환경권, 교육권 등

• 청구권 : 국민이 국가에 대하여 일정한 청구를 할 수 있는 권리, 다른 기본권 보장을 위한 수단적 권리 예 청원권, 재판 청구권, 손해 배상 청구권 등

13
정답_④

경제 활동의 종류

• 생산 : 사람들이 필요로 하는 재화나 서비스를 만드는 것 예 보관, 운송, 교육, 예술 등

• 분배 : 생산 활동에 참여한 대가를 받는 것 예 노동을 하고 받는 임금, 돈을 빌려주고 받는 이자, 땅을 빌려주고 받는 지대 등

• 소비 : 자신에게 필요한 재화와 서비스를 구매하거나 사용하는 것 예 영화 관람 등

14
정답_②

시장 가격(균형 가격)은 수요량과 공급량이 일치하는 곳에서 되므로, 수요량과 공급량이 300개(균형 거래량)로 일치하는 2,000원에서 균형 가격이 결정된다.

오답풀이

① 균형 가격은 2,000원이다.

③ 가격이 1,000원일 때, 초과 수요가 발생한다.

④ 가격이 3,000원일 때, 초과 공급이 발생한다.

15
정답_①

현대 사회 문제(노동 문제)

• 인구 문제 : 선진국(저출산·고령화), 개발 도상국(급격한 인구 증가)

• 노동 문제 : 실업 문제, 노사 갈등, 비정규직 증가, 고용 불안, 임금 격차 확대 등

• 환경 문제 : 지구 온난화, 산업화에 따른 대기·수질·토양 오염, 사막화 등

• 기타 : 사회 양극화, 전쟁과 테러, 정보화에 따른 문제, 일상생활 관련 문제 등

16
정답_③

공정한 선거를 위한 제도(선거 공영제)

• 선거 공영제 : 국가나 지방 자치 단체가 선거 운동을 관리하여 선거 비용의 일부 또는 전부를 부담하는 제도

• 선거구 법정주의 : 선거구를 법률에 의해 미리 획정하는 제도로, 후보자나 정당에 유리한 선거구가 만들어지는 행위인 게리맨더링을 방지

• 선거 관리 위원회 : 선거와 국민 투표의 공정한 관리를 위해 설치된 독립적인 국가 기관

17 정답_①

구석기 시대에는 주먹도끼, 찍개 등 뗀석기를 도구로 이용하여 사냥, 채집, 수렵, 어로 생활 등을 하였고, 동굴이나 강가의 막집에서 살며 이동 생활을 하였다.

18 정답_④

고구려의 전성기인 장수왕(5세기) 때 평양으로 천도하고 남진 정책을 추진한 결과 백제와 신라는 나 · 제 동맹을 체결하였다. 백제를 공격하여 한강 유역을 차지하고, 충주(중원) 고구려비를 세웠다.

19 정답_④

장보고
• 성장 : 당나라에서 귀국한 뒤 완도에 청해진을 설치하여 해적 소탕, 신라 · 당 · 일본을 잇는 해상 무역을 주도(중계 무역) → 서남해 일대의 해상권 장악 → 왕위 쟁탈전 가담
• 반란 : 자신의 딸을 왕비로 만들려다 실패하자 난을 일으킴

20 정답_②

태조 왕건의 훈요 10조
• 정책 : 고려 건국(918), 북진 정책(서경 중시), 호족 세력 포섭, 호족 세력 견제(사심관 제도, 기인 제도), 민족 통합 정책, 다양한 사상 수용, 불교 장려, 민생 안정 정책
• 훈요 10조 : 그의 자손들에게 귀감으로 삼게 하려고 구술한 10가지 유훈으로, 불교 숭상, 풍수 지리설 중시, 거란 배격 등을 주요 내용으로 함

21 정답_①

조선 후기 상민층의 경제력 향상과 서당 교육의 보급으로 서민 문화가 발달하였다. 한글 소설, 사설시조, 판소리, 탈춤, 민화 등을 통해 서민층의 생활 모습과 감정을 사실적으로 표현하였다.

22 정답_③

광해군은 임진왜란 이후 산업 재건, 국방 강화, 토지 대장 · 호적을 정비하는 등 전후 복구 사업에 힘썼고, 공납의 폐단을 개선하기 위해 1결당 쌀 12두를 걷는 대동법을 실시하였다. 또한 임진왜란 때 도움을 준 명과 새롭게 성장하는 후금 사이에서 신중하고 실리적인 중립 외교 정책을 폈다.

23 정답_②

조선 세종 때 집현전을 설치하여 학문을 장려하고, 훈민정음을 창제하였다. 우리 하늘에서 일어나는 각종 천문 현상 및 각종 역법 이론을 연구하여, 우리 실정에 맞는 역법인 칠정산을 만들었고, 측우기(강수량을 측정하기 위해 쓰인 기구)와 같은 과학 기구가 제작되는 등 백성들의 생활에 실질적으로 도움이 되는 문화 정책이 추진되었다.

24 정답_①

일제의 식민지 지배 정책
• 토지 조사 사업(1910년대) : 일제가 근대적 토지 소유 제도를 확립한다는 명분으로 기한부 신고제 방식을 이용해 토지를 약탈한 제도
• 헌병 경찰제(1910년대) : 일제가 헌병으로 하여금 군사, 경찰뿐 아니라 일반 치안 유지를 위한 경찰 업무도 담당하게 한 제도로, 강압적인 무단 통치를 뒷받침함
• 산미 증식 계획(1920년대) : 일제가 조선을 일본의 식량 공급지로 만들기 위해 실시한 경제 수탈 정책

25 정답_③

6 · 25 전쟁
• 북한군의 남침(1950.6.25.) : 38도선 이남으로 무력 침공 → 3일 만에 서울 점령 → 이승만 정부 부산 피란(부산을 임시 수도로 정함), 국군은 낙동강 부근까지 후퇴
• 유엔군 참전 : 유엔 안전 보장 이사회 긴급 소집 → 유엔군(16개국) 참전 결의
• 인천 상륙 작전(1950.9.15) : 성공 → 국군의 서울 수복, 38도선 돌파, 평양을 거쳐 압록강까지 진격
• 중국군 참전 : 국군 · 유엔군 후퇴, 1 · 4 후퇴(1951.1.4.) → 국군과 유엔군의 반격 → 서울 재탈환 → 38도선 부근에서 공방전
• 정전 협정(1953.7.27) : 전쟁이 장기화되자 정전 협정 시작 → 이승만 정부의 반대 → 유엔군 · 북한군 · 중국군 대표가 정전 협정 체결

▶2021년 1회◀

01	②	06	③	11	④	16	②	21	②
02	②	07	②	12	②	17	④	22	①
03	①	08	④	13	④	18	④	23	③
04	④	09	④	14	①	19	③	24	③
05	③	10	①	15	③	20	①	25	②

01 정답_②
폭설
• 의미 : 짧은 기간 동안 많은 양의 눈이 내리는 현상
• 피해 : 가옥 및 건축물 붕괴, 도로와 항공 교통 마비
• 대책 : 지붕의 경사를 급하게 만들고 폭설 시 생활 공간을 확보하기 위한 가옥 구조 발달

02 정답_②
공정 무역
• 의미 : 저개발 국가의 생산자가 만든 친환경 상품을 직거래를 통해 공정한 가격으로 구매하여 노동에 대한 공정한 대가를 지불하고자 하는 윤리적 소비 운동 예 커피, 차, 카카오, 바나나, 목화 등
• 생산자 : 아동과 부녀자의 노동 착취를 방지하고, 쾌적하고 안전한 노동 환경에서 일하며 경제적 자립이 가능함, 유통 비용 절감
• 소비자 : 저개발 국가의 어려운 사람들을 직접 도움, 친환경 제품을 구입할 수 있음

03 정답_①
저출산
• 원인 : 여성의 사회 진출 증가 및 결혼 연령 상승, 육아 지원 제도 부족, 자녀 양육비 부담 증가, 결혼 및 출산에 대한 가치관의 변화 등
• 문제점 : 생산 가능 인구 감소로 노동력 부족, 생산성 하락, 국력 약화, 외국인 노동자 유입에 따른 문화 갈등 발생 등
• 대책 : 출산 장려금 지원, 양육 시설 확충, 육아 휴직 제도 확대 등 출산 장려 정책, 양성평등주의 가치관 확립 등

04 정답_④
배타적 경제 수역(EEZ)
• 영해 기선으로부터 200해리까지의 범위 중 영해를 제외한 수역
• 바다에 대한 경제적 권리 주장 가능 : 연안국의 어업 활동, 자원 탐사·개발·보존 등
• 국가의 영역에 포함되지 않기 때문에 다른 국가의 선박·항공기의 자유로운 통행 가능
• 국가의 영역 : 국가의 주권이 미치는 범위
  → 영토(한반도와 부속 도서), 영해(최저 조위선에서 12해리), 영공(영토와 영해의 상공)

05 정답_③
인구 공동화
도심의 땅값이 높아지면서 주거 기능이 외곽 지역으로 빠져나가게 되는데, 이로 인해 도심의 경우 낮에는 사람이 증가하지만 밤에는 도시 외곽 지역에 위치한 주거 지역으로 이동하면서 텅 비게 되는 현상이 일어난다. 도넛 형태와 유사하여 도넛 현상이라고도 한다.

06 정답_③
제주도
• 우리나라에서 가장 큰 섬이며 뛰어난 자연 경관으로 관광 산업이 발달함
• 화산 지형 : 한라산, 화구호(백록담), 기생 화산(오름), 용암 동굴(만장굴), 주상절리, 성산 일출봉 등
• 일부 지역이 유네스코 세계 자연 유산, 세계 지질 공원, 생물권 보전 지역으로 지정됨

07 정답_②
조력 발전
• 밀물과 썰물의 수위 차이를 이용하여 전기를 생산함
• 사례 : 우리나라 시화호 발전소

08 정답_④
한대 기후
• 가장 따뜻한 달의 평균 기온이 10℃ 미만으로, 식생이 자라기 어려움
• 전통적으로 주민들은 순록 유목, 수렵, 어로 활동을 함
• 의생활 : 동물의 털과 가죽을 이용한 두꺼운 옷을 입음

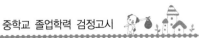

- 식생활 : 날고기와 날생선을 먹음, 냉동·염장·건조 등의 방법으로 음식을 저장함
- 주생활 : 폐쇄적 가옥 구조, 얼었던 땅이 여름에 녹아 건물이 기울어지는 것을 막기 위해 고상 가옥 발달

09 정답_②
접촉 방식에 따른 사회 집단
- 1차 집단 : 친밀하게 접촉하면서 인격적인 관계가 형성되는 집단, 자아 형성의 근원이 되며 사회 유지에 기여함
  예 가족, 또래 집단 등
- 2차 집단 : 형식적이고 수단적인 만남을 바탕으로 형성된 집단, 사회가 복잡해질수록 비중이 커짐
  예 학교, 회사 등

10 정답_①
문화 사대주의
- 의미 : 타문화를 동경·숭상하여 타문화는 무조건 좋고 자기 문화는 무조건 나쁘다는 식으로 보는 태도
- 장점 : 선진 문화를 수용하는 데 용이하며, 자기 문화를 발전시키는 데 기여함
- 단점 : 외래문화를 무비판적으로 수용함으로써 자신의 문화적 주체성과 정체성을 상실할 우려가 있음

11 정답_④
노동 3권
- 단결권 : 근로자가 근로 조건 개선을 위하여 노동조합을 결성하고 가입하여 활동할 수 있는 권리
- 단체 교섭권 : 근로자가 사용자와 노동조합을 통해 자주적으로 근로 조건에 관하여 협의할 수 있는 권리
- 단체 행동권 : 협정이 원만하게 이루어지지 않아 일정한 절차를 거쳐 파업이나 합법 시위를 할 수 있는 권리

12 정답_②
형법
- 범죄의 유형과 형벌의 종류를 규정한 법 → 공법의 한 종류
- 사회 질서를 유지하고 국민의 권리를 보호함

오답풀이
① 민법 : 개인 간의 가족 관계 및 재산 관계 등을 규정한 법

③ 상법 : 개인이나 기업 간의 상거래 활동 등 경제생활 관계를 규율하는 법
④ 소비자 기본법 : 소비자의 권리와 이익을 보호할 목적으로 만들어진 법률 → 사회법, 경제법의 한 종류

13 정답_④
감사원
- 의미 : 대통령 직속 기관으로 행정부 최고 감사 기관이자 독립적인 지위를 가진 헌법 기관
- 선출 : 감사원장은 국회의 동의를 얻어 대통령이 임명함
- 역할 : 국가의 세입 및 세출을 결산하고 감독함, 행정 기관이나 공무원의 업무 처리 등 행정 전반을 감찰함

오답풀이
① 국회, ② 법원, ③ 선거 관리 위원회

14 정답_①
주식
- 의미 : 주식회사가 투자자에게 자금을 투자한 대가로 발행하는 증서로, 회사 소유권의 일부를 투자자에게 주는 증표
- 수익성은 높지만 안전성이 낮음

15 정답_③
시장 가격(균형 가격)은 수요량과 공급량이 일치하는 곳에서 결정된다. 따라서 수요량과 공급량이 3만 개로 일치하는 3,000원에서 균형 가격이 결정된다.

16 정답_②
역할 갈등
- 의미 : 한 사람이 여러 가지 역할을 동시에 수행하는 과정에서 나타나는 갈등
- 발생 원인 : 사회가 복잡해지고 개인이 다양한 사회적 관계를 맺고 있기 때문임
- 특징 : 현대 사회가 복잡해지면서 역할 갈등도 증가함

17 정답_④
고인돌은 청동기 시대의 대표적인 무덤으로, 대규모의 노동력이 동원된 것과 발견된 청동검을 통해 당시 정치적 영향력이 있는 지배자(족장, 군장)의 무덤이라고 추측된다.

오답풀이

① 구석기 시대, ② 신석기 시대, ③ 철기 시대

18
정답_④

고구려의 소수림왕(4C)은 불교를 수용하고 율령을 반포하였으며 태학을 설립하여 중앙 집권 체제를 완성하였다.

오답풀이

① 고려의 광종, ② 조선의 세종, ③ 백제의 의자왕

19
정답_③

조선의 광해군

임진왜란 이후 산업 재건, 국방 강화, 토지 대장·호적을 정비하는 등 전후 복구 사업에 힘썼고, 공납의 폐단을 개선하기 위해 1결당 쌀 12두를 걷는 대동법을 실시하였다. 또한 임진왜란 때 도움을 준 명과 새롭게 성장하는 후금 사이에서 신중하고 실리적인 중립 외교 정책을 폈다.

오답풀이

① 조선의 세종, ② 조선의 정조, ④ 고려의 광종

20
정답_①

탕평책은 어느 한 곳에 치우치지 않고 여러 붕당에서 인재를 고루 등용하는 정책이다. 노론의 전제화를 막기 위해 영·정조 대에 탕평책이 실시되었다.

오답풀이

② 진대법 : 고구려 고국천왕 때(2C) 가난한 농민을 구제하여 노비로 몰락하는 것을 방지하기 위한 구휼 제도(봄에 곡식을 빌려주었다가 가을에 추수한 것으로 갚게 함)

③ 사창제 : 조선 시대 각 지방 군현의 촌락에 설치된 곡물 대여 기관으로, 흥선 대원군은 기존의 환곡제를 개선하여 마을 단위로 공동 운영하는 사창제를 실시해 농민 부담을 줄여줌

④ 독서삼품과 : 신라 원성왕 때 국학의 학생들을 독서 능력에 따라 상·중·하로 구분하여 임용하려는 관리 선발 제도였지만 골품제 때문에 그 기능을 제대로 발휘하지 못함

21
정답_②

거란의 침입(고려)

서희는 거란(요)의 1차 침입을 맞아 거란 장수 소손녕과 외교 담판을 벌여 고구려의 옛 영토인 강동 6주를 회복하였다. 이로써 고려의 영토가 압록강 유역까지 확대되었다. 거란의 2차 침입 때는 양규가 물러가는 거란군을 격파하였고, 거란의 3차 침입 때는 강감찬이 귀주에서 거란군을 대파하였다.

오답풀이

① 신라의 지증왕, ③ 조선의 세종, ④ 고려의 박위, 조선의 이종무

22
정답_①

원효는 통일 신라 때의 승려로, 일심 사상, 화쟁 사상, 아미타 신앙을 통해 불교의 대중화에 힘썼다.

오답풀이

② 김홍도 : 신윤복과 함께 조선 후기 풍속화의 대표적인 화가

③ 이성계 : 조선의 건국자로, 새 왕조를 개창했기 때문에 고려 왕건과 함께 태조라 불림

④ 정약용 : 조선 후기 실학을 집대성한 학자로 『목민심서』, 『경세유표』, 『흠흠신서』, 『여유당전서』 등 수많은 저서와 거중기 등 제작

23
정답_③

신민회(1907)

안창호, 양기탁, 신채호 등이 조직한 비밀 애국 계몽 단체로 실력 양성을 통한 애국 계몽 운동을 전개하였다. 1911년 105인 사건으로 신민회가 해산되자 만주로 활동 무대를 옮겨 독립운동 기지 건설에 앞장섰다. 만주의 독립운동 기지는 1920년대 독립군 활동의 기반이 되었다.

오답풀이

① 삼별초 : 무신 최씨 정권 몰락 후 몽골과 강화를 체결하려 하자 배중손의 지휘로 삼별초는 강화도, 진도, 제주도로 이동하며 대몽 항쟁을 펼쳐 고려인의 자주정신을 보여줌

② 화랑도 : 원시 사회의 청소년 집단에서 기원하여 신라 진흥왕 때 국가적인 조직으로 정비되어 군사 훈련을 하면서 삼국 통일에 공헌함

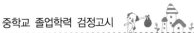

④ 별무반 : 윤관이 여진 정벌을 위해 신기군, 신보군, 항마군으로 편성한 고려의 군대

24 정답_③

6월 민주 항쟁(1987)

우리나라에서 전국적으로 벌어진 민주화 운동이다. 대통령 선거인단이 대통령을 뽑는 간접 선거를 골자로 한 기존 헌법에 대한 전두환 대통령의 호헌 조치, 경찰의 박종철 고문 치사 사건, 시위 도중 이한열이 최루탄에 맞아 사망한 사건 등이 도화선이 되어 6월 10일 이후 전국적인 시위가 발생하였고, 이에 6월 29일 노태우의 수습안 발표로 대통령 직선제로의 개헌이 이루어졌다.

오답풀이

① 3 · 1 운동(1919) : 일본의 식민지 지배에 항거하여 거족적으로 일어난 민족 해방 운동

② 6 · 25 전쟁(1950~1953) : 6월 25일 새벽에 북한 공산군이 남북 군사 분계선이던 38선 전역에 걸쳐 불법 남침함으로써 일어난 한국에서의 전쟁

④ 동학 농민 운동(1894) : 전라도 고부의 동학 접주(接主) 전봉준 등을 지도자로 동학도와 농민들이 합세하여 일으킨 농민 운동

25 정답_②

물산 장려 운동

1920년 조만식 등이 평양에서 평양 물산 장려회를 창립하고 서울에서 조선 물산 장려회를 조직하여 전국으로 확산시킨 경제적 자립 운동이다. 민족 자본과 민족 산업의 육성을 목적으로 일본 상품 배척, 국산품 애용 등을 주장하였다.

오답풀이

① 조선의 광해군, ③ 일제 강점기의 조선어 학회, ④ 대한 제국의 광무 개혁 때의 일이다.

정답 및 해설

2025년 1회 ▶과 학◀

01	③	06	④	11	④	16	④	21	④
02	②	07	②	12	②	17	④	22	④
03	①	08	①	13	①	18	③	23	③
04	②	09	①	14	④	19	②	24	①
05	①	10	①	15	③	20	③	25	③

01
정답_③

질량은 물질의 고유한 양으로, 물체가 위치한 장소에 따라 변하지 않는다. 따라서 지구에서 3kg으로 측정된 물체는 달에서도 동일한 질량(3kg)으로 측정된다.

02
정답_②

빛의 삼원색은 빨간색(R), 초록색(G), 파란색(B)이다. 빛은 여러 색을 조합하여 다른 색을 만들어낼 수 있다. 빨간색과 초록색을 합성하면 노란색 빛이 생성된다.

03
정답_①

스위치가 열려 있을 때 전류는 전구 (나)에만 흐르기 때문에 전구 (나)만 켜지게 된다. 스위치를 연결하면 전구 (가)와 (나)는 병렬로 연결되어 있기 때문에 전구 (나)의 밝기는 변하지 않고, 전구 (가)도 켜지게 된다.

04
정답_②

고온의 물질인 A와 저온의 물질인 B를 접촉시켜 놓으면 열은 고온인 A에서 저온인 B로 이동하게 된다. 고온의 물질을 구성하고 있는 입자의 운동은 둔해지며, 저온의 물질을 구성하고 있는 입자의 운동은 활발해진다. 8분경에 열평형 상태에 도달하였으며, 열평형 온도는 25℃이다.

05
정답_①

수평면에서 일정한 속력으로 움직이는 물체에 작용하는 힘의 크기는 0이다. 물체의 속력은 물체가 이동한 거리를 걸린 시간으로 나누어 구할 수 있다. 물체가 5cm 이동하는 동안 1초가 걸렸으므로, 5cm/s이다.

06
정답_④

자유 낙하는 공기 저항이 없을 때 물체가 중력에 의해서 연직 방향으로 떨어지는 운동이다. 이 때 물체의 위치가 줄어들기 때문에 위치 에너지는 감소하며, 물체의 속력은 증가하기 때문에 운동 에너지는 증가한다. 또한 물체의 위치 에너지와 운동 에너지의 합인 역학적 에너지는 어디서나 항상 일정하다.

07
정답_②

보일의 법칙은 기체의 온도가 일정할 때 기체의 압력과 부피 사이에는 반비례 관계가 있음을 설명하는 법칙이다. 기체의 압력이 1기압에서 2기압으로 2배 증가하면 기체의 부피는 40mL에서 20mL로 1/2배 감소한다.

08
정답_①

고체인 얼음을 가열하면 상태 변화가 두 번 일어난다. 첫 번째는 고체에서 액체로 변하는 녹는점에서의 상태 변화이고, 두 번째는 액체에서 기체로 변하는 끓는점에서의 상태 변화이다. 그림에서 A는 끓는점에서 물질이 기화하고 있는 지점이다.

09
정답_①

큰 공 1개와 작은 공 4개를 이용하여 만들 수 있는 분자 모형은 CH_4(메테인)이다. 이산화 탄소(CO_2)는 큰 공 1개와 작은 공 2개로, 암모니아(NH_3)는 큰 공 1개와 작은 공 3개로 나타낼 수 있다.

10
정답_①

그림은 서로 섞이지 않는 두 액체 혼합물이 밀도차를 가지고 있을 때 분리하는 장치인 분별 깔때기를 나타내고 있다. 밀도가 작은 액체는 위로 뜨고, 밀도가 큰 액체는 아래로 가라앉아 두 액체를 서로 분리할 수 있다.

11 정답_④

화학 변화를 통해 화합물을 생성할 때 화합물을 구성하는 성분 원소간의 질량비는 일정 성분비 법칙에 의해 항상 일정하다. 구리 4g과 반응하는 산소의 질량은 1g이므로 반응하는 구리와 산소의 질량비는 4:1임을 알 수 있다.

12 정답_②

기체의 온도와 압력이 일정할 때 반응하는 기체와 생성되는 기체의 부피 사이에는 항상 일정한 정수비가 성립한다. 보기에서 수소 두 부피가 산소 한 부피와 반응하여 수증기 두 부피를 생성하였으므로 수소 기체 2L와 산소 기체 1L가 반응하면 수증기는 2L 생성된다.

13 정답_①

생물은 크게 5종류로 분류할 수 있다. 버섯은 균계, 아메바는 원생 생물계, 진달래는 식물계, 코끼리는 동물계에 속한다.

14 정답_④

식물의 엽록체에서 일어나는 광합성 과정은 빛에너지를 흡수하여 물과 이산화 탄소를 합성하여 생물이 살아가는데 필요한 에너지원인 포도당을 합성하는 과정이다. 이 과정에서 산소도 생성되어 생물의 호흡에 사용된다.

15 정답_③

귀의 구조 중 A는 귓바퀴로 소리를 모아주고, B는 고막으로 외부 소리 자극에 의해 최초로 진동하는 곳이다. C는 반고리관으로 몸의 회전에 대한 자극을 받아들이고, D는 달팽이관으로 소리 자극을 감지한다.

16 정답_④

무조건 반사는 연수나 척수 같은 중추에 의해 대뇌의 관여 없이 빠르게 일어나는 반응이다. 뜨거운 것이나 날카로운 곳에 닿았을 빨리 움츠리는 것은 척수에 의한 무조건 반사이다.

17 정답_④

체세포 분열 과정은 염색체의 모양이나 이동에 따라 전기, 중기, 후기, 말기로 구분된다. 전기에는 염색체가 응축되고, 중기에는 염색체가 세포 가운데 배열된다. 후기에는 염색체가 두 가닥으로 분리되어 양 끝으로 이동하고, 말기에는 두 개의 세포로 나누어지게 된다.

18 정답_③

순종의 둥근 완두(RR)와 순종의 주름진 완두(rr)를 교배하면 잡종 1대에서는 둥근 완두가 나오게 된다. 잡종 1대의 둥근 완두의 유전자형은 순종의 둥근 완두에게서 물려받은 'R'과 순종의 주름진 완두에게서 물려받는 'r'의 조합인 'Rr'이다.

19 정답_②

위, 소장, 대장 등의 기관들로 이루어진 기관계는 소화계이다. 소화계는 섭취한 음식물이 영양소를 흡수하는 소장의 융털을 통과할 수 있을 정도로 작게 분해하는 역할을 맡고 있다. 이렇게 흡수한 영양소는 순환계에 의해 온몸의 세포로 전달된다.

20 정답_③

규암, 대리암, 편마암은 기존의 암석이 열과 압력을 받아 변형된 변성암이다. 변성암에서는 화석이 발견되지 않으며, 엽리 구조가 발견되기 쉽다. 마그마가 식어 형성된 암석은 화성암이고, 퇴적물이 다져지고 굳어져 형성된 암석은 퇴적암이다.

21 정답_④

태양계의 행성은 지구와 물리적 특성이 비슷한 지구형 행성과 목성과 물리적 특성이 비슷한 목성형 행성으로 구분된다. 그 중 반지름과 질량이 크고 고리가 있는 목성형 행성에는 목성, 토성, 천왕성. 해왕성이 있다. 토성은 태양계 행성 중 두 번째로 크고 뚜렷한 고리를 가지고 있다.

22 정답_④

별의 색깔은 별의 표면 온도에 의해 결정된다. 별의 표면 온도가 높으면 푸른색, 별의 표면 온도가 낮으면 붉은색을 띤다. 보기의 색깔 중 가장 표면 온도가 낮은 별은 붉은색의 A 별이다.

23 정답_③

기권은 높이에 따른 기온 변화에 의해 대류권, 성층권, 중간권, 열권으로 구분된다. 대류권과 중간권은 높이 올라갈수록 기온이 내려가 대류 현상이 발생하며, 성층권과 열권은 높이 올라갈수록 기온이 올라가 대류 현상이 일어나지 않는다. 중간권은 대류 현상은 일어나지만 수증기가 거의 없기 때문에 기상 현상은 일어나지 않는다.

24 정답_①

포화 수증기량은 기온이 높아질수록 커진다. 상대 습도는 현재 온도에서 실제 공기에 들어있는 수증기량을 포화 수증기량으로 나눈 후 100을 곱하여 구할 수 있다. A는 실제 수증기량과 포화 수증기량이 같으므로 상대 습도가 100%이다.

25 정답_③

연주시차는 별을 6개월 간격으로 관찰하였을 때 지구와 별들 사이 각도인 시차의 1/2이다. 연주시차가 작으면 지구로부터 멀리 있는 별이고, 크면 지구에 가까이 있는 별이다.

▶2024년 2회◀

01	③	06	④	11	①	16	①	21	④
02	②	07	④	12	②	17	③	22	②
03	③	08	③	13	④	18	③	23	②
04	②	09	①	14	①	19	②	24	②
05	④	10	④	15	①	20	②	25	①

01 정답_③

기체나 액체 속에서 물체를 중력의 반대 방향으로 밀어 올리는 힘을 부력, 지구가 지구상의 물체를 지구 중심 방향으로 잡아당기는 힘을 중력, 물체의 운동을 방해하는 힘을 마찰력, 변형된 물체가 원래 모양으로 되돌아오게 하는 힘을 탄성력이라고 한다.

02 정답_②

횡파는 파동의 진행 방향과 매질의 진동 방향이 수직인 파동이다. 매질이 진동하면서 가장 위에 있을 때를 마루, 가장 바닥에 있을 때를 골이라고 한다. 마루와 골 사이 거리의 절반을 진폭이라고 하며, 마루(골)와 마루(골) 사이의 수평 거리를 파장이라고 한다.

03 정답_③

전하의 흐름을 전류(I), 전류를 흐르게 하는 능력을 전압(V), 전류의 흐름을 방해하는 정도를 저항(R)이라고 한다. 전류, 전압, 저항 사이의 관계는 옴의 법칙으로 나타낼 수 있는데 '저항=전압/전류'이다. 전압이 2V일 때 전류가 1A이므로 '저항=2V/1A=2Ω'이다.

04 정답_②

열은 일반적으로 고온의 물질로부터 저온의 물질로 두 물질의 온도가 같아질 때까지 이동한다. 열의 이동 방법으로는 전도, 대류, 복사가 있다. 고체일 때 열의 전달 방법은 열의 매질이 직접 이동하지는 않는 전도이며, 액체나 기체일 때 열전달 방법은 찬 매질은 아래로 뜨거운 매질은 위로 이동하며 순환하는 대류이고, 빛이나 전파 같은 경우에는 매질 없이 직접 열이 이동하는 복사이다.

05 정답_④

물체에 힘을 주고 힘을 준 방향으로 물체를 이동시켰을 때 과학에서 정의하는 일을 하였다라고 한다. 물체를 들어 올리는 일을 하기 위해서는 최소한 물체의 무게만큼의 힘을 주어야 하고 높이만큼 이동시켜야 한다.

$$\begin{aligned}
\text{과학에서의 일}(W) &= \text{힘}(F) \times \text{이동 거리}(s) \\
&= \text{무게}(w) \times \text{높이}(h) \\
&= 20N \times 5m \\
&= 100J
\end{aligned}$$

06 정답_④

물체가 기준면을 기준으로 높이(h)를 가지고 있으면 중력에 의한 위치 에너지(E_p)를 가지게 되고, 물체가 움직이며 속력(v)을 가지고 있으면 운동 에너지(E_k)를 가지게 된다. 이 위치 에너지와 운동 에너지 합을 역학적 에너지라고 하고, 공기 저항과 같은 마찰이 없는 경우 역학적 에너지는 보존된다.

07 정답_④

기체의 온도가 일정할 때 기체가 들어있는 주사기 피스톤을 누르면 입자 사이의 거리가 줄어들어 기체의 부피가 감소하고, 기체 입자가 주사기 표면에 부딪히는 횟수가 증가하므로 기체의 압력은 증가하게 된다. 이렇게 기체의 온도가 일정할 때 기체의 부피와 압력 사이에는 반비례 관계가 있다는 것을 보일의 법칙이라고 한다.

08 정답_③

물질은 열이나 압력에 의해 상태가 변할 수 있다. 고체에서 액체로 상태가 변화하는 것을 융해, 액체에서 기체로 상태가 변화하는 것을 기화, 기체에서 액체로 상태가 변화하는 것을 액화, 액체에서 고체로 상태가 변화하는 것을 응고라고 한다. 쇳물이 식어 단단한 철이 되는 것은 물질의 상태가 액체에서 고체로 변하는 응고가 일어난 것이다.

09 정답_①

물질을 구성하는 기본 성분을 원소, 물질을 구성하는 기본 입자를 원자, 물질의 성질을 가지는 독립된 입자를 분자라고 한다. 원소는 현재 118종류가 발견되었으며 일부 금속 원소는 특정한 불꽃 반응색을 나타낸다.

10 정답_④

물질의 단위 부피당 질량을 나타낸 값인 밀도는 물질의 특성이다. 해당 물질의 질량을 부피로 나누어 나타낸다. A의 밀도는 $10g/10mL = 1g/mL$, B의 밀도는 $20g/10mL = 2g/mL$, C의 밀도는 $30g/20mL = 1.5g/mL$, D의 밀도는 $50g/20mL = 2.5g/mL$이다.

11 정답_①

화학 반응식에서는 화살표를 기준으로 왼쪽에는 반응물의 화학식이나 분자식을 오른쪽에는 생성물의 화학식이나 분자식을 써 나타낸다. 생성물이나 반응물이 여러 개인 경우에는 '+'로 표시하여 나타내고, 화살표 양쪽의 원자수가 같아질 때까지 계수를 조정하여 화학 반응식을 완성한다. 완성된 화학 반응식에서 분자식 앞의 계수는 반응에 참여하거나 생성된 분자의 수를 의미한다.

12 정답_②

프루스트의 일정 성분비 법칙에 따르면 화학 반응이 일어날 때 반응물과 생성물 사이에는 항상 일정한 질량비가 성립한다. 4g의 구리(Cu)가 연소하여 산소(O_2)와 결합할 때 5g의 산화 구리(CuO)가 생성되었으므로 반응에 참여한 산소의 질량은 1g이라는 것을 알 수 있다. 반응물 구리와 생성물 산화 구리의 질량비가 4:5이기 때문에 구리 8g이 반응에 모두 참여하면 10g의 산화 구리가 생성된다는 것을 알 수 있다.

13 정답_④

광합성은 식물의 세포 중에 엽록체에서 일어난다. 빛에너지로 물과 이산화 탄소를 합성하여 포도당과 산소를 만들어내는 과정이다. 이렇게 만들어진 포도당은 생물의 생명 활동에 쓰이는 에너지원으로 사용되며, 산소는 생물의 호흡에 사용된다.

14 정답_①

균계에 속한 생물은 주로 다세포로 몸이 실처럼 생긴 균사로 되어 있고, 다른 생물을 분해하면서 살아간다. 포자로 번식하며 세포벽을 가지고 있다. 단, 효모처럼 단세포로 포자로 번식하지 않고 출아법으로 번식하는 경우도 있다.

15
정답_①

생물의 구성 단계는 생명체를 구성하는 기본 단위인 세포, 비슷한 역할을 하는 세포들의 모임인 조직, 일정한 형태를 갖추고 기능을 하는 기관, 그런 기관이 모여 하나의 생명체를 이루는 개체가 있다.

16
정답_①

대뇌는 좌우 두 개의 반구로 이루어져 있고, 주름이 많고 고등 정신작용(기억, 추리, 판단, 학습 등)을 담당한다. 간뇌는 우리 몸의 체온 조절, 혈당량 조절, 삼투압 조절 같은 항상성을 담당하고, 연수는 심장박동, 호흡, 소화의 중추이다.

17
정답_③

폐포는 폐 안쪽의 미세 기관지 끝에 달려 있는 얇은 공기 주머니로 많은 모세 혈관으로 둘러싸여 있다. 폐포와 모세 혈관 사이에서 산소와 이산화 탄소의 기체 교환이 확산에 의해 일어난다.

18
정답_③

체세포 분열이 일어나면 1개의 모세포가 2개의 딸세포로 분열한다. 딸세포에 들어있는 염색체수는 모세포와 같다. 다세포 동물에서 체세포 분열이 일어나면 생장이나 재생이 일어나며, 단세포 동물인 경우 체세포 분열이 일어나면 개체수가 늘어난다.

19
정답_②

멘델의 분리 법칙에 따라서 부모가 가지고 있는 유전자 중 하나가 자식에게 전달된다. 아버지가 가지고 있는 TT 유전자 중 하나인 T가 자손에게 전달되고, 어머니가 가지고 있는 tt 유전자 중 하나인 t가 자손에게 전달되면 자손의 유전자형은 Tt가 된다.

20
정답_②

지구에서 지각은 깊이 5~35km 정도로 가장 얇고, 대륙 지각과 바다를 위에 둔 해양 지각으로 구분한다. 맨틀은 깊이 2,900km까지로 가장 두꺼운 층이고 지구 전체 부피의 약 80%를 차지하고 있다. 철과 니켈 등이 녹아 액체로 된 외핵은 깊이 5,100km까지이고, 철과 니켈이 높은 압력에 의해 고체로 되어 있는 내핵은 깊이 6,400km까지이다.

21
정답_④

지구는 서에서 동으로 시간당 15°씩 자전을 한다. 그래서 지구 주위의 별이나 달, 태양 등은 동에서 서로 시간당 15°씩 움직이는 것처럼 보이는 겉보기 운동인 일주 운동을 하는 것이다. 지구 자전축의 연장선상에 북극성이 위치해 있기 때문에 지구가 자전해도 북극성이 움직이지 않는 것처럼 보인다.

22
정답_②

금성은 두꺼운 이산화 탄소 대기 때문에 온실 효과가 매우 심해 표면 온도가 400℃ 이상이고, 화성은 과거에 물이 흘렀던 흔적이 있으며, 얼음과 드라이아이스로 된 극관이 있다. 목성은 빠른 자전으로 표면에 줄무늬가 있으며 대규모 폭풍인 대적점도 있다.

23
정답_②

해수 1000g에 녹아있는 염류의 양(g)을 염분이라고 하고, psu(실용염분단위)로 나타낸다. 염분이 35psu라는 것은 해수 1000g 중 염류가 35g, 물이 965g이라는 의미이다. 염류 중 가장 많은 양을 차지하는 것은 염화 나트륨이고, 두 번째로 많은 양을 차지하는 것은 염화 마그네슘이다.

24
정답_②

특정 온도(℃)의 공기 1kg에 포함되어 있는 수증기량(g)을 포화수증기량이라고 한다. 포화수증기량은 온도가 높을수록 증가한다. A와 D는 포화 상태이고, B와 C는 불포화 상태이다. 포화 상태의 공기에는 더 이상 수증기가 포함될 수 없지만 불포화 상태의 공기에는 해당 공기가 포화될 때까지 수증기를 더 포함할 수 있다.

25
정답_①

겉보기 등급은 맨눈으로 보았을 때 별의 밝기를 나타낸 것이다. 별이 밝을수록 별의 등급을 나타내는 숫자가 작아지며 별이 어두울수록 숫자가 커진다. 절대 등급은 모든 별이 지구에서 10pc(=32.6광년) 거리에 있다고 가정한 후 측정한 별의 밝기로 별의 실제 밝기를 서로 비교할 수 있다.

▶2024년 1회◀

01	①	06	①	11	②	16	②	21	①
02	③	07	④	12	④	17	②	22	④
03	④	08	②	13	④	18	①	23	③
04	③	09	③	14	④	19	①	24	①
05	①	10	④	15	③	20	③	25	②

01
정답_①

액체나 기체 속에서 물체를 중력의 반대 방향으로 밀어 올리는 힘을 부력이라고 한다. 중력은 지구가 지구상의 물체를 지구 중심 방향으로 잡아당기는 힘이고, 마찰력은 물체의 운동을 방해하는 힘이다. 탄성력은 변형된 물체가 원래의 모양으로 되돌아가려는 힘이다.

02
정답_③

빛의 성질에는 빛의 직진, 빛의 반사, 빛의 굴절 등이 있다. 그 중 빛의 반사 법칙에 따르면 빛이 거울과 같은 반사면에 맞고 반사될 때 입사광선의 입사각 크기와 반사광선의 반사각 크기는 언제나 같아야 한다. 그림에서 반사각이 60°이므로 입사각도 60°이다.

03
정답_④

(+)를 대전체를 전기적으로 중성인 알루미늄 금속 막대에 가까이 가져갔을 때 알루미늄 막대 내부의 전자가 전기적인 인력에 의해 접근하고 있는 (+) 대전체와 가까운 쪽으로 이동하기 때문에 알루미늄 막대에서 (+) 대전체에 가까운 부분은 (−)로 대전되고, 먼 쪽은 (+)로 대전되는 정전기 유도 현상이 일어난다.

04
정답_③

직선 도선에 전류가 윗 방향으로 흐를 때 전류가 흐르는 방향으로 엄지 손가락을 향하게 하면 네손가락을 감아쥐는 방향이 자기장의 방향이다. 만약 전류의 방향이 바뀌면 자기장의 방향도 변하기 때문에 나침반이 가리키는 방향도 반대가 된다.

05
정답_①

물체의 시간에 따른 이동 거리 그래프에서 그래프의 기울기는 '속력'을 의미한다. 시간이 2초 경과하였을 때 물체의 이동 거리가 4m이므로

$$속력 = 거리/시간 = 4m/2초 = 2m/초$$

가 된다.

06
정답_①

중력에 의한 위치 에너지는 물체의 질량과 물체의 높이를 곱한 값에 비례한다. 물체의 질량이 같을 때 물체가 가지는 높이가 더 높을수록 물체의 위치 에너지는 더 커진다. 그림에서 지면을 기준으로 할 때 물체의 높이가 제일 높은 물체는 A이므로 A의 위치 에너지가 가장 크다.

07
정답_④

입자가 스스로 운동하는 것을 입자 운동이라고 한다. 입자의 농도가 높은 곳에서 농도가 낮은 곳으로 양쪽의 농도가 같아질 때까지 입자 운동하는 것을 확산이라고 하며, 액체의 표면에서 액체 입자가 입자 운동하여 기화하는 것을 증발이라고 한다.

08
정답_②

액체에서 기체로 상태가 변화하는 것을 기화, 액체가 고체로 상태 변화하는 것을 응고, 기체가 액체로 변화하는 것을 액화, 고체가 액체로 상태 변화하는 것을 융해라고 한다. 그러므로 그림에서 기화에 해당하는 것은 액체에서 기체로 상태가 변하는 B이다.

09
정답_③

암모니아 분자(NH_3)는 질소 원자(N) 1개와 수소 원자(H) 3개가 화학적으로 결합한 독립된 입자로서 성질을 지닌 가장 작은 입자를 만든 것이다.

10
정답_④

밀도는 물질의 특성으로서 어떤 물질의 질량을 부피로 나눈 값이다. 단위 부피당 질량이며, 서로 섞이지 않는다면 밀도가 큰 물질이 가라앉고 밀도가 작은 물질이 떠오른다. 그림에서 D가 가장 아래쪽에 가라앉아 있으므로 밀도가 가장 큰 물질이다.

11 정답_②

화학 반응식을 만들 때는 반응물은 왼쪽에 생성물을 오른쪽에 쓰고, 그 사이를 화살표로 연결한다. 화학 반응 전과 후에 원자의 새로 만들어지거나 없어질 수 없고, 변할 수도 없기 때문에 원자의 수와 종류는 항상 같을 수 있도록 화학 계수를 완성한다. 화학 반응식에서 반응물에 비해 생성물 쪽에 수소 원자 4개와 산소 원자 2개가 부족한 것을 알 수 있기 때문에 ㉠에 들어갈 알맞은 화합물의 화학식은 H_2O이다.

12 정답_④

마그네슘이 공기 중 산소와 결합하여 화학 반응을 할 때 항상 일정한 질량비로 결합한다. 마그네슘의 산화 반응이 일어날 때 '마그네슘(Mg)의 질량+산소(O_2)의 질량=산화 마그네슘(MgO)의 질량'이므로 마그네슘 3g과 산소 2g이 결합하여 산화 마그네슘 5g이 생성됐음을 알 수 있다.

13 정답_③

단단한 세포벽이 있고, 엽록체를 가지고 있어 광합성을 통해 스스로 양분을 합성할 수 있는 생물들의 모임을 식물계라고 한다. 생태계에서 생산자의 위치에 있으며, 뿌리, 줄기, 잎, 꽃이 발달한 다세포 생물이다.

14 정답_④

세포가 살아있는 동안에 항상 일어나는 세포의 호흡은 포도당과 같은 양분을 산소를 이용해서 분해하여 세포나 생명체가 살아가는 데 필요한 에너지를 생성하는 과정이다. 그 과정에서 이산화 탄소와 물이 생성된다.

15 정답_③

소장의 융털을 구성하고 있는 세포막을 통과해 체내로 흡수할 수 있는 크기까지 영양소를 잘게 분해하는 과정을 소화라고 한다. 이 소화를 담당하고 있는 입, 식도, 위, 소장, 대장, 간, 이자, 쓸개와 같은 기관들이 모인 것을 소화계라고 한다. 폐는 호흡계 속한다.

16 정답_②

사람 심장의 심방과 심실 사이, 심실과 동맥 사이에는 혈액이 거꾸로 흐르지 않고 한 방향으로만 흐르게 하는 판막이 존재한다. 또한 온몸의 정맥에도 낮은 혈압에 의해 혈액이 거꾸로 흐르는 것을 방지하기 위해 판막이 존대한다.

17 정답_②

내분비샘에서 미량으로 만들어져 혈액을 타고 온몸을 이동하여 표적 기관이나 세포에 작용하여 몸의 여러 작용을 일으키는 물질을 호르몬이라고 한다. 미량이 필요하지만 필요량보다 많거나 적으면 몸에 이상을 일으킨다.

18 정답_①

동물(정소, 난소)이나 식물(암술, 수술)의 생식 기관에서는 생물의 생식을 위한 생식 세포(정자, 난자, 밑씨, 꽃가루)를 만들기 위해 감수 분열을 하여 세포를 만들어 낸다. 이 감수 분열은 두 번의 분열이 연속적으로 일어나며 첫 번째 분열과 두 번째 분열 사이에 간기 없이 바로 진행된다. 첫 번째 분열에서 세포 내 염색체수가 반으로 감소한다.

19 정답_①

아버지가 가지고 있는 혈액형 유전자 A와 A 중 한 개만 분리의 법칙에 의해서 자손에게 전달된다. 둘 중 어느 것이 전달되어도 A 유전자가 전달되고, 어머니의 혈액형 유전자 O와 O 중 한 개만 분리 법칙에 의해 자손에게 전달될 것이기 때문에 역시 O 유전자가 전달된다. 그래서 자손의 혈액형 유전자는 A와 O가 될 것이고, 유전자형은 AO가 된다.

20 정답_③

지진을 연구하는 방법에는 직접적인 방법과 간접적인 방법이 있다. 시추법과 같은 직접적인 방법은 지구 내부를 조사할 수 있는 가장 확실한 방법이지만 조사할 수 있는 깊이에 한계가 있고, 비용과 시간이 매우 많이 든다. 그에 비해 지진파 분석과 같은 간접적인 방법은 지구 내부를 조사할 수 있는 가장 효과적인 방법으로 조사할 수 있는 깊이에 한계가 없다.

21
정답_①

기존의 암석이 높은 열과 압력을 받아 변성된 것을 변성암이라고 한다. 기존 암석이 높은 열을 받으면 녹은 후 다시 굳는 과정에서 광물 결정의 크기가 커지고, 높은 압력을 받으면 압력에 수직한 방향으로 엽리가 생성된다.

22
정답_④

달이 지구의 본 그림자에 부분적으로 가려지면 부분 월식이 일어나며, 달이 지구의 본 그림자에 완전히 가려지면 개기 월식이 일어난다. 이 때 달의 위상은 음력 15일의 망(태양-지구-달)이며, 태양 광선이 지구 대기에 의해 산란, 굴절되어 달의 표면은 붉게 보인다.

23
정답_③

지구형 행성은 물리적 특성이 지구와 비슷하다. 반지름과 질량은 작고, 밀도는 크다. 대기는 없거나 무거운 기체로 되어 있고, 위성의 수는 없거나 적다. 지구형 행성에 포함되는 태양계의 위성은 수성, 금성, 지구, 화성이다.

24
정답_①

따뜻한 공기가 찬 공기를 밀어낼 때 기온이 다른 두 공기는 서로 섞이지 않고 가벼운 따뜻한 공기가 무거운 찬 공기 위로 비스듬히 타고 올라간다. 이 때 얇고 넓은 형태의 층운이 만들어져 약한 비가 넓은 지역에 내리게 된다. 가벼운 따뜻한 공기가 무거운 찬 공기 위로 올라가며 만들어지는 경계면이 지표에 닿은 것을 온난전선이라고 한다. 반대로 무거운 찬 공기가 가벼운 따뜻한 공기 아래로 파고 들어가며 따뜻한 공기를 밀어 올리는 것을 한랭 전선이라고 한다.

25
정답_②

지구가 6개월 간격으로 공전하면서 한 별을 관찰할 때 배경 별의 위치가 달라지는 현상을 시차라고 한다. 이 시차라는 각도를 반으로 나누면 연주시차가 된다. 별의 거리가 멀어지면 연주시차가 줄어들기 때문에 별의 거리와 연주시차는 반비례한다는 것을 이용하여 연주시차로 별까지의 거리를 측정할 수 있다. 시차는 지구가 공전한다는 가장 강력한 증거이다.

2023년 2회◀

01	②	06	①	11	②	16	③	21	②
02	①	07	③	12	④	17	④	22	③
03	②	08	④	13	④	18	④	23	②
04	①	09	③	14	①	19	③	24	④
05	④	10	①	15	①	20	①	25	④

01
정답_②

지구가 지구상의 물체를 지구 중심 방향으로 잡아당기는 힘을 중력이라고 한다. 부력은 액체나 기체 속에서 물체를 중력의 반대 방향으로 밀어내는 힘이며, 마찰력은 물체의 운동을 방해하는 힘이다.

02
정답_①

빛의 3원색은 빨간색, 초록색, 파란색이다. 빨간색과 초록색의 합성색은 노란색이며, 초록색과 파란색의 합성색은 청록색이다. 빨간색과 파란색의 합성색은 자홍색이며, 빨간색, 초록색, 파란색을 모두 합성하면 흰색이 된다.

03
정답_②

전하의 흐름을 전류(I), 전류를 흐르게 하는 능력을 전압(V), 전류의 흐름을 방해하는 정도를 저항(R)이라고 한다. 전류, 전압, 저항 사이의 관계는 옴의 법칙으로 나타낼 수 있는데 '저항=전압/전류'이다. 전압이 4V일 때 전류가 2A이므로 '저항=4V/2A=2Ω'이다.

04
정답_①

비열은 물질마다 고유한 물질의 특성으로 물질 1kg을 1℃ 높이는 데 필요한 열량(kcal)을 나타낸다. 비열이 클수록 온도 변화가 작게 일어난다. 철, 콩기름, 에탄올, 물 중 철의 비열이 가장 작으므로 같은 열량을 가했을 때 온도 변화가 가장 크게 일어날 것이다.

05
정답_④

마찰과 열이 발생하지 않아 물체의 역학적 에너지가 보존될 때 물체가 아래로 내려오면서 위치 에너지가 감소하고 운동 에너지가 증가하는 전환이 일어난다. A~D 중 높이가 가장 낮아 물체의 위치 에너지가 운동

에너지로 가장 많이 전환된 지점은 D이다.

06
정답_①

물체의 빠르기를 나타내는 물체의 속력은 이동 거리를 시간으로 나누어 구한다. 물체는 시간에 따라 이동 거리가 비례하는 속력이 일정한 운동을 하였으므로 이 물체의 속력은 1m/1s=1m/s이다.

07
정답_③

압력이 일정할 때 기체의 온도가 올라가면 기체의 부피는 증가한다. 용기 위에 올려놓은 추의 개수가 변하지 않는 것으로 보아 외부 압력은 일정하고 온도는 25℃에서 90℃로 올라갔다. 온도가 올라가면 입자 운동이 활발해지고 기체의 부피는 증가한다.

08
정답_④

액체에서 기체로 기화할 때 온도가 일정하게 유지되는 구간을 끓는점이라고 한다. 표에서 점점 올라가던 온도가 100℃에서 일정하게 유지되는 것으로 보아 이 물질의 끓는점은 100℃이고, 물이라는 것을 알 수 있다.

09
정답_③

구리의 불꽃색은 청록색, 칼륨의 불꽃색은 보라색, 나트륨의 불꽃색은 노란색, 스트론튬의 불꽃색은 빨간색이다. 이 중 염화 나트륨과 질산 나트륨에 공통으로 들어있는 원소는 나트륨이다.

10
정답_①

고체 물질의 용해도는 용매의 온도가 높아질수록 증가한다. 물질마다 증가하는 정도는 다르기 때문에 물질의 고유한 특성이다. 100℃에서 용해도가 가장 큰 물질은 그래프의 기울기가 가장 큰 질산 칼륨이지만 40℃에서 용해도가 가장 큰 물질은 질산 나트륨이다.

11
정답_②

라부아지에의 질량 보존 법칙에 따르면 반응이 일어나더라도 원자는 새로 생겨나지도, 없어지지도, 변하지도 않기 때문에 반응 전과 반응 후의 질량은 같다. 구리 8g이 산소 2g과 반응하여 산화 구리 10g이 생성된다.

12
정답_④

생물은 원핵 생물계, 원생 생물계, 균계, 식물계, 동물계의 5가지로 나누어진다. 그중 동물계는 스스로 움직이면서 먹이를 섭취할 수 있어야 한다. 그러나 해바라기는 움직이지 못하고 광합성을 통해 스스로 양분을 합성하므로 식물계에 속한다.

13
정답_②

게이 뤼삭의 기체 반응의 법칙은 생성물과 반응물이 모두 기체일 때 간단한 정수비로 반응한다는 법칙이다. 화학 반응식에 각 화합물의 계수는 반응하고 생성되는 부피 비를 나타낸다. 또한 이 부피의 비는 그림에서 상자의 수로도 알 수 있다.

14
정답_①

식물의 엽록체에서 일어나는 광합성은 식물이 양분을 스스로 합성하기 위해서 일어나는 화학 반응이다. 포도당과 물을 태양 에너지로 합성하여 양분이 되는 포도당을 만든다.

15
정답_③

동물의 구성 단계에서 생명 활동의 기본 단위는 세포, 비슷한 세포의 모임을 조직, 일정한 형태와 기능을 갖춘 것은 기관, 연관된 기능을 하는 기관들이 모여 특정한 역할을 하는 단계를 기관계, 그리고 이 기관계가 모여 하나의 생명체인 개체를 형성한다.

16
정답_③

3대 영양소 중 사람의 주 에너지원인 녹말은 입과 소장에서 아밀레이스에 의해 엿당으로 분해되고, 소장에서 탄수화물 분해 효소에 의해 포도당으로 분해된 후 소장의 융털을 통해 체내로 흡수된다. 이렇게 소장의 융털로 흡수하기 위해 영양소를 작게 분해하는 과정을 소화라고 한다.

17
정답_④

동맥은 심실과 연결되어 강한 혈압으로 심장에서 나가는 혈관이고, 정맥은 심방과 연결되어 심장으로 들어

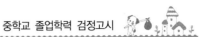

가는 혈관이다. 이 동맥과 정맥으로 온몸에서 그물처럼 연결해주는 혈관이 모세 혈관이다.

18
정답_④

각막은 공막이 변한 투명한 막으로 빛이 처음으로 들어오는 곳이며, 수정체는 빛을 굴절시켜 망막에 정확한 상을 맺히게 해주는 곳이다. 유리체는 투명한 물질로 눈의 형태를 유지해주며, 망막은 시각 세포가 존재하며 눈으로 들어온 빛을 감지한다.

19
정답_③

멘델의 우열의 원리에 따르면 순종의 대립 형질끼리 교배하였을 때 자손 1대에서 나오는 형질이 우성이다. 자손 1대에서 둥근 완두가 나왔으므로 둥근 것이 우성, 주름진 것이 열성이다. 어버이 중 둥근 완두의 유전자형이 RR이므로, 대립 형질 중 열성인 ㉠의 유전자형은 rr이다.

20
정답_①

지구계는 지각, 맨틀, 외핵, 내핵으로 구성된 지권, 바다, 빙하, 지하수, 강으로 구성된 수권, 대류권, 성층권, 중간권, 열권으로 구성된 기권, 동물과 식물 등으로 구성된 생물권, 지구 밖의 태양이나 달과 같은 천체로 구성된 외권이 있다. 그중 여러 가지 기체로 되어 있는 구성 요소는 기권이다.

21
정답_②

광물은 4천여 종이나 있기 때문에 다양한 광물을 구별하기 위해서는 겉보기 색, 조흔색, 굳기, 염산과의 반응, 자성 등을 이용한다. 그중 두 광물을 서로 긁어 자국을 확인하는 방법을 굳기라고 한다.

22
정답_③

일식은 달이 태양을 가리는 현상이고, 월식은 지구 그림자에 달이 들어가는 현상이다. 지구가 태양 주위를 1년에 한 바퀴씩 도는 운동은 지구의 공전이라고 한다.

23
정답_②

장마는 초여름에 한랭 다습한 오호츠크해 기단과 고온 다습한 북태평양 기단이 만나 많은 비를 뿌리는 것이며, 밀물과 썰물에 의해 해수면의 높이가 주기적으로 높아졌다 낮아졌다 하는 현상을 조석이라고 한다.

24
정답_④

온난 건조한 양쯔강 기단은 봄과 가을에 영향을 미치는 기단이고, 저온 다습한 오호츠크해 기단은 초여름에 영향을 미쳐 장마를 형성하는 기단이다. 고온 다습한 북태평양 기단은 장마와 한여름의 폭염을 만드는 기단이고, 한랭 건조한 시베리아 기단은 겨울철 한파의 원인이 되는 기단이다.

25
정답_④

지구에서 별까지의 거리를 알아내는 데 별의 등급을 이용할 수 있다. 지구에서 10pc보다 안쪽에 있는 별은 겉보기 등급이 절대 등급보다 작으며, 10pc 거리에 있는 별은 겉보기 등급과 절대 등급이 같고, 10pc보다 멀리 있는 별은 겉보기 등급이 절대 등급보다 크다.

▶2023년 1회◀

01	③	06	②	11	①	16	②	21	④
02	④	07	③	12	②	17	④	22	④
03	①	08	①	13	①	18	①	23	①
04	②	09	②	14	④	19	③	24	④
05	③	10	①	15	④	20	④	25	③

01   정답_③

이 용수철은 1N의 힘(혹은 무게)이 작용하면 1cm씩 늘어난다. 이 용수철에 추 A를 매달았을 때 3cm 늘어났다면

1N : 1cm = 추 A의 무게 : 3cm

추 A의 무게 = 3N

이 된다.

02   정답_④

파동의 요소에는 진폭, 파장, 주기, 진동수 등이 있다. 파동의 중심에서 마루나 골까지의 거리를 진폭, 마루와 마루(또는 골에서 골) 사이의 거리를 파장이라고 한다. 또한 1초 동안 파동이 진동한 횟수를 진동수라고 하며, 파동이 한 번 진동할 때 걸리는 시간을 주기라고 한다. 1번과 3번은 3초 동안 3번 진동하였으며, 4번은 3초 동안 6번 진동하였다.

03   정답_①

온도가 다른 두 물체를 접촉시키면 고온의 물체에서 저온의 물체로 두 물체의 온도가 같아질 때까지 열이 이동하게 된다. 보기에서 40℃의 물체 A가 고온의 물체이며, 10℃의 물체 B가 저온의 물체이다. 열은 물체 A에서 B로 이동하였으며 20℃에서 열평형을 이루었다.

04   정답_②

소비된 총 전기 에너지의 양은 '소비된 전기 에너지 양(Wh) = 소비 전력(W) × 사용한 시간(h)'로 구할 수 있다. 선풍기 소비 전력 50W × 선풍기 사용 시간 1h + 텔레비전 소비 전력 100W × 텔레비전 사용 시간 1h = 150Wh이다.

05   정답_③

자유 낙하는 정지해 있던 물체가 공기와의 마찰 없이 중력에 의해서만 떨어지는 운동이다. 물체가 낙하하게

되면 물체의 위치 에너지는 감소(10J)하게 되고 물체의 위치 에너지가 감소한 만큼 운동 에너지가 증가(10J)하여 역학적 에너지가 보존된다.

06   정답_②

밀폐된 주사기의 피스톤을 누르면 내부 공기 입자들의 입자 사이 거리가 줄어들며 공기의 부피가 줄어들게 된다. 부피가 변하더라도 공기의 입자 수는 변함이 없기 때문에 질량 또한 변함이 없다.

07   정답_③

액체에서 기체로 상태가 변화하는 것을 기화, 액체가 고체로 상태 변화하는 것을 응고, 기체가 액체로 변화하는 것을 액화, 고체가 액체로 상태 변화하는 것을 융해라고 한다. 차가운 음료컵 표면에 물방울이 맺히는 것은 공기 중 기체인 수증기가 컵 표면에서 액체로 액화하여 물이 되었기 때문이다.

08   정답_①

주로 금속 원자가 전자를 잃으면 전기적으로 (+) 상태인 양이온이 되고, 주로 비금속 원자가 전자를 얻으면 전기적으로 (−) 상태인 음이온이 된다. 금속인 리튬 원자는 전자를 하나 잃어 1가의 양이온인 Li^+가 된다.

09   정답_②

고체인 물질을 가열하면 입자 운동이 활발해지며 물질의 온도가 올라가며 특정 온도가 되면 입자 사이의 인력이 줄어들며 고체에서 액체로 상태가 변하게 된다. 이 때의 온도를 녹는점이라고 하며 상태가 변하는 동안 온도는 일정하게 유지된다.

10   정답_①

밀도는 물질의 단위 부피 당 질량을 의미한다. 또는 질량을 부피로 나누어 구할 수 있다. 여러 물질이 서로 섞이지 않고 있을 때 밀도가 큰 물질은 가라앉고 밀도가 작은 물질은 떠오르기 때문에 서로를 분리할 수 있다.

11   정답_①

화학 반응식을 만들 때에는 반응물은 왼쪽에 생성물을 오른쪽에 쓰고 그 사이를 화살표로 연결한다. 화학 반응 전과 후에 원자의 수와 종류는 항상 같을 수 있도록 화학 계수를 완성한다. 이렇게 완성된 화학 계수는 분

자 수의 비이기도 하며 기체인 물질들이 반응하고 생성되는 경우 부피비(보기에서 상자 수의 비)를 나타내기도 한다. 보기에서 수소 2부피와 산소 1부피가 반응하여 수증기 2부피가 만들어지기 때문에 수증기는 2L가 생성되는 것을 알 수 있다.

12
정답_②

생물은 각 고유의 특성에 따라 크게 5가지의 계로 나눌 수 있다. 핵이 없고 단세포로 구성된 원핵 생물계, 핵이 있고 주로 단세포로 구성되는 원생 생물계, 균사로 되어 있으며 다른 생물을 분해하며 살아가는 균계, 엽록체가 있어 광합성을 하여 스스로 양분을 합성하는 다세포 생물인 식물계, 움직이며 양분을 직접 섭취하는 다세포 생물인 동물계로 구분된다.

13
정답_①

식물은 엽록체에서 광합성을 하여 빛 에너지를 화학 에너지로 바꾸어준다. 이산화 탄소와 물을 빛 에너지로 합성하여 화학 에너지를 가진 포도당을 만들고 산소도 같이 생성된다. 검정말을 가지고 광합성 실험을 진행하면 발생하는 산소의 방울 수를 세어 광합성량을 알아볼 수 있다.

14
정답_②

혈장은 혈액의 액체 성분이며 체온 유지와 물질 운반을 담당하며, 백혈구는 혈액의 세포 성분으로 외부에서 침입한 균을 제거하는 식균 작용을 한다. 적혈구는 산소 운반을 담당하고, 혈소판은 상처가 나서 출혈이 일어났을 때 혈액 응고를 일으켜 출혈을 방지하는 역할을 한다.

15
정답_④

A는 간으로 해독작용과 함께 쓸개즙을 만들어 큰 지방 덩어리를 작은 지방 덩어리로 바꾸어주는 역할을 하고 B는 쓸개로 간에서 만든 쓸개즙을 저장하는 역할을 한다. C는 위로 단백질의 소화가 처음으로 이루어지며, D는 이자로 3대 영양소를 모두 소화할 수 있는 소화 효소인 이자액을 만드는 기관이다.

16
정답_②

생물은 호흡을 통해 살아가는 데 필요한 에너지를 얻을 수 있다. 이때 호흡 과정에서 분해되는 영양소 중에서 단백질은 질소를 포함하고 있기 때문에 독성이 높은 암모니아(NH_3)가 만들어지고 간에서 독성이 약한 요소로 바뀌게 된다. 이러한 혈액 속의 요소는 콩팥에서 여과, 분비 과정을 통해 걸러져 오줌으로 만들어진다. 이 오줌은 오줌관을 통해 방광으로 이동하여 요도를 통해 몸 밖으로 배설된다.

17
정답_④

순종의 황색 완두와 순종의 녹색 완두를 교배하면 잡종 1대에서는 돌연변이가 없을 때 우열의 원리에 의해 잡종의 황색 완두만 나오게 된다.

18
정답_①

생명체에서 일어나는 세포 분열로는 생장과 재생, 분열을 위한 체세포 분열과 생식 세포를 만드는 생식 세포 분열이 있다. 체세포 분열은 1회 일어나며 1개의 모세포가 2개의 딸세포로 분열된다. 생식 세포 분열의 경우 2회 연속으로 일어나며 1개의 모세포가 4개의 딸세포로 분열된다. 짚신벌레가 분열할 때 사용하는 세포 분열은 체세포 분열이다.

19
정답_③

물체가 운동하는 시간 – 속력 그래프에서 그래프의 밑넓이는 운동하는 물체의 이동 거리를 의미한다. 5m/s로 등속 운동하는 물체가 4초 동안 이동하였으므로, 그래프의 밑넓이는 '그래프 밑넓이 = 이동 거리 = 시간 (s) × 속력(m/s) = 4s × 5m/s = 20m'이다.

20
정답_④

암석을 구성하는 광물의 현재 약 4,000여 종이 발견되었다. 이렇게 많은 광물들을 구별하기 위해서는 광물의 특성을 이용해야 한다. 광물을 구별할 수 있는 광물의 특성으로는 광물의 겉보기 색, 광물 가루의 색인 조흔색, 염산과의 반응, 자성, 굳기 등이 있다. 그 중 묽은 염산과 반응하여 이산화 탄소 기체를 내놓은 광물은 탄산염 광물인 방해석이다.

21
정답_④

달은 지구 주위를 별자리 기준으로 27.3일, 달의 모양 변화 기준으로는 29.5일마다 한 번씩 공전한다. 달이 (나) 위치에 있을 때는 관찰이 어려운 음력 1일인 삭,

(다) 위치에 있을 때는 오른쪽 반달의 음력 7~8일인 상현, (라) 위치에 있을 때는 보름달의 음력 15일인 망, (가) 위치에 있을 때는 왼쪽 반달의 음력 22~23일인 하현이다.

22
정답_③

태양계의 행성들을 물리적 특성으로 구분하면 지구와 비슷한 지구형 행성과 목성과 비슷한 목성형 행성으로 나눌 수 있다. 지구형 행성에는 수성, 금성, 지구, 화성이 목성형 행성에는 목성, 토성, 천왕성, 해왕성이 있다. 그 중 목성은 태양계 행성 중 가장 크고, 빠른 자전으로 인한 가로줄무늬가 있다.

23
정답_①

해수의 층상 구조에서 혼합층은 점점 깊어질수록 태양 복사 에너지가 적게 도달하여 온도가 낮아져야 하지만 바람의 혼합 작용에 의해 해수가 고루 섞여 온도가 일정한 층이다. 그 아래의 수온 약층은 태양 복사 에너지가 도달하지 않아 해수의 온도가 점점 낮아지며 대류가 일어나지 않는 안정한 층이고, 더 아래의 심해층은 온도가 매우 낮고 일정하다.

24
정답_④

우리나라의 기단은 기온과 습도로 구분할 수 있다. 고온 건조하고 겨울에 영향을 미치는 시베리아 기단(A), 한랭 다습하며 초여름에 영향을 미쳐 장마를 형성하는 오호츠크해 기단(B), 온난 건조하며 봄과 가을에 영향을 미치는 양쯔강 기단(C), 고온 다습하며 장마를 형성하고 여름에 영향을 미치는 북태평양 기단(D)이 있다.

25
정답_③

지구에서 별까지의 거리를 알아내는 데 별의 등급을 이용할 수 있다. 지구에서 10pc보다 안쪽에 있는 별은 겉보기 등급이 절대 등급보다 작으며, 10pc 거리에 있는 별은 겉보기 등급과 절대 등급이 같고, 10pc보다 멀리 있는 별은 겉보기 등급이 절대 등급보다 크다.

▶2022년 2회◀

01	②	06	①	11	②	16	④	21	④
02	①	07	③	12	①	17	①	22	②
03	③	08	④	13	③	18	②	23	①
04	③	09	①	14	④	19	④	24	①
05	④	10	②	15	③	20	④	25	①

01
정답_②

지구가 지구 중심으로 물체를 당기는 힘을 중력이라고 한다. 중력의 크기는 질량이 커질수록 커지고, 물체와 지구 사이의 거리가 멀어질수록 작아진다.

02
정답_①

불투명한 물체의 경우 백색광 밑에 놓아두면 해당색만 반사하고, 나머지 색은 흡수한다. 백색광 밑에서 빨간색 물체는 빨간색을 반사하고, 초록색과 파란색을 흡수하는데 백색광 대신 파란색 빛을 빨간색 물체에 비추면 파란색 빛을 빨간색 물체가 흡수하여 아무 색도 반사하지 못하게 되므로 물체는 검은색으로 보이게 된다.

03
정답_③

원형 코일에 감긴 도선을 나사로 생각하였을 때 도선에 흐르는 전류의 방향으로 네 손가락을 감아쥐면 엄지손가락이 가리키는 방향이 자기장의 방향이다. 그림에서 도선에 흐르는 전류의 방향으로 네 손가락을 감아쥐면 엄지손가락이 왼쪽을 향하기 때문에 코일의 왼쪽이 N극, 반대쪽이 S극이 된다. 그러나 코일에 흐르는 전류의 방향을 바꾸어주면 자기장의 방향도 반대로 바뀌므로 코일의 왼쪽이 S극, 반대쪽이 N극이 된다.

04
정답_③

열의 이동 방법에는 전도, 대류, 복사가 있다. 고체를 구성하는 입자들이 입자 운동의 활발함으로 열을 주위로 퍼지게 하는 현상을 전도, 열에너지를 가지고 있는 입자가 직접 이동하여 열을 전달하는 현상을 대류, 열이 물질을 거치지 않고 직접 이동하는 현상을 복사라고 한다.

05　　　　　　　　　　　　정답_④

물체가 가지는 위치 에너지는 '9.8×물체의 질량×기준면으로부터의 물체의 높이'로 구할 수 있다. A의 위치 에너지는 '9.8×1kg×1m=9.8J', B의 위치 에너지는 '9.8×1kg×2m=19.6J', C의 위치 에너지는 '9.8×2kg×1m=19.6J', D의 위치 에너지는 '9.8×2kg×2m=39.2J'이다.

06　　　　　　　　　　　　정답_①

역학적 에너지는 한 지점에서의 위치 에너지와 운동 에너지의 합으로 나타낸다. P 지점에서 물체가 하강하여 A 지점에 도착하게 되면, 높이가 낮아져 위치 에너지는 감소하지만, 속력이 빨라져 운동 에너지는 증가하게 된다. 하지만 감소한 위치 에너지만큼 운동 에너지가 증가하였기 때문에 위치 에너지와 운동 에너지의 합인 역학적 에너지는 공기 저항이나 마찰이 없는 한 항상 일정하다.

07　　　　　　　　　　　　정답_③

원소들의 원소 기호는 베르셀리우스에 의해 알파벳으로 나타내기로 하였다. 한 글자로 나타내는 경우에는 원소 이름의 첫 글자를 대문자로 나타내고, 두 글자로 나타내는 경우에는 원소 이름의 첫 글자를 대문자로 그 다음 임의의 글자를 소문자로 나타내기로 하였다.

08　　　　　　　　　　　　정답_④

온도가 점점 높아져 고체(A)가 녹아 융해되면 액체(B)가 되고, 액체가 끓어 기화(가)되면 기체(C)가 된다. 온도가 점점 낮아지면 기체(C)가 액화되어 액체(B)가 되고, 액체(B)가 응고되어 얼게 되면 고체(A)로 상태가 변하게 된다.

09　　　　　　　　　　　　정답_①

물질은 한 종류의 물질로 구성된 순물질과 두 가지 이상의 물질이 섞인 혼합물로 구분된다. 구리는 홑 원소 물질로 순물질이고, 설탕은 화합물로 순물질이다. 우유는 여러 물질이 불균일하게 섞여 있는 불균일 혼합물이고, 소금물은 소금과 물이 고르게 섞인 균일 혼합물이다.

10　　　　　　　　　　　　정답_②

기체의 온도가 일정할 때 기체의 압력과 부피 사이의 관계는 반비례한다. 기체의 압력이 커지면 부피는 줄어들고, 기체의 압력이 줄어들면 부피는 커진다. 그렇기 때문에 같은 온도일 때 '기체의 압력×기체의 부피'의 값은 같은 값을 가진다. 1기압일 때 기체의 부피가 40mL이므로 '기체의 압력×기체의 부피=1×40=40'이 되고, 2기압일 때도 '기체의 압력×기체의 부피'의 값은 40이 되어야 하므로 '기체의 압력×기체의 부피=2×20=40'임을 알 수 있다.

11　　　　　　　　　　　　정답_②

온도와 압력이 일정할 때 기체 화합물을 만드는 각 성분 기체 사이의 부피비는 항상 일정하고, 그 비는 화학 반응식의 계수비와 같다. 그렇기 때문에 '질소 기체 : 수소 기체 : 암모니아 기체'의 부피비는 '1:3:2'이다.

12　　　　　　　　　　　　정답_①

화학 변화가 일어나면 성분 물질의 성질을 잃어버리고, 새로운 성질을 가지게 된다. 김치가 시어지는 것은 맛이 변한 화학 변화이고, 두부를 작게 자르는 것은 크기만 달라지고 성질은 그대로인 물리 변화이다.

13　　　　　　　　　　　　정답_④

생물 다양성의 감소 원인은 서식지 파괴와 단편화, 무분별한 남획과 포획, 외래종의 침입, 환경 오염 등이 있다. 그 중 가장 큰 원인은 서식지 파괴이다.

14　　　　　　　　　　　　정답_②

원생생물은 대부분 세균과 같은 단세포 생물로서 세포벽을 가지고, 분열법으로 번식을 한다. 일부 원생생물은 김과 미역처럼 다세포로 되어 있으며, 포자를 이용하여 번식한다. 소나무는 세포벽이 있고, 유성 생식을 통해 번식하는 식물계에 속한다.

15　　　　　　　　　　　　정답_③

순종의 황색 완두(YY)와 대립 형질인 순종의 녹색 완두(yy)를 교배시키면 잡종 1대에서는 황색 잡종 완두(Yy)만을 얻게 된다. 이 황색 잡종 완두를 자가 수분시키면 잡종 2대에서는 황색 완두(YY, Yy, Yy)와 녹색 완두(yy)를 3:1의 비율로 얻게 된다.

16
정답_④

석회수는 공기 중의 이산화 탄소를 확인하기 위한 물질이다. 투명한 석회수에 이산화 탄소를 통과시키면 용액이 뿌옇게 변하여 이산화 탄소가 있음을 알 수 있다. 시금치를 어두운 곳에 오랫동안 놓아두면 광합성을 할 수 없고 호흡만 하기 때문에 이산화 탄소가 발생하여 이를 석회수에 통과시키면 뿌옇게 변하게 된다.

17
정답_①

간은 쓸개즙을 생성하여 지방의 소화를 돕고, 단백질의 분해로 만들어진 독성이 강한 암모니아를 독성이 약한 요소로 만들어 몸 밖으로의 배출을 돕는다. A는 간, B는 위, C는 소장, D는 대장이다.

18
정답_②

생식세포 분열은 생식 기관에서 생식세포를 만들기 위해 하는 분열이다. 생식세포 분열은 2회 연속으로 일어나며, 모세포에 비해 염색체 수가 절반인 딸세포가 4개 만들어진다. 그림에서 감수 1분열 전기일 때 세포 1개당 염색체 수가 4개였으므로 딸세포 1개에 들어있는 염색체 수는 그 절반인 2개이다.

19
정답_④

광합성은 물과 이산화 탄소를 빛에너지를 이용하여 포도당과 산소를 만들어내는 과정이다. 광합성에 영향을 주는 환경 요인으로는 온도, 빛의 세기, 이산화 탄소의 농도가 있다.

20
정답_③

먼 바다에서 조개껍데기 등이 퇴적되어 만들어진 석회암은 밝은색을 띠고 있고, 그 변성암인 대리암도 밝은색을 띤다. 화산 활동으로 마그마 부근에서 생성된 화강암은 밝은색 광물을 많이 포함하고 있어 밝은색을 띠고, 화산 지표 근처에서 생성된 현무암은 어두운색 광물을 많이 포함하고 있어 어두운색을 띤다.

21
정답_④

태양계의 천체 중 주로 수소와 헬륨으로 구성되어 있는 천체들은 목성, 토성, 천왕성, 해왕성과 같은 목성형 행성들이고, 태양계의 행성 중 부피와 질량이 가장 큰 것은 목성이다. 수성, 지구, 화성은 표면이 단단한 암석으로 되어 있다.

22
정답_②

태양 표면의 강한 자기장에 의해 태양 내부의 대류 현상이 활발하게 일어나지 못하여 주변보다 온도가 약 2,000℃ 낮아 어둡게 보이는 곳을 흑점이라고 한다. 흑점의 수는 11년 주기로 증감하는데 흑점의 수가 많아지면 태양의 활동이 활발해진다.

23
정답_①

성층권은 중간에 오존층이 있어 태양에서 오는 자외선을 흡수하기 때문에 위로 올라갈수록 온도가 높아지는 12~50km 사이의 공간이다. 대류 현상은 일어나지 않아 안정하며, 비행기의 항로로 사용되기도 한다.

24
정답_①

지구에서 가장 가까운 별들은 절대 등급을 위해 10pc 거리에 위치시켜 멀어지게 되면 어둡게 보이게 되므로 절대 등급이 겉보기 등급에 비해 더 높아지게 된다.

25
정답_①

포화 수증기량은 특정 온도의 공기 1kg에 최대로 포함될 수 있는 수증기량(kg)을 나타낸 것으로, 기온이 높아지면 포화 수증기량 또한 높아진다.

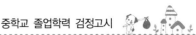

▶2022년 1회◀

01	①	06	②	11	②	16	②	21	①
02	④	07	④	12	③	17	④	22	①
03	④	08	②	13	④	18	④	23	③
04	②	09	③	14	①	19	②	24	④
05	③	10	①	15	④	20	③	25	②

01
정답_①

물체에 힘이 작용하여 물체의 모양이 변하는 것을 '변형', 변형된 물체가 원래의 모습을 되찾는 것을 '탄성'이라고 한다. 그 때 작용하는 힘을 '탄성력'이라고 한다. 용수철에 매달린 물체를 아래쪽으로 힘을 작용시켜 용수철을 변형시키기 때문에 탄성력은 작용한 힘의 반대 방향인 위쪽으로 작용하게 된다.

02
정답_④

레이저 빛이 평면거울에 닿으면 빛의 반사가 일어난다. 이 때 레이저 빛에 닿은 거울면에 수직한 선을 법선이라고 하고, 이 법선부터 입사한 레이저 광선까지의 각도를 입사각이라고 한다. 반사 법칙에 의하면 빛이 반사할 때 입사각과 반사각은 같으므로 입사각이 70°이면 반사각도 70°이다.

03
정답_④

고온의 물질 A와 저온의 물질 B를 열에너지가 교환될 수 있는 공간에 서로 놓아두면 열은 고온의 물질에서 저온의 물질로 서로 온도가 같아질 때까지 이동한다. 이렇게 두 물질의 온도가 같아지는 상태를 열평형이라고 하고, 이때의 온도를 열평형 온도라고 한다. 그래프에서 열평형이 일어나는 시간은 8분이다.

04
정답_②

전기 기구가 사용하는 전기 에너지의 크기를 구하는 방법은 '전기 에너지 = 전류(I) × 전압(V) × 시간(t) = 전력(P) × 시간(t)'이다. 전구의 소비 전력이 20W이고, 4시간 동안 사용하였기 때문에 전구가 소비하는 전기 에너지 양은 '20W × 4h = 80Wh'이다.

05
정답_③

전류계는 전기회로에 연결되어 도선에 흐르는 진류의 크기를 측정하는 장치이다. 전류계는 전기회로에 직렬로 연결되어야 하며 전류계의 (+)단자는 전지의 (+)극에, 전류계의 (−)단자는 전지의 (−)극에 연결해야 한다. 전류계의 5A (−)단자에 연결되어 있기 때문에 전류계의 바늘은 3A를 가리키고 있는 것이다.

06
정답_②

과학적으로 물체를 수평으로 이동시킬 때 마찰력에 대해 한 일의 크기는 '물체에 작용한 힘의 크기(N) ×물체를 이동시킨 거리(m)'로 구할 수 있다. 물체에 작용한 힘의 크기는 5N, 이동시킨 거리는 4m이므로 한 일의 양은 '5N × 4m = 20J'이다.

07
정답_④

기체의 압력이 일정할 때 기체의 온도가 올라가면 기체 입자의 입자 운동이 활발해지고 입자 사이의 인력은 줄어들어 입자 사이의 거리가 멀어지게 된다. 입자 사이의 거리가 멀어지면 입자가 차지하고 있는 공간의 크기인 부피가 커지게 된다.

08
정답_②

A는 액체에서 고체로 상태 변화하는 응고, B는 고체에서 액체로 상태 변화하는 융해, C는 액체에서 기체로 상태 변화하는 기화, D는 기체에서 액체로 상태 변화하는 액화이다. 얼음이 녹아 물이 되는 과정은 고체에서 액체로 상태 변화하는 융해 과정이다.

09
정답_③

수소 원자는 원자핵에 (+)전하를 띠는 양성자가 1개 있고, 주변에 (−)전하를 띠는 전자가 1개 있어 전기적으로 중성이다. 만약 수소 원자가 전자를 1개 잃게 되면 원자핵의 양성자 1개만 남기 때문에 전기적으로 +1 전하를 띠게 되어 H^+(수소 이온)이 만들어지게 된다.

10 정답_①

과산화 수소는 수소 원자 2개와 산소 원자 2개가 화학적으로 결합하여 분자를 이루고 있다. 수소와 산소의 원자 수 비는 '2개 : 2개 = 1 : 1'이다.

11 정답_②

원유를 가열하여 분별 증류탑으로 밀어 넣으면 끓는점이 낮은 물질부터 증류탑의 위쪽에서 먼저 분리되어 나온다. 이렇게 여러 가지 액체가 혼합되어 있는 혼합물을 끓는점 차이로 분리하는 방법을 분별 증류라고 한다.

12 정답_③

화학 반응이 일어날 때 질량 보존 법칙에 의해 원자는 새로 생겨나거나 없어지지 않고 원자의 배열만 변한다. 생성물인 산화 구리(CuO)에 산소가 포함되어 있는 것으로 보아 반응물에도 산소(O_2)가 필요함을 알 수 있다.

13 정답_④

식물계에 속하는 생물들은 셀룰로스로 된 단단한 세포벽을 가지고 있고, 엽록체가 있어 스스로 양분을 흡수하는 광합성을 할 수 있다. 하지만 균계에 속하는 곰팡이는 몸이 균사로 되어 있고, 스스로 양분을 합성하지 못한다.

14 정답_①

광합성은 식물의 엽록체에서 이산화 탄소와 물을 빛에너지를 이용하여 합성하게 되면 생명체의 에너지원인 포도당과 같은 유기물이 만들어지는 과정이다. 그 과정에서 생물의 호흡에 필요한 산소 또한 만들어진다.

15 정답_④

잎의 표피 세포가 변하여 만들어진 공변세포는 주변의 농도 차이에 의해 기공을 열고 닫히게 만들어 증산 작용을 돕는다. 증산 작용은 식물체 내의 물 상승의 원동력이며, 식물체 내 수분량을 조절하는 역할을 한다.

16 정답_②

배설계는 영양소를 분해하고 대사하는 과정에서 나온 노폐물들을 몸 밖으로 내보내는 과정을 담당하는 기관들의 모임이고, 소화계는 영양소를 몸 안으로 흡수할 수 있는 크기까지 작게 분해하는 기관들의 모임이다. 순환계는 영양소와 산소를 세포에 전달하고 노폐물과 이산화 탄소를 배설계로 전달하는 기관들의 모임이다.

17 정답_④

A는 소리를 모아 외이도로 들어오게 해주는 귓바퀴, B는 소리를 안쪽의 고막으로 전달해주는 외이도, C는 고막 안과 밖의 압력을 조절해주는 귀인두관, D는 소리 자극을 감지하는 청각 세포가 있는 달팽이관이다.

18 정답_③

세포 분열의 과정은 염색체의 모양과 이동하는 것을 기준으로 나눈다. 실 같은 염색체가 뭉쳐 굵은 염색체가 만들어질 때가 전기, 이 염색체가 중앙에 배열될 때가 중기, 염색체가 양쪽으로 분리되어 이동할 때가 후기, 염색체가 풀려 두 개의 딸핵이 만들어질 때가 말기이다.

19 정답_②

분리 법칙에 따라서 부모가 가지고 있는 유전자 중 하나가 자식에게 전달된다. 보라색 꽃 완두의 AA 유전자 중 하나인 A가 자손에서 전달되고, 흰색 꽃의 aa 유전자 중 하나인 a가 자손에게 전달되면 자손의 유전자형은 Aa가 된다.

20 정답_③

광물의 종류가 4,000여 종 이상으로 매우 많기 때문에 광물의 종류를 구분하기 위해 광물의 겉보기 색, 조흔색, 자성, 염산 반응 등을 사용한다. 광물의 겉보기 색으로 광물을 구분하기 어려울 때 조흔판에 광물을 긁어 광물 가루의 색인 조흔색으로 광물을 구별할 수 있다.

21　　　　　　　　　　　　　　　　정답_①

약 3억 년 전 고생대 말에는 모든 대륙이 하나로 붙어 있던 판게아가 있었다. 그 이후 대륙은 서로 나누어지고 다른 방향으로 이동하고 충돌하여 현재와 같은 수륙 분포를 가지게 되었다.

22　　　　　　　　　　　　　　　　정답_①

태양, 달, 지구가 일직선으로 배열될 때에는 달의 그림자가 지구를 가려 일식이 일어난다. 또한 태양, 지구, 달 순서로 일직선으로 배열되면 지구 그림자가 달을 가려 월식이 일어나게 된다.

23　　　　　　　　　　　　　　　　정답_③

바닷물 속에 포함되어 있는 염류의 양을 나타내는 염분은 psu(실용 염분 단위)로 나타낸다. 35psu는 해수 1kg에 염류가 35g 포함되어 있다는 뜻이다. 그렇다면 2kg에는 1kg의 두 배인 70g이 포함된다.

24　　　　　　　　　　　　　　　　정답_④

각 계절마다 영향을 주는 기단이 있는데 겨울에는 시베리아 기단의 영향을 받아 북서 계절풍이 많이 분다. 그 이유는 우리나라를 기준으로 시베리아 기단이 위치하는 북서쪽에 고기압대가 형성되기 때문이다. 또한 차가운 육지에서 생성된 시베리아 기단의 영향을 받아 기온은 낮고 건조하며 한파가 자주 찾아온다.

25　　　　　　　　　　　　　　　　정답_②

수소나 헬륨, 먼지나 티끌 등의 성간 물질이 밀집되어 구름처럼 보이는 것을 성운이라고 한다. 그 중 주변의 에너지를 흡수해 스스로 빛을 내는 방출 성운, 주변 별빛을 반사하는 반사 성운, 주변의 별 빛을 차단해 어둡게 보이는 암흑 성운이 있다.

▶2021년 2회◀

01	①	06	④	11	③	16	③	21	②
02	③	07	③	12	④	17	④	22	②
03	①	08	①	13	①	18	②	23	④
04	②	09	②	14	①	19	②	24	④
05	③	10	④	15	③	20	④	25	①

01　　　　　　　　　　　　　　　　정답_①

기체나 액체 속에서 물체를 중력의 반대 방향으로 밀어 올리는 힘을 부력이라고 한다. 배가 물 위에 뜰 수 있는 이유는 배의 무게가 물이 작용하는 부력의 크기와 같기 때문이다.

02　　　　　　　　　　　　　　　　정답_③

일정한 속력으로 운동하는 물체는 시간이 지나더라도 속력이 변하지 않고 일정하다. ①번 그래프는 물체의 속력이 일정하게 감소하는 그래프이고, ②번 그래프는 물체의 속력이 일정하게 증가하는 그래프이다. ③번 그래프는 물체의 속력이 일정한 그래프이고, ④번 그래프는 물체의 속력이 급격하게 감소하다 완만히 감소하게 되는 그래프이다.

03　　　　　　　　　　　　　　　　정답_①

전류(I)와 전압(V), 저항(R) 사이의 관계를 나타내는 옴의 법칙에 따르면 '저항의 크기 = 전압의 크기 ÷ 전류의 크기'이다. 그렇기 때문에 니크롬선의 저항은 '2V ÷ 2A = 1Ω'이다.

04　　　　　　　　　　　　　　　　정답_②

물체에 마찰이나 열에너지가 발생하지 않을 때 위치 에너지와 운동 에너지 합인 역학적 에너지는 역학적 에너지 보존 법칙에 의해 항상 보존된다. A, B, C 지점의 위치 에너지와 운동 에너지를 합한 역학적 에너지 값이 100J이므로 D 지점에서의 역학적 에너지 또한 100J이다.

D 지점 역학적 에너지 = D 지점 위치 에너지
　　　　　　　　　　+ D 지점 운동 에너지
　　　　100J = ㉠ + 75J
　　　　㉠ = 25J

05 정답_③

평면거울에 입사 광선을 비추었을 때 반사의 법칙에 의해 법선과 입사 광선이 이루는 각인 입사각은 법선과 반사 광선이 이루는 각인 반사각의 크기와 같다. 그림에서 입사각의 크기는 50°이므로 반사각의 크기도 50°(C)이다.

06 정답_④

전기를 띤 물체 사이에는 전기력이 작용한다. 서로 다른 종류의 전기를 띤 물체 사이에서는 서로 잡아당기는 인력이, 서로 같은 종류의 전기를 띤 물체 사이에서는 서로 밀어내는 척력이 작용한다.

07 정답_③

온도가 일정할 때 기체의 압력과 부피는 반비례한다. 즉, 온도가 일정할 때 기체의 압력과 부피를 곱한 값은 일정하다는 뜻이다.

$$1기압 \times 40mL = 40$$
$$2기압 \times 20mL = 40$$
$$4기압 \times \bigcirc mL = 40$$
$$\bigcirc = 10mL$$

08 정답_①

물질이 액체에서 기체로 상태 변화하는 것을 기화라고 한다. 승화는 물질이 고체에서 액체를 거치지 않고 기체로 또는 기체에서 액체를 거치지 않고 고체로 상태 변화하는 것을 의미한다. 물질이 고체에서 액체로 상태 변화하는 것을 융해, 액체에서 고체로 상태 변화하는 것을 응고라고 한다.

09 정답_②

물(H_2O) 분자 1개는 수소 원자(H) 2개와 산소 원자(O) 1개가 공유 결합하여 만들어지는 것이다.

10 정답_④

베릴륨 원자의 원자핵에는 +4의 전하가 있고, 원자핵 주위의 전자 4개에는 -4의 전하를 가지고 있어 전기적으로 중성이다. 베릴륨 원자가 전자 2개를 잃으면 (+) 전하가 (-) 전하보다 2개 더 많아져 Be^{2+}의 양이온이 된다.

11 정답_③

밀도는 어느 물질의 단위 부피당 질량이고, 끓는점은 액체가 기체로 될 때 일정하게 유지되는 온도이다. 어는점은 액체가 고체로 될 때 일정하게 유지되는 온도이고, 용해도는 어떤 온도에서 용매 100g에 녹을 수 있는 용질의 g수를 의미한다.

12 정답_④

질량 보존 법칙에 따르면 물리 변화나 화학 변화에서 반응 전과 후의 총 질량은 변함이 없다. 반응 전에 구리 4g과 산소 1g이 모두 반응하였으므로 반응 후에는 총 5g의 산화 구리(II)가 생성된다.

13 정답_①

생물을 분류하는 기본 단위로 자연 상태에서 짝짓기하여 생식 능력이 있는 자손을 낳을 수 있는 생물 무리를 '종'이라고 한다.

14 정답_①

버섯은 균사로 되어 있고, 주로 포자로 번식하는 다세포 생물이다. 생태계에서 소비자나 생산자를 분해하여 양분을 얻는 분해자의 위치를 가지고 있다. 버섯은 곰팡이, 효모 등과 함께 균계에 속한다.

15 정답_③

식물이 엽록체에서 물과 이산화 탄소를 재료로 빛 에너지를 사용하여 포도당과 같은 유기 양분을 만드는 과정을 광합성이라고 한다. 호흡은 미토콘드리아에서 포도당을 산소로 분해하여 생물이 살아가는 데 필요한 에너지를 만드는 과정이다.

16 정답_③

음식을 우리 몸에 흡수할 수 있는 크기까지 나누는 곳을 소화계, 각종 양분과 산소, 이산화 탄소를 몸의 필요한 곳까지 이동시켜주는 곳을 순환계, 세포 호흡 과정에서 발생한 노폐물을 몸 밖으로 빼내는 곳을 배설계라고 한다.

17 정답_④

뉴런의 종류로 감각 기관에서 받아들인 자극을 뇌와 척수까지 전달하는 감각 뉴런, 선달 받은 자극을 판단하고 처리하여 적절한 명령을 내리는 연합 뉴런, 이 명령을 몸의 근육 등에 전달하는 운동 뉴런 등이 있다.

18 정답_②

여성의 생식기 중 수란관의 상단부에서는 배란된 난자와 수란관까지 들어온 정자가 만나 결합하게 되는데 이를 수정이라고 한다. 수정이 이뤄지면 그 생명체를 구성할 최초의 체세포인 수정란이 형성된다.

19 정답_②

순종의 키 큰 완두(TT)는 2개의 유전자 중에 분리 법칙에 따라 자손에게 하나의 유전자 T만 전달하며, 순종의 키 작은 완두(tt)는 2개의 유전자 중에 분리 법칙에 따라 자손에게 하나의 유전자 t만 전달한다. 그 결과 자손은 Tt의 유전자를 가지게 된다.

20 정답_④

지구 내부 구조에서 철과 니켈로 구성되어 있는 부분은 외핵과 내핵이다. 외핵은 철과 니켈이 높은 온도에 의해 녹아 액체 상태로 존재하며, 내핵은 철과 니켈이 높은 압력을 받아 고체 상태로 존재하고 있다고 추정되고 있다.

21 정답_②

우리나라의 여름에는 많은 양의 태양 에너지를 얻게 되고, 육지와 바다 중에 비열이 작은 육지가 바다보다 온도가 빨리 올라가게 된다. 그 결과 육지에는 저기압, 바다에는 고기압이 형성되어 남동 계절풍이 불게 된다.

22 정답_②

지구상에 분포하는 물 중 해수는 약 97.2%로 지구상 물의 대부분 형태이다. 그 다음으로는 빙하, 지하수, 하천수와 호수 순이다.

23 정답_④

태양 표면에서의 대류 현상에 의해 쌀알처럼 보이는 것을 쌀알 무늬라고 하고, 태양의 대기층을 채층이라고 한다. 흑점은 태양 표면의 강한 자기장 때문에 대류가 잘 일어나지 못해 주변보다 약 2,000℃가 낮아 어둡게 보이는 영역이다.

24 정답_④

$$별의\ 밝기 = \frac{1}{별까지의\ 거리^2}$$

A~D별 모두 절대 등급이 같으므로 실제 별의 밝기는 모두 같지만 거리가 다르기 때문에 지구에서 보이는 별의 밝기는

A별 $= \frac{1}{1^2} = 1$배, B별 $= \frac{1}{2^2} = \frac{1}{4}$배,

C별 $= \frac{1}{3^2} = \frac{1}{9}$배, D별 $= \frac{1}{4^2} = \frac{1}{16}$배가 된다.

25 정답_①

$$별까지의\ 거리(pc) = \frac{1}{연주\ 시차('')}$$

별까지의 거리와 연주 시차는 반비례하기 때문에 별까지의 거리가 가까워지면 연주 시차는 커지게 된다. 그렇기 때문에 연주 시차가 가장 큰 별은 가장 가까운 A별이다.

▶2021년 1회◀

01	①	06	③	11	③	16	②	21	③
02	④	07	④	12	①	17	③	22	④
03	①	08	①	13	④	18	①	23	②
04	③	09	③	14	④	19	②	24	④
05	②	10	②	15	④	20	②	25	④

01 정답_①

물체에 힘이 작용하여 물체의 모양이 변하는 것을 '변형', 변형된 물체가 원래의 모습을 되찾는 것을 '탄성'이라고 한다. 그 때 작용하는 힘을 '탄성력'이라고 한다. 그림에서 용수철은 손에 의해 오른쪽으로 힘이 작용하여 변형되므로 탄성력은 작용한 힘의 반대 방향인 왼쪽으로 작용하게 된다.

02 정답_④

횡파에서 매질이 수직으로 진동하다가 가장 높이 위치할 때를 마루, 가장 낮게 위치할 때는 골이라고 한다. 진동하는 매질의 한 점이 1초 동안 진동하는 횟수를 진동수라고 하고 단위로는 'Hz(헤르츠)'를 사용한다.

03 정답_①

전류(I)와 전압(V), 저항(R) 사이의 관계를 나타내는 옴의 법칙에 따르면 '전류의 세기=전압의 크기÷저항의 크기'이다. 그렇기 때문에 회로 전체에 흐르는 전류의 세기는 '3V÷3Ω=1A'이다.

04 정답_③

고온의 물질(A, 40℃)과 저온의 물질(B, 10℃)을 열에너지가 교환될 수 있는 공간에 서로 놓아두면 열은 고온의 물질에서 저온의 물질로 서로 온도가 같아질 때까지 이동한다. 이렇게 두 물질의 온도가 같아지는 상태를 열평형이라고 하고, 이때의 온도를 열평형 온도(30℃)라고 한다.

05 정답_②

과학적으로 물체를 들어 올릴 때 중력에 대해 물체에 한 일의 크기는 '물체의 무게(N)×물체를 들어 올린 높이(m)'로 구할 수 있다. 물체의 무게는 10N, 들어 올린 높이는 1m이므로 한 일의 양은 '10N×1m=10J'이다.

06 정답_③

A지점에서는 물체가 정지하고 있기 때문에 최대의 위치 에너지를 가지고 있다. 물체가 점점 아래로 떨어지면 높이가 감소하면서 위치 에너지가 줄어들고 속력이 증가하면서 운동 에너지가 증가하게 된다. 그렇기 때문에 물체의 속력이 가장 빠른 지점은 운동 에너지가 가장 큰 지점이며, 위치 에너지가 가장 감소한 높이가 가장 낮은 C 지점이다.

07 정답_④

확산은 입자가 스스로 운동하는 입자 운동의 한 종류이다. 확산은 온도가 높을수록, 입자가 가벼울수록, 물질의 상태가 고체<액체<기체일수록, 확산하려는 곳이 액체 중<기체 중<진공일수록 더 잘 이루어진다. 따라서 물의 온도가 가장 높은 50℃에서 확산이 제일 잘 일어난다.

08 정답_①

여름철 물놀이 후 물 밖으로 나왔을 때 몸에 묻은 물이 액체에서 기체로 상태 변화할 때 피부로부터 기화열을 흡수하기 때문에 추위를 느끼게 된다.

09 정답_③

원자는 항상 전기적으로 중성이어야 하므로 원자핵이 지닌 (+) 전하량과 전자의 수가 같다. 리튬 원자핵이 지닌 (+) 전하량이 '+3'이므로, 전자의 수도 3개이다.

10 정답_②

원소 기호 : 황 'S', 헬륨 'He', 칼슘 'Ca', 나트륨 'Na', 리튬 'Li', 플루오린 'F', 칼륨 'K'이다.

11 정답_③

액체 물질은 가열하면 A와 B 구간처럼 액체의 입자 운동이 점점 활발해지면 온도가 높아지는 구간이 있고, C 구간처럼 액체가 기체로 상태 변화하면서 온도가 일정하게 유지되는 끓는점과 같은 구간이 있다.

12 정답_①

탄소(C)와 수소(H)로 구성된 메테인(CH_4)을 산소(O_2)를 이용하여 연소시키면 물(H_2O)과 이산화 탄소(CO_2)가 생성된다.

13 정답_②

광합성이란 식물의 엽록체에서 이산화 탄소와 물을 빛 에너지를 이용하여 합성하게 되면 생명체의 에너지원인 포도당과 같은 유기물이 만들어 지는 과정이다. 그 과정에서 생물의 호흡에 필요한 산소 또한 만들어진다.

14 정답_④

식물체 내의 물이 수증기 형태로 잎의 기공을 통해 빠져나가는 것을 증산 작용이라고 한다. 증산 작용은 식물체 내의 물 상승의 원동력이며, 체 내 수분량을 조절하는 역할을 하기도 한다.

15 정답_①

침 속의 소화 효소인 아밀레이스는 녹말을 엿당으로 분해시킨다. 아밀레이스에 의한 소화는 크기도 작아지고, 성질도 변하는 화학적 소화의 한 종류이다.

16 정답_②

호흡 운동의 원리를 알아보기 위한 실험에서 A는 기관, B는 폐, C는 흉강 내부, 고무 막은 횡격막을 의미한다. 고무 막(횡격막)을 내리면 흉강 내 부피가 감소하며 흉강의 부피가 커지게 되고 폐의 부피가 같이 커지면서 외부의 공기가 폐 내부로 들어오게 된다.

17 정답_③

눈의 적합 자극은 가시 광선, 귀의 적합 자극은 소리, 혀의 적합 자극은 액체 화학 물질, 피부의 적합 자극은 압력이나 온도 변화이다. 감각 세포에서 감지한 자극은 감각 신경을 통해 뇌로 전달되고, 뇌에서 처리된 후 생물이 인식하게 되는 것이다.

18 정답_①

적혈구(A)는 산소를 운반하며, 백혈구(B)는 식균 작용을 한다. 혈소판(C)은 혈액 응고를 도와주며, 혈장(D)은 노폐물이나 영양소, 이산화 탄소 등을 운반한다.

19 정답_②

분리 법칙에 따라서 부모가 가지고 있는 유전자 중 하나가 자식에게 전달된다. 황색 완두의 YY 유전자 중 하나인 Y가 자손에서 전달되고, 녹색 완두의 yy 유전자 중 하나인 y가 자손에게 전달되면 자손의 유전자형은 Yy가 된다.

20 정답_②

기존의 암석이 높은 열과 압력을 받으면 변성암(A)이 형성되고, 퇴적물이 쌓이고 다져져 굳어지면 퇴적암(B)이 형성된다. 기존의 암석이 높은 온도에 의해 녹으면 마그마(D)가 되고, 이 마그마가 식어 굳으면 화성암(C)이 형성되는 것이다.

21 정답_③

지구 내부 에너지에 의해 지하 깊숙한 곳에서 형성된 마그마가 지각의 약한 틈을 뚫고 올라와 분출되면 화산이 형성되고, 각종 화성암이 만들어진다. 빙하는 높은 산에 눈이 계속 쌓여 다져지고 얼어 형성되며, 석회암 지대에 이산화 탄소가 녹은 지하수가 흐르게 되면 석회암이 녹아 석회 동굴이 생성된다.

22 정답_④

그래프는 온도에 따른 포화 수증기량 곡선이다. 그래프에 따르면 온도가 높아질수록 포화 수증기량도 커지는 것을 알 수 있다. 그렇기 때문에 온도가 가장 높은 D에서 포화 수증기량이 가장 큰 것을 알 수 있다.

23 정답_②

A는 태양 에너지에 의해 온도가 가장 높고, 바람에 의해 혼합되어 온도가 일정한 혼합층이다. B는 태양 에너지와 바람의 영향이 거의 없어 온도가 낮아지는 수온 약층이고, C와 D는 온도가 일정한 심해층이다.

24 정답_④

지구형 행성은 수성, 금성, 지구, 화성으로 반지름과 질량이 작지만 밀도는 크고, 위성수는 없거나 적으며, 고리가 없는 행성들이다. 목성형 행성은 목성, 토성, 천왕성, 해왕성으로 반지름과 질량이 크지만 밀도는 작고, 위성수는 많으며, 고리가 있는 행성들이다.

25 정답_④

은하수는 우리 은하를 옆에서 본 모습으로 궁수 자리를 바라볼 때 가장 뚜렷하고 두껍게 관찰된다. 겨울철보다는 여름철에 더욱 잘 관찰된다.

정답 및 해설

2025년 1회 ▶도 덕◀

01	②	06	④	11	①	16	①	21	②
02	③	07	③	12	①	17	②	22	④
03	③	08	②	13	③	18	④	23	④
04	②	09	③	14	①	19	①	24	③
05	④	10	③	15	④	20	③	25	④

01 정답_②
인간의 특성(이성적 존재)
- 도덕적 존재 : 스스로 옳은 것을 선택할 수 있고 반성할 수 있는 존재
- 도구적 존재 : 불리한 신체적 조건을 극복하기 위해 도구를 만듦
- 이성적 존재 : 생각하는 능력, 즉 이성을 지닌 존재
- 사회적 존재 : 다른 사람과 더불어 살아가는 존재
- 문화적 존재 : 언어, 지식, 기술 등을 통해 문화를 창조하고 계승함

02 정답_③
도덕적 성찰
- 의미 : 도덕적인 관점에서 자신을 반성하고 자신의 마음 상태를 살펴보는 것
- 필요성 : 인간의 불완전성 극복, 올바른 가치관 정립과 인격 형성 등
- 도덕적 성찰의 방법 : 전통적 성찰(수양)-유교(경), 불교(참선), 크리스트교(기도)/ 일상적 성찰(성찰 일기, 명상, 좌우명 만들기 등)

03 정답_③
도덕적으로 살아야 하는 이유
- 도덕적인 의무 : 양심의 명령에 따라 행동하는 것은 당연한 의무임 → 칸트의 도덕 법칙
- 모두의 이익 증진 : 개인의 도덕적 행동은 사회 전체의 이익과 연결됨
- 행복한 삶 : 도덕적 삶을 통해 자신과 타인에게 행복을 줌

04 정답_②
정신적 가치
- 의미 : 인간의 정신적 활동에서 만족을 얻을 수 있는 가치 (예) 사랑, 지혜, 봉사, 행복, 우정 등
- 추구 내용 : 지적 가치(진(眞)-참된 것, 학문), 도덕적 가치(선(善)-착한 것, 도덕, 윤리), 미적 가치(미(美)-아름다움, 예술, 문화), 종교적 가치(성(聖)-거룩함, 종교)
- ㄴ, ㄷ. 물질적 가치에 해당한다.

05 정답_④
이웃 간의 도덕적 자세
- 자세 : 양보와 타협, 관심과 배려, 공동생활 규칙 준수 등
- 필요한 배려 : 층간 소음 줄이기, 늦은 시간에 큰 소리 내지 않기, 주차 질서 지키기, 이웃의 사생활 간섭하지 않기, 이웃 간에 인사하기 등

06 정답_④
회복 탄력성
- 의미 : 삶 속에서 겪는 고난과 실패를 도약의 발판으로 삼아 더 높이 도전하는 마음의 힘
- 역할 : 어떤 고난과 역경이 닥치더라도 쉽게 좌절하지 않고 힘차게 일어날 수 있음
- 3요소 : 자기 조절 능력, 대인 관계 능력, 긍정성

07 정답_③
인권
- 의미 : 인간이라면 누구나 가지는 기본적인 권리, 누구나 인간으로서 인간의 존엄성을 누리기 위해 마땅

히 보장받아야 할 권리
- 특징 : 천부성(인간이라면 누구나 태어날 때부터 지니는 하늘로부터 부여받은 권리), 보편성(어느 시대 어느 장소에서나 모두 동등하게 누리는 권리), 불가침성(절대로 침해할 수 없는 권리), 항구성(절대 변하지 않는 권리)
- 인권의 소중함 : 인간 존엄성의 실현을 위한 최소한의 기준, 인권 보장은 개인의 행복과 사회의 안정을 위한 필수적인 가치

08
정답_②

가정 윤리
- 자애 : 부모의 자녀에 대한 헌신적인 사랑, 잘못에 대해 엄하게 꾸짖기도 함
- 효 : 자녀가 부모의 은혜에 보답하는 것, 정성을 대해 부모를 공경하는 것
- 우애 : 형제자매 간의 도리, 형은 아우를 사랑하고 아우는 형을 공경하는 것
- 책임과 존중 : 부부간에 서로 존중하고 자신에게 주어진 책임을 다하는 것
- 충분한 대화, 기본적 예의 존중, 책임 충실히 하고, 서로 관심가지며 배려함

09
정답_③

진정한 친구
- 진정한 친구의 모습 : 좋을 때는 물론 어려울 때 곁에 있어 주는 사람
- 조건 : 믿음, 존중과 배려, 비판과 충고, 선의의 경쟁과 협력 등

10
정답_③

양성평등
- 남녀 모두의 인권을 동등하게 보장함
- 성별에 따른 차별, 편견, 비하, 폭력이 없음
- 전통적인 성 역할에 대한 고정 관념 버리기
- 남녀의 차이를 인정하고 다양성과 개성을 존중함
- 대중 매체의 바람직한 성 역할 표현하기
- 성차별이 나타나는 사회 구조에 비판적 관점 갖기

11
정답_①

평화적 갈등 해결 방법
- 상대방 존중 : 다른 사람의 생각과 가치 존중 → 역지사지(입장 바꿔 상대방의 처지에서 생각해 보는 것), 관용
- 이성적 사고 : 감정을 잘 조절하고 상황을 이성적으로 판단하는 태도를 가져야 함
- 대화를 통한 양보와 타협 : 합의한 결과를 수용하고, 서로의 의견 차이를 좁혀 나가야 함

12
정답_①

부패
- 의미 : 공정한 절차를 무시하고 부당한 방법으로 자신의 이익을 챙기는 행위, 뇌물이나 친분, 권력 등을 악용하여 경제적 이익이나 유리한 기회를 얻는 행위
- 부패의 유형 : 뇌물 수수, 횡령, 권력과 지위 남용, 탈세 등
- 부패의 문제점 : 타인의 권리와 공익 침해, 사회 통합과 발전 저해

13
정답_③

문화를 바라보는 태도(문화 상대주의)
- 문화 상대주의 : 문화 다양성을 인정하고 문화가 발생한 역사적·사회적 상황에서 그 문화를 이해하려는 태도
- 자문화 중심주의 : 자기가 속한 사회의 문화만이 가장 우수하다고 생각하면서 다른 사회의 문화를 부정적으로 평가하는 태도
- 문화 사대주의 : 다른 문화를 더 우수한 것으로 생각하고 동경한 나머지 자기 문화를 업신여기거나 낮게 평가하는 태도

14
정답_①

세계 시민
- 의미 : 지구 공동체의 다양한 도덕 문제에 관심을 두고, 그 문제를 해결하기 위해 적극적으로 행동하는 사람
- 세계 시민으로서의 삶 : 인류의 보편적 가치 추구, 세계 시민의 역할을 다하면서도 한국인으로서의 정체성을 잃지 않도록 노력해야 함

15 정답_④

정보화 시대의 도덕 문제

- 사이버 폭력 : 상대방이 원하지 않는 언어, 사진 등을 사용하여 상대방에게 정신적 피해를 주는 행위(언어폭력, 악성댓글, 따돌림, 명예 훼손, 스토킹, 성폭력 등)
- 지식 재산권(저작권) 침해 : 산업, 과학, 문학, 예술, 디자인 등의 창작물을 창작자의 허락을 받지 않고 이용하는 행위
- 개인 정보 유출 : 다른 사람의 개인 정보를 수집·이용·제공하는 행위 → 사생활 침해
- 기타 : 인터넷 게임 중독, 인터넷 금전 거래 사기, 해킹, 바이러스 유포, 불법 사이트 개설, 한글 파괴 등

16 정답_①

도덕적 신념

- 의미 : 도덕적으로 옳다고 여기는 생각에 대한 확고한 믿음과 그것을 실천하려는 강한 의지
- 역할 : 우리의 삶을 도덕적으로 바람직한 방향으로 이끌어 줌
- 조건 : 보편성(보편적인 도덕 원리에 맞는 신념–생명 존중, 자유, 평등, 정의 등), 이타성(다른 사람과 사회에 도움을 줄 수 있는 신념), 지속성(꾸준하고 지속적으로 실천하는 신념)

17 정답_②

폭력이 비도덕적인 이유

- 타인에 대한 피해 : 다른 사람에게 신체적 고통을 줄 뿐만 아니라 심리적 불안과 두려움 등 정신적 충격을 주게 됨
- 인간 존엄성 훼손 : 폭력은 인간의 생명을 위협하고 개인의 신체 및 정신을 손상하고 개인의 행복한 삶을 파괴함
- 사회 정의 파괴 : 옳고 그름의 기준이 무너지고, 과정과 절차가 무시되며, 약육강식의 논리가 확산되어 사회적 혼란을 일으킴

18 정답_④

정의로운 국가의 조건

- 인간 존엄성 보장 : 국민들의 최소한의 인간다운 삶 보장(복지 혜택 제공)
- 공정한 사회 제도 확립 및 운영
- 보편적 가치 추구 : 자유, 평등, 인권, 정의, 평화, 복지 등의 가치 추구

19 정답_①

의미 있는 삶을 위한 자세

- 현재의 삶에 충실하기 : 현재를 소중히 여기고 지금 해야 할 일에 최선을 다함
- 목표를 이루기 위한 도전 : 삶의 목표와 꿈을 실현하고자 꾸준히 노력함
- 공동체에 관한 관심과 나눔의 실천 : 배려와 나눔의 실천을 통해 보람을 느낌
- 도덕적 성찰과 바른 인성 함양 : 훌륭한 인격을 갖추기 위해 노력할 때 삶이 더 의미 있고 가치 있음

20 정답_③

생태 중심주의

- 자연은 본래적 가치를 지닌다는 견해
- 인간은 자연의 일부, 자연은 인간의 이익과 상관없이 그 자체로 가치를 지님, 자연도 인간과 동등하며 우리가 존중하고 보호해야 함, 지구 생태계의 조화를 유지하도록 노력해야 함

21 정답_②

통일과 관련된 개념(분단 비용)

- 분단 비용 : 남북 분단과 갈등으로 인해 지출되는 유·무형의 모든 비용 → 소모성 비용 (예) 국방비, 이념적 갈등과 대립, 외교적 경쟁 비용
- 평화 비용 : 현재 한반도의 평화를 유지하고, 정착을 위해 필요한 비용 → 투자 비용
- 통일 비용 : 통일 이후 남북한의 격차 해소와 통합 과정에서 필요한 비용 → 투자 비용
- 통일 편익 : 통일로 얻을 수 있게 되는 경제적·비경제적 보상과 혜택 → 통일 이후 지속적으로 발생하기 때문에 한시적으로 발생하는 통일 비용보다 더 큼

22 정답_④

환경친화적 삶

- 의미 : 자신의 행동이 환경에 미치는 영향을 생각하여

환경을 오염시키지 않고 환경과 어울려 살아가는 것
- 노력 : 개인(3R 운동(자원 소비 감소, 재사용, 재활용), 일회용 비닐봉지 대신 장바구니 사용, 종이컵 대신 개인 컵 사용, 사용하지 않는 가전제품의 플러그 뽑기 등), 기업(생산, 유통, 판매의 전 과정에서 환경을 고려함), 국가(친한경 기술 및 정책 개발 장려, 국민의 올바른 환경 의식 교육), 국제 사회(인류와 생태계의 건강을 위한 국제 협약의 지속적 이행)

23 정답_④

과학자의 사회적 책임
- 과학 기술의 목적이 인간 존엄성과 행복 실현에 있음을 항상 기억해야 함
- 과학 기술은 다양한 분야에 활용되면서 미래 세대에까지 막대한 영향을 미침
- 자신이 개발한 과학 기술의 결과가 인류의 평화에 위협하지 않는지 성찰해야 함

24 정답_③

고통
- 의미 : 육체적·정신적으로 느끼는 아픔과 괴로움
- 고통의 원인 : 욕심과 집착, 한계 상황(죽음 등 인간이 의지, 능력으로 피할 수 없는 상황)
- 고통에 대처하는 자세 : 고통을 직면하고 있는 그대로 바라보기, 욕심과 집착 줄이기, 긍정적 마음 지니기, 고통을 극복하려ㄴ 도전 의식 지니기 등

25 정답_④

마음의 평화를 얻는 방법
- 평정심 갖기, 욕심과 집착 버리기, 다른 사람과 좋은 관계 맺기, 희망을 버리지 않고 자신감 갖기
- 실천 방법 : 독서, 명상, 산책 등

▶2024년 2회◀

01	②	06	④	11	①	16	①	21	④
02	④	07	③	12	④	17	②	22	③
03	③	08	④	13	①	18	④	23	③
04	①	09	②	14	②	19	②	24	④
05	③	10	③	15	①	20	①	25	②

01 정답_②

㉠에 들어갈 용어는 "도덕"이다. 옳고 그름을 판단할 수 있는 기준을 제공하고, 옳은 일을 자발적으로 실천할 수 있도록 돕는 것, 또는 사람으로서 마땅히 지켜야 할 도리가 도덕이다.
① 강요 : 억지로 또는 강제로 요구함
③ 본능 : 생물이 선천적으로 타고나는 경향성
④ 욕망 : 부족을 느껴 무엇을 가지거나 누리고자 하는 마음

02 정답_④

제시된 대화에서 교사가 사용한 도덕 원리 검사 방법은 "보편화 결과 검사"이다. 도덕원리는 행동규칙에 도덕적 의미를 담은 것으로 도덕적 의미에는 해야한다, 해도 된다, 해서는 안 된다, 좋다, 나쁘다 등이 있다. 보편화 결과 검사는 도덕 원리를 모든 사람에게 보편적으로 적용했을 때 나타날 수 있는 결과를 예상하여 검토하는 방법이다. 그리고 역할 교환 검사는 입장을 바꾸어 생각하게 함으로써 도덕 원리의 타당성을 검토하는 방법이다.
① 사실 관계 검사 : 사실이 참이냐 거짓이냐를 검사하는 것
② 정보 원천 검사 : 정보가 신뢰할 만한 전문가나 객관적 증거에서 비롯된 것인지 확인하는 것
③ 증거 확인 검사 : 증거로서의 가치가 있는지를 검사하는 것

03 정답_③

좋은 습관의 의미는 우리 삶에 긍정적인 영향을 미치는 습관으로서 우리의 몸과 마음 뿐만아니라 사고방식, 인격 형성 등에 긍정적인 영향을 주는 습관을 말하

는 것이다. 독서의 생활화, 건강을 위한 꾸준한 운동 등이 해당한다. 이러한 좋은 습관을 기르기 위해서는 평소에 꾸준히 자신의 습관을 점검하고 개선해 나가는 노력이 필요하다.

04 　　　　　　　　　　　　　정답_①

인권의 특징으로는 보편적 가치, 천부인권(하늘이 준 권리), 불가침의 권리, 항구성 등이 있다.

05 　　　　　　　　　　　　　정답_③

바람직한 삶의 목적을 설정할 때 고려할 점으로는 자신이 좋아하는 일, 잘할 수 있는 일, 소중히 여기는 가치를 바탕으로 삶의 목적을 설정해야 한다. 또한, 자신이 설정한 삶의 목적이 다른 사람과 사회에 미칠 영향까지도 고려해야 한다.
③ 돈을 벌기위해 법을 어겨도 된다는 것은 도덕적으로 준법의식이 없음을 의미한다.

06 　　　　　　　　　　　　　정답_④

다음에서 설명하는 폭력의 유형은 "사이버 폭력"이다. 가상 공간에서 언어적 폭력과 정서적 폭력이 결합하여 나타나는 폭력으로서 개인 신상 정보 유포, 모욕적인 언사나 욕설 등이 있다.
일상에서 일어나는 폭력의 종류 : 신체적 폭력, 언어적 폭력, 정서적 폭력 등

07 　　　　　　　　　　　　　정답_③

도덕 추론 과정에서 ㉠에 들어갈 용어는 "도덕 판단"이다. 도덕 판단은 가치 판단 중에서 도덕적 관점의 가치 판단으로 사람의 인격이나 성품, 행위, 사회적 제도나 정책에 대해 도덕적 관점에서 판단하는 것이다. 이러한 판단의 종류로는 개별적 도덕 판단과 일반적 도덕 판단(도덕 원리)이 있다.
② 고정 관념 : 잘 변하지 않는 행동을 주로 결정하는 확고한 의식이나 관념

08 　　　　　　　　　　　　　정답_④

고대 그리스의 철학자 "아리스토텔레스"는 우리가 궁극적으로 추구하는 것은 '행복'이라고 하였다.

① 순자 : 성악설
② 로크 : 사회계약설
③ 슈바이처 : 생명 중시

09 　　　　　　　　　　　　　정답_②

제시된 내용이 설명하는 개념은 "우정"이다. 우정은 친구 사이에서 느끼는 따뜻하고 친밀한 정서적 유대감이다. 이해관계가 개입되어 있지 않아 친구 간의 깊고 오랜 사귐을 가능하게 한다.
① 효 : 어버이를 잘 섬기는 일
③ 경로 : 노인을 공경함
④ 자애 : 아랫사람에게 베푸는 도타운 사랑

10 　　　　　　　　　　　　　정답_③

세계 시민이 갖추어야 할 도덕적 가치로는 인류애, 연대 의식, 평화 의식, 편견없는 사고와 열린 마음 등이 있다.
① 인류애 : 인류 전체에 대한 차별없는 사랑
② 연대 의식 : 여럿이 함께 무슨 일을 하거나 함께 책임을 지려는 의식

11 　　　　　　　　　　　　　정답_①

이웃과의 관계에서 필요한 도덕적 자세로는 서로 대화하고 소통하며 서로 양보하고 배려하는 자세를 가져야 한다.

12 　　　　　　　　　　　　　정답_④

정보 통신 매체 활용을 위한 덕목으로는 절제, 존중, 책임, 해악 금지 등이 있다. 사이버 공간에서 사이버 폭력, 해킹이나 컴퓨터 바이러스 유포, 개인 정보 유출, 유언비어 작성 등 다른 사람에게 부당한 해악을 끼치는 행위를 해서는 안 된다.

13 　　　　　　　　　　　　　정답_①

제시된 내용 평화, 인도 독립, 비폭력, 시민 불복종과 관련하여 (가)에 들어갈 인물은 "간디"이다. 간디의 '소

금의 행진'은 영국의 식민지 정책에 비폭력 불복종 운동의 형식으로 저항하였다.
② 공자 : 유가, 인(仁)을 정치와 윤리의 이상으로 하는 도덕주의 사상가
③ 노자 : 도가의 사상가
④ 칸트 : 독일의 철학자

14
정답_②

다문화 사회에서의 바람직한 태도로는 인류의 보편적 가치를 추구해야 하며 편견없이 상대방을 이해하는 태도를 갖도록 해야 한다. 또한, 자문화 중심주의와 문화 사대주의를 극복해야 한다.

15
정답_①

마음의 평화를 얻기 위한 방법으로는 삶에 대해 긍정적 태도 유지하기, 용서와 사랑 실천하기, 감정과 욕구 조절하기, 몸과 마음 건강하게 하기, 욕심과 집착에서 벗어나기 등이 있다.

16
정답_①

평화 통일을 위한 노력으로는 남북 간의 신뢰를 형성하고, 민족의 동질성을 강조해야 한다. 문화적 서로의 다름을 인정하고 포용하는 자세를 갖으며 단계적으로 교류 · 협력을 통해 긴장 상태를 완화해 나가야 한다.

17
정답_②

평화적 갈등 해결 방법으로 대화와 토론, 양보와 타협, 다수결의 원칙, 그리고 협상, 조정과 중재 등이 있다.
• 협상 : 갈등 당사자들이 직접 대화하여 문제를 해결하는 것
• 조정 : 제3자가 갈등 당사자들이 문제를 해결할 수 있도록 도와주는 것
• 중재 : 제3자를 중재자로 내세워 협상을 통해 갈등을 해결하는 것

18
정답_④

과학 기술의 바람직한 활용 방안으로 인간 존엄성과 인권 향상에 기여해야 하며, 무분별한 과학 지상주의를 지양해야 한다. 또한, 인간의 복지를 증진하는 방향인지를 숙고하고, 현세대는 물론 미래 세대 까지를 고려하는 자세를 가져야 한다. 그리고 동식물의 생명과 생태계 역시 적극적으로 보호해야 한다.

19
정답_②

제시된 내용에서 설명하는 용어는 "청렴"이다. 청렴은 성품과 행실이 높고 맑아 탐욕이 없는 상태를 말한다.
① 배려 : 도와주거나 보살펴 주려고 마음을 쓰는 것
③ 부패 : 사적 이익을 취하기 위해 공적 권력을 남용하는 것
④ 소외 : 어떤 무리에서 기피하여 따돌리거나 멀리하는 것

20
정답_①

통일 한국이 추구해야 할 가치로는 민주, 자주, 정의, 평등, 복지 등 인류의 보편적 가치이다.
① 독재 : 민주적 절차를 부정하고 통치자의 독단으로 행하는 정치를 말한다.

21
정답_④

제시된 내용은 세계 각국이 지구 온난화 방지를 위해 협약을 체결했다는 것으로 이것에 해당하는 국제 사회의 문제는 "환경 파괴"이다. 환경 문제의 종류로는 대기 오염, 수질 오염, 토양 오염, 산림 훼손(사막화와 지구 온난화 등), 산성비 등이 있다.

22
정답_③

바람직한 시민의 자질로는 애국심, 책임 의식, 참여 의식, 배려와 공감의 자세, 사익과 공익을 조화롭게 추구 등이 있다.
① 무관심 : 관심이나 흥미가 없음
② 혐오감 : 병적으로 싫어하고 미워하는 감정
④ 특권 의식 : 정치 · 경제 · 사회적으로 특별한 권리를 누리고자 하는 태도

23 정답_③

도덕적 성찰의 방법

전통적인 자기 성찰의 방법

신독	남들이 보지 않는 곳에 혼자 있을 때에도 도리에 어긋남이 없도록 몸가짐을 바로 하는 자세(유교)
경	의식을 집중시키고 마음을 다스려 또렷한 정신을 유지하는 자세(유교)
참선	욕구나 욕망을 절제하여 마음을 고요하게 만드는 자세(불교)

일상생활에서의 자기 성찰의 방법

성찰 일기	자신을 객관적으로 바라보고, 자신의 삶의 잘잘못을 따질 수 있다.
명상	마음을 평온하게 하고 정신을 집중하여 마음을 안정시킨다.
좌우명 활용	삶의 방향을 알려주는 기준을 정하여 삶을 반성하고, 좌우명대로 살기 위해 노력한다.
기타	기도하기, 음악 감상 등

24 정답_④

바람직한 국가의 역할은 공정한 법과 제도 마련, 국민의 생명과 재산 보호, 사회적 약자와 공정한 경쟁 보호, 인간다운 삶을 위한 복지 제도 운영 그리고 사회적 차별과 갈등을 해결하기 위한 제도나 법적인 절차를 마련해야 한다.

25 정답_②

환경 친화적 삶을 위한 실천 태도로는 일상생활 속에서 일회용품 사용 줄이기, 가까운 거리를 이동할 때 걷기, 사용하지 않는 전기 플러그 뽑아 두기, 식사 후 음식 남기지 않기, 재활용 습관화 하기 등이 있다.

▶2024년 1회◀

01	②	06	①	11	①	16	②	21	①
02	①	07	②	12	③	17	④	22	④
03	②	08	③	13	②	18	④	23	④
04	①	09	③	14	③	19	③	24	③
05	④	10	④	15	①	20	③	25	②

01 정답_②

제시된 내용에 해당하는 인간의 특성은 '사회적 존재'이다. 사람은 혼자서는 절대로 살 수 없으므로, 다른 사람들과 함께 살아가기 위해 사회 속에서 언어, 지식, 생활 습관, 가치관 등을 배우게 된다. 그밖에 인간의 특성으로는 도구적 존재, 이성적 존재, 도덕적 존재, 윤리적 존재, 문화적 존재 등이 있다.

02 정답_①

'도덕 원리'는 도덕 판단의 근거로서 "옳다. 옳지 않다. ~해야한다. ~하면 안 된다."와 같이 제시될 수 있다. 따라서 '도덕 원리'에 해당하는 것은 "정직해야 한다." 이다.
② 가치 판단
③ 사실 판단

03 정답_②

불교의 핵심 원리로서 남을 깊이 사랑하고 가엾게 여기는 마음으로 생명 존중을 강조하는 것은 '자비'이다.
① 분노 : 분개하여 몹시 성을 냄
③ 준법 : 법률이나 규칙을 좇아 지킴
④ 쾌락 : 유쾌하고 즐거움

04 정답_①

이웃 간의 갈등을 해결하기 위한 적절한 자세로는 서로 '배려'하며 먼저 '양보'를 하는 태도를 가져야 한다. 그밖에 역지사지의 마음을 가지고, 공동체 생활에 필요한 규칙을 지켜야 하는 것이다.

05 정답_④

자아는 나를 알고자 하는 과정에서 확인하게 되는 자신의 모습으로, 자기 자신을 특정짓는 것에 대한 인식이나 태도를 의미하는 것이다. 자아를 아는 것으로 개인적 자아는 신체적 특징, 성격, 가치관, 소망, 능력 등을 아는 것이고, 사회적 자아는 사회적 관습, 의무 등을 아는 것을 말한다.

06 정답_①

제시된 내용에서 설명하는 '자연의 파괴, 대기와 물의 오염' 등은 환경 문제에 관련한 것이다. 그밖에 토양 오염, 산림 훼손, 산성비 등이 생태계의 균형과 인간의 삶을 위협하는 환경문제에 해당하는 것들이다. 이러한 환경 문제는 지구 전체의 문제로서 현재 세대만이 아니라 미래 세대에 까지 심각한 영향을 줄 수 가 있다.

07 정답_②

가치는 사람들이 소중하게 생각하고 추구하는 대상이 되는 것을 말한다. 이러한 가치의 종류에는 물질적 가치와 정신적 가치, 도구적 가치와 본래적 가치 등으로 나누어 질 수 있다.
문제에서 제시된 학생이 추구하는 가치 개념 중 사랑, 감사, 진리 등은 정신적 가치에 해당한다. 그러나 용돈은 물질적 가치에 해당이 되는 것이다.

08 정답_③

제시된 내용의 '중독'은 심하게 의존하고, 집착하여 통제력을 상실하게 되는 것을 말한다. 이러한 '중독' 문제를 해결하기 위해 필요한 덕목은 '절제'가 해당한다. '절제'는 정도에 넘지 않도록 알맞게 조절하여 제한 한다는 것이다.
① 방관 : 어떤 일에 나서서 관여하지 않고 곁에서 보기만 하는 것
② 자애 : 아랫사람에게 베푸는 도타운 사랑
④ 정직 : 마음에 거짓이나 꾸밈이 없이 바르고 곧은 것

09 정답_③

봉사 활동은 국가나 사회 또는 다른 사람을 위하여 애쓰는 행동을 말하는 것이다. 봉사 활동에 참여하는 바람직한 자세는 자기의 이익보다는 공익을 추구해야 하며(이타성), 보수나 대가를 바라지 않아야 하고(무대가성), 스스로 타인을 돕고자 하는 마음에서 우러나온 행위여야 한다(자발성). 또한, 일회성으로 끝나지 않고 꾸준히 참여를 해야 한다는 것이다(지속성).

10 정답_④

우정은 친구와의 순수한 관계에서 느낄 수 있는 친밀한 감정을 말한다. 우정은 이해관계가 개입되어 있지 않아 친구 간의 깊고 오랜 사귐을 가능하게 하는 것이다. 이러한 진정한 우정을 맺기 위한 방법으로는 기본적 예의 지키기, 서로 다름의 인정, 선입견과 편견의 극복, 어려울 때 도와주기 등이 있다.
① 친구의 잘못에 대해서는 충고를 해야 한다.
③ 친구 간에는 선의의 경쟁을 해야 한다.

11 정답_①

제시된 내용 '모든 사람, 누구나 동등하게'에서 설명하는 인권의 특성은 '보편성'이다. 인권은 인간 존엄성을 바탕으로 나온 것으로 보편성, 천부성, 항구성, 불가침성 등의 특성을 가지고 있다.

12 정답_③

도덕적 실천의지는 도덕적 지식과 도덕적 판단을 바탕으로 하여 주어진 상황에서 실제로 행동하려는 마음가짐이다. 이러한 도덕적 실천 의지를 기르기 위한 노력으로 제시된 내용 가운데에서는 공감, 관심, 용기 등이 해당이 된다. 그밖에는 반성, 도덕적 인물 본받기, 도덕적 습관 기르기 등이 있다.
③ 독단 : 남과 상의하지 않고 혼자서 판단하거나 결정하는 것

13 정답_②

정의로운 국가는 사회정의가 실현된 국가로서 인간 존엄성이 보장되어야 하며 공정한 사회 제도 확립과 운영이 이루어져야 한다. 또한, 보편적 가치(인권, 자유, 평등, 평화, 공정, 복지 등)가 지향되어야 한다.
② 혐오 : 싫어하고 미워하는 것

14 정답_③

통일을 해야 하는 이유는 보편적 가치를 실현하는 것으로 인간 존엄성의 보장과 인도주의를 실현(이산가족 문제 해결)하는 것이다. 아울러 민족의 동질성 회복으로 민족 공동체를 형성해야 한다. 또한, 분단 비용 지출을 줄여 경제 발전과 복지 사회의 건설에 이용을 해야 하고, 군사적 긴장 관계를 제거하여 평화의 구현과 세계 평화에 기여를 할 수 있다는 점이다.

15 정답_①

제시된 내용의 문화를 바라보는 관점은 '문화 상대주의'이다. 문화의 다양성을 인정하고 각 문화는 환경과 역사적·사회적 상황에서 이해해야 한다는 것이다. 그러나 다른 문화를 존중한다고 해서 그 문화를 무조건 수용한다는 것은 아니다.
② 문화 절대주의 : 자문화 중심주의나 문화 사대주의적 태도로서 문화 상대주의와 대비 개념
④ 자문화 중심주의(국수주의) : 자신의 문화가 다른 문화보다 우월하다고 믿고, 자기 문화의 기준에 따라 다른 문화를 평가하는 태도이다.
문화 사대주의 : 다른 사회의 문화가 자신이 속한 문화보다 우월하다고 믿고 무비판적으로 그것을 동경하거나 숭상하여 자신의 문화를 낮게 평가하는 태도를 말한다.

16 정답_②

환경 친화적인 삶은 자신의 행동이 주변 환경에 미치는 영향을 생각하여 행동하며, 환경을 오염시키지 않고 환경과 어울려 살아가는 것을 의미하는 것이다. 환경 친화적인 삶의 실천 방법으로는 과대 포장 안 하기, 장바구니 사용하기, 대중교통 이용하기, 그리고 일회용품 사용의 자제와 에너지 및 물자를 절약하기 등이 있다.

17 정답_④

제시된 그림에서 전달하려는 내용과 관련된 용어는 '회복 탄력성'이다.
① 익명성 : 어떤 행위를 한 사람이 누구인지 드러나지 않는 것
② 가치 전도 : 가치가 뒤바뀌는 것을 말함
③ 시민 불복종 : 정부 정책이나 법률 등이 부당하다고 판단될 때, 시민들이 이를 따르지 않고 비폭력으로 저항하는 일

18 정답_④

제시된 내용에 해당하는 사상가는 '아리스토텔레스'이다. 국가의 발생에 관한 입장에는 자연 발생설(아리스토텔레스), 사회 계약설(홉스, 로크, 루소), 가족 확대설 등이 있다.

19 정답_③

생태 중심주의 자연관은 자연을 그 자체로 의미 있고 생명력을 지닌 가치 있는 존재로 보는 입장이다. 인간과 자연은 공생(共生)하는 관계로 인간은 자연과 더불어 살아가는 자세를 가져야 한다고 보았다. 또한, 지구상의 모든 존재가 유기적으로 연결되어 있어 서로 영향을 주고 받고 조화를 이루며 살아가기 때문에 생태계 전체에 대한 배려를 강조하였다.
인간 중심주의는 자연을 인간을 위한 수단과 도구로 여기는 입장으로 인간은 이성을 지닌 만물의 영장으로서 자연보다 더 우월하기 때문에 지배하고 정복할 수 있다고 보는 관점이다.

20 정답_③

'언어폭력'은 인격을 무시하거나 모욕하는 말을 사용하여 듣는 이에게 정신적·심리적 피해를 주는 언어적 행동(욕설이나 야유하기, 험담하기 등)을 말한다. 그밖에 일상에서 일어나는 폭력의 종류에는 신체적 폭력(꼬집거나 고의로 밀친다), 정서적 폭력(따돌림, 위협하는 행위 등), 사이버 폭력(개인 신상 정보 유포) 등이 있다.

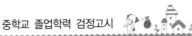

21
정답_①

'시민'은 한 국가의 주권자로서 권리와 의무를 갖고 국가의 여러 가지 일에 참여하는 사람을 말한다. 시민의 자질로서 제시된 내용에 자발적 참여를 해야 한다는 것은 '주인 의식'이라 할 수 있다. 그밖에 갖추어야 할 자질로서는 애국심, 책임 의식, 연대 의식 등이 있다.

22
정답_④

세대 간 대화와 소통을 위한 방법으로는 경청, 공감, 칭찬과 격려, 대화 등이 있다. 또한 제시된 내용의 '상대방의 처지에서 생각해 보려고 노력해야 한다.'는 것은 바로 '역지사지'의 입장을 말하는 것이라 할 수 있다.
① 청렴 : 성품과 행실이 높고 맑으며, 탐욕이 없는 것
② 차별 : 차이를 두어 구별하는 것
③ 자아도취 : 자기가 어떤 것에 끌려 취하다시피 하는 것

23
정답_④

부패는 개인의 이익을 위하여 자신의 권위나 권한을 부당하게 이용하는 행위를 말하는 것이다. 이러한 부패 행위로 인하여 발생할 수 있는 문제들은 타인의 권리와 이익이 침해할 수 있다는 것, 사회 질서 유지와 사회 통합 및 발전을 저해한다 것이다. 또한 부패는 사회 구성원 개인의 도덕성까지 훼손될 수 있으며 국제적으로는 국가 신용도를 하락시킬 수 도 있다.

24
정답_③

과학 기술의 바람직한 활용 방안은 인간 존엄성과 인권 향상, 인류의 복지 증진, 미래 세대를 고려하는 자세, 동식물의 생명과 생태계를 보전하려는 자세를 필요로 한다.

25
정답_②

마음의 평화를 얻기 위한 자세로는 부정적 감정 다스리기, 긍정적 마음 갖기, 욕심과 집착에서 벗어나기, 용서하고 사랑하는 마음 기르기 등이 있다.

▶2023년 2회◀

01	②	06	①	11	③	16	①	21	③
02	③	07	①	12	④	17	②	22	②
03	④	08	④	13	③	18	①	23	①
04	②	09	③	14	④	19	②	24	③
05	④	10	③	15	③	20	③	25	②

01
정답_②

이웃 간의 도덕적 자세
• 자세 : 양보와 타협, 관심과 배려, 공동생활 규칙 준수 등
• 필요한 배려 : 층간 소음 줄이기, 늦은 시간에 큰 소리 내지 않기, 주차 질서 지키기, 이웃의 사생활 간섭하지 않기, 이웃 간에 인사하기 등

02
정답_③

생명 존중
• 삶이 소중한 이유 : 일회성(누구나 한 번밖에 살 수 없음), 유한성(누구나 죽을 수밖에 없음), 절대성(다른 무엇으로 대체할 수 없고, 생명 그 자체로 소중한 가치를 지님), 사회적 관계(나와 관계를 맺고 있는 모든 사람에게 큰 의미를 지님)
• 생명 존중 실천 방법 : 길거리의 꽃을 함부로 꺾지 않는다, 타인의 생명을 하찮게 여기는 말을 하지 않는다, 자신을 사랑하고 자신의 몸을 다치지 않도록 조심한다 등

03
정답_④

도덕적 성찰
• 의미 : 도덕적인 관점에서 자신을 반성하고 자신의 마음 상태를 살펴보는 것
• 도덕적 성찰의 방법: 전통적 성찰(수양)-유교(경), 불교(참선), 크리스트교(기도)/일상적 성찰(성찰 일기, 명상, 좌우명 만들기 등)

04
정답_②

지구 공동체의 다양한 도덕 문제(빈곤과 기아)
• 평화의 위협 : 전쟁, 분쟁과 난민, 핵무기, 테러 등
• 환경 오염 : 지구 온난화, 오존층 파괴 등

- 빈곤과 기아 : 기근, 가난, 기아, 질병 등
- 문화의 획일화 : 문화 다양성 훼손 등

05 정답_④
가족 간의 도리(자애)

- 효도 : 자녀가 부모의 은혜에 보답하는 것, 정성을 다해 부모를 공경하는 것
- 자애 : 부모의 자녀에 대한 헌신적인 사랑, 잘못에 대해 엄하게 꾸짖기도 함
- 우애 : 형제자매 간의 도리, 형은 아우를 사랑하고 아우는 형을 공경하는 것
- 책임과 존중 : 부부간에 서로 존중하고 자신에게 주어진 책임을 다하는 것

06 정답_①
도덕적 신념

- 의미 : 도덕적으로 옳다고 여기는 생각에 대한 확고한 믿음과 그것을 실천하려는 강한 의지
- 역할 : 우리의 삶을 도덕적으로 바람직한 방향으로 이끌어 줌
- 조건 : 보편성(보편적인 도덕 원리에 맞는 신념-생명 존중, 자유, 평등, 정의 등), 이타성(다른 사람과 사회에 도움을 줄 수 있는 신념), 지속성(꾸준하게 지속적으로 실천하는 신념)

07 정답_①
진정한 우정을 맺는 방법

- 기본예절 지키기 : 친하다는 이유로 무례하거나 인격을 손상하는 일을 해서는 안 됨
- 선의의 경쟁과 협력 : 서로 발전하는 데 목적을 두고 경쟁하면서도 도와야 함
- 조언, 배려 : 진정한 충고와 조언을 하고, 상대방의 처지에서 생각함(역지사지)

08 정답_④
인권

- 의미 : 인간이라면 누구나 가지는 기본적인 권리, 누구나 인간으로서 인간의 존엄성을 누리기 위해 마땅히 보장받아야 할 권리
- 특징 : 천부성(인간이라면 누구나 태어날 때부터 지니는 하늘로부터 부여받은 권리), 보편성(어느 시대 어느 장소에서나 모두 동등하게 누리는 권리), 불가침성(절대로 침해할 수 없는 권리), 항구성(절대 변하지 않는 권리)
- 인권의 소중함 : 인간 존엄성의 실현을 위한 최소한의 기준, 인권 보장은 개인의 행복과 사회의 안정을 위한 필수적인 가치

09 정답_③
바람직한 이성 교제

- 차이를 인정하고 존중 : 남녀의 차이를 이해하고 존중하며 배려하는 자세
- 서로 성장하는 관계 : 서로의 삶에 충실하고 도움이 되도록 노력하는 자세
- 절제와 책임감 : 무책임한 행동을 하지 말고 절제하는 자세
- 기본 예절 준수 : 단정한 옷차림, 고운 말 사용, 공개된 장소에서 만남 등

10 정답_④
다문화 사회의 시민 의식

- 문화적 편견을 극복하고, 문화 상대주의를 지향한다.
- 다문화에 대한 서로 다름과 차이를 인정해 관용을 실천한다.
- 인권과 평화를 위해 책임 있는 행동을 지향한다.
- 보편 규범에 근거하여 문화를 성찰한다.

11 정답_③
도덕적 상상력

- 의미 : 도덕적 문제 상황에서 자신의 행동이 나와 다른 사람에게 어떤 영향을 미칠지 상상해 볼 수 있는 능력
- 도덕적 상상력을 발휘하기 위한 요소 : 도덕적 민감성, 공감, 결과 예측 능력

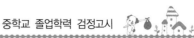

12
정답_④

사회적 약자를 배려하기 위한 노력

- 사회적 약자에 대한 잘못된 편견을 버려야 한다.
- 사회적 약자의 입장에서 생각해 보아야 한다.
- 사회적 약자의 고통에 공감하고 배려해야 한다.
- 사회적 약자를 제도적으로 지원해야 한다.
- 사회적 약자가 차별받지 않는 사회 분위기를 조성해야 한다.

13
정답_②

삶의 목적을 설정해야 하는 이유

- 삶의 방향 제시 : 올바른 삶의 방향을 제시해 주고, 의미 있는 삶을 추구하게 함
- 삶의 버팀목 : 어려움을 극복하는 원동력이 됨

14
정답_④

고통

- 의미 : 육체적·정신적으로 느끼는 아픔과 괴로움
- 고통의 원인 : 욕심과 집착, 한계 상황(죽음 등 인간이 의지, 능력으로 피할 수 없는 상황)

15
정답_③

갈등

- 의미 : 개인이나 집단 간의 목표나 정서, 이해관계가 달라 서로 대립하거나 충돌하는 상태
- 갈등의 원인 : 이해관계 충돌, 가치관의 차이, 잘못된 의사소통, 문화의 차이 등
- 갈등의 문제점 : 인간관계 단절, 상호 불신, 사회 분열 등의 요인이 되기도 함

16
정답_①

폭력의 유형

- 언어 폭력 : 인격을 무시하거나 모욕하는 말로 상대방에게 정신적·심리적 피해를 주는 행위 예 욕설, 협박, 외모를 비하하거나 공격하는 말 등
- 신체적 폭력 : 힘을 이용하여 다른 사람에게 신체적 손상이나 피해를 주는 행위
- 정서적 폭력 : 집단으로 한 사람을 따돌리거나 무시하고 위협하여 감정적 상처를 입히는 행위 예 따돌림
- 구조적 폭력 : 사회 구조, 관습, 사회 구성원들의 인식 등으로 인해 발생하는 폭력 예 실업과 빈곤, 성차별 등

17
정답_②

갈등 해결 방법(중재)

- 협상 : 갈등 당사자들이 직접 대화를 통해 합의에 이르는 방법, 당사자 간의 의견 차이는 양보와 타협을 통해 합의함으로써 해결함
- 조정 : 갈등 당사자들이 스스로 해결책을 찾을 수 있도록 제3자(조정자)가 의사소통을 돕는 방법, 조정자는 최종적인 결정을 내리지 않으며, 해결 방법을 찾도록 도와주는 역할만 함(강제성 ×)
- 중재 : 갈등 당사자들의 주장을 듣고 제3자(중재자)가 해결책을 제시하는 방법, 갈등 당사자가 중재자의 개입을 인정하고 중재를 요청할 때 시작됨, 중재자가 제시하는 해결책을 당사자들이 따라야 함(강제성 ○)

18
정답_①

정보화 시대의 도덕적 자세

- 인간 존중의 원칙 : 사이버 공간에서 타인의 인격과 사생활, 다른 사람의 저작물을 존중해야 한다.
- 책임의 원칙 : 사이버 공간에서 정보를 자유롭게 제작·유통할 때 자신의 행동이 가져올 결과를 신중히 생각하고 책임 있게 행동해야 한다.
- 정의의 원칙 : 사이버 공간에서 규칙과 법을 준수하고, 정보화 혜택의 차별 없는 분배가 이루어져야 한다.
- 해악 금지의 원칙: 사이버 공간에서 다른 사람과 사회에 해악(사이버 폭력, 피싱, 파밍, 해킹, 바이러스 유포 등)을 끼치지 않아야 한다.

19
정답_②

바람직한 애국심을 실천하는 자세

- 애국심 : 자신이 속한 국가를 사랑하고, 국가 발전을 위해 헌신하려는 마음
- 올바른 애국심 : 인류의 보편적 가치에 따라 옳고 그름에 대한 분별력을 가지고 합리적으로 국가를 사랑하는 마음
- 잘못된 애국심 : 맹목적·배타적 애국주의(국수주의)

→ 국가가 비도덕적인 일을 해도 방관하는 자세를 가질 수 있음

20
정답_①

부패

- 의미 : 공정한 절차를 무시하고 부당한 방법으로 자신의 이익을 챙기는 행위, 뇌물이나 친분, 권력 등을 악용하여 경제적 이익이나 유리한 기회를 얻는 행위
- 부패의 유형 : 뇌물 수수, 횡령, 권력과 지위 남용, 탈세 등
- 부패의 문제점 : 타인의 권리와 공익 침해, 사회 통합과 발전 저해

21
정답_③

평화 통일을 이루기 위한 자세

- 통일에 대한 관심 : 통일은 언제든지 현실로 다가올 수 있다는 것을 인식해야 한다.
- 소통과 배려 : 통합 과정에서 발생할 수 있는 갈등에 대해 열린 마음으로 이해하고자 노력해야 한다.
- 공존의 노력 : 남북한의 차이를 인정하면서 동질성을 느낄 수 있도록 한다.
- 북한에 대한 올바른 인식 : 북한은 군사·안보적 측면에서 경계의 대상이지만, 북한 주민은 동반자이자 동포라는 점을 인식해야 한다.
- 안보에 기반을 둔 남북 간 신뢰 형성 : 북한의 위협에 대비한 안보 기반을 구축하고, 교류와 협력으로 서로에 대한 신뢰를 쌓아야 한다.
- 통일을 위한 체계적 준비 : 통일에 대한 국민적 이해와 합의를 도출하고, 남남 갈등 해결 노력 등 장기적이고 계획적인 준비가 필요하다.

22
정답_②

정의로운 국가의 역할

- 국민의 생명과 안전 보호
- 사회 질서 유지와 갈등 조절
- 국민의 최소한의 인간다운 삶 보장(복지 혜택 제공)

23
정답_①

과학 기술의 문제점

- 과학 기술의 긍정적 영향 : 물질적 풍요와 편리, 건강 증진과 수명 연장, 사람들 사이의 교류 확대, 지식과 문화의 확산 등
- 과학 기술의 문제점 : 과학 기술에 지나친 의존·종속, 인권 및 사생활 침해, 디지털 범죄 발생, 환경 파괴 가속화, 생명의 존엄성 훼손, 인류의 평화 위협

24
정답_③

도덕 추론의 과정(사실 판단)

- 도덕적 추론 : 도덕 원리와 사실 판단을 이유나 근거로 들어 도덕 판단을 내리는 과정
- 도덕 원리(대전제) : 도덕 판단 중에서 모든 사람 혹은 어떤 행위 전체에 대해 평가하거나 판단하는 것을 일반적인 도덕 판단 예 법을 어기는 행위는 옳지 않다. (A는 B이다.)
- 사실 판단(소전제) : 있는 그대로 객관적 사실을 말하는 것으로 참과 거짓을 객관적으로 구분할 수 있는 판단 예 무임승차는 법을 어기는 행위이다. (C는 A이다.)
- 도덕 판단(결론) : 가치 판단 중 어떤 사람의 인격이나 행위에 관해 도덕적 관점에서 판단을 내리는 것 예 무임승차는 옳지 않다. (C는 B이다.)

25
정답_②

환경친화적 소비

- 의미 : 환경을 고려하고 자연과 더불어 살아가는 삶을 중시하는 소비 생활 예 윤리적 소비 등
- 윤리적 소비자의 제품 구매 기준 : 환경(기후 변화, 오염과 독성, 식품 첨가물, 환경 보존), 동물(동물 실험, 공장형 사육, 동물 권리), 사람(인권, 노동자 권리, 아동 학대·착취, 무책임한 판매), 지속 가능성(유기농 제품, 공정 무역, 에너지 효율)
- 실천 생활 : 3R 운동 실현(자원의 소비 줄이기, 재사용, 재활용), 먹을 만큼만 주문하기, 친환경 마크 제품 구매하기, 일회용 컵 대신 개인 컵 사용하기, 물품 구매시 장바구니 이용하기 등

▶2023년 1회◀

01	①	06	③	11	①	16	②	21	③
02	②	07	①	12	③	17	④	22	②
03	①	08	④	13	③	18	②	23	②
04	③	09	③	14	①	19	①	24	④
05	④	10	③	15	④	20	②	25	④

01 정답_①
도덕
- 의미 : 사람으로서 마땅히 지켜야 할 도리, 양심을 바탕으로 옳고 그름을 판단하는 자율적 규범
- 특징 : 옳고 그름의 판단 기준을 제공하고, 옳은 일을 자발적으로 실천하도록 함

02 정답_②
세대 간 대화와 소통의 자세
- 상호 존중과 배려 : 서로를 하나의 인격체로 존중하고, 배려하는 마음을 지녀야 함
- 올바른 대화 : 세대 차이를 인정하고 서로의 감정이나 생각을 표현함
- 경청과 공감 : 상대방의 말을 귀담아 듣고 진지하게 받아들임
- 역지사지의 자세가 기본이 되어야 함

03 정답_①
세계화
- 의미 : 여러 나라가 정치, 경제, 문화 등 다양한 분야에서 활발하게 교류하면서 하나의 지구촌으로 통합되어 가는 현상
- 배경 : 정보 통신 기술과 매체의 보급, 교통 및 수송 수단의 발달 등

04 정답_③
도덕 원리 검사 방법(역할 교환 검사)
- 보편화 결과 검사 : 어떤 도덕 원리를 모든 사람이 채택할 때 일어날 수 있는 결과를 받아들일 수 있는지 검토하는 방법
- 포섭 검사 : 제시한 도덕 원리보다 상위의 원리를 내세워 정당화하는 것

- 역할 교환 검사 : 처지를 바꾸어서 도덕 원리를 적용해 보는 방법
- 반증 사례 검사 : 상대방의 도덕 원리에 반대되는 사례를 제시함으로써 도덕 판단의 근거로 제시한 원리에 반박하는 방법

05 정답_④
과학 기술의 영향
- 긍정적 영향 : 물질적 풍요와 편리, 건강 증진과 수명 연장(의료 기술과 신약 발달), 사람들 사이의 교류 확대(정보 통신 기술 활용), 지식과 문화의 확산(대량 인쇄술과 각종 매체의 발달)
- 부정적 영향 : 과학 기술에 종속(과학 기술에 대한 지나친 의존 → 인간 소외, 주체성 상실), 인권 및 사생활 침해(개인 정보 유출 및 감시와 통제), 환경 파괴 가속화, 생명의 존엄성 훼손(유전자 조작·복제), 인류의 평화 위협(대량 살상 무기 개발, 핵무기 개발)

06 정답_③
인간 존엄성
- 의미 : 인간은 누구나 인간이라는 이유만으로 존중받아야 하며, 절대적 가치를 지닌 존재
- 동서양의 인간 존중 사상 : 불교의 자비와 생명 존중, 공자의 인(仁)과 서(恕), 동학의 인내천 사상, 예수의 사랑, 프랑스 시민 혁명 정신 등

07 정답_①
부패 방지를 위한 노력
- 청렴 의식 함양
- 부패 근절을 위한 사회 분위기 조성 : 금품이나 향응을 이용한 청탁 금지, 부패에 대한 신고 정신 함양
- 부패 방지 제도와 정책 마련 : 부패에 대한 처벌 규정 강화와 엄격한 법 적용, 반부패 청렴 교육 시행, 시민 단체의 활발한 부패 감시 활동, 내부 공익 신고자 보호 제도 정착 등
- 국제적 협력 : 부패 척결을 위한 국제적 협력 지원(국제 투명성 기구), 세계 반부패의 날 지정(국제 연합)

08 정답_④
정보화 사회

각종 정보 통신 기술의 발달로 다양한 정보를 생산하고 전달하는 일이 생활의 중심이 된 사회를 의미한다.

09 정답_③
진정한 친구
- 진정한 친구의 모습 : 좋을 때는 물론 어려울 때 곁에 있어 주는 사람
- 조건 : 믿음, 존중과 배려, 비판과 충고, 선의의 경쟁과 협력 등

10 정답_③
이웃 간의 도덕적 자세
- 자세 : 양보와 타협, 관심과 배려, 공동생활 규칙 준수 등
- 필요한 배려 : 층간 소음 줄이기, 늦은 시간에 큰 소리 내지 않기, 주차 질서 지키기, 이웃의 사생활 간섭하지 않기, 이웃 간에 인사하기 등

11 정답_①
폭력이 비도덕적인 이유
- 타인에 대한 피해 : 다른 사람에게 신체적 고통을 줄 뿐만 아니라 심리적 불안과 두려움 등 정신적 충격을 주게 됨
- 인간 존엄성 훼손 : 폭력은 인간의 생명을 위협하고 개인의 신체 및 정신을 손상하고 개인의 행복한 삶을 파괴함
- 사회 정의 파괴 : 옳고 그름의 기준이 무너지고, 과정과 절차가 무시되며, 약육강식의 논리가 확산되어 사회적 혼란을 일으킴

12 정답_③
평화적 갈등 해결 방법
- 협상 : 갈등 당사자들이 직접 대화를 통해 합의에 이르는 방법, 당사자 간의 의견 차이는 양보와 타협을 통해 합의함으로써 해결함
- 조정 : 갈등 당사자들이 스스로 해결책을 찾을 수 있도록 제3자(조정자)가 의사소통을 돕는 방법, 조정자는 최종적인 결정을 내리지 않으며, 해결 방법을 찾도록 도와주는 역할만 함(강제성 ×)

- 중재 : 갈등 당사자들의 주장을 듣고 제3자(중재자)가 해결책을 제시하는 방법, 갈등 당사자가 중재자의 개입을 인정하고 중재를 요청할 때 시작됨, 중재자가 제시하는 해결책을 당사자들이 따라야 함(강제성 ○)

13 정답_③
정의로운 사회
- 정의로운 사회 : 공정한 사회 규칙이나 제도를 마련하여 사회 구성원을 차별 없이 대우하는 사회
- 정의로운 사회를 추구하는 이유 : 기본적 권리 보장, 공정한 분배, 도덕적 공동체 건설

14 정답_①
가족 간의 도리(효도)
- 효도 : 자녀가 부모의 은혜에 보답하는 것, 정성을 대해 부모를 공경하는 것
- 자애 : 부모의 자녀에 대한 헌신적인 사랑, 잘못에 대해 엄하게 꾸짖기도 함
- 우애 : 형제자매 간의 도리, 형은 아우를 사랑하고 아우는 형을 공경하는 것
- 책임과 존중 : 부부간에 서로 존중하고 자신에게 주어진 책임을 다하는 것

15 정답_④
생명 존중
- 삶이 소중한 이유 : 일회성(누구나 한 번밖에 살 수 없음), 유한성(누구나 죽을 수밖에 없음), 절대성(다른 무엇으로 대체할 수 없고, 생명 그 자체로 소중한 가치를 지님), 사회적 관계(나와 관계를 맺고 있는 모든 사람에게 큰 의미를 지님)
- 생명 존중 실천 방법 : 길거리의 꽃을 함부로 꺾지 않는다, 타인의 생명을 하찮게 여기는 말을 하지 않는다, 자신을 사랑하고 자신의 몸을 다치지 않도록 조심한다 등

16 정답_②
공정한 경쟁이 필요한 이유
- 경쟁 : 같은 목적을 놓고 서로 이기거나 앞서려고 겨루는 것
- 경쟁의 장점 : 개인이나 집단의 의욕 자극, 사회에 활력을 주고 국가 경쟁력 향상시킴

• 공정한 경쟁의 필요성 : 개인의 행복과 사회 발전이 공존하는 정의로운 사회 실현

17 정답_④

생태 중심주의 자연관

• 자연은 본래적 가치를 지닌다는 견해
• 인간은 자연의 일부, 자연은 인간의 이익과 상관없이 그 자체로 가치를 지님, 자연도 인간과 동등하며 우리가 존중하고 보호해야 함, 지구 생태계의 조화를 유지하도록 노력해야 함

18 정답_②

통일 한국의 바람직한 모습

• 자유로운 민주 국가 : 인간 존엄성 보장, 민주주의 원리와 절차 준수
• 정의로운 복지 국가 : 경제 발전을 바탕으로 혜택이 골고루 돌아감
• 수준 높은 문화 국가 : 민족 문화를 개방적·진취적으로 발전시킴

19 정답_①

환경 친화적 소비

• 의미 : 환경을 고려하고 자연과 더불어 살아가는 삶을 중시하는 소비 생활 예 윤리적 소비 등
• 윤리적 소비자의 제품 구매 기준 : 환경(기후 변화, 오염과 독성, 식품 첨가물, 환경 보존), 동물(동물 실험, 공장형 사육, 동물 권리), 사람(인권, 노동자 권리, 아동 학대·착취, 무책임한 판매), 지속 가능성(유기농 제품, 공정 무역, 에너지 효율)
• 실천 생활 : 3R 운동 실현(자원의 소비 줄이기, 재사용, 재활용), 먹을 만큼만 주문하기, 친환경 마크 제품 구매하기, 일회용 컵 대신 개인 컵 사용하기 등

20 정답_②

자유

• 의미 : 구속으로부터 벗어나 자신의 생각과 의지대로 살아갈 수 있는 권리
• 사례 : 직업 선택의 자유, 종교의 자유 등

21 정답_③

양심

• 의미 : 도덕적으로 옳고 그름, 선과 악을 구별해 주는 마음의 작용
• 역할 : 잘못된 행동을 거부하고, 도덕적 행동을 하도록 안내해 줌

22 정답_②

삶의 목적을 설정해야 하는 이유

• 삶의 방향 제시 : 올바른 삶의 방향을 제시해 주고, 의미 있는 삶을 추구하게 함
• 삶의 버팀목 : 어려움을 극복하는 원동력이 됨

23 정답_②

다문화 사회

• 의미 : 인종, 언어, 문화 등이 서로 다른 사람들이 함께 어울려 살아가는 사회
• 긍정적 역할 : 결혼 이주자 증가(저출산 해소 기여), 외국인 노동자 유입(노동력 부족 해소), 다른 문화의 관점에서 우리 문화 성찰, 개방성과 다양성 고취
• 도덕적 문제 : 문화적 차이에 대한 편견이 차별로 이어질 수 있음, 타 문화에 대한 지식 부족으로 인한 오해와 소통의 어려움

24 정답_④

도덕적 신념

• 의미 : 도덕적으로 옳다고 여기는 생각에 대한 확고한 믿음과 그것을 실천하려는 강한 의지
• 역할 : 우리의 삶을 도덕적으로 바람직한 방향으로 이끌어 줌
• 조건 : 보편성(보편적인 도덕 원리에 맞는 신념-생명 존중, 자유, 평등, 정의 등), 이타성(다른 사람과 사회에 도움을 줄 수 있는 신념), 지속성(꾸준하고 지속적으로 실천하는 신념)

25 정답_④

희망

• 의미 : 현재보다 더 나은 미래를 바라고 믿는 마음, 뜻하는 일이 잘 이루어질 것이라는 긍정적인 생각
• 중요성 : 희망을 통해 절망적 상황을 극복함

▶2022년 2회◀

01	②	06	①	11	①	16	③	21	④
02	③	07	④	12	④	17	①	22	②
03	②	08	③	13	④	18	③	23	①
04	①	09	①	14	③	19	②	24	④
05	②	10	①	15	②	20	③	25	①

01
정답_②

인간의 특성

• 도덕적 존재 : 스스로 옳은 것을 선택할 수 있고, 반성할 수 있는 존재
• 도구적 존재 : 불리한 신체적 조건을 극복하기 위해 도구를 만드는 존재
• 이성적 존재 : 생각하는 능력, 즉 이성을 지닌 존재
• 사회적 존재 : 다른 사람과 더불어 살아가는 존재
• 문화적 존재 : 언어, 지식, 기술 등을 통해 문화를 창조하고 계승하는 존재

02
정답_③

도덕 원리 검사

• 보편화 결과 검사 : 어떤 도덕 원리를 모든 사람이 채택할 때 일어날 수 있는 결과를 받아들일 수 있는지 검토하는 방법
• 포섭 검사 : 제시한 도덕 원리보다 상위의 원리를 내세워 정당화하는 것
• 역할 교환 검사 : 처지를 바꾸어서 도덕 원리를 적용해 보는 방법
• 반증 사례 검사 : 상대방의 도덕 원리에 반대되는 사례를 제시함으로써 도덕 판단의 근거로 제시한 원리에 반박하는 방법

03
정답_②

도덕 추론 과정(도덕 판단)

• 도덕적 추론 : 도덕 원리와 사실 판단을 이유나 근거로 들어 도덕 판단을 내리는 과정
• 도덕 원리(대전제) : 도덕 판단 중에서 모든 사람 또는 어떤 행위 전체에 대해 평가하여 내리는 일반적인 도덕 판단

예 법을 어기는 행위는 옳지 않다(A는 B이다.).
• 사실 판단(소전제) : 있는 그대로 객관적 사실을 말하는 것으로, 참과 거짓을 객관적으로 구분할 수 있는 판단
예 무임승차는 법을 어기는 행위이다(C는 A이다.).
• 도덕 판단(결론) : 가치 판단 중 어떤 사람의 인격이나 행위에 관해 도덕적 관점에서 내리는 판단
예 무임승차는 옳지 않다(C는 B이다.).

04
정답_①

도덕적 신념

• 도덕적 신념 : 도덕적으로 옳다고 여기는 생각에 대한 확고한 믿음과 그것을 실천하려는 강한 의지
• 도덕적 신념의 조건 : 보편성(보편적인 도덕 원리에 맞는 신념 예 생명 존중, 자유, 평등, 정의 등), 이타성(다른 사람과 사회에 도움을 줄 수 있는 신념), 지속성(꾸준하고 지속적으로 실천하는 신념)
• 평화 : 폭력이나 전쟁이 없는 상태, 고통이나 갈등이 없는 안정된 마음의 상태

05
정답_②

행복한 삶을 위해 필요한 것

• 좋은 습관 : 좋은 습관은 좋은 성품을 만들고, 좋은 성품은 행복을 위한 조건임
• 정서적 건강 : 자신의 감정을 조절하면서 긍정적이고 파괴적이지 않은 감정 상태를 유지하는 것
• 사회적 건강 : 타인의 입장을 이해하면서 원만한 대인 관계를 유지하는 것

06
정답_①

세계 시민으로서 할 수 있는 도덕적 실천

• 세계 시민 : 지구 공동체의 다양한 도덕 문제에 관심을 두고, 그 문제를 해결하기 위해 적극적으로 행동하는 사람
• 세계 시민으로서의 삶 : 인류의 보편적 가치 추구, 세계 시민 역할을 다하면서도 한국인의 정체성을 잃지 않도록 노력해야 함

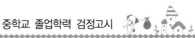

07

정답_④

가정 윤리

- 우애 : 형제자매 간의 도리, 형은 아우를 사랑하고 아우는 형을 공경하는 것
- 자애 : 부모의 자녀에 대한 헌신적인 사랑, 잘못에 대해 엄하게 꾸짖기도 함
- 효 : 자녀가 부모의 은혜에 보답하는 것, 정성을 다해 부모를 공경하는 것
- 책임과 존중 : 부부간에 서로 존중하고 자신에게 주어진 책임을 다하는 것
- 충분한 대화, 기본적 예의 존중, 서로 관심가지며 배려함

08

정답_③

배려

- 의미 : 다른 사람을 도와주거나 보살펴 주려고 마음을 쓰는 것
- 필요성 : 도덕적 성숙, 바람직한 공동체 형성

09

정답_①

청소년기의 올바른 이성 교제 태도

- 차이를 인정하고 존중 : 남녀의 차이를 이해하고 존중하며 배려하는 자세
- 서로 성장하는 관계 : 서로의 삶에 충실하고 도움이 되도록 노력하는 자세
- 절제와 책임감 : 무책임한 행동을 하지 말고 절제하는 자세
- 기본 예절 준수 : 단정한 옷차림, 고운 말 사용, 공개된 장소에서 만남 등

10

정답_④

인권의 필요성

- 인권 : 인간이라면 누구나 가지는 기본적인 권리, 누구나 인간으로서 인간의 존엄성을 누리기 위해 마땅히 보장받아야 할 권리
- 인권의 소중함 : 인간 존엄성의 실현을 위한 최소한의 기준, 인권 보장은 개인의 행복과 사회의 안정을 위한 필수적인 가치

11

정답_①

이웃 윤리

- 이웃 간 다양한 갈등 : 충간 소음 문제, 주차 공간 문제, 반려동물 문제 등
- 이웃 간 갈등 발생 원인 : 배려 부족, 친밀감 부족, 개인주의적 생활 방식, 집단(지역) 이기주의 등
- 갈등 해결을 위한 자세 : 양보와 타협, 관심과 배려, 공동생활 규칙 준수

12

정답_④

바람직한 시민이 갖추어야 할 자질

- 책임의식 : 자기 일에 대한 사명감을 가지고 맡은 바 책임을 다해야 함
- 연대의식 : 구성원들이 서로 연결되어 있다고 믿고, 더 나은 공동체를 만들기 위해 노력해야 함
- 준법정신 : 법을 지키는 일
- 애국심 : 자신이 속한 국가를 사랑하고, 국가 발전을 위해 헌신하려는 마음

13

정답_④

다문화 사회에 필요한 자세

- 문화적 편견을 극복하고, 문화 상대주의를 지향한다.
- 다문화에 대한 서로 다름과 차이를 인정해 관용을 실천한다.
- 인권과 평화를 위해 책임 있는 행동을 지향한다.

14

정답_③

정보화 시대의 도덕적 자세

- 인간 존중의 원칙 : 사이버 공간에서 타인의 인격과 사생활, 다른 사람의 저작물을 존중해야 한다.
- 책임의 원칙 : 사이버 공간에서 정보를 자유롭게 제작·유통할 때 자신의 행동이 가져올 결과를 신중히 생각하고 책임 있게 행동해야 한다.
- 정의의 원칙 : 사이버 공간에서 규칙과 법을 준수하고, 정보화 혜택의 차별 없는 분배가 이루어져야 한다.
- 해악 금지의 원칙 : 사이버 공간에서 다른 사람과 사회에 해악(사이버 폭력, 피싱, 파밍, 해킹, 바이러스 유포 등)을 끼치지 않아야 한다.

15 정답_②
갈등의 원인

• 갈등 : 개인이나 집단 간의 목표나 정서, 이해관계가 달라 서로 대립하거나 충돌하는 상태
• 갈등의 원인 : 이해관계의 충돌, 가치관의 차이, 잘못된 의사소통, 문화의 차이 등
• 갈등의 문제점 : 인간관계 단절, 상호 불신, 사회 분열 등의 요인이 되기도 함

16 정답_③
간디

인도의 민족 운동 지도자로, 식민지 지배에 굴하지 않고 비폭력 불복종 운동을 실천하여 독립에 기여하였다. 간디가 알려 주는 평화적 갈등 해결 방법으로는 "갈등을 정확하게 파악하라, 나와 갈등하는 '사람'이 아니라 갈등을 일으키는 '문제'에 집중하라, 서로의 '차이'가 아닌 '공동 관심'을 찾아라, 수동적으로 듣기보다는 적극적으로 귀를 기울여라, 용서의 기술은 높이고, 복수하고 싶은 충동은 버려라 등"이다.

17 정답_①
학교 폭력에 대처하는 방법

• 명확한 의사 표현 : 폭력을 당하는 상황에서 자신의 의사를 명확하게 표현해야 함
• 폭력 상황에서 벗어나기 : 폭력이 발생할 수 있는 상황에서 맞서 싸우지 말고 일단 그 자리를 피해 서로 이성적으로 판단할 기회를 가짐
• 주변에 도움 요청하기 : 부모님이나 선생님, 상담 기관, 경찰 등에 도움을 요청함
• 폭력 피해자 도와주기 : 폭력을 당하는 피해자의 어려움에 공감하고 도와주는 방어자가 되어야 함
• 법·제도·외부 기관 활용 : 평소에 경찰, 병원, 법률 기관, 상담 센터와 같은 외부 기관 활용 → 폭력 상담이나 폭력 신고 방법, 도움을 받을 수 있는 전화번호 등을 알아 두어 위기 상황에 슬기롭게 대처할 수 있도록 해야 함

18 정답_③
정의로운 국가의 역할

• 국민의 생명과 안전 보호
• 사회 질서 유지와 갈등 조절
• 국민의 인간다운 삶 보장(복지 혜택 제공)

19 정답_②
물질적 가치(재물)

• 의미 : 일상생활에서 필요와 욕구를 채워 주는 물질과 물건 등에서 얻는 가치
• 사례 : 돈, 의복, 음식, 주택, 스마트폰 등
  ①, ③, ④ 정신적 가치 : 인간의 정신적 활동에서 만족을 얻을 수 있는 가치 예 사랑, 지혜, 봉사, 행복, 우정, 평화 등

20 정답_③
부패가 발생하는 원인

• 부패 : 공정한 절차를 무시하고 부당한 방법으로 자신의 이익을 챙기는 행위, 뇌물이나 친분, 권력 등을 악용하여 경제적 이익이나 유리한 기회를 얻는 행위
• 부패의 유형 : 뇌물 수수, 횡령, 권력과 지위 남용, 탈세 등
• 부패의 문제점 : 타인의 권리와 공익 침해, 사회 통합과 발전 저해

21 정답_④
통일의 필요성

• 이산가족 고통 해소 등 인도주의적 차원에서 필요하다.
• 민족의 경제적 발전과 번영을 위해 필요하다.
• 전쟁의 공포에서 벗어나 평화를 정착시키기 위해 필요하다.
• 민족의 전통문화와 역사를 계승하고 동질성을 회복하기 위해 필요하다.
• 한반도와 동북아시아, 세계 평화를 실현하기 위해 필요하다.

22 정답_②
인간 중심주의 자연관

• 자연은 도구적 가치를 지닌다는 견해
• 인간은 자연의 주인이고, 자연은 인간의 필요를 충족

하기 위한 수단임
• 인간의 행복을 위해 자연은 얼마든지 이용할 수 있고, 자연은 인간에게 이익과 혜택을 줄 때만 가치를 지님
ㄴ, ㄹ은 생태 중심주의 자연관이다.

23 정답_①

환경친화적 삶을 위한 실천 태도
• 개인 : 3R 운동 실천 → 자원의 소비 줄이기(절약), 재사용·재활용하기
• 기업 : 생산, 유통, 판매의 전 과정에서 환경을 고려함
• 국가 : 친환경 기술 및 정책 개발 장려, 국민의 올바른 환경 의식 교육
• 국제 사회 : 인류와 생태계의 건강을 위한 국제 협약의 지속적 이행

24 정답_④

과학 기술의 발달이 가져다 준 혜택
• 과학 기술의 긍정적 영향 : 물질적 풍요와 편리, 건강 증진과 수명 연장, 사람들 사이의 교류 확대, 지식과 문화의 확산 등
• 과학 기술의 문제점 : 과학 기술에 지나친 의존·종속, 인권 및 사생활 침해, 환경 파괴 가속화, 생명의 존엄성 훼손, 인류의 평화 위협

25 정답_①

도덕적인 삶을 위한 노력
• 현재의 삶에 충실하기
• 주체적인 삶의 자세
• 바람직한 가치 추구
• 목표를 이루기 위한 도전
• 도덕적 성찰과 바른 인성 함양
• 공동체에 대한 관심과 나눔의 실천

▶2022년 1회◀

01	④	06	③	11	③	16	①	21	④
02	①	07	②	12	③	17	②	22	②
03	④	08	④	13	①	18	②	23	②
04	④	09	①	14	④	19	①	24	①
05	③	10	②	15	③	20	③	25	③

01 정답_④

소크라테스
• 고대 그리스의 사상가
• "너 자신을 알라.", "성찰하지 않는 삶은 살 가치가 없다." → 자기 성찰, 반성적으로 검토하는 삶의 중요성 강조
• 윤리적 성찰 : 생활 속에서 자기가 가지는 마음, 하는 일이나 행동, 발생한 문제에 대해 윤리적 관점에서 깊게 생각하고 살피는 태도

02 정답_①

정신적 가치
• 의미 : 인간의 정신적 활동에서 만족을 얻을 수 있는 가치 예 사랑, 지혜, 봉사, 행복, 우정 등
• 추구 내용 : 지적 가치(진(眞)-참된 것, 학문), 도덕적 가치(선(善) - 착한 것, 도덕, 윤리), 미적 가치(미(美) - 아름다움, 예술, 문화), 종교적 가치(성(聖) - 거룩함, 종교)

03 정답_④

도덕적으로 살아야 하는 이유
• 도덕적인 의무 : 양심의 명령에 따라 행동하는 것은 당연한 의무임 → 칸트의 도덕 법칙
• 모두의 이익 증진 : 개인의 도덕적 행동은 사회 전체의 이익과 연결됨
• 행복한 삶 : 도덕적 삶을 통해 자신과 타인에게 행복을 줌

04 정답_④

도덕적 민감성
• 의미 : 어떤 상황을 도덕적 문제로 민감하게 느끼고 도덕적으로 반응할 수 있는 마음 상태

- 도덕적 상상력을 발휘하기 위한 요소 : 도덕적 민감성, 공감, 결과 예측 능력
- 도덕적 상상력 : 도덕적 문제 상황에서 자신의 행동이 나와 다른 사람에게 어떤 영향을 미칠지 상상해 볼 수 있는 능력 → 도덕적 갈등 상황을 구체적으로 바라보게 하여 도덕적 행동을 하게 함

05　　　　　　　　　　　　　　정답_③
참된 우정이 필요한 이유
- 정서적 안정 : 친구와 기쁨, 슬픔 등을 나누는 과정에서 정서적 안정을 얻음
- 사회성 함양 : 공동체 구성원으로 살아가는 방법을 배우며 사회적 존재로 성장
- 성숙한 인격 형성 : 자아 정체성 확립과 올바른 가치관 형성 → 인격 성장을 도움

06　　　　　　　　　　　　　　정답_③
가족 간의 도리
- 우애 : 형제자매 간의 도리, 형은 아우를 사랑하고 아우는 형을 공경하는 것
- 자애 : 부모의 자녀에 대한 헌신적인 사랑, 잘못에 대해 엄하게 꾸짖기도 함
- 효 : 자녀가 부모의 은혜에 보답하는 것, 정성을 다해 부모를 공경하는 것
- 책임과 존중 : 부부간에 서로 존중하고 자신에게 주어진 책임을 다하는 것

07　　　　　　　　　　　　　　정답_②
성에 대한 바림직한 관점
- 성의 인격적 가치를 소중히 여김
- 성에 대한 균형 잡힌 시각을 가져야 함
- 성을 건강하게 받아들이고 건전하게 인식하는 것이 중요함
- 상대방을 존중하고 자기 행동의 결과에 책임을 질 수 있어야 함

08　　　　　　　　　　　　　　정답_④
행복한 삶(습관)
- 의미 : 오랫동안 반복하는 과정에서 몸에 익은 행동 방식

- 올바른 습관을 형성하게 되면 올바른 성품을 만들어 자신의 인격을 향상할 수 있음. 올바른 성품은 행복을 위한 조건임

09　　　　　　　　　　　　　　정답_①
이웃 간의 자세
- 배려 : 다른 사람을 도와주거나 보살펴 주려고 마음을 쓰는 것
- 이웃 간 다양한 갈등 : 층간 소음 문제, 주차 공간 문제, 반려동물 문제 등
- 이웃 간 갈등 발생원인 : 배려 부족, 친밀감 부족, 개인주의적 생활 방식, 집단(지역) 이기주의 등
- 갈등 해결을 위한 자세 : 양보와 타협, 관심과 배려, 공동생활 규칙 준수

10　　　　　　　　　　　　　　정답_②
사이버 공간의 특성
- 익명성 : 자신의 신분이 누구인지 드러나지 않고 활동할 수 있음
- 다양성 : 다양하고 풍부한 정보가 존재하여 시간과 비용을 줄일 수 있음
- 자율성 : 자신의 흥미와 관심사에 따라 스스로 참여하고 활동할 수 있음
- 개방성 : 누구에게나 열려 있는 공간으로, 다양한 사람과 의사소통이 가능함

11　　　　　　　　　　　　　　정답_③
정보화 시대의 도덕 문제
- 사이버 폭력 : 상대방이 원하지 않는 언어, 사진 등을 사용하여 상대방에게 정신적 피해를 주는 행위(언어 폭력, 악성댓글, 따돌림, 명예 훼손, 스토킹, 성폭력 등)
- 지식 재산권(저작권) 침해 : 산업, 과학, 문학, 예술, 디자인 등의 창작물을 창작자의 허락을 받지 않고 이용하는 행위
- 개인 정보 유출 : 다른 사람의 개인 정보를 수집·이용·제공하는 행위 → 사생활 침해
- 기타 : 인터넷 게임 중독, 인터넷 금전 거래 사기, 해킹, 바이러스 유포, 불법 사이트 개설, 한글 파괴 등

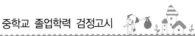

12 　　　　　　정답_③

학교 폭력에 대처하는 방법

- 명확한 의사 표현 : 폭력을 당하는 상황에서 자신의 의사를 명확하게 표현해야 함
- 폭력 상황에서 벗어나기 : 폭력이 발생할 수 있는 상황에서 맞서 싸우지 말고 일단 그 자리를 피해 서로 이성적으로 판단할 기회를 가짐
- 주변에 도움 요청하기 : 부모님이나 선생님, 상담 기관, 경찰 등에 도움을 요청함
- 폭력 피해자 도와주기 : 폭력을 당하는 피해자의 어려움에 공감하고 도와주는 방어자가 되어야 함
- 법·제도·외부 기관 활용 : 평소에 경찰, 병원, 법률 기관, 상담 센터와 같은 외부 기관 활용 → 폭력 상담이나 폭력 신고 방법, 도움을 받을 수 있는 전화번호 등을 알아 두어 위기 상황에 슬기롭게 대처할 수 있도록 해야 함

13 　　　　　　정답_①

인권

- 의미 : 인간이라면 누구나 가지는 기본적인 권리, 누구나 인간으로서 인간의 존엄성을 누리기 위해 마땅히 보장받아야 할 권리
- 특징 : 천부성(인간이라면 누구나 태어날 때부터 지니는 하늘로부터 부여받은 권리), 보편성(어느 시대 어느 장소에서나 모두 동등하게 누리는 권리), 불가침성(절대로 침해할 수 없는 권리), 항구성(절대 변하지 않는 권리)

14 　　　　　　정답_④

양성평등

- 남녀 모두의 인권을 동등하게 보장함
- 성별에 따른 차별, 편견, 비하, 폭력이 없음
- 남녀의 차이를 인정하고 다양성과 개성을 존중함

15 　　　　　　정답_③

문화를 바라보는 태도

- 문화 상대주의 : 문화 다양성을 인정하고 문화가 발생한 역사적·사회적 상황에서 그 문화를 이해하려는 태도
- 자문화 중심주의 : 자기가 속한 사회의 문화만이 가

장 우수하다고 생각하면서 다른 사회의 문화를 부정적으로 평가하는 태도
- 문화 사대주의 : 다른 문화를 더 우수한 것으로 생각하고 동경한 나머지 자기 문화를 업신여기거나 낮게 평가하는 태도

16 　　　　　　정답_①

세계 시민

- 의미 : 지구 공동체의 다양한 도덕 문제에 관심을 두고, 그 문제를 해결하기 위해 적극적으로 행동하는 사람
- 세계 시민으로서의 삶 : 인류의 보편적 가치 추구, 세계 시민의 역할을 다하면서도 한국인으로서의 정체성을 잃지 않도록 노력해야 함

17 　　　　　　정답_②

사회 정의

- 의미 : 사회를 올바르게 구성하는 공정성의 원리, 사회적으로 옳고 그름을 평가하고 판단하는 기준
- 정의로운 사회를 추구하는 이유 : 기본적 권리 보장, 공정한 분배, 도덕적 공동체 건설

18 　　　　　　정답_②

바람직한 국가의 역할

- 국민의 생명과 안전 보호
- 사회 질서 유지와 갈등 조절
- 국민의 인간다운 삶 보장(복지 혜택 제공)

19 　　　　　　정답_①

갈등 해결 방법

- 협상 : 갈등 당사자들이 직접 대화를 통해 합의에 이르는 방법, 당사자 간의 의견 차이는 양보와 타협을 통해 합의함으로써 해결함
- 조정 : 갈등 당사자들이 스스로 해결책을 찾을 수 있도록 제3자(조정자)가 의사소통을 돕는 방법, 조정자는 최종적인 결정을 내리지 않으며, 해결 방법을 찾도록 도와주는 역할만 함(강제성 ×)

• 중재 : 갈등 당사자들의 주장을 듣고 제3자(중재자)가 해결책을 제시하는 방법, 갈등 당사자가 중재자의 개입을 인정하고 중재를 요청할 때 시작되며, 중재자가 제시하는 해결책을 당사자들이 따라야 함(강제성 ○)

20   정답_③

평화 통일을 이루기 위한 자세

• 통일에 대한 관심 : 통일은 언제든지 현실로 다가올 수 있다는 것을 인식해야 함
• 소통과 배려 : 통합 과정에서 발생할 수 있는 갈등에 대해 열린 마음으로 이해하고자 노력해야 함
• 공존의 노력 : 남북한의 차이를 인정하면서 동질성을 느낄 수 있도록 함
• 북한에 대한 올바른 인식 : 북한은 군사·안보적 측면에서 경계의 대상이지만, 북한 주민은 동반자이자 동포라는 점을 인식해야 함
• 안보에 기반을 둔 남북 간 신뢰 형성 : 북한의 위협에 대비한 안보 기반을 구축하고, 교류와 협력으로 서로에 대한 신뢰를 쌓아야 함
• 통일을 위한 체계적 준비 : 통일에 대한 국민적 이해와 합의를 도출하고, 남북 갈등 해결 노력 등 장기적이고 계획적인 준비가 필요함

21   정답_④

통일의 필요성

• 이산가족 고통 해소 등 인도주의적 차원에서 필요함
• 민족의 경제적 발전과 번영을 위해 필요함
• 전쟁의 공포에서 벗어나 평화를 정착시키기 위해 필요함
• 민족의 전통문화와 역사를 계승하고 동질성을 회복하기 위해 필요함
• 한반도와 동북아시아, 세계 평화를 실현하기 위해 필요함

22   정답_②

생태 중심주의 자연관

• 자연은 본래적 가치를 지닌다는 견해
• 인간은 자연의 일부이며, 자연은 인간의 이익과 상관없이 그 자체로 가치를 지님. 자연도 인간과 동등하며 우리가 존중하고 보호해야 함. 지구 생태계의 조

화를 유지하도록 노력해야 함

23   정답_②

과학 기술을 바람직하게 활용하는 자세

• 인류의 행복 증진 : 빈곤 해소, 인류의 행복 증진에 이바지
• 인간 존엄성과 권리 존중 : 인간다움 실현, 인간소외와 비인간화 방지
• 미래 세대와 자연에 대한 책임 : 현세대뿐만 아니라 미래 세대의 요구 충족, 자연 환경 보호
• 사회의 민주화에 기여 : 사회가 민주적이고 평등하게 발전하는 데 기여

24   정답_①

도덕 추론의 과정

• 도덕적 추론 : 도덕 원리와 사실 판단을 이유나 근거로 들어 도덕 판단을 내리는 과정
• 도덕 원리(대전제) : 도덕 판단 중에서 모든 사람 혹은 어떤 행위 전체에 대해 평가하거나 판단하는 것, 일반적인 도덕 판단
  예 법을 어기는 행위는 옳지 않다(A는 B이다.).
• 사실 판단(소전제) : 있는 그대로 객관적 사실을 말하는 것으로 참과 거짓을 객관적으로 구분할 수 있는 판단
  예 무임승차는 법을 어기는 행위이다(C는 A이다.).
• 도덕 판단(결론) : 가치 판단 중 어떤 사람의 인격이나 행위에 관해 도덕적 관점에서 판단을 내리는 것
  예 무임승차는 옳지 않다(C는 B이다.).

25   정답_③

의미있는 삶(주체적인 삶)

• 현재의 삶에 충실하기
• 주체적인 삶의 자세
• 바람직한 가치 추구
• 목표를 이루기 위한 도전
• 도덕적 성찰과 바른 인성 함양
• 공동체에 대한 관심과 나눔의 실천

▶2021년 2회◀

01	①	06	③	11	①	16	③	21	③
02	③	07	④	12	②	17	④	22	④
03	①	08	②	13	②	18	④	23	①
04	③	09	①	14	③	19	②	24	④
05	④	10	②	15	④	20	④	25	①

01
정답_①

도덕 공부의 필요성
- 도덕 공부 : 사람으로서 지켜야 할 도리를 깨닫고, 이를 실천할 수 있는 능력을 배우고 익히는 것
- 도덕 공부의 필요성 : 훌륭한 인격을 형성하고, 올바른 삶의 목적을 세우며, 삶의 의미를 찾기 위해서임

02
정답_③

도덕적 민감성
- 의미 : 어떤 상황을 도덕적 문제로 민감하게 느끼고 도덕적으로 반응할 수 있는 마음 상태
- 도덕적 상상력을 발휘하기 위한 요소 : 도덕적 민감성, 공감, 결과 예측 능력
- 도덕적 상상력 : 도덕적 문제 상황에서 자신의 행동이 나와 다른 사람에게 어떤 영향을 미칠지 상상해 볼 수 있는 능력

오답풀이
① 삼단 논법 : 도덕적 추론 과정으로 도덕 원리와 사실 판단을 이유나 근거로 들어 도덕 판단을 내리는 과정
② 비판적 사고 : 도덕적 추론 과정에서 제시된 근거가 타당하고 합리적인지 검토하는 것
④ 결과 예측 능력 : 자신의 행동이 가져올 다양한 결과를 미리 생각해 보는 능력

03
정답_①

준법의 필요성
- 사회 질서를 유지하기 위해서이다.
- 개인의 자유와 권리를 보장하기 위해서이다.
- 정의로운 사회를 실현하기 위해서이다.

04
정답_③

정신적 가치(우정)
- 의미 : 인간의 정신적 활동에서 만족을 얻을 수 있는 가치 예 사랑, 지혜, 봉사, 행복, 우정 등
- 추구 내용 : 지적 가치(진(眞) – 참된 것, 학문), 도덕적 가치(선(善) – 착한 것, 도덕, 윤리), 미적 가치(미(美) – 아름다움, 예술, 문화), 종교적 가치(성(聖) – 거룩함, 종교)

오답풀이
①, ②, ④ 물질적 가치 : 일상생활에서 필요와 욕구를 채워 주는 물질과 물건 등에서 얻는 가치
예 돈, 의복, 음식, 주택, 스마트폰 등

05
정답_④

바람직한 이성 교제
- 차이를 인정하고 존중 : 남녀의 차이를 이해하고 존중하며 배려하는 자세
- 서로 성장하는 관계 : 서로의 삶에 충실하고 도움이 되도록 노력하는 자세
- 절제와 책임감 : 무책임한 행동을 하지 말고 절제하는 자세
- 기본 예절 준수 : 단정한 옷차림, 고운 말 사용, 공개된 장소에서 만남 등

06
정답_③

가족 간의 도리(우애)
- 우애 : 형제자매 간의 도리, 형은 아우를 사랑하고 아우는 형을 공경하는 것
- 자애 : 부모의 자녀에 대한 헌신적인 사랑, 잘못에 대해 엄하게 꾸짖기도 함
- 효 : 자녀가 부모의 은혜에 보답하는 것, 정성을 대해 부모를 공경하는 것
- 책임과 존중 : 부부간에 서로 존중하고 자신에게 주어진 책임을 다하는 것

07
정답_④

부패의 유형
- 부패 : 공정한 절차를 무시하고 부당한 방법으로 자신의 이익을 챙기는 행위, 뇌물이나 친분, 권력 등을 악용하여 경제적 이익이나 유리한 기회를 얻는 행위

• 부패의 유형 : 뇌물 수수, 횡령, 권력과 지위 남용, 탈세 등
• 부패의 문제점 : 타인의 권리와 공익 침해, 사회 통합과 발전 저해

08
정답_②
사랑
• 의미 : 다른 사람을 아끼고 소중히 여기는 마음, 그 대상과 각별한 사이가 되어 서로의 성장을 돕는 마음
• 종류 : 아가페(부모의 자식 사랑과 같은 헌신적인 사랑), 필리아(남녀 간의 사랑과 같은 정열적 사랑), 에로스(친구 간의 우정처럼 순수한 사랑)
• 사랑의 구성 요소 : 친밀감, 열정, 책임감(헌신)

오답풀이

① 욕구 : 무엇을 원하거나 무슨 일을 하고자 바라는 것
③ 양심 : 도덕적으로 옳고 그름, 선과 악을 구별해 주는 마음의 작용
④ 편견 : 공정하지 못하고 한쪽으로 치우친 생각

09
정답_①
의미 있는 삶을 위한 자세
• 현재의 삶에 충실하기 : 현재를 소중히 여기고 지금 해야 할 일에 최선을 다함
• 목표를 이루기 위한 도전 : 삶의 목표와 꿈을 실현하고자 꾸준히 노력함
• 공동체에 관한 관심과 나눔의 실천 : 배려와 나눔의 실천을 통해 보람을 느낌
• 도덕적 성찰과 바른 인성 함양 : 훌륭한 인격을 갖추기 위해 노력할 때 삶이 더 의미 있고 가치 있음

10
정답_②
이웃 간 갈등 해결을 위한 자세(배려)
• 배려 : 다른 사람을 도와주거나 보살펴 주려고 마음을 쓰는 것
• 이웃 간 다양한 갈등 : 층간 소음 문제, 주차 공간 문제, 반려동물 문제 등
• 이웃 간 갈등 발생 원인 : 배려 부족, 친밀감 부족, 개인주의적 생활 방식, 집단(지역) 이기주의 등
• 갈등 해결을 위한 자세 : 양보와 타협, 관심과 배려, 공동생활 규칙 준수

11
정답_①
인권
• 의미 : 인간이라면 누구나 가지는 기본적인 권리, 누구나 인간으로서 인간의 존엄성을 누리기 위해 마땅히 보장받아야 할 권리
• 특징 : 천부성(인간이라면 누구나 태어날 때부터 지니는 하늘로부터 부여받은 권리), 보편성(어느 시대 어느 장소에서나 모두 동등하게 누리는 권리), 불가침성(절대로 침해할 수 없는 권리), 항구성(절대 변하지 않는 권리)

오답풀이

② 용기 : 신념에 따라 한결같이 행동하려는 굳은 마음과 굽히지 않는 의지와 정신
③ 봉사 : 자신의 시간과 능력, 노력을 다른 사람과 나누는 것, 이웃에 대한 관심과 배려를 적극적으로 실천하는 것
④ 절제 : 정도에 넘지 아니하도록 알맞게 조절하여 제한하는 것

12
정답_②
습관
• 의미 : 오랫동안 반복하는 과정에서 몸에 익은 행동 방식
• 올바른 습관을 형성하게 되면 올바른 성품을 만들어 자신의 인격을 향상할 수 있고, 올바른 성품은 행복을 위한 조건이다.

오답풀이

① 존중 : 다른 사람의 인격이나 사상, 행동 등을 매우 중요하게 대하는 것
③ 성찰 : 생활 속에서 자기가 가지는 마음, 하는 일이나 행동, 발생한 문제에 대해 깊게 생각하고 살피는 태도
④ 평화 : 폭력이나 전쟁이 없는 상태, 고통이나 갈등이 없는 안정된 마음의 상태

13
정답_②
남북 분단의 문제점
• 분단 비용 지출 : 전쟁 불안에 대비하기 위해 막대한 돈을 국방비 등의 비용으로 지출함

- 이산가족의 아픔 : 부모 형제의 생사도 모른 채 수십 년을 떨어져 살고 있음
- 비효율적 자원 이용 : 남한의 기술과 북한의 자원을 효율적으로 활용하지 못함
- 남북 주민 간 이질화 심화
- 세계 평화에 위협

14 정답_③
인도주의란 인간의 존엄성을 최고의 가치로 여기고 인종, 민족, 국가, 종교 등의 차이를 초월하여 인류의 안녕과 복지를 꾀하는 것을 이상으로 하는 사상이나 태도를 말한다.

15 정답_④
④ 공감과 경청의 자세 : 다른 사람의 감정을 함께 느끼고 이해하는 마음, 상대방의 말을 귀담아 듣고 진지하게 받아들임

갈등의 원인
- 갈등 : 개인이나 집단 간의 목표나 정서, 이해관계가 달라 서로 대립하거나 충돌하는 상태
- 갈등의 원인 : 이해관계 충돌, 가치관의 차이, 잘못된 의사소통, 문화의 차이 등
- 갈등의 문제점 : 인간관계 단절, 상호 불신, 사회 분열 등의 요인이 되기도 함

16 정답_③
평화적 갈등 해결의 자세(역지사지)
- 상대방 존중 : 다른 사람의 생각과 가치를 존중함 → 역지사지(입장 바꿔 상대방의 처지에서 생각해 보는 것), 관용
- 이성적 사고 : 감정을 잘 조절하고 상황을 이성적으로 판단하는 태도를 가져야 함
- 양보와 타협 : 합의한 결과를 수용하고, 서로의 의견 차이를 좁혀 나가야 함

17 정답_④
문화를 바라보는 태도(자문화 중심주의)
- 자문화 중심주의 : 자기가 속한 사회의 문화만이 가장 우수하다고 생각하면서 다른 사회의 문화를 부정적으로 평가하는 태도

- 문화 사대주의 : 다른 문화를 더 우수한 것으로 생각하고 동경한 나머지 자기 문화를 업신여기거나 낮게 평가하는 태도
- 문화 상대주의 : 문화 다양성을 인정하고 문화가 발생한 역사적·사회적 상황에서 그 문화를 이해하려는 태도

18 정답_③
도덕 원리 검사(보편화 결과 검사)
- 보편화 결과 검사 : 어떤 도덕 원리를 모든 사람이 채택할 때 일어날 수 있는 결과를 받아들일 수 있는지 검토하는 방법
- 포섭 검사 : 제시한 도덕 원리보다 상위의 원리를 내세워 정당화하는 것
- 역할 교환 검사 : 처지를 바꾸어서 도덕 원리를 적용해 보는 방법
- 반증 사례 검사 : 상대방의 도덕 원리에 반대되는 사례를 제시함으로써 도덕 판단의 근거로 제시한 원리에 반박하는 방법

오답풀이

① 사실 판단 검사 : 올바른 도덕 판단을 내리기 위해서는 도덕 판단의 근거가 되는 도덕 원리와 사실 판단을 모두 검토해야 한다. 그 중 사실 판단 검사는 편견과 오류 검사, 정보의 원천 검사 등으로 이루어진다.

② 편견과 오류 검사 : 비합리적 편견이나 논리적 오류 검토(대중에 호소하는 오류, 성급한 일반화의 오류, 인신공격의 오류, 흑백 사고의 오류)

④ 정보의 원천 검사 : 사실 여부 직접 확인, 전문가의 조언이나 관련 자료 탐색

19 정답_②
폭력의 유형(언어 폭력)
- 언어 폭력 : 인격을 무시하거나 모욕하는 말로 상대방에게 정신적·심리적 피해를 주는 행위
  예 욕설, 협박, 외모를 비하하거나 공격하는 말 등
- 신체적 폭력 : 힘을 이용하여 다른 사람에게 신체적 손상이나 피해를 주는 행위

- 정서적 폭력 : 집단으로 한 사람을 따돌리거나 무시하고 위협하여 감정적 상처를 입히는 행위 예 따돌림
- 구조적 폭력 : 사회 구조, 관습, 사회 구성원들의 인식 등으로 인해 발생하는 폭력
  예 실업과 빈곤, 성차별 등

20　　　　　　　　　　　　　　　정답_④
시민 불복종
- 의미 : 정의롭지 못한 법이나 제도를 폐지하거나 바꾸기 위해 공개적이고 평화적인 방법으로 법을 위반하는 행위
- 시민 불복종의 정당화 조건 : 정당성, 공개성, 비폭력성, 최후의 수단, 처벌 감수
- 사례 : 소로의 세금 납부 거부 운동, 간디의 소금 행진, 마틴 루서 킹의 흑인 차별 철폐 운동 등

오답풀이
① 준법 : 법을 지키는 일 → 정의로운 국가를 만들기 위해 지켜야 할 도덕적 의무
② 관용 : 자기의 신조와는 다른 타인의 사상, 신조나 행동을 허용하고, 또한 자기의 사상이나 신조를 외적인 힘을 이용해서 강제하지 않는 것

21　　　　　　　　　　　　　　　정답_③
마음의 평화를 얻는 방법
- 평정심 갖기
- 욕심과 집착 버리기
- 다른 사람과 좋은 관계 맺기
- 희망을 버리지 않고 자신감 갖기

22　　　　　　　　　　　　　　　정답_④
과학 기술의 영향
- 긍정적 영향 : 물질적 풍요와 편리, 건강 증진과 수명 연장(의료 기술과 신약 발달), 사람들 사이의 교류 확대(정보 통신 기술 활용), 지식과 문화의 확산(대량 인쇄술과 각종 매체의 발달)
- 부정적 영향 : 과학 기술에 종속(과학 기술에 대한 지나친 의존 → 인간 소외, 주체성 상실), 인권 및 사생활 침해(개인 정보 유출 및 감시와 통제), 환경 파괴 가속화, 생명의 존엄성 훼손(유전자 조작·복제), 인류의 평화 위협(대량 살상 무기 개발, 핵무기 개발)

23　　　　　　　　　　　　　　　정답_①
사회적 약자를 배려하기 위한 노력
- 사회적 약자에 대한 잘못된 편견을 버려야 한다.
- 사회적 약자의 입장에서 생각해 보아야 한다.
- 사회적 약자의 고통에 공감하고 배려해야 한다.
- 사회적 약자를 제도적으로 지원해야 한다.
- 사회적 약자가 차별받지 않는 사회 분위기를 조성해야 한다.

24　　　　　　　　　　　　　　　정답_④
정보 통신 매체의 올바른 사용
- 중독 예방하기 : 스스로 절제하며 사용하기, 사용 규칙 세워 실천하기
- 예절 지키기 : 악성 댓글 달지 않기, 유언비어 퍼뜨리지 않기
- 개인 정보 보호하기 : 개인 정보·위치 정보 등을 철저히 관리하기
- 정보 선별 및 활용 능력 키우기 : 비판적 사고를 바탕으로 정보를 바르게 이해하고 표현하기

25　　　　　　　　　　　　　　　정답_①
환경 친화적 소비
- 의미 : 환경을 고려하고 자연과 더불어 살아가는 삶을 중시하는 소비 생활 예 윤리적 소비 등
- 윤리적 소비자의 제품 구매 기준 : 환경(기후 변화, 오염과 독성, 식품 첨가물, 환경 보존), 동물(동물 실험, 공장형 사육, 동물 권리), 사람(인권, 노동자 권리, 아동 학대·착취, 무책임한 판매), 지속 가능성(유기농 제품, 공정 무역, 에너지 효율)

▶2021년 1회◀

01	①	06	③	11	③	16	①	21	②
02	④	07	④	12	③	17	③	22	④
03	①	08	②	13	③	18	④	23	③
04	②	09	②	14	①	19	①	24	④
05	②	10	②	15	②	20	①	25	④

01
정답_①

인간의 본성(성선설)

맹자 : 모든 사람은 태어날 때부터 다른 사람을 불쌍히 여기고 자신의 잘못을 부끄러워하는 마음을 가지고 태어난다.

02
정답_④

비판적 사고

• 의미 : 도덕적 추론의 과정에서 어떤 사실이나 주장의 타당성, 정확성 등을 합리적으로 검토하는 사고
• 도덕 원리 검사 : 포섭 검사, 보편화 결과 검사, 역할 교환 검사, 반증 사례 검사

03
정답_①

정신적 가치

• 인간의 정신적 활동에서 만족을 얻을 수 있는 가치
  예 사랑, 지혜, 봉사, 행복, 우정 등
• 추구 내용 : 지적 가치(진(眞) – 참된 것, 학문), 도덕적 가치(선(善) – 착한 것, 도덕, 윤리), 미적 가치(미(美) – 아름다움, 예술, 문화), 종교적 가치(성(聖) – 거룩함, 종교)

오답풀이

① 물질적 가치 : 일상생활에서 필요와 욕구를 채워 주는 물질과 물건 등에서 얻는 가치
  예 돈, 의복, 음식, 주택 등

04
정답_②

자아 정체성

• 의미 : 자신의 목표, 역할, 가치관 등을 통합적으로 이해하여 내가 누구인가를 일관되게 인식하는 것
• 자아 정체성 형성의 중요성 : 청소년기는 자아 정체성을 형성하는 가장 중요한 시기 → 앞으로 살아갈 삶의 목표와 방향을 결정짓는 중요한 토대가 됨

05
정답_②

갈등 해결 방법(조정)

• 협상 : 갈등 당사자들이 직접 대화를 통해 합의에 이르는 방법
• 조정 : 갈등 당사자들이 스스로 해결책을 찾을 수 있도록 제3자(조정자)가 의사소통을 돕는 방법
• 중재 : 갈등 당사자들의 주장을 듣고 제3자인 중재자가 해결책을 제시하는 방법, 조정과 달리 강제성이 있음

06
정답_③

도덕 공부의 올바른 목적

• 도덕 공부 : 사람으로서 지켜야 할 도리를 깨닫고, 이를 실천할 수 있는 능력을 배우고 익히는 것
• 도덕 공부의 필요성 : 훌륭한 인격을 형성하고, 올바른 삶의 목적을 세우며, 삶의 의미를 찾기 위해서임

07
정답_④

아리스토텔레스의 행복

• 행복은 우리 삶에서 다른 모든 것이 추구하는 궁극적 목적
• 도덕적 행동을 꾸준히 습관화할 때 진정한 행복에 도달할 수 있음 → "한 마리의 제비가 날아왔다고 봄이 온 것은 아니며, 하루의 실천만으로 행복한 사람이 되는 것도 아니다."

08
정답_②

세대 간의 올바른 소통 방법

• 상호 존중과 배려 : 서로를 하나의 인격체로 존중하고, 배려하는 마음을 지녀야 함
• 올바른 대화 : 세대 차이를 인정하고 서로의 감정이나 생각을 표현함
• 경청과 공감 : 상대방의 말을 귀담아 듣고 진지하게 받아들임

09
정답_②

사회적 약자를 지원하기 위한 방안

장애인 차별 금지 법률 제정, 장애인 의무 고용 제도, 이주 노동자들에게 한국어 강좌 제공, 국민 기초 생활 보장 제도, 경제적으로 어려운 소외 계층을 위해 생계비 지원, 저소득층을 위한 장학금 제도, 여성 고용 할당제, 농어촌 학생 특례 입학 제도, 지방 인재 채용 목표제 등

10 정답_②
다문화 사회를 바라보는 자세
- 문화가 서로 다름을 인정하고 차이를 존중하는 관용의 자세
- 역지사지의 자세를 통한 타 문화에 대한 공감과 배려의 자세
- 문화에 대한 편견과 고정관념 없이 객관적으로 바라보는 문화 상대주의적 태도

11 정답_③
인권의 특징
- 천부성 : 인간이라면 누구나 태어날 때부터 지니는 하늘로부터 부여받은 인간의 권리
- 보편성 : 어느 시대 어느 장소에서나 모두 동등하게 누리는 권리
- 불가침성 : 절대로 침해할 수 없는 권리
- 항구성 : 절대 변하지 않는 권리

12 정답_③
진정한 사랑을 실천하는 방법
- 사랑은 상대방을 배려하고 존중하며 서로의 부족함을 채워주려는 타인 중심의 감정이다.
- 진정한 사랑은 상대방에 대한 책임감을 바탕으로 상대를 위해 헌신하고자 하는 마음을 가질 때 가능함

13 정답_③
과학 기술의 바람직한 활용 방향
- 사회의 민주화에 기여
- 빈곤 해소, 인류의 행복 증진에 이바지
- 인간 존엄성과 권리 존중 : 인간다움 실현, 인간소외와 비인간화 방지, 인간 존중을 실천하는 방향으로 개발함
- 미래 세대와 자연에 대한 책임 : 현세대뿐만 아니라 미래 세대의 요구 충족, 자연환경 보호, 미래 세대에 미칠 영향을 고려함

14 정답_①
세계화 시대에 가져야 할 자세
- 세계 시민으로서 인류의 보편적 가치 추구
- 지구 공동체 문제에 도덕적 관심과 책임감 갖기

- 외국인에 대한 개방적인 태도와 한국인으로서의 정체성을 잃지 않도록 노력해야 함

15 정답_②
정의로운 국가가 추구하는 가치
- 기본적 권리 보장 : 사회 구성원 모두의 동등한 자유와 평등을 보장하기 위해
- 공정한 분배 : 사회 구성원에게 능력이나 노력에 따라 공정한 몫을 분배하기 위해
- 도덕적 공동체 건설 : 구성원이 서로 믿고 협력하는 공동체를 만들기 위해

16 정답_①
정보화 시대의 도덕적 문제
- 사이버 폭력 : 상대방이 원하지 않는 언어, 사진 등을 사용하여 상대방에게 정신적 피해를 주는 행위(언어 폭력, 악성댓글, 따돌림, 명예 훼손, 스토킹, 성폭력 등)
- 지식 재산권 침해 : 산업, 과학, 문학, 예술, 디자인 등의 창작물을 창작자의 허락을 받지 않고 이용하는 행위
- 개인 정보 유출 : 다른 사람의 개인 정보를 수집·이용·제공하는 행위 → 사생활 침해
- 기타 : 인터넷 게임 중독, 인터넷 금전 거래 사기, 해킹, 바이러스 유포, 불법 사이트 개설, 한글 파괴 등

17 정답_③
청렴
- 의미 : 성품과 행실이 깨끗하고 맑으며 탐욕이 없는 것
- 실천 방법 : 맡은 일을 공정하게 처리하기, 청탁 금지법 준수하기, 부패에 대한 신고 정신 함양 등

18 정답_④
회복 탄력성
- 의미 : 삶 속에서 겪는 고난과 실패를 도약의 발판으로 삼아 더 높이 도전하는 마음의 힘
- 역할 : 어떤 고난과 역경이 닥치더라도 쉽게 좌절하지 않고 힘차게 일어날 수 있음
- 3요소 : 자기 조절 능력, 대인 관계 능력, 긍정성

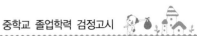

19 정답_①
생태 중심주의 자연관
- 자연은 본래적 가치를 지닌다는 견해
- 인간은 자연의 일부, 자연은 인간의 이익과 상관없이 그 자체로 가치를 지님, 자연도 인간과 동등하며 우리가 존중하고 보호해야 함, 지구 생태계의 조화를 유지하도록 노력해야 함

20 정답_①
공감
- 공감 : 다른 사람의 감정을 함께 느끼고 이해하는 것
- 평화 감수성을 기르기 위한 조건 : 폭력에 대한 민감성, 공감 능력 → 폭력 예방

21 정답_②
바람직한 시민의 자세
- 주인 의식 : 주체로서 책임감을 가지고 이끌어 가야 한다는 의식
- 책임 의식 : 자기 일에 대한 사명감을 가지고 맡은 바 책임을 다해야 함
- 연대 의식 : 구성원들이 서로 연결되어 있다고 믿고, 더 나은 공동체를 만들기 위해 노력해야 함
- 애국심 : 자신이 속한 국가를 사랑하고, 국가 발전을 위해 헌신하려는 마음

22 정답_④
평화
- 폭력이나 전쟁이 없는 상태
- 고통이나 갈등이 없는 안정된 마음의 상태

23 정답_③
북한 이탈 주민을 대하는 올바른 자세
- 편견을 갖거나 차별하지 말고, 북한 이탈 주민이 겪는 어려움에 공감하고 이를 해소하여 남한 사회에 자리 잡도록 배려함
- 북한과 북한 주민을 이해하는 데 중요한 정보와 경험을 제공해 줄 사람들로써, 통일 과정에서 일정한 역할을 할 수 있고, 통일 후 남북한 주민들의 사회 통합에 중간자와 조력자의 역할을 할 수 있음을 인정함

24 정답_④
바람직한 통일 국가를 이루기 위해 필요한 태도
- 평화를 지향하는 자세, 통일을 긍정적인 시각으로 바라보는 자세, 통일에 대해 적극적으로 관심을 갖는 자세
- 남북한의 지속적 교류와 협력, 남북한 편견 해소와 상호 존중, 안보 의식 확립, 국제 협력 강화, 통일 과정에 필요한 제도 정비, 북한 이탈 주민의 정착 지원, 통일 비용 마련 등

25 정답_④
삶을 의미 있게 살아가기 위한 노력
- 명확한 목표 설정하기
- 현재의 삶에 충실하기
- 공동체에 관한 관심과 나눔의 실천
- 도덕적 성찰과 바른 인성 함양
- 보람된 삶을 추구하기

중졸 검정고시
과목별 기출문제집

2025년 5월 07일   개정판 발행
2016년 6월 8일   초판 발행

편 저 자 검정고시 학원연합회
발 행 인 전 순 석
발 행 처 정훈사
주   소 서울특별시 중구 마른내로72 421
등   록 2-3884
전   화 737-1212
팩   스 737-4326

ISBN 978-89-6129-835-3